#수능공략
#단기간 학습

수능전략
과학탐구 영역

Chunjae
Makes
Chunjae

▼

[수능전략] 화학 I

기획총괄	김덕유
편집개발	김은숙, 이강순, 박준우, 신미란
디자인총괄	김희정
표지디자인	윤순미, 심지영
내지디자인	박희춘, 이혜미
조판	한서기획
제작	황성진, 조규영

발행일	2022년 2월 1일 초판 2022년 2월 1일 1쇄
발행인	(주)천재교육
주소	서울시 금천구 가산로9길 54
신고번호	제2001-000018호
고객센터	1577-0902
교재 내용문의	(02)3282-8739

실 전 에 강 한

수능전략

과탐영역 화학 Ⅰ

수능에 꼭 나오는
필수 유형 ZIP 1

천재교육

수능전략

과·학·탐·구·영·역

화학 I

수능에 꼭 나오는
필수 유형 ZIP 1

차례 ❶ 권

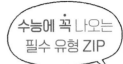

수능에 꼭 나오는
필수 유형 ZIP

01 의식주와 화학

수능 전략 Key 합성 섬유의 특징, 건축 자재의 변화, 탄소 화합물의 종류와 특징을 알아 두어야 한다.

다음은 인류 문명의 발전에 기여한 물질 (가)~(다)에 대한 설명이다. (가)~(다)는 각각 시멘트, 나일론, 플라스틱 중 하나이다.

- (가)는 매우 질기며, 가격이 저렴한 합성 섬유이다. → 나일론
- (나)는 석회석과 점토 등을 섞어서 만들며, 건축이나 토목에서 접합제로 사용된다. → 시멘트 ←
- (다)는 가공하기 쉽고, 가볍고 튼튼하여 일상생활에서 널리 사용되는 고분자 화합물이다. 플라스틱

(가)~(다)에 해당하는 물질을 모두 옳게 짝 지은 것은?

	(가)	(나)	(다)
①	나일론	플라스틱	시멘트
②	나일론	시멘트	플라스틱
③	시멘트	플라스틱	나일론
④	시멘트	나일론	플라스틱
⑤	플라스틱	시멘트	나일론

개념 꼭!

* 나일론은 매우 질긴 합성 섬유로 밧줄, 전선, 그물 등으로 이용된다.

* 시멘트는 건축이나 토목 분야에서 접합제로 사용되는 물질이다.

* 플라스틱은 고분자 탄소 화합물로 가볍고 충격에 강하며, 녹슬지 않는다.

자료 해석

* (가)는 나일론으로 질기고 ❶ [ ]이 가능하여 가격이 저렴하다.

* (나)는 시멘트로 ❷ [ ]를 만들 때 모래와 자갈 등을 결합시킨다.

* 플라스틱은 가공하기 쉽고, 가볍고 튼튼하다. **답 ❶ 대량 생산 ❷ 콘크리트**

Point 해설

(가)는 나일론, (나)는 시멘트, (다)는 플라스틱이다. **답 ②**

전략 비법 노트

● **나일론** – 합성 **섬유**, 시멘트 – 건축 분야의 접합제, 플라스틱 – 고분자 화합물

탄소 화합물

2020 6월 모평 2번 유사

수능 전략 Key   주요 탄소 화합물의 분자식과 화학식, 구조식 및 성질과 용도를 알아 두어야 한다.

그림 (가)~(다)는 각각 메테인, 에탄올, 아세트산 중 하나이다.

$$
\begin{array}{c}
\text{H} \\
| \\
\text{H}-\text{C}-\text{H} \\
| \\
\text{H} \\
\text{(가) 메테인}
\end{array}
\qquad
\begin{array}{c}
\text{H}\quad\text{O} \\
|\quad\ \ \| \\
\text{H}-\text{C}-\text{C}-\text{O}-\text{H} \\
| \\
\text{H}\quad\ \ \text{아세트산} \\
\text{(나)} \rightarrow \text{물에 녹으면} \\
\text{산성을 띤다.}
\end{array}
\qquad
\begin{array}{c}
\text{H}\quad\text{H} \\
|\quad\ \ | \\
\text{H}-\text{C}-\text{C}-\text{O}-\text{H} \\
|\quad\ \ | \\
\text{H}\quad\text{H} \\
\text{(다) 에탄올}
\end{array}
$$

이에 대한 설명으로 옳은 것만을 | 보기 | 에서 있는 대로 고른 것은?

┌ 보기 ┌

ㄱ. (나)를 물에 녹이면 염기성 수용액이 된다.

ㄴ. (다)는 의료용 소독제로 사용된다.

ㄷ. (가)와 (다) 1몰을 완전 연소시켰을 때 생성되는 H_2O의 분자 수비는 (가) : (다)=2 : 3이다.

① ㄱ   ② ㄷ   ③ ㄱ, ㄴ   ④ ㄴ, ㄷ   ⑤ ㄱ, ㄴ, ㄷ

개념 꼭!

* 메테인(CH_4)은 액화 천연가스(LNG)의 주성분이다.

* 에탄올(C_2H_5OH)은 살균 작용이 있어 ❶ ⬚ 로 사용된다.

* 아세트산(CH_3COOH)은 물에 녹아 ❷ ⬚ 을 나타내고 식초의 주성분이다.

🖪 ❶ 소독제 ❷ 산성

자료 해석

<메테인의 연소 반응식>	<에탄올의 연소 반응식>
$CH_4 + 2O_2 \longrightarrow CO_2 + 2H_2O$	$C_2H_5OH + 3O_2 \longrightarrow 2CO_2 + 3H_2O$

➜ 1몰을 완전 연소시켰을 때 생성되는 H_2O의 분자 수비는 (가) : (다)=2 : 3이다.

Point 해설

ㄱ. (나) 아세트산 수용액은 산성을 띤다.

ⓛ (다) 에탄올은 의료용 소독제로 사용된다.

ⓒ 1몰 연소 시 생성되는 H_2O의 분자 수비는 (가) : (다)=2 : 3이다.   🖪 ④

전략 비법 노트

● 연소 시 생성되는 H_2O 분자 수비 = 분자 전체에 포함된 수소(H)의 원자 수비

몰(mole)과 입자 수, 질량과 부피의 관계는 화학의 핵심 개념이며 출제 유형도 큰 변화가 없으므로 개념을 이해하고 기출 문제를 통해 충분히 연습해 두어야 한다.

표는 $AB_3(g)$에 대한 자료이다. AB_3의 분자량은 M이다.

질량	부피	a g에 들어 있는 전체 원자 수
a g $= \dfrac{a}{M}$ mol	b L	N

$AB_3(g)$에 대한 설명으로 옳은 것만을 |보기|에서 있는 대로 고른 것은? (단, A와 B는 임의의 원소 기호이며, 온도와 압력은 일정하다.)

┌ 보기 ┐

ㄱ. 1 g에 들어 있는 A 원자 수는 $\dfrac{N}{4}$이다.

ㄴ. 1몰의 부피는 $\dfrac{Ma}{b}$ L이다.

ㄷ. 1몰에 해당하는 분자 수는 $\dfrac{MN}{4a}$이다.

① ㄱ ② ㄴ ③ ㄱ, ㄷ ④ ㄴ, ㄷ ⑤ ㄱ, ㄴ, ㄷ

개념 꼭!

* 원자량은 질량수 12인 ^{12}C 원자의 질량을 ❶ [ ]으로 정하고, 이를 기준으로 하여 원자들의 상대적 질량을 나타낸 것이다.

* 어떤 물질 1몰의 질량은 ❷ [ ]에 g을 붙인 값과 같다.

* 아보가드로수는 물질을 이루는 입자 1몰(mole)에 해당하는 입자의 수로 6.02×10^{23}이다.

* 같은 온도와 압력에서 같은 부피의 기체 속에는 같은 수의 분자가 들어 있다.

* 1몰에 해당하는 입자 수와 화학식량: 1몰에 해당하는 입자 수는 아보가드로수 (6.02×10^{23})와 같고 물질의 종류에 관계없이 동일하다. 그러나 1몰의 질량은 물질의 화학식량에 따라 달라진다.

 – 탄소(C) 1몰: 입자 수는 6.02×10^{23}개, 질량은 12 g

 – 물(H_2O) 1몰: 입자 수는 6.02×10^{23}개, 질량은 18 g

답 ❶ 12.00 ❷ 화학식량

자료 해석

질량	부피	a g에 들어 있는 전체 원자 수
a g	b L	N
→ 분자량이 M이므로 a g은 $\dfrac{a}{M}$ 몰에 해당한다.	→ $\dfrac{a}{M}$ 몰에 해당하는 부피가 b L이므로 1몰에 해당하는 부피는 $\dfrac{Mb}{a}$ L이다.	→ a g에 들어 있는 전체 원자 수가 N, 1분자를 구성하는 원자 수는 4이므로 분자 수는 $\dfrac{N}{4}$이다.

* AB_3 분자 한 개에는 A 원자가 1개, B 원자가 3개 들어 있다. ➡ 전체 원자 수가 N개일 때 분자 수는 $\dfrac{N}{4}$개이고, A 원자 수는 ❸ ⬚ 개이다.

* AB_3의 분자량이 M이므로 1몰의 질량은 M g에 해당한다. ➡ 현재 AB_3의 질량이 a g이므로 1몰: M g$=x$몰: a g이므로 AB_3 a g에 해당하는 몰 수는 $\dfrac{a}{M}$ 몰이다.

* AB_3 $\dfrac{a}{M}$ 몰에 해당하는 부피가 b L이다. ➡ $\dfrac{a}{M}$ 몰: b L$=1$ 몰: y L이다.
  ➡ 1몰에 해당하는 부피는 $y=$ ❹ ⬚ L이다.

* AB_3 a g에 해당하는 분자 수가 $\dfrac{N}{4}$개이므로 $\dfrac{a}{M}$ 몰: $\dfrac{N}{4}$개$=1$몰: z개이다.
  ➡ 1몰에 해당하는 분자 수 $z=\dfrac{MN}{4a}$이다.   답 ❸ $\dfrac{N}{4}$ ❹ $\dfrac{Mb}{a}$

Point 해설

㉠ 1 g에 들어 있는 A 원자 수는 $\dfrac{N}{4}$이다.

ㄴ. 1 몰의 부피는 $\dfrac{Mb}{a}$ L이다.

㉢ 1 몰에 해당하는 분자 수는 $\dfrac{MN}{4a}$이다.   답 ③

전략 비법 노트

• **기체 X의 몰 수** → 기체의 종류와 관계없이 **기체 X의 입자 수, 질량, 기체의 부피에 비례**

• $H_2(g)$ n몰의 질량은 $2n$ g, n몰의 부피는 $22.4n$ L (25 °C, 1기압)

• 몰(mole)과 입자 수의 관계 → **입자 수(개)＝몰 수(mol)×$6.02×10^{23}$(개/mol)**

04 아보가드로 법칙(1)

수능 전략 Key

아보가드로 법칙을 이해하고 이를 이용하여 기체의 분자량을 구할 수 있어야 한다. 기체의 몰 수, 부피, 질량, 분자량의 관계로부터 단위 부피당 원자 수, 분자 수의 상댓값을 구할 수 있어야 한다.

그림 (가)는 실린더에 $A_2B_4(g)$ 46 g이 들어 있는 것을, (나)는 (가)의 실린더에 $AB(g)$ 10 g이 첨가된 것을, (다)는 (나)의 실린더에 $A_2B(g)$ w g이 첨가된 것을 나타낸 것이다. (가)~(다)에서 실린더 속 기체의 부피는 V L, $\frac{10}{6}V$ L, $\frac{8}{3}V$ L이고, 모든 기체들은 반응하지 않는다.

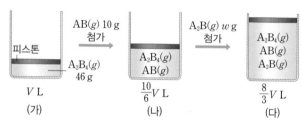

이에 대한 설명으로 옳은 것만을 |보기|에서 있는 대로 고른 것은? (단, A와 B는 임의의 원소 기호이며, 온도와 압력은 일정하다.)

보기
ㄱ. 원자량 비는 A : B=7 : 8이다.
ㄴ. w=22이다.
ㄷ. (다)에서 실린더 속 기체의 $\dfrac{\text{A 원자 수}}{\text{전체 원자 수}} > \dfrac{1}{2}$이다.

① ㄱ ② ㄷ ③ ㄱ, ㄴ ④ ㄴ, ㄷ ⑤ ㄱ, ㄴ, ㄷ

개념 꼭!

* 온도와 압력이 같으면 기체의 몰 수(입자 수)는 부피에 ❶ [　　　]한다.

* 표준 상태(0 °C, 1기압)에서 모든 기체 1몰의 부피는 22.4 L이다.

* 기체의 양(mol)$=\dfrac{\text{기체의 부피(L)}}{22.4(\text{L/mol})}$ (0 °C, 1기압)

* 온도와 압력이 같으면 밀도는 기체의 ❷ [　　　]에 비례한다.

답 ❶ 비례 ❷ 분자량

자료 해석

* 온도와 압력이 일정할 때 기체의 부피비는 기체의 몰비와 같다. 따라서 (가)~(다)에서 기체의 몰비는 다음 표와 같다.

구분	(가)	(나)	(다)
기체의 부피비 =몰비	1	$\dfrac{10}{6}$ → (가)보다 $\dfrac{4}{6}$만큼 증가	$\dfrac{8}{3}=\dfrac{16}{6}$ → (나)보다 1만큼 증가
각 기체의 몰비		$A_2B_4 : AB = 1 : \dfrac{4}{6}$ $= 3 : 2$	$A_2B_4 : AB : A_2B$ $= 1 : \dfrac{4}{6} : 1$ $= 3 : 2 : 3$

* $A_2B_4(g)$ 46 g과 $AB(g)$ 10 g의 몰비가 $3 : 2$이므로 A와 B의 원자량 비를 $A : B = m : n$으로 놓으면 $2m + 4n = \dfrac{46}{3}$ ······① $m + n = \dfrac{10}{2}$ ······② 가 성립한다. ①과 ②로부터 $m = \dfrac{7}{3}, n = \dfrac{8}{3}$이다. ➡ 원자량 비 $A : B = $ **❸** 이다.

* A_2B_4 46 g과 A_2B w g의 몰비가 $1 : 1$이므로 $w = $ **❹** g이다.

* (다)에서 실린더 속 기체의 몰비가 $3 : 2 : 3$이므로 원자의 몰 수는 다음과 같다.

구분	분자의 몰 수	A 원자의 몰 수	B 원자의 몰 수
A_2B_4 46 g	$3a$몰	$6a$몰	$12a$몰
AB 10 g	$2a$몰	$2a$몰	$2a$몰
A_2B 22 g	$3a$몰	$6a$몰	$3a$몰
합계	$8a$몰	$14a$몰	$17a$몰

답 ❸ 7 : 8 ❹ 22

Point 해설

㉠ 원자량 비는 $A : B = 7 : 8$이다.

㉡ $w = 22$이다.

ㄷ. (다)에서 실린더 속 기체의 $\dfrac{\text{A 원자 수}}{\text{전체 원자 수}} < \dfrac{1}{2}$이다.

답 ③

전략 비법 노트

● **아보가드로 법칙** → **같은 온도와 압력에서 같은 부피의 기체 속에는 같은 몰 수의 분자가 들어 있다.** → 같은 온도와 압력에서 **기체의 부피비＝기체의 몰비**
● **전체 원자 수＝분자의 몰 수×분자 당 구성 원자 수**

아보가드로 법칙(2)

수능 전략 Key 아보가드로 법칙을 이해하고 있어야 하고 기체 물질에 대한 정보를 분석하여 원자량, 분자량, 분자 수비 등을 구할 수 있어야 한다.

표는 $t\ °C$, 1기압에서 기체 (가)~(다)에 대한 자료이다.

기체	분자식	질량(g)	부피(L)	전체 원자 수(상댓값)
(가)	AB	15	2	1
(나)	AB_2	69	x	4.5
(다)	CB_2	44	4	y

이에 대한 설명으로 옳은 것만을 |보기|에서 있는 대로 고른 것은? (단, A~C는 임의의 원소 기호이다.)

┌ 보기 ┐

ㄱ. $x+y=10$이다.

ㄴ. 원자량 비는 $A : B : C = 7 : 8 : 6$이다.

ㄷ. 기체 1 g에 들어 있는 B 원자 수는 (나)>(다)이다.

① ㄱ   ② ㄴ   ③ ㄷ   ④ ㄱ, ㄴ   ⑤ ㄴ, ㄷ

개념 꼭!

* 온도와 압력이 같으면 기체의 양(mol)은 부피에 **❶**⬚ 한다.

* 기체의 종류에 관계없이 기체의 몰 수는 분자 수, 기체의 부피에 **❷**⬚ 한다.

* 기체의 몰 수가 같으면 기체의 질량비는 기체의 분자량비와 같다.

답 ❶ 비례 ❷ 비례

자료 해석

기체	분자식	질량(g)	부피(L)	전체 원자 수 (상댓값)	전체 분자 수 (상댓값)
(가)	AB	15	2	1	→ 분자 1개당 원자가 2개이므로 $\frac{1}{2}=0.5$
(나)	AB_2	69	$x=6$	4.5	→ 분자 1개당 원자가 3개이므로 $\frac{4.5}{3}=1.5$
(다)	CB_2	44	4	$y=3$	$\frac{3}{3}=1.0$

* (가)와 (나)에서 전체 원자 수비가 $1:4.5$이므로 전체 분자 수비는 $1:3$이 된다.
  → (가)와 (나)에서 몰비는 ❸ [   ]이다.
* 온도와 압력이 같으므로 기체의 몰비는 부피비와 같다.
  → 기체의 부피비도 (가):(나)$=1:3$이므로 $x=6$이다.
* 기체의 부피비가 (가):(나):(다)$=2:6:4=1:3:2$이므로 아보가드로 법칙에
  의해 전체 분자 수비도 ❹ [   ]가 되어야 한다.
  → 기체 (다)는 분자 1개당 원자가 3개 있으므로 $y=3$이다.
* 기체 (가)~(다)의 부피를 2 L로 같게 놓을 때 질량은 다음과 같다.

기체	분자식	질량(g)	부피(L)
(가)	AB	15	2
(나)	AB_2	23	2
(다)	CB_2	22	2

• (가)와 (나)를 비교하면 A와 B의 원자량 비는 $A:B=7:8$이다.
• (나)와 (다)를 비교하면 A와 C의 원자량 비는 $A:C=7:6$이다.
• 원자량 비는 $A:B:C=7:8:6$이다.

* 1 g에 해당하는 (나)의 부피는 $\frac{2}{23}$ L이다. 1 g에 해당하는 (다)의 부피는
  $\frac{2}{22}=\frac{1}{11}$ (L)이다. → 몰 수는 부피에 비례하므로 (다)의 몰 수가 (나)의 몰 수보
  다 크다. (나)와 (다)는 분자 1개당 B 원자가 2개 있으므로 기체 1 g에 들어 있는
  B 원자 수는 (나)<(다)이다.

답 ❸ $1:3$ ❹ $1:3:2$

Point 해설

ㄱ. $x=6$, $y=3$이므로 $x+y=9$이다.
ㄴ. 원자량 비는 $A:B:C=7:8:6$이다.
ㄷ. 기체 1 g에 들어 있는 B 원자 수는 (나)<(다)이다.

답 ②

전략 비법 노트

● 온도와 압력이 같을 때 **기체의 부피비＝기체의 몰비**
● 물질 사이의 전체 **원자 수비＝(몰 수×분자의 구성 원자 수)의 비**

06 화학 반응식

화학 반응식에서 계수의 의미를 알고 화학 반응식을 완성할 수 있어야 한다.

다음은 2가지 반응의 화학 반응식이다.

(가) $HNO_2 + NH_3 \longrightarrow \boxed{\bigcirc} + 2H_2O$

(나) $aN_2O + bNH_3 \longrightarrow 4\boxed{\bigcirc} + aH_2O$

$(a, b$는 반응 계수$)$

이에 대한 옳은 설명만을 |보기|에서 있는 대로 고른 것은?

┌ 보기 ┐

ㄱ. ⊙은 N_2이다.

ㄴ. $a < b$이다.

ㄷ. (가)와 (나)에서 각각 NH_3 1 g이 모두 반응했을 때 생성되는 H_2O의 질량비는 3 : 4이다.

① ㄱ   ② ㄴ   ③ ㄱ, ㄷ   ④ ㄴ, ㄷ   ⑤ ㄱ, ㄴ, ㄷ

---

* 화학 반응식은 화학 반응을 화학식과 기호를 사용하여 나타낸 식이다.

* 반응 전후에 원자의 종류와 개수가 같도록 $\boxed{\textbf{❶}}$ 를 맞춘다. 이때 계수는 가장 간단한 정수로 나타낸다.

* 화살표($\rightarrow$)를 기준으로 반응물은 왼쪽, 생성물은 오른쪽에 쓴다.

* 반응물 또는 생성물이 두 가지 이상이면 '$+$'로 연결한다.

* 화학 반응에서 원자는 새로 생성되거나 소멸되지 않고 배열만 달라지므로 반응 전후에 원자의 종류와 개수가 같도록 각 물질의 화학식 앞에 계수를 맞춘다(계수 1은 생략).

* 물질의 상태는 화학식 뒤에 괄호 안에 기호를 넣어 표시한다(고체: s, 액체: l, 기체: g, 수용액: aq).

  예 $2H_2O(g) \rightarrow 2H_2(g) + O_2(g)$

* 화학 반응식에서 계수비＝몰비＝분자 수비＝부피비(기체인 경우)$\neq$ $\boxed{\textbf{❷}}$ 가 성립한다.

자료 해석

(가) $HNO_2 + NH_3 \longrightarrow N_2 + 2H_2O$

(나) $3N_2O + 2NH_3 \longrightarrow 4N_2 + 3H_2O$

* (가)의 화학 반응에서 반응물에 들어 있는 질소 원자 수는 2개이다. ➡ 질소 원자 2개로 이루어진 물질은 N_2이므로 반응 후 ㉠은 N_2이다.

* (나)에서 반응 전후에 질소(N) 원자 수가 같아야 하고, 수소(H) 원자 수가 같아야 하므로 다음 두 식이 성립한다.

$2a + b = 8$ ……①

$3b = 2a$ ……②

식 ①과 ②로부터 $a = 3$, $b = 2$이다. ➡ (나)의 화학 반응식은

$3N_2O + 2NH_3 \longrightarrow 4N_2 + 3H_2O$이 된다.

* (가)에서는 NH_3 1몰이 반응할 때 H_2O가 2몰이 생성된다. (나)에서는 NH_3 2몰이 반응할 때 H_2O가 3몰 생성된다. ➡ 같은 몰 수의 NH_3가 반응할 때 생성되는 H_2O의 몰비는 (가) : (나) = 4 : 3이 된다. ➡ NH_3 1 g이 반응할 때 생성되는 H_2O의 질량비도 (가) : (나) = **❸**   이다.

답 ❸ 4 : 3

Point 해설

㉠ (가)의 화학 반응식이 $HNO_2 + NH_3 \longrightarrow N_2 + 2H_2O$이므로 ㉠은 N_2가 된다.

ㄴ. $a = 3$이고 $b = 2$이므로 $a > b$이다.

ㄷ. (가)와 (나)에서 각각 NH_3 1 g이 모두 반응했을 때 생성되는 H_2O의 질량비는 4 : 3이다.

답 ①

전략 비법 노트

화학 반응식에서 알 수 있는 물질 사이의 양적 관계

● 반응물과 생성물의 종류

● 계수비와 원자량 또는 분자량을 이용한 질량비, 부피비 등

● **계수비＝몰비＝분자 수비＝부피비(기체인 경우)≠질량비**

07 화학 반응에서 양적 관계(1)

수능 전략 Key 화학 반응에서 양적 관계를 이용하여 물질의 질량 관계 및 부피 관계를 알아낼 수 있어야 한다.

다음은 기체 AB와 B_2가 반응하는 화학 반응식이다.

$$2AB(g)+B_2(g) \longrightarrow 2AB_2(g)$$

표는 AB와 B_2의 질량을 달리하여 반응시킨 후 반응이 완결되었을 때, 반응 전과 후 기체의 질량비에 대한 자료이다.

실험	반응 전 질량비	반응 후 질량비
I	$AB:B_2=7:2$	$AB:AB_2=7:11$
II	$AB:B_2=2:1$	(가)$:AB_2=x:y$

이에 대한 설명으로 옳은 것만을 |보기|에서 있는 대로 고른 것은? (단, A 와 B는 임의의 원소 기호이다.)

┌ 보기 ┌
ㄱ. (가)는 AB이다.

ㄴ. $\dfrac{y}{x}$는 11이다.

ㄷ. 원자량 비는 $A:B=4:3$이다.

① ㄱ ② ㄷ ③ ㄱ, ㄴ ④ ㄴ, ㄷ ⑤ ㄱ, ㄴ, ㄷ

개념 꼭!

* 화학 반응에서 질량비는 항상 [❶] 하지만 계수비와는 같지 않다.

* 화학 반응에서 질량 [❷] 법칙이 성립한다. 답 ❶ 일정 ❷ 보존

자료 해석

* 제시된 질량비와 질량 보존 법칙이 성립하는 사실로부터 각 물질의 질량을 반응 전 물질의 질량 합(X)으로 나타낼 수 있다.

실험	반응 전 질량비	반응 후 질량비
	$AB:B_2=7:2$	$AB:AB_2=7:11$
I	반응 전 질량의 합을 X g이라고 하면 $AB: \dfrac{7}{9}X$ g, $B_2: \dfrac{2}{9}X$ g이다.	반응 후 질량의 합도 X g이어야 한다. $AB: \dfrac{7}{18}X$ g, $AB_2: \dfrac{11}{18}X$ g

* 실험 Ⅰ에서 화학 반응의 질량 관계는 다음과 같다.

	2AB	+	B_2	$\longrightarrow$	$2AB_2$
반응 전	$\frac{7}{9}X$ g $(=\frac{14}{18}X$ g$)$		$\frac{2}{9}X$ g $(=\frac{4}{18}X$ g$)$		0 g
반응	$-\frac{7}{18}X$ g		$-\frac{4}{18}X$ g		$+\frac{11}{18}X$ g
반응 후	$\frac{7}{18}X$ g		0 g		$\frac{11}{18}X$ g

➡ 화학 반응에서의 질량비는 AB : B_2 : AB_2 = **❸**   로 일정하다.

* 실험 Ⅱ에서 반응물의 질량 합을 Y g이라고 하면 질량 관계는 다음과 같다.

	2AB	+	B_2	$\longrightarrow$	$2AB_2$
반응 전	$\frac{2}{3}Y$ g $(=\frac{8}{12}Y$ g$)$		$\frac{1}{3}Y$ g $(=\frac{4}{12}Y$ g$)$		0 g
반응	$-\frac{7}{12}Y$ g		$-\frac{4}{12}Y$ g		$+\frac{11}{12}Y$ g
반응 후	$\frac{1}{12}Y$ g		0 g		$\frac{11}{12}Y$ g

➡ 반응 후 AB와 AB_2만 존재하므로 (가)는 AB이고 $x : y$ = 1 : 11이다.

* 반응에서 질량비가 AB : B_2 : AB_2 = 7 : 4 : 11이고, AB와 B_2의 반응 계수비가 2 : 1이므로 분자량비는 AB : B_2 = 7 : 8이다.

* AB 2몰이 반응할 때 $7a$ g만큼 질량이 감소하고, B_2 1몰이 반응할 때 $4a$ g만큼 질량이 감소하므로 A와 B의 원자량 비는 **❹**   이다.

📋 ❸ 7 : 4 : 11 ❹ 3 : 4

Point 해설

ㄱ. (가)는 AB이다.

ㄴ. $\frac{y}{x}$는 11이다.

ㄷ. 원자량 비는 A : B = 3 : 4이다.

📋 ③

전략 비법 노트

● 화학 반응에서 반응 물질과 생성 물질 사이의 **질량비는 일정하다.** ➡ **일정 성분비 법칙**

● 화학 반응에서 **원자의 종류와 개수가 변하지 않는다.** ➡ **질량 보존 법칙**

수능 전략 Key 화학 반응에서 양적 관계를 이용하여 물질의 질량 및 부피 관계를 알아낼 수 있어야 한다.

다음은 $A(g)$와 $B(g)$의 양을 달리하여 반응을 완결시킨 실험 Ⅰ~Ⅲ에 대한 자료이다.

- 화학 반응식: $A(g) + bB(g) \longrightarrow cC(g)$ (b, c는 반응 계수)

실험	반응 전 물질의 양		전체 기체의 부피	
	$A(g)$	$B(g)$	반응 전	반응 후
Ⅰ	$2n$몰	n몰	$3V$	$\dfrac{5}{2}V$
Ⅱ	n몰	$3n$몰	$4V$	$3V$
Ⅲ	x g	x g		$\dfrac{45}{8}V$

- 실험 Ⅲ에서 반응 후 $A(g)$는 $\dfrac{3}{4}x$ g이 남았다.

이에 대한 설명으로 옳은 것만을 |보기|에서 있는 대로 고른 것은? (단, 반응 전과 후의 온도와 압력은 모두 같다.)

┌ 보기 ┌
ㄱ. $b = 2$이다.
ㄴ. 분자량은 B가 A의 2배이다.
ㄷ. 반응 후 생성된 C의 몰비는 Ⅱ : Ⅲ = 8 : 9이다.

① ㄱ ② ㄷ ③ ㄱ, ㄴ ④ ㄴ, ㄷ ⑤ ㄱ, ㄴ, ㄷ

개념 꼭!
* 화학 반응 후 증가하거나 감소한 몰 수는 반응한 양(몰 수)에 ❶ [   ]한다.
* 증가하거나 감소한 몰 수를 통해 한계 반응물을 확인할 수 있다.

답 ❶ 비례

자료 해석
* 실험 Ⅰ에서 반응 후 부피가 $0.5V$만큼 감소하였으며, 실험 Ⅱ에서 반응 후 부피가 $1V$만큼 감소하였다. ➡ 실험 Ⅱ에서 반응한 양(몰 수)은 실험 Ⅰ의 2배이다.

실험	반응 전 물질의 양		전체 기체의 부피(몰 수)		
	$A(g)$	$B(g)$	반응 전	반응 후	부피(몰 수)의 변화
I	$2n$몰 0.5n몰 반응	n몰 한계 반응물	$3V$몰	$\dfrac{5}{2}V$몰	0.5V만큼 몰 수 감소
II	n몰 한계 반응물	$3n$몰 $2n$몰 반응	$4V$몰	$3V$몰	$1V$만큼 감소 I 보다 2배 반응
III	x g a몰	x g $\dfrac{1}{2}a$몰	$\dfrac{3}{2}a$몰 $=\dfrac{54}{8}V$몰	$\dfrac{45}{8}V$몰 $=\dfrac{5}{4}a$몰	$\dfrac{9}{8}V$만큼 감소

* 실험 II에서 반응한 양이 실험 I 의 2배가 되려면 실험 I 에서는 B가 실험 II에서는 A가 한계 반응물이 되어야 한다. 또한 실험 I 에서 0.5V만큼, 실험 II에서 1V만큼 부피(몰 수)가 감소하려면 $b=2$, $c=2$가 되어야 한다. ➜ 화학 반응식은 $A(g)+2B(g) \longrightarrow 2C(g)$이다.

* 실험 III에서 A는 반응 후 $\dfrac{3}{4}x$ g만큼 남았으므로 양적 관계는 오른쪽과 같다.

	A	+	2B	→	2C
반응 전	x g		x g		0 g
반응	$-\dfrac{1}{4}x$ g		$-x$ g		$+\dfrac{5}{4}x$ g
반응 후	$\dfrac{3}{4}x$ g		0 g		$\dfrac{5}{4}x$ g

* A가 a몰만큼 반응할 때 $\dfrac{1}{4}x$ g만큼 감소하고, B가 2a몰만큼 반응할 때 x g만큼 감소 ➜ A의 분자량은 B의 ❸[　　] 배이다.

* 실험 III에서 A를 a 몰이라고 가정하면 B는 $\dfrac{1}{2}a$ 몰에 해당한다. 반응 후 전체 기체의 몰 수는 $\dfrac{5}{4}a$몰이므로 $a=\dfrac{9}{2}V$이다. 반응 전후 $\dfrac{9}{8}V$만큼 몰 수가 감소하였으므로 III은 II 보다 ❹[　　]배만큼 반응했다. 	답 ❸ $\dfrac{1}{2}$ ❹ $\dfrac{9}{8}$

Point 해설 ㉠ $b=2$이다.   ㉡ 분자량은 B가 A의 2배이다.
㉢ 반응 후 생성된 C의 몰비는 II : III $=8$: 9이다. 	답 ⑤

전략 비법 노트

• 화학 반응 후 증가하거나 감소한 물질의 양(몰 수) ➜ 반응한 양(몰 수)에 비례

화학 반응에서 양적 관계 (3)

화학 반응에서 양적 관계를 이용하여 물질의 질량 및 부피, 밀도 관계를 파악할 수 있어야 한다.

다음은 기체 A와 B가 반응하는 화학 반응식이다.

$$a\text{A}(g) + b\text{B}(g) \longrightarrow c\text{C}(g) \ (a \sim c\text{는 반응 계수})$$

그림은 1 g의 A(g)가 들어 있는 실린더에 B(g)를 조금씩 더 넣어 가면서 반응시켰을 때, 넣어 준 B의 질량에 따른 반응 후 전체 기체의 밀도를 나타낸 것이다.

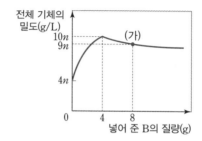

이에 대한 설명으로 옳은 것만을 ㅣ보기ㅣ에서 있는 대로 고른 것은? (단, 온도와 실린더 속 전체 기체의 압력은 일정하다.)

┌ 보기 ┐

ㄱ. (가)에서 실린더 속에 들어 있는 기체는 B와 C이다.

ㄴ. $a : b : c = 1 : 2 : 2$이다.

ㄷ. 분자량 비는 A : B : C = 2 : 4 : 5이다.

① ㄱ　　② ㄴ　　③ ㄱ, ㄷ　　④ ㄴ, ㄷ　　⑤ ㄱ, ㄴ, ㄷ

---

* 화학 반응의 그래프에서 유의미한 큰 변화가 나타날 때가 반응이 〔 ❶ 〕된 때이다.

* A가 들어 있는 반응 용기에 B를 넣어 가며 반응시키는 경우 넣어 준 B의 질량이 0 g일 때에는 〔 ❷ 〕만 존재하고 반응이 완결된 이후에는 B와 C가 존재한다.

답 ❶ 완결 ❷ A

자료 해석

* B를 4 g 넣었을 때 반응이 완결되며, B 4 g 이후에는 B와 C만 존재한다.

* 넣어 준 B의 질량에 따른 기체의 부피(몰 수)는 다음과 같다.

온도와 압력이 같을 때 기체의 부피비＝몰비

넣어 준 B의 질량(g)	0	4	8
전체 기체의 종류와 질량(g)	A 1	A 1＋B 4 C 5	A 1＋B 8 9 (C 5＋B 4)
밀도(g/L)	$4n$	$10n$	$9n$
기체의 부피(몰 수) (상댓값)	V라고 가정	$2V$	$4V$

* 넣어 준 B가 0 g일 때 A만 1 g이 존재하므로 A 1 g의 부피(몰 수)는 V이다.

* B 4 g일 때 반응이 완결된다. → 4 g 이후의 부피 증가는 모두 기체 B에 의한 것으로 B 4 g의 부피는 $2V$이다. → A와 B의 분자량 비는 ❸〔 　 　 〕이다.
  └→ 1 g의 부피가 V이다.

* 넣어 준 B의 질량이 4 g일 때 양적 관계는 다음과 같다.

	aA	＋	bB	⟶	cC
반응 전	1 g＝V몰		4 g＝$2V$몰		
반응	$-V$		$-2V$		$+2V$
반응 후	0		0		$2V$

→ 화학 반응식은 A＋2B ⟶ 2C이다. 즉, $a=1$, $b=2$, $c=2$이다.

→ 분자량의 비는 A : B : C＝❹〔 　 　 〕이다.

답 ❸ 1:2 ❹ 2:4:5

Point 해설

㉠ (가)에서 실린더 속에 들어 있는 기체는 B와 C이다.

㉡ $a : b : c = 1 : 2 : 2$이다.

㉢ 분자량 비는 A : B : C＝2 : 4 : 5이다.

답 ⑤

전략 비법 노트

● 화학 반응의 양적 관계 그래프에서 **유의미한 큰 변화가 나타남** → **반응 완결**

● **질량과 밀도가 제시된 경우: 부피 구하기** → **몰 수 구하기**

● **질량과 몰 수가 제시된 경우: 분자량 구하기**

10 화학 반응에서 양적 관계(4)

수능 전략 Key 화학 반응에서 양적 관계를 이용하여 물질의 질량, 부피, 밀도 관계를 파악할 수 있어야 한다.

다음은 $A(g)$와 $B(g)$가 반응하여 $C(g)$가 생성되는 반응의 화학 반응식이다.

$$aA(g) + B(g) \longrightarrow 2C(g)$$

표는 B x g이 들어 있는 실린더에 A의 질량을 달리하여 넣고 반응을 완결시킨 실험 Ⅰ~Ⅳ에 대한 자료이다. Ⅱ에서 반응 후 남은 B의 질량은 Ⅲ에서 반응 후 남은 A의 질량의 $\dfrac{1}{4}$배이다.
↳(가)

실험	Ⅰ	Ⅱ	Ⅲ	Ⅳ
넣어 준 A의 질량(g)	w	$2w$	$3w$	$4w$
반응 후 $\dfrac{\text{생성물의 양(mol)}}{\text{전체 기체의 부피(L)}}$ (상댓값)	$\dfrac{4}{7}$	$\dfrac{8}{9}$		$\dfrac{5}{8}$

$a \times x$는? (단, 실린더 속 기체의 온도와 압력은 일정하다.)

① $\dfrac{3}{8}w$ ② $\dfrac{5}{8}w$ ③ $\dfrac{3}{4}w$ ④ $\dfrac{5}{4}w$ ⑤ $\dfrac{5}{2}w$

개념 꼭!

* 반응이 완결되면 생성물의 양은 더 이상 [❶____]하지 않는다.

* 반응 완결 이후에 증가하는 부피는 더 넣어 준 [❷____] 물질에 의한 것이다.

답 ❶ 증가 ❷ 반응

자료 해석

* 실험 Ⅱ에서 B가 남고, 실험 Ⅲ에서 A가 남았으므로 실험 Ⅱ와 Ⅲ 사이에서 반응이 완결되었다. 반응이 완결되면 생성물 C의 양은 더 이상 증가하지 않는다.

실험	Ⅰ	Ⅱ	완결	Ⅲ	Ⅳ
B의 질량(g)	x	x	x	x	x ╌한계 반응물
넣어 준 A의 질량(g)	w (한계 반응물)	$2w$	$2.5w$	$3w$	$4w$
반응 후 $\dfrac{\text{생성물의 양(mol)}}{\text{전체 기체의 부피(L)}}$ (상댓값)	$\dfrac{4n}{7V}$ → 생성물 $4n$몰	$\dfrac{8n}{9V}$ → 생성물 $8n$몰	$\dfrac{10n}{10V}$ → 생성물 $10n$몰	$\dfrac{10n}{12V}$ → 생성물 $10n$몰	$\dfrac{5}{8} = \dfrac{10n}{16V}$ → 생성물 $10n$몰

* 반응이 완결되었을 때 B가 x g, A가 $2.5w$ g이므로 B x g은 ❸ [　　　] 몰에 해당한다.

〈완결〉	aA	$+$	B	$\longrightarrow$	2C
반응 전	$2.5w$ g		x g		
반응			$-5n$		$+10n$
반응 후	0		0		$10n$

* 실험 Ⅱ와 Ⅲ에서의 반응은 다음과 같고 $a = 2$이다.

〈실험 Ⅱ〉	aA	$+$	B	$\longrightarrow$	2C
	$2w$ g		x g		
반응 전	$8n$		$5n$		
반응	$-8n$		$-4n$		$+8n$
반응 후	0		n		$8n$

〈실험 Ⅲ〉	aA	$+$	B	$\longrightarrow$	2C
	$3w$ g		x g		
반응 전	$12n$		$5n$		
반응	$-10n$		$-5n$		$+10n$
반응 후	$2n$		0		$10n$

* 실험 Ⅱ에서 남은 B의 질량은 $\dfrac{x}{5}$ g이고 실험 Ⅲ에서 남은 A의 질량은 $\dfrac{w}{2}$ g이다.

(가) 조건에서, Ⅱ에서 남은 B의 질량이 Ⅲ에서 남은 A의 질량의 ❹ [　　　] 배

이므로 $\dfrac{x}{5} = \dfrac{w}{2} \times \dfrac{1}{4}$로부터 $x = \dfrac{5}{8}w$이다.

답 ❸ $5n$ ❹ $\dfrac{1}{4}$

Point 해설 $a = 2$이고, $x = \dfrac{5}{8}w$이므로 $a \times x = \dfrac{5}{4}w$이다.

답 ④

전략 비법 노트

● 반응 완결 → 생성물의 양은 더 이상 증가하지 않음

● 반응 완결 이후의 부피 증가 → 더 넣어 준 반응 물질에 의한 것

11 몰 농도

발열 반응과 흡열 반응에 따른 에너지 출입과 나타나는 현상을 알고 있어야 한다.

> 다음은 수산화 나트륨 수용액(NaOH(aq))에 관한 실험이다.
>
> (가) 4 M NaOH(aq) 300 mL에 물을 넣어 3 M NaOH(aq) x mL를 만든다.
> (나) 1 M NaOH(aq) 200 mL에 NaOH(s) y g과 물을 넣어 2 M NaOH(aq) 600 mL를 만든다.
> (다) (가)에서 만든 수용액과 (나)에서 만든 수용액을 모두 혼합하여 z M NaOH(aq)를 만든다.
>
> $\dfrac{y \times z}{x}$ 는? (단, NaOH의 화학식량은 40이고, 온도는 일정하며, 혼합 용액의 부피는 혼합 전 각 용액의 부피의 합과 같다.)
>
> ① $\dfrac{12}{25}$ ② $\dfrac{9}{25}$ ③ $\dfrac{6}{25}$ ④ $\dfrac{3}{25}$ ⑤ $\dfrac{1}{25}$

개념 꼭!

＊퍼센트 농도는 용액 100 g 속에 녹아 있는 용질의 질량을 백분율로 나타낸 것이다.

$$질량\ 퍼센트\ 농도(\%) = \frac{용질의\ 질량(g)}{용액의\ 질량(g)} \times 100$$

＊용액의 성질은 용질의 질량보다는 용질의 입자 수에 의해 결정되는 경우가 많다.

＊몰 농도는 용액 ❶   에 녹아 있는 용질의 양(mol)이다.

$$몰\ 농도(M) = \frac{용질의\ 양(mol)}{용액의\ 부피(L)}\ (단위: M\ 또는\ mol/L)$$

＊용액을 혼합하거나 희석해도 ❷   의 양은 변하지 않는다.

＊몰 농도를 알면 용질의 양(mol)뿐만 아니라 용질의 질량도 알 수 있다.

＊몰 농도는 화학 반응의 양적 관계를 계산할 때 유용하며, 용액의 양을 부피로 나타내므로 화학 실험에서 매우 편리하다.

＊몰 농도는 용액의 부피를 사용하므로 용액의 온도가 높아지면 부피가 증가하여 몰 농도가 감소하고, 온도가 낮아지면 부피가 감소하여 몰 농도가 증가한다.

답 ❶ 1 L ❷ 용질

자료 해석

* (가)에서 물을 넣어도 용질의 양은 변하지 않으므로 수용액을 묽히기 전과 후 수산화 나트륨 용질의 양은 같다.

묽힌 용액의 몰 농도

$$4 \text{ mol/L} \times 0.300 \text{ L} = 3 \text{ mol/L} \times x, \ x = \boxed{❸} \text{(L)} = 400 \text{(mL)}$$

* (나)에서 농도를 아는 $NaOH(aq)$에 용질과 물을 추가하여 새로운 용액을 만들 때 용질의 총 질량이나 몰 수는 변하지 않는다.

  ㉠ 1 M $NaOH(aq)$ 200 mL에 들어 있는 용질의 양 구하기:

  $$1 \text{ mol/L} \times 0.200 \text{ L} = 0.2 \text{ mol}$$

  ㉡ 2 M $NaOH(aq)$ 600 mL에 들어 있는 용질의 양 구하기:

  $$2 \text{ mol/L} \times 0.600 \text{ L} = 1.2 \text{ mol}$$

  ㉢ 2 M $NaOH(aq)$ 600 mL를 만드는 데 추가로 필요한 $NaOH(s)$의 양 구하기: 해당 용액의 제조에 필요한 총 NaOH의 양이 1.2 mol이고, 처음 용액에 들어 있는 양이 0.2 mol이므로 2 M NaOH 600 mL를 만들기 위해 더 넣을 $NaOH(s)$의 양은 $\boxed{❹}$ mol이다. 즉 $y = 40$(g)이다.

* (가)의 용액과 (나)의 용액을 혼합하여 z M $NaOH(aq)$를 만들기

| 혼합할 각각의 용액 파악하기 | ⇒ | 혼합 후 용액의 부피 구하기 | ⇒ | 혼합 후 용질의 양(몰 수) 구하기 | ⇒ | 혼합 후 용액의 몰 농도 구하기 |

  ㉠ (가)의 3 M $NaOH(aq)$ 400 mL에는 용질이 3 mol/L $\times$ 0.400 L = 1.2 mol 있고, (나)의 2 M NaOH 600 mL에는 용질이 1.2 mol 있다.

  ㉡ 혼합 후 용액의 부피 = 400 mL + 600 mL = 1 L

  ㉢ 혼합 후 용질의 몰 수 = 1.2 mol + 1.2 mol = 2.4 mol

  ㉣ 혼합 용액의 몰 농도 $= \dfrac{\text{용질의 양(mol)}}{\text{용액의 부피(L)}} = \dfrac{2.4 \text{ mol}}{1 \text{ L}} = 2.4$ M ➜ $z = 2.4$이다.

답 ❸ 0.400 ❹ 1

Point 해설

$x = 400$, $y = 40$, $z = 2.4$ 이므로 $\dfrac{y \times z}{x} = \dfrac{6}{25}$이다.

답 ③

전략 비법 노트

● 용액을 희석할 때 → 용질의 양은 불변, 용액의 부피와 농도만 변함
● 용액을 혼합할 때 → 용질의 전체 양은 불변, 용액의 부피와 농도만 변함
● 용질을 가할 때 → 용액의 부피는 불변, 용액의 농도와 용질의 양은 변함

12 특정한 몰 농도의 수용액 만들기

수능 전략 Key 몰 농도의 의미를 알고, 필요한 몰 농도의 수용액을 제조할 수 있어야 한다.

다음은 NaOH 15 g을 이용하여 2가지 농도의 NaOH(aq)을 만드는 실험이다. ㉠과 ㉡은 각각 500 mL, 1 L 중 하나이다.

> (가) 소량의 물에 NaOH w g을 녹인 후, 이 용액을 ㉠ 부피 플라스크에 넣고 표시된 눈금선까지 물을 넣고 섞어 0.5 M NaOH(aq)을 만든다.
>
> (나) 소량의 물에 (가)에서 사용하고 남은 NaOH(s)을 모두 녹인 후 ㉡ 부피 플라스크에 넣고, 표시된 눈금선까지 물을 넣고 섞어 a M NaOH(aq)을 만든다.

이에 대한 설명으로 옳은 것만을 |보기|에서 있는 대로 고른 것은? (단, NaOH의 화학식량은 40이다.)

┌ 보기 ┐
ㄱ. $w=10$이다.
ㄴ. ㉠은 1 L이다.
ㄷ. $a=\dfrac{1}{8}$이다.

① ㄱ   ② ㄴ   ③ ㄱ, ㄷ   ④ ㄴ, ㄷ   ⑤ ㄱ, ㄴ, ㄷ

개념 꼭!

* 몰 농도(단위: M 또는 mol/L)는 화학 반응의 양적 관계를 다룰 때 매우 편리하다.

* 몰 농도는 용액 **❶** 에 녹아 있는 용질의 양(mol)이다.

* 몰 농도 $=\dfrac{\text{용질의 양(mol)}}{\text{용액의 부피(L)}}$ 이므로 특정한 몰 농도의 수용액을 만들기 위해서는 용질의 양(mol)과 용액의 부피(L)를 정확히 측정해야 한다.

* 정확한 몰 농도의 표준 용액을 만들 때에는 **❷** 플라스크를 사용한다.

* 용액을 묽히거나 두 용액을 혼합할 때 용액의 총 부피와 용액의 농도는 변하지만 용질 전체의 양(mol)은 변하지 않고 일정하다(단, 용질이 반응하지 않을 때).

답 ❶ 1 L ❷ 부피

자료 해석

* 0.5 M NaOH(aq) 1 L를 만드는 데 NaOH(s) 20 g이 필요하다. 15 g의 NaOH로 0.5 M NaOH 1 L를 만들 수 없다. → ㉠은 **❸** 이다.

* (가)에서 0.5 M NaOH(aq) 500 mL를 만드는 데 사용되는 NaOH(s) 질량은 10 g(0.25몰)이다(0.5 M = $\dfrac{0.25\ mol}{0.5\ L}$).

* (가)에서 남은 NaOH(s)는 5 g이고, ㉡은 1 L이다. (나)에서 용액 1 L에 NaOH(s)가 $\dfrac{5\ g}{40\ g/mol}$ = **❹** mol 녹아 있다.

답 **❷** 500 mL **❸** $\dfrac{1}{8}$

Point 해설

㉠ (가)에서 0.5 M NaOH(aq) 500 mL를 만드는 데 사용되는 NaOH의 질량이 10 g이므로 $w=10$이다.

ㄴ. ㉠은 500 mL이다.

㉢ (가)에서 사용하고 남은 NaOH(s)는 5 g($=\dfrac{1}{8}$몰)이고, ㉡은 1 L이다. (나)에서 용액 1 L에 $\dfrac{1}{8}$몰이 있으므로 몰 농도는 $\dfrac{1}{8}$ M이다. 따라서 $a=\dfrac{1}{8}$이다.

답 ③

전략 비법 노트

* 몰 농도 = $\dfrac{용질의\ 양(mol)}{용액의\ 부피(L)}$

* a M 용액 V L에 용매를 가하여 V' L가 되었을 때 묽힌 용액의 몰 농도(a') 계산: 용질 양은 일정하고, 용질의 양(mol) = 몰 농도(mol/L) × 용액의 부피(L)임을 이용

  → $a \times V = a' \times V'$ → $a' = a \times \dfrac{V}{V'}$

* a M 용액 V L와 a' M 용액 V' L를 혼합하여 a'' M 용액 V'' L가 될 때 혼합 용액의 몰 농도(a'') 계산: 용질의 전체 양과 용액의 전체 부피, 혼합 용액의 몰 농도를 차례대로 구함

  → 용액의 전체 부피(L) = $V + V'$

  용질의 전체 양(mol) = $aV + a'V' = a''(V+V') = a''V''$

  → 혼합 용액의 농도(a'') = $\dfrac{용질의\ 전체\ 양}{혼합\ 용액의\ 부피}$ = $\dfrac{aV + a'V'}{V + V'}$

13 원자의 표시

2018 3월 학평 4번 유사

수능 전략 Key 질량수와 원자 번호, 중성자수의 관계를 알고 있어야 하고, 주어진 조건에 맞는 경우들을 찾아야 한다.

다음은 질량수가 3 이하인 원자 (가)~(다)에 대한 자료이다.

- 질량수가 같은 원자는 (가)와 (다)이다. ^3_1H, ^3_2He
- 원자 번호가 같은 원자는 (나)와 (다)이다. ^1_1H, ^2_1H, ^3_1H
- 중성자수가 같은 원자는 (가)와 (나)이다. ^2_1H, ^3_2He

이에 대한 설명으로 옳은 것만을 |보기|에서 있는 대로 고른 것은?

ㄱ 보기
ㄱ. (가)의 질량수는 3이다. ^3_2He
ㄴ. (나)의 중성자수는 2이다. ^2_1H
ㄷ. (다)의 원자 번호는 1이다. ^3_1H

① ㄱ ② ㄴ ③ ㄱ, ㄷ ④ ㄴ, ㄷ ⑤ ㄱ, ㄴ, ㄷ

개념 꼭! * 원자 번호= **❶** 수=전자 수(중성 원자), 질량수=양성자수＋중성자수

자료 해석 * 질량수가 3 이하인 경우는 ^1_1H, ^2_1H, ^3_1H, ^3_2He이다. 질량수가 같은 (가)와 (다)는 ^3_1H, ^3_2He, **❷** 가 같은 (나)와 (다)는 ^1_1H, ^2_1H, ^3_1H, 중성자수가 같은 (가)와 (나)는 ^2_1H, ^3_2He가 가능하다.

구분	(나) ^1_1H	(다) ^2_1H	^3_1H	(가) ^3_2He
원자 번호	1	1	1	2
중성자수	0	1	2	1
질량수	1	2	3	3

답 ❶ 양성자 ❷ 원자 번호

Point 해설
ㄱ (가)는 ^3_2He이므로 질량수가 3이고, 원자 번호는 2 이하이다.
ㄴ. (나)는 ^2_1H이므로 중성자수=질량수－원자 번호=1이다.
ㄷ (다)는 ^3_1H으로 원자 번호는 1이다.

답 ③

전략 비법 노트

● **질량수 ＝ 양성자수 ＋ 중성자수**   ● **원자 번호 ＝ 양성자수**

14 원자의 구성 입자 (1)

2019 고 2 6월 학평 6번 유사

수능 전략 Key
원자나 이온을 구성 입자로 나타낸 모형을 이해하고 모형과 원소 기호로 나타낸 정보를 관련지어 원자나 이온을 파악할 수 있어야 한다.

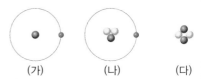

그림은 원자 또는 이온 (가) ~(다)를 모형으로 나타낸 것이다. ●, ◌, ●는 각각 양성자, 중성자, 전자 중 하나이다. 이에 대한 설명으로 옳은 것만을 |보기|에서 있는 대로 고른 것은?

(가) (나) (다)

> **보기**
> ㄱ. ◌는 양성자이다.
> ㄴ. (다)는 $_2^4\text{He}^{2+}$이다.
> ㄷ. 원자 번호는 (가) < (나)이다.

• 원자 번호 = 양성자수
• 원자에서, 양성자수 = 전자 수

① ㄱ ② ㄴ ③ ㄱ, ㄴ ④ ㄴ, ㄷ ⑤ ㄱ, ㄴ, ㄷ

개념 꼭!
* 보어의 원자 모형: 원자나 이온은 반드시 중심핵에 [❶   ]를 한 개 이상 가진다.
* 원자에서 양성자수 = 전자 수이고, 원자가 전자를 잃거나 얻으면 [❷   ]이 된다.

자료 해석
* 원자나 이온은 중심핵에 양성자를 한 개 이상 가진다. ➡ (가)의 ●은 양성자이다.
* 전자는 원자핵 주위에서 운동한다. ➡ ●는 전자이다. ➡ ◌는 중성자이다.
* (가): 양성자가 1, 중성자가 0, 전자가 [❸   ], 전하량은 0이다. ➡ $_1^1\text{H}$
* (나): 양성자가 1, 중성자가 2, 전자가 1, 전하량은 0이다. ➡ $_1^3\text{H}$
* (다): 양성자 2, 중성자 2, 전자 0이므로 전하량은 +2이다. ➡ $_2^4\text{He}^{2+}$

답 ❶ 양성자 ❷ 이온 ❸ 1

Point 해설
ㄱ. ●는 양성자이고, ◌는 중성자이다.
ㄴ. (다)는 $_2^4\text{He}^{2+}$이다.
ㄷ. (가)와 (나)는 양성자수가 같아 원자 번호도 같다.

답 ②

전략 비법 노트
● 원자나 이온은 핵에 양성자를 한 개 이상 가진다. ➡ **핵은 양성자 반드시 포함**
● 원자핵은 원자의 중심에 있고 전자는 원자핵 주위에 있다. ➡ **중심에 핵, 주위에 전자**

15 원자의 구성 입자(2)

2019 9월 학평 13번 유사

수능 전략 Key 원자 또는 이온의 구성 입자에 관한 자료로부터 원소의 종류, 원자인지 이온인지 등을 알아낼 수 있어야 한다.

그림은 원자 X와 이온 (가)~(다)의 전자 수, 양성자수, 중성자수를 나타낸 것이다. 이에 대한 설명으로 옳은 것만을 |보기|에서 있는 대로 고른 것은? (단, X는 임의의 원소 기호이다.)

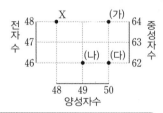

┌─ 보기 ─────────────────────────┐
ㄱ. X 원자를 원자의 표시 방법에 따라 나타내면 $^{96}_{48}X$이다.

ㄴ. (가)는 양이온이다.

ㄷ. (나)와 (다)는 양성자수는 같고 질량수는 다르다.
└──────────────────────────────┘

① ㄱ　　② ㄴ　　③ ㄱ, ㄷ　　④ ㄴ, ㄷ　　⑤ ㄱ, ㄴ, ㄷ

개념 꼭!

* 원자의 표시: ^b_aX에서 X는 원소 기호, a는 ❶[　　　　]이고, b는 질량수이다.

* 양이온에서 양성자수 > 전자 수, 음이온에서 양성자수 < 전자 수이다.

자료 해석

* 질량수=양성자수+❷[　　　] ➡ 원자 X는 $^{112}_{48}X$이고, 입자 (가)~(다)는 차례로 $^{114}_{50}$(가), $^{111}_{49}$(나), $^{112}_{50}$(다)이다.

* (가): 양성자수(50) > 전자 수(48) ➡ ❸[　　　]

* (나): 양성자수(49) > 전자 수(46) ➡ 양이온

* (다): 양성자수(50) > 전자 수(46) ➡ 양이온

* (나)는 양성자수 49, 중성자수 62이고, (다)는 양성자수 50, 중상자수 62이다.
  ➡ 양성자수가 다르므로 다른 원소이다.　　**답** ❶ 원자 번호 ❷ 중성자수 ❸ 양이온

Point 해설

ㄱ. 원자 X는 양성자수=원자 번호=48, 질량수=112이므로 $^{112}_{48}X$이다.

ⓛ (가)는 양성자수 50, 전자 수 48로 양성자수가 전자 수보다 크므로 양이온이다.

ㄷ. (나)와 (다)는 양성자수는 다르고 중성자수는 같으며 질량수는 다르다.　　**답** ②

전략 비법 노트

● 원자의 표시: $^{질량수}_{원자 번호}X$　　● 전자 잃음 → 양이온　　● 전자 얻음 → 음이온

16 동위 원소

수능 전략 Key 원자는 양성자수와 전자 수가 같다는 것과 질량수 및 동위 원소의 정의를 알고 있어야 한다.

표는 원자 또는 이온에 대한 자료이다.

┌→ 원자이므로 양성자수 = 전자 수이다.

원자 또는 이온	A^-	B	C	D^{2+}
질량수	19		24	
전자 수		10	12	10
중성자수	10	10		14

A~D에 대한 설명으로 옳은 것만을 |보기|에서 있는 대로 고른 것은? (단, A~D는 임의의 원소 기호이다.)

┌ 보기 ┌→ 양성자수는 다르고 중성자수는 같다.

ㄱ. A와 B는 동위 원소이다.

ㄴ. B와 C는 원자 번호가 다르다. → B: 10, C: 12

ㄷ. C와 D는 양성자수가 같다.

① ㄱ ② ㄴ ③ ㄱ, ㄷ ④ ㄴ, ㄷ ⑤ ㄱ, ㄴ, ㄷ

개념 꼭!

* 원자 번호 = **❶** [　　] 수 = 전자 수(중성 원자), 질량수 = 양성자수 + 중성자수

* 동위 원소는 양성자수는 같고 **❷** [　　] 가 다른 원소이다.

자료 해석

┌→ 양성자수 = 질량수 - 중성자수 = 9

원자 또는 이온	A^-	A	B 원자	C 원자	D^{2+}	D
질량수	19	19	20	24	26	26
전자 수	9+1=10	9	10	12	10	12
중성자수	10	10	10	12	14	14
양성자수	9	9	10	12	12	12

답 ❶ 양성자 **❷** 중성자수

Point 해설

ㄱ. A와 B는 양성자수가 다르므로 동위 원소가 아니다.

Ⓛ B와 C는 원자인데, 전자 수가 다르므로 원자 번호가 다르다.

Ⓒ C와 D는 양성자 수가 12로 서로 같다.

답 ④

전략 비법 노트

• **질량수 = 양성자수 + 중성자수** • **동위 원소 → 양성자수는 같고 중성자수는 다름**

17 보어의 원자 모형과 수소 원자의 선 스펙트럼

수능 전략 Key 보어의 원자 모형에서 에너지와 파장, 진동수의 관계를 알고 있어야 한다.

다음은 수소 원자의 전자 전이에 대한 자료이다.

- 수소 원자의 에너지 준위 $E_n = -\dfrac{k}{n^2}$ (kJ/몰) (n은 주 양자수, k는 상수)이다.
- 전자가 전이($n_{전} \rightarrow n_{후}$)할 때는 전이 전과 후의 에너지 차이($\Delta E = |E_{n후} - E_{n전}|$)만큼 에너지를 방출하거나 흡수한다. $n_{전}$은 전이 전, $n_{후}$는 전이 후 주 양자수이다.
- 전자 전이에 따른 ΔE와 빛의 파장

전자 전이	$n=\infty \rightarrow n=2$	$n=3 \rightarrow n=2$	$n=2 \rightarrow n=1$
ΔE(kJ/몰)	$a = \dfrac{k}{4}$	$b = \dfrac{5}{36}k$	$\dfrac{3}{4}k$
빛의 파장(nm)	$\lambda_a \propto \dfrac{1}{a}$	$\lambda_b \propto \dfrac{1}{b}$	—

이에 대한 설명으로 옳은 것만을 |보기|에서 있는 대로 고른 것은?

┌ 보기 ┐

ㄱ. $b > \dfrac{3}{4}k$이다.
    ↳ $\dfrac{5}{36}k$

ㄴ. 수소 원자의 이온화 에너지는 $\left(a + \dfrac{3}{4}k\right)$ kJ/몰이다.
    ↳ $n=\infty \rightarrow n=2$인 경우
    ↳ $n=2 \rightarrow n=1$인 경우

ㄷ. $\lambda_a > \lambda_b$이다.

① ㄱ   ② ㄴ   ③ ㄷ   ④ ㄱ, ㄴ   ⑤ ㄱ, ㄷ

개념 꼭!

* 수소 원자의 에너지 준위: $E_n = -\dfrac{k}{n^2}$ (kJ/몰) (n은 주 양자수, k는 상수)
* 주 양자수 n이 커질수록 수소 원자의 에너지 준위가 **❶** 진다.
* 높은 에너지 준위에서 낮은 에너지 준위로 전자가 전이할 때 에너지 준위 차이에 해당하는 불연속적인 에너지의 빛이 방출된다.
* 전자 전이 시 방출되는 에너지와 빛의 **❷** 은 반비례한다.

답 ❶ 높아 **❷** 파장

자료 해석

* 전자가 $n=3 \rightarrow n=2$로 전이할 때 방출하는 빛은 가시광선 영역이고, $n=2 \rightarrow n=1$로 전이할 때 방출하는 빛은 ❸   영역이다.

* $a=|E_{n=2}-E_{n=\infty}|=|(-\dfrac{k}{2^2})-0|=\dfrac{1}{4}k$

* $b=|E_{n=2}-E_{n=3}|=|(-\dfrac{k}{2^2})-(-\dfrac{k}{3^2})|=\dfrac{5}{36}k$

∴ $b=|E_{n=2}-E_{n=3}|=\dfrac{5}{36}k$이고, $|E_{n=1}-E_{n=2}|=\dfrac{3}{4}k$이다.

* 수소 원자의 이온화 에너지는 전자가 $n=1$에서 $n=\infty$로 전이할 때 ❹   하는 에너지이다. ➜ 수소 원자의 이온화 에너지는 전자가 $n=\infty \rightarrow n=2$로 전이할 때와 $n=2 \rightarrow n=1$로 전이할 때 각각 방출하는 에너지의 합과 같다.

➜ 수소 원자의 이온화 에너지는 $(a+\dfrac{3}{4}k)$ kJ/몰이다.

답 ❸ 자외선 ❹ 흡수

Point 해설

ㄱ. 전자가 $n=3 \rightarrow n=2$로 전이할 때 방출하는 빛은 가시광선 영역이고, $n=2 \rightarrow n=1$로 전이할 때 방출하는 빛은 자외선 영역이므로 $b<\dfrac{3}{4}k$이다.

ⓛ 수소의 이온화 에너지는 전자가 $n=1$에서 $n=\infty$로 전이할 때 흡수하는 에너지로 $(a+\dfrac{3}{4}k)$kJ/몰이다.

ㄷ. 전자 전이가 $n=\infty \rightarrow n=2$로 일어날 때가 $n=3 \rightarrow n=2$으로 일어날 때보다 에너지 준위 차이가 더 크고($a>b$), 빛의 파장은 에너지에 반비례하므로 $\lambda_a<\lambda_b$이다.

답 ②

전략 비법 노트

● 전자 전이 시 방출 또는 흡수하는 **에너지가 클수록 빛의 파장은 짧음**

● 수소 원자의 전자 전이가 $n\geq2 \rightarrow n=1$일 때 ➜ **라이먼 계열(자외선)**

● 수소 원자의 전자 전이가 $n\geq3 \rightarrow n=2$일 때 ➜ **발머 계열(주로 가시광선,** $n=3$부터 $n=6$에서 전이할 때)

● 수소 원자의 전자 전이가 $n\geq4 \rightarrow n=3$일 때 ➜ **파셴 계열(적외선)**

● $n=2 \rightarrow n=1$에 의한 빛에너지는 $n=\infty \rightarrow n=2$에 의한 빛에너지보다 큼
➜ **전자 전이에 의해 방출되는 빛에너지는 라이먼 계열이 발머 계열보다 항상 큼**

18 평균 원자량

2020 10월 학평 8번 유사

수능 전략 Key

1 g에 들어 있는 입자 수는 그 입자의 몰 수에 비례하고, 평균 원자량은 자연계 존재 비율이 높은 원소의 원자량에 더 가깝다는 것을 이해하고 적용할 수 있어야 한다.

다음은 질량수가 3 이하인 원자 (가)~(다)에 대한 자료이다.

- 자연계에 존재하는 구리의 동위 원소는 ^{63}Cu과 ^{65}Cu이다.
- ^{63}Cu, ^{65}Cu의 원자량은 각각 62.9, 64.9이다.
- Cu의 평균 원자량은 63.5이다.

평균 원자량이 ^{65}Cu보다 ^{63}Cu에 더 가깝다.
→ ^{63}Cu의 존재 비율이 더 크다는 것을 알 수 있다.

↳ 원자량 값이 제시되면 먼저 〈보기〉를 확인하여 계산 필요 여부를 확인한다.

이에 대한 설명으로 옳은 것만을 |보기|에서 있는 대로 고른 것은?

┌ 보기
ㄱ. 중성자수는 $^{63}Cu > ^{65}Cu$이다. $^{63}Cu < ^{65}Cu$
ㄴ. 자연계에 존재하는 비율은 $^{63}Cu > ^{65}Cu$이다.
ㄷ. $\dfrac{^{65}Cu\ 1\ g\ 속에\ 들어\ 있는\ 전자\ 수}{^{63}Cu\ 1\ g\ 속에\ 들어\ 있는\ 전자\ 수} > 1$이다.

평균 원자량은 존재 비율이 많은 쪽에 가깝다.

동위 원소의 1 g 당 원자 수는 원자량이 작을수록 많다.

① ㄱ   ② ㄴ   ③ ㄱ, ㄷ   ④ ㄴ, ㄷ   ⑤ ㄱ, ㄴ, ㄷ

개념 꼭!

* 평균 원자량 = [**❶**]의 존재 비율을 고려한 원자량의 평균값

* 동위 원소는 양성자수는 같지만 중성자수가 다른 원소이다.   **답 ❶ 동위 원소**

자료 해석

* ^{63}Cu 존재 비율을 x, ^{65}Cu 존재 비율을 y라 할 때, Cu의 평균 원자량은

$$\frac{62.9 \times x + 64.9 \times y}{100} = 63.5 \text{ 이고 } x + y = 100 \text{이다.} \Rightarrow x = \boxed{\textbf{❷}}\ \%,$$

$y = \boxed{\textbf{❸}}\ \%$이다.   **답 ❷ 70 ❸ 30**

Point 해설

ㄱ. 동위 원소는 양성자수는 같으므로 질량수가 클수록 중성자수가 크다.

ⓛ Cu의 평균 원자량이 63.5이므로 존재 비율은 $^{63}Cu > ^{65}Cu$이다.

ㄷ. 원자량이 작을수록 1 g당 원자 수는 더 많고 원자 수가 많으면 전자 수도 더 많다.

답 ②

전략 비법 노트

● 평균 원자량 → **존재 비율이 높은 동위 원소의 원자량에 더 가깝다.**

현대 원자 모형과 전자 배치(1)

2018 9월 모평 9번 유사

수능 전략 Key 바닥상태의 전자 배치를 익히고 홀전자 수, 원자가 전자 수, 오비탈의 종류와 수를 주어진 조건을 이용하여 찾을 수 있어야 한다.

표는 바닥상태의 원자 A~C의 오비탈 (가)~(다)에 들어 있는 전자 수를 나타낸 것이다. (가)~(다)는 각각 $2p$, $3s$, $3p$ 중 하나이다. A~C에 대한 설명으로 옳은 것만을 |보기|에서 있는 대로 고른 것은? (단, A~C는 임의의 원소 기호이다.)

원자	(가)$3s$	(나)$3p$	(다)$2p$
A Cl	2	5	6
B N	0	0	3
C P	2	3	6

┌ 보기 ┐
ㄱ. 홀전자 수는 A가 가장 적다. A는 $3p^5$이므로 홀전자 수 1, B와 C는 3
ㄴ. 원자가 전자 수는 C가 B보다 크다. C와 B는 둘 다 15족 원소 → 원자가 전자 수 5
ㄷ. C에서 오비탈의 에너지 준위는 (가)가 (나)보다 낮다. 에너지 준위 $3s<3p$

① ㄱ   ② ㄴ   ③ ㄱ, ㄷ   ④ ㄴ, ㄷ   ⑤ ㄱ, ㄴ, ㄷ

개념 꼭!
* 쌓음 원리: 에너지 준위가 **❶〔   〕** 오비탈부터 전자를 채운다.

* 다전자 원자의 오비탈의 에너지 준위: $1s<2s<2p<3s<3p<4s<3d<4p$ ···

답 ❶ 낮은

자료 해석
* 바닥상태에서 B의 전자가 (다)에만 들어가 있다. ➡ (다)는 $2p$ 오비탈이다.

* (나)의 경우 전자가 A는 5개, C는 3개이므로 $3s$는 될 수 없다. ➡ (나)는 $3p$ 오비탈이다. 따라서 (가)는 최대 2개만 들어갈 수 있는 $3s$ 오비탈이다.

* 전자 배치가 A는 $1s^2 2s^2 2p^6 3s^2 3p^5$, **❷〔   〕**는 $1s^2 2s^2 2p^3$, C는 $1s^2 2s^2 2p^6 3s^2 3p^3$이다. ➡ A는 Cl, B는 N, C는 P이고, 홀전자 수는 A는 1, B와 C는 **❸〔   〕**이다.

답 ❷ B ❸ 3

Point 해설 ㄱ 홀전자 수는 A는 1개, B는 3개, C는 3개이므로 A가 가장 적다.

ㄴ. 원자가 전자 수는 A가 7개이고, B와 C는 5개로 같다.

ㄷ (가)는 $3s$, (나)는 $3p$이므로 C에서 오비탈의 에너지 준위는 (나)>(가)이다.

답 ③

전략 비법 노트

● **홀전자 수** ➡ 15족이 3으로 가장 많다.   ● **원자가 전자 수** ➡ **족의 1의 자리**

20 현대 원자 모형과 전자 배치(2)

수능 전략 Key 2, 3주기 원소들의 전자 배치를 이해하고 암기해야 하며, 오비탈 수를 빠르게 구할 수 있어야 하고, 주어진 자료를 분석하여 원소를 유추할 수 있어야 한다.

다음은 원자 번호가 20 이하인 바닥상태 원자 X~Z에 대한 자료이다.

- 원자 번호는 X>Y>Z이다. 원자 번호는 Ca>P>Ne
- X~Z 각각의 전자 배치에서
  $\dfrac{s \text{ 오비탈에 들어 있는 전자 수}}{p \text{ 오비탈에 들어 있는 전자 수}} = \dfrac{2}{3}$ 로 같다. Ca, P, Ne

이에 대한 설명으로 옳은 것만을 |보기|에서 있는 대로 고른 것은? (단, X~Z는 임의의 원소 기호이다.)

┌ 보기 ┐
- ㄱ. X의 원자가 전자 수는 2이다. Ca: 4s 오비탈에 2개
- ㄴ. Y의 홀전자 수는 3이다. 3p 오비탈에 3개의 전자가 있을 때
  → 훈트 규칙에 의해 홀전자 수 3 → 15족
- ㄷ. Z에서 전자가 들어 있는 오비탈 수는 6이다.
  └→ Ne: s 오비탈 2개, p 오비탈 3개

① ㄱ   ② ㄴ   ③ ㄷ   ④ ㄱ, ㄴ   ⑤ ㄱ, ㄷ

개념 꼭!

* 쌓음 원리: 전자는 **❶ [　　　]** 에너지 준위의 오비탈부터 차례로 들어간다.
* 파울리 배타 원리: 한 오비탈에는 전자가 2개까지 들어가며, 전자의 스핀 방향은 반대이다.
* 훈트 규칙: 에너지 준위가 같은 오비탈에 전자가 들어갈 때는 가능하면 **❷ [　　　]** 수가 많아야 한다.

📋 ❶ 낮은 ❷ 홀전자

→ 다전자 원자의 오비탈에 전자가 채워지는 순서

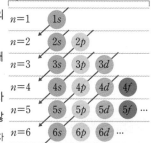

n=1	1s		
n=2	2s	2p	
n=3	3s	3p	3d
n=4	4s	4p	4d	4f
n=5	5s	5p	5d	5f …
n=6	6s	6p	6d …

전략 비법 노트

- 2, 3주기 원소의 홀전자 수는 최대 3 → 15족 원소(N, P)
- 오비탈과 홀전자 수 관련 문제 풀이 순서: 바닥상태 전자 배치 구하기 → 오비탈 수 구하기
  → 원자가 전자 수 구하기 → 홀전자 수 구하기 (바닥 − 오비탈 − 원자가 전자 − 홀전자)

자료 해석

* 원자 번호 1~20번 중 일부 원소의 전자 배치

원자 번호	전자 껍질 오비탈	K $1s$	L $2s$	$2p$	M $3s$	$3p$	$3d$	N $4s$	전자 배치	홀전자 수
10	Ne	↑↓	↑↓	↑↓ ↑↓ ↑↓					$1s^2\,2s^2\,2p^6$	0
11	Na	↑↓	↑↓	↑↓ ↑↓ ↑↓	↑				$1s^2\,2s^2\,2p^6\,3s^1$	1
15	P	↑↓	↑↓	↑↓ ↑↓ ↑↓	↑↓	↑ ↑ ↑			$1s^2\,2s^2\,2p^6\,3s^2\,3p^3$	3
16	S	↑↓	↑↓	↑↓ ↑↓ ↑↓	↑↓	↑↓ ↑ ↑			$1s^2\,2s^2\,2p^6\,3s^2\,3p^4$	2
18	Ar	↑↓	↑↓	↑↓ ↑↓ ↑↓	↑↓	↑↓ ↑↓ ↑↓			$1s^2\,2s^2\,2p^6\,3s^2\,3p^6$	0
19	K	↑↓	↑↓	↑↓ ↑↓ ↑↓	↑↓	↑↓ ↑↓ ↑↓		↑	$1s^2\,2s^2\,2p^6\,3s^2\,3p^6\,4s^1$	1
20	Ca	↑↓	↑↓	↑↓ ↑↓ ↑↓	↑↓	↑↓ ↑↓ ↑↓		↑↓	$1s^2\,2s^2\,2p^6\,3s^2\,3p^6\,4s^2$	0

* s와 p 오비탈에 들어 있는 전자 수

2주기	Li	Be	B	C	N	O	F	Ne
s 오비탈에 들어 있는 전자 수	3	4	4	4	4	4	4	4
p 오비탈에 들어 있는 전자 수	0	0	1	2	3	4	5	6
3주기	Na	Mg	Al	Si	P	S	Cl	Ar
s 오비탈에 들어 있는 전자 수	5	6	6	6	6	6	6	6
p 오비탈에 들어 있는 전자 수	6	6	7	8	9	10	11	12
4주기	K	Ca						
s 오비탈에 들어 있는 전자 수	7	8						
p 오비탈에 들어 있는 전자 수	12	12						

* 원자 번호가 20 이하인 바닥상태 원자 중 $\dfrac{s\ \text{오비탈에 들어 있는 전자 수}}{p\ \text{오비탈에 들어 있는 전자 수}}=\dfrac{2}{3}$인 것은 Ne, P, Ca이고, 원자 번호는 X > Y > Z이다. ➡ X는 [❸], Y는 [❹], Z는 Ne이다.

답 ❸ Ca ❹ P

Point 해설

ㄱ. ┌→Ca
X는 4주기 2족, $1s^2\,2s^2\,2p^6\,3s^2\,3p^6\,4s^2$이므로 원자가 전자 수 2이다.

ㄴ. ┌→P
Y는 3주기 15족, $1s^2\,2s^2\,2p^6\,3s^2\,3p_x^{\,1}\,3p_y^{\,1}\,3p_z^{\,1}$로 홀전자 수는 3이다.

ㄷ. ┌→Ne
Z는 $1s^2\,2s^2\,2p_x^{\,2}\,2p_y^{\,2}\,2p_z^{\,2}$이므로 전자가 들어 있는 오비탈 수는 5이다.

답 ④

현대 원자 모형과 전자 배치 (3)

수능 전략 Key 바닥상태 원자에서 전자가 오비탈에 채워지는 원리를 알고 있어야 하고, 전자 배치 규칙에 맞게 전자 배치를 한 후 s 오비탈과 p 오비탈의 전자 수를 따져 필요한 값을 구할 수 있어야 한다.

다음은 2~3주기 바닥상태 원자 A~D의 전자 배치에 대한 자료이다.

- 전자가 들어 있는 전자 껍질 수: $B > A$, $D > C$ ⎤ B, D: 3주기
  ⎦ A, C: 2주기
- 전체 s 오비탈에 들어 있는 전자 수에 대한 전체 p 오비탈에 들어 있는 전자 수의 비

	O	Mg	Ne	P
원자	A	B	C	D
$\dfrac{p \text{ 오비탈에 들어 있는 전자 수}}{s \text{ 오비탈에 들어 있는 전자 수}}$	1	1	1.5	1.5

A~D에 대한 설명으로 옳은 것만을 |보기|에서 있는 대로 고른 것은? (단, A~D는 임의의 원소 기호이다.)

┌ 보기 ┐
ㄱ. 홀전자 수는 D가 가장 크다.
ㄴ. B와 C의 전자 수 차는 4이다.
ㄷ. A가 안정한 이온이 될 때 전자가 들어 있는 p 오비탈 수는 감소한다.

① ㄱ   ② ㄴ   ③ ㄷ   ④ ㄱ, ㄷ   ⑤ ㄱ, ㄴ, ㄷ

개념 꼭!
* 바닥상태 원자의 전자 배치는 쌓음 원리, 파울리 배타 원리, 훈트 규칙을 모두 만족하는 전자 배치이다.

* 쌓음 원리: 전자는 ❶ [   ]가 낮은 오비탈부터 순서대로 채워진다.

* 파울리 배타 원리: 한 오비탈에 전자가 2개까지 들어가며, 전자의 스핀 방향은 ❷ [   ]이다.

* 훈트 규칙: 에너지 준위가 같은 오비탈에 전자를 배치할 때 가능하면 ❸ [   ] 수가 많아야 한다.

[답] ❶ 에너지 준위 ❷ 반대 ❸ 홀전자

자료 해석

* 바닥상태 원자의 전자 배치와 홀전자 수

$$* = \frac{p \text{ 오비탈에 들어 있는 전자 수}}{s \text{ 오비탈에 들어 있는 전자 수}}$$

구분	전자 배치	홀전자 수	원자	주기	*
A	$1s^2 2s^2 2p^4$	2	O	2	$\frac{4}{4}=1$
B	$1s^2 2s^2 2p^6 3s^2$	0	Mg	3	$\frac{6}{6}=1$
C	$1s^2 2s^2 2p^6$	0	Ne	2	$\frac{6}{4}=1.5$
D	$1s^2 2s^2 2p^6 3s^2 3p^3$	3	P	3	$\frac{9}{6}=1.5$

* 전자가 들어 있는 전자 껍질 수가 B>A, D>C 이므로 A, C는 2주기 원소이고, B, D는 3주기 원소이다.

* 2주기 원소는 $1s^2 2s^2 2p^x$의 전자 배치를, 3주기 원소는 $1s^2 2s^2 2p^6 3s^2 3p^y$의 전자 배치를 가진다. ──→ 제시된 자료에서 p 오비탈의 ──── 전자 수가 0이 아니기 때문

* A와 B는 s와 p 오비탈의 전자 수가 같다. ➡ 2주기 원소 A는 p 오비탈에 전자가 4개 있고 3주기 원소 B는 p 오비탈에 전자가 ❹ ☐ 개 있다.

* C와 D는 p 오비탈의 전자 수가 s 오비탈의 전자 수의 1.5배이므로 2주기 원소인 C는 p 오비탈에 전자가 6개 있어야 하고 3주기 원소인 D는 p 오비탈에 전자가 ❺ ☐ 개 있어야 한다.

➡ 각 원자의 전자 배치는 다음과 같다.

A(O): $1s^2 2s^2 2p_x{}^2 2p_y{}^1 2p_z{}^1$ B(Mg): $1s^2 2s^2 2p^6 3s^2$

C(Ne): $1s^2 2s^2 2p^6$ D(P): $1s^2 2s^2 2p^6 3s^2 3p_x{}^1 3p_y{}^1 3p_z{}^1$

답 ❹6 ❺9

Point 해설

ㄱ. 홀전자 수는 A는 2, B는 0, C는 0, D는 3이므로 D가 가장 크다.

ㄴ. 원자 B는 $_{12}$Mg이고, 원자 C는 $_{10}$Ne으로 B와 C의 전자 수 차이는 2개이다.

ㄷ. 원자 A는 $2p$ 오비탈로 전자 2개를 받아 안정한 이온인 A^{2-}가 되므로 A가 이온이 될 때 전자가 들어 있는 p 오비탈 수는 변하지 않는다.

답 ①

전략 비법 노트

* 2, 3주기 원자의 홀전자 수 → **15족의 질소(N)와 인(P)이 홀전자 수 3으로 가장 많음**
* 원자가 전자 수 → **족의 1의 자리**
* 전자를 얻어 안정한 음이온이 될 때 → **오비탈 수 불변**

원소의 바닥상태의 전자 배치 원리와 규칙을 이해하고 있어야 한다. 전자 배치로부터 기인되는 전자 수, 오비탈 수 등 다양한 정보를 조합하거나 계산할 수 있어야 한다.

그림은 2주기 원소의 바닥상태 원자에 대한 자료이다.

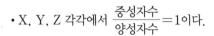

- X, Y, Z 각각에서 $\dfrac{중성자수}{양성자수} = 1$이다.

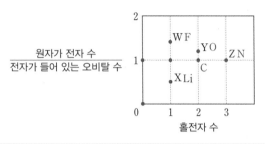

$$\frac{원자가\ 전자\ 수}{전자가\ 들어\ 있는\ 오비탈\ 수}$$

(세로축: 2 ~ 0, 가로축: 홀전자 수 0 ~ 3)
W F, Y O, Z N, X Li, C

W~Z에 대한 설명으로 옳은 것만을 ｜보기｜에서 있는 대로 고른 것은? (단, W~Z는 임의의 원소 기호이다.)

┌ 보기 ┐
ㄱ. 전기 음성도가 가장 큰 원소는 X이다.
ㄴ. 원자 반지름은 X가 Y보다 크다.
ㄷ. Y와 Z는 전자가 들어 있는 오비탈 수가 같다.
└─────┘

① ㄱ　　② ㄴ　　③ ㄱ, ㄴ　　④ ㄴ, ㄷ　　⑤ ㄱ, ㄴ, ㄷ

---

* 유효 핵전하는 같은 족과 주기에서 원자 번호가 증가할수록 모두 증가한다(핵전하 증가량이 전자 수 증가에 따른 가려막기 효과의 증가량보다 **❶** 　　　　 때문).

* 이온 반지름이 원자 반지름보다 작으면 양이온이고, 원자 반지름보다 크면 음이온 이다.

* 이온화 에너지는 같은 주기에서 원자 번호가 클수록 증가하며, 같은 족에서 원자 번호가 클수록 감소한다(단, 같은 주기에서 2족과 13족, 15족과 16족 사이에서 주기성의 예외 발생).

답 ❶ 크기

자료 해석

2주기 원소	X Li	Be	B	C	Z N	Y O	W F	Ne
원자가 전자 수	1	2	3	4	5	6	7	0
전자 배치	$1s^2 2s^1$	$1s^2 2s^2$	$1s^2 2s^2 2p^1$	$1s^2 2s^2 2p^2$	$1s^2 2s^2 2p^3$	$1s^2 2s^2 2p^4$	$1s^2 2s^2 2p^5$	$1s^2 2s^2 2p^6$
전자가 들어 있는 오비탈 수	2	2	3	4	5	5	5	5
홀전자 수	1	0	1	2	3	2	1	0

* 같은 주기에서 전기 음성도는 오른쪽으로 갈수록 증가한다(비활성 기체는 제외).
  → 플루오린(F)이 전기 음성도가 가장 크다. → F은 홀전자 수가 1이므로 홀전자
  가 1개인 경우에 $\dfrac{\text{원자가 전자 수}}{\text{전자가 들어 있는 오비탈 수}}$ 값이 가장 큰 원소인 W이다.

* 홀전자 수가 2개인 탄소와 산소 중 $\dfrac{\text{원자가 전자 수}}{\text{전자가 들어 있는 오비탈 수}}$ 값이 더 큰 것은
  ❷ 이므로 Y가 산소(O)이고 바로 아래의 원소는 탄소이다. X는 홀전자
  수가 1이며 $\dfrac{\text{원자가 전자 수}}{\text{전자가 들어 있는 오비탈 수}}$ 값이 가장 작은 리튬(Li)이다. → 리튬
  (Li)과 산소(O) 중 유효 핵전하가 큰 산소가 원자 반지름이 더 ❸ .

* 그래프에서 Z는 홀전자 수가 3이므로 질소(N)이다. → Y는 산소(O), Z는 질소(N)
  이므로 전자가 들어 있는 오비탈 수가 서로 같다.

답 ❷ 산소 ❸ 작다

Point 해설

ㄱ. 전기 음성도가 가장 큰 원소는 플루오린(F)인 W이다.

ㄴ. 원자 반지름은 같은 2주기에서 유효 핵전하가 큰 Y(O)가 X(Li)보다 작다.

ㄷ. 전자가 들어 있는 오비탈 수는 Y(O)가 5개, Z(N)가 5개로 같다.

답 ④

전략 비법 노트

● **2주기 원소의 전기 음성도** → 주기율표에서 오른쪽으로 갈수록 증가(비활성 기체 제외)
  → C(2.5), N(3.0), O(3.5), F(4.0)
● 주기율표에서 **오른쪽 위로 갈수록**: 유효 핵전하, 전기 음성도, 이온화 에너지 증가
● 주기율표에서 **왼쪽 아래로 갈수록**: 유효 핵전하, 전기 음성도, 이온화 에너지 감소

23 유효 핵전하와 원자 반지름

2019 10월 학평 16번 유사

수능 전략 Key

전기 음성도, 이온화 에너지 등 원소의 주기적 성질을 이해하고 있어야 하고, 제시된 주기적 성질과 전하, 홀전자 수 등 자료를 분석하여 원소를 유추할 수 있어야 한다.

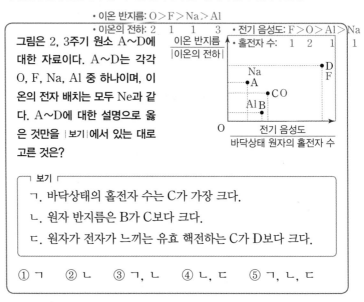

그림은 2, 3주기 원소 A~D에 대한 자료이다. A~D는 각각 O, F, Na, Al 중 하나이며, 이온의 전자 배치는 모두 Ne과 같다. A~D에 대한 설명으로 옳은 것만을 |보기|에서 있는 대로 고른 것은?

- 이온 반지름: $O>F>Na>Al$
- 이온의 전하: 2 1 1 3
- 전기 음성도: $F>O>Al>Na$
- 홀전자 수: 1 2 1 1

┌ 보기 ┐

ㄱ. 바닥상태의 홀전자 수는 C가 가장 크다.

ㄴ. 원자 반지름은 B가 C보다 크다.

ㄷ. 원자가 전자가 느끼는 유효 핵전하는 C가 D보다 크다.

① ㄱ ② ㄴ ③ ㄱ, ㄴ ④ ㄴ, ㄷ ⑤ ㄱ, ㄴ, ㄷ

자료 해석

* O, F, Na, Al의 이온의 전하는 각각 2, 1, 1, 3이고, 등전자 이온의 이온 반지름은 핵전하량이 클수록 **❶**　　　지므로 $O^{2-}>F^->Na^+>Al^{3+}$이다.

→ $\dfrac{\text{이온 반지름}}{|\text{이온의 전하}|}$ 는 Al이 가장 작다. ➜ B는 Al이다.

* O, F, Na, Al의 바닥상태 원자의 홀전자 수는 각각 2, **❷**　　, 1, 1 이고, 전기 음성도는 F>O>Al>Na이다.

→ $\dfrac{\text{전기 음성도}}{\text{바닥상태 원자의 홀전자 수}}$ 는 F가 가장 크고 Na가 가장 작다. ➜ D는 F, A는 Na, C는 O이다.

답 ❶ 작아 **❷** 1

Point 해설

ⓖ A~D는 각각 Na, Al, O, F이고 각 원자의 바닥상태의 홀전자 수는 O, F, Na, Al이 각각 2, 1, 1, 1 이므로 O(산소)인 C가 가장 크다.

ⓛ 원자 반지름은 3주기의 Al이 2주기의 O보다 크다(B>C).

ㄷ. 같은 주기에서 유효 핵전하는 원자 번호가 클수록 커지므로 F>O이다(D>C).

답 ③

2014 3월 학평 8번 유사

수능 전략 Key 원자 반지름과 이온 반지름, 유효 핵전하와 전기 음성도와 이온화 에너지의 주기성을 이해하고 서로의 관계를 비교할 수 있어야 한다.

그림은 원자 번호가 연속인 2, 3주기 원소 A~D의 원자가 전자가 느끼는 유효 핵전하를 나타낸 것이다. A~D에 대한 설명으로 옳은 것만을 |보기|에서 있는 대로 고른 것은? (단, A~D는 임의의 원소 기호이다.)

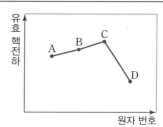

보기
ㄱ. 3주기 원소는 2가지이다.
ㄴ. 이온화 에너지는 B가 A보다 크다.
ㄷ. 전기 음성도는 B가 D보다 크다.

① ㄱ   ② ㄴ   ③ ㄱ, ㄷ   ④ ㄴ, ㄷ   ⑤ ㄱ, ㄴ, ㄷ

자료 해석

* A, B, C로 가면서 원자 번호가 증가할수록 유효 핵전하가 **❶** 하다가 D에서 급격하게 감소한다. ➡ D만 3주기 원소인 Na이다.

* 원자 번호가 연속인 4종류 원소가 A, B, C, D 순으로 원자 번호가 증가하고 D만 3주기 원소인 Na이다. ➡ A, B, C는 차례로 O, **❷** , Ne이다.

답 ❶ 증가 ❷ F

Point 해설

ㄱ. 3주기 원소는 Na인 D 1가지이다.

Ⓛ B는 플루오린(F), A는 산소(O)이다. B가 A보다 원자가 전자가 느끼는 유효 핵전하가 커서 원자핵과 전자 간 인력이 크므로 이온화 에너지는 B>A이다.

Ⓒ F는 전기 음성도가 가장 큰 원소이다. 즉, 전기 음성도는 B(F)가 D(Na)보다 크다.

답 ④

전략 비법 노트

● 같은 주기에서 **유효 핵전하가 클수록** → **전기 음성도, 이온화 에너지** 대체로 **증가**

● 원자 번호가 연속 증가하면서 **유효 핵전하가 증가하다가 급격히 감소할 때** → **급 감소** 원인은 **주기의 증가**

25 순차 이온화 에너지

바닥상태 원자의 전자 배치를 바탕으로 이온화 에너지의 주기성을 살피고 예외성까지 찾을 수 있어야 하며, 순차 이온화 에너지의 주기성도 비교할 수 있어야 한다.

다음은 바닥상태 원자 W∼Z에 대한 자료이다. W∼Z는 각각 O, F, Na, Mg 중 하나이다.

- 홀전자 수는 $\overset{O>Na>Mg}{W>Y>X}$이다. O>F=Na>Mg
- 제1 이온화 에너지는 $\underset{F>Mg>Na}{Z>X>Y}$이다. F>O>Mg>Na

이에 대한 설명으로 옳은 것만을 |보기|에서 있는 대로 고른 것은? (단, W∼Z의 이온은 모두 Ne의 전자 배치를 갖는다.)

┌ 보기 ┌

ㄱ. 원자가 전자가 느끼는 유효 핵전하는 $\overset{}{X>Y}$이다.
$Mg>Na$
ㄴ. 이온 반지름은 $X>W$이다.
$O(W)>Mg(X)$
ㄷ. $\dfrac{제2\ 이온화\ 에너지}{제1\ 이온화\ 에너지}$ 는 $Y>W>Z$이다.
$Na>O>F$

① ㄱ ② ㄴ ③ ㄱ, ㄷ ④ ㄴ, ㄷ ⑤ ㄱ, ㄴ, ㄷ

---

* 같은 주기에서는 원자 번호가 커질수록 원자핵과 전자 사이의 **❶** 이 증가하여 이온화 에너지는 대체로 증가한다.

* 같은 족에서는 원자 번호가 커질수록 원자핵과 전자 사이의 **❶** 이 감소하므로 이온화 에너지가 감소한다.

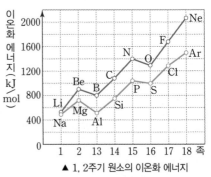

▲ 1, 2주기 원소의 이온화 에너지

* 주기성의 예외: 2족과 13족 사이, 15족과 16족 사이에서는 원자 번호가 커질수록 이온화 에너지가 **❷** 한다.

* 순차 이온화 에너지가 급격히 증가하기 직전까지 떼어낸 전자 수는 원자가 전자 수와 같다.

답 ❶ 인력 ❷ 감소

자료 해석

* 2주기 바닥상태 원자에서 홀전자 수는 $O > F = Na > Mg$이고, 제1 이온화 에너지는 $F > O > Mg > Na$이다. 따라서 W는 O, X는 Mg, Y는 Na 또는 F 중 하나이다.

* 제1 이온화 에너지는 Y가 가장 작으므로 Y는 ❸ 이고, 가장 큰 Z는 ❹ 이다.

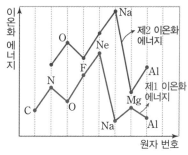

▲ 제1, 제2 이온화 에너지의 비교

* 유효 핵전하는 $F > O > Mg > Na$이므로 $Z > W > X > Y$이다.

* 이온 반지름은 모두 Ne의 전자 배치를 가지므로 원자 번호가 클수록 이온 반지름이 ❺ 한다. ➡ $O^{2-} > F^- > Na^+ > Mg^{2+}$이므로 $W^{2-} > Z^- > Y^+ > X^{2+}$이다.

* 제1 이온화 에너지는 $F > O > Mg > Na$이고 제2 이온화 에너지는 $Na > O > F > Mg$이다. 따라서 $\dfrac{\text{제2 이온화 에너지}}{\text{제1 이온화 에너지}}$는 ❻ 족 원소가 가장 크며 $Na > O > F$이다. 1족 원소는 원자가 전자 수가 1이다.

답 ❸ Na ❹ F ❺ 감소 ❻ 1

Point 해설

ㄱ 원자 번호는 X(Mg) > Y(Na)이므로 유효 핵전하는 X > Y이다.

ㄴ. 이온 반지름은 $O^{2-} > Mg^{2+}$이므로 W > X이다.

ㄷ 제1 이온화 에너지는 1족이 가장 작고, 제2 이온화 에너지는 상대적으로 가장 크다. W~Z 중 $\dfrac{\text{제2 이온화 에너지}}{\text{제1 이온화 에너지}}$는 1족 원소인 Y가 가장 크다. 또한 제1 이온화 에너지는 Z > W이고, 제2 이온화 에너지는 W > Z이므로 $\dfrac{\text{제2 이온화 에너지}}{\text{제1 이온화 에너지}}$는 Y > W > Z이다.

답 ③

전략 비법 노트

● 순차 이온화 에너지의 급격한 증가 직전까지 떼어낸 전자 수 ➔ 원자가 전자 수
● 제1 이온화 에너지의 주기성 예외 ➔ 2족과 13족, 15족과 16족 사이에서 나타남
● 제2 이온화 에너지의 주기성 예외 ➔ 13족과 14족, 16족과 17족 사이에서 나타남

26 원자 반지름과 이온 반지름

Ne과 Ar의 전자 배치를 가지는 이온(등전자 이온)들은 특히 자주 출제되므로 이들 원소의 원자 반지름과 이온 반지름의 주기성을 이해하고 비교 분석할 수 있어야 한다.

그림은 원자 A~D에 대한 자료이다. A~D는 원자 번호가 <u>15, 16, 19, 20</u> 중 하나이고 A~D의 이온의 전자 배치는 모두 Ar과 같다. P, S, K, Ca

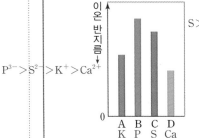

$P^{3-} > S^{2-} > K^+ > Ca^{2+}$

S > P > Ca > K

이에 대한 설명으로 옳은 것만을 |보기|에서 있는 대로 고른 것은?
(단, A~D는 임의의 원소 기호이다.)

┌─ 보기 ─
ㄱ. (가)는 원자가 전자가 느끼는 유효 핵전하로 적절하다.
ㄴ. B와 C는 같은 주기 원소이다. P, S는 3주기 원소
ㄷ. 원자 반지름은 C > D이다.
    Ca > S → D > C
└─

① ㄱ   ② ㄴ   ③ ㄱ, ㄴ   ④ ㄱ, ㄷ   ⑤ ㄴ, ㄷ

개념 꼭!

* 유효 핵전하는 같은 족과 주기에서 원자 번호가 증가할수록 모두 증가한다. 양성자수 증가에 따른 핵전하 증가량이 전자 수 증가에 따른 가려막기 효과의 증가량보다 **❶** [   ] 때문이다.

▲ 2, 3주기 원소의 유효 핵전하

같은 족에서 원자 번호 증가할수록 유효 핵전하 증가

* 같은 주기에서는 원자 번호가 클수록 유효 핵전하가 증가하므로 원자 반지름이 작아진다. 같은 족에서는 아래로 갈수록 전자 껍질의 수가 증가하므로 원자 반지름이 커진다.

* 이온 반지름이 원자 반지름보다 작으면 양이온, 크면 음이온이다.

* 이온화 에너지는 기체 상태의 중성 원자 1몰에서 전자 1몰을 떼어내기 위해 필요한 에너지로 같은 주기에서 원자 번호가 클수록 증가하며, 같은 족에서 원자 번호가 클수록 감소한다. 그러나 같은 주기에서 2족과 13족, 15족과 16족에서 주기성의 예외가 발생한다.

답 ❶ 크기

자료 해석

* 원자 번호 15, 16, 19, 20에 해당하는 원소는 3주기 15족 원소 P, 3주기 16족 원소 S, 4주기 1족 원소 K, 4주기 2족 원소 Ca이다.

* 이온의 전자 배치는 Ar과 같으므로 원자 번호가 증가할수록 ❷ ⬜ 가 증가하므로 이온의 반지름은 작아진다. ➡ 이온 반지름은 $P^{3-} > S^{2-} > K^+ > Ca^{2+}$ 이다. 그래프에서 이온 반지름은 B > C > A > D이므로 A는 K, B는 P, C는 S, D는 Ca이다.

* 유효 핵전하는 같은 족과 주기에서 원자 번호가 증가할수록 모두 ❸ ⬜ 한다. ➡ (가)의 값이 C > B > D > A이므로 S > P > Ca > K의 순서가 유효 핵전하와 같다.

답 ❷ 유효 핵전하 ❸ 증가

Point 해설

㉠ 원자가 전자가 느끼는 유효 핵전하는 같은 주기에서 원자 번호가 클수록 증가한다. 따라서 그 상대적 크기는 S > P > Ca > K이다. (가)의 그래프에서 C > B > D > A이고 이것은 S > P > Ca > K이므로 (가)가 유효 핵전하로 적절하다.

㉡ 이온 반지름의 순서는 $P^{3-} > S^{2-} > K^+ > Ca^{2+}$ 이다. 그래프에서 B > C > A > D이므로 B는 P, C는 S이므로 B와 C는 같은 3주기 원소이다.

ㄷ. D는 4주기 2족 원소인 Ca이고 C는 3주기 16족 원소인 S이다. 원자 반지름은 같은 주기에서는 원자 번호가 작을수록 같은 족에서 원자 번호가 클수록 증가한다. Ca의 원자 반지름은 197 pm, S의 원자 반지름은 104 pm이다. 따라서 원자 반지름은 D > C이다.

답 ③

전략 비법 노트

● **원자 반지름** > 이온 반지름 ➡ **양이온**

● 원자 반지름 < **이온 반지름** ➡ **음이온**

27 원소의 주기적 성질

탐구 과정 등을 반영한 문제는 주어진 조건의 분석을 통해 문제를 해결해야 한다.

다음은 원소 A~E에 대해 학생이 수행한 탐구 활동이다. A~E는 각각 Li, Be, Na, Mg, Al 중 하나이다.

| 탐구 자료 |

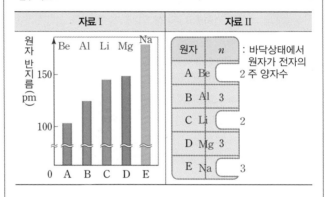

자료 I	자료 II

자료 I: 원자 반지름(pm) — Be, Al, Li, Mg, Na / 150, 100 / 0 A B C D E

자료 II:

원자	n	: 바닥상태에서 원자가 전자의 주 양자수
A Be	2	
B Al	3	
C Li	2	
D Mg	3	
E Na	3	

| 탐구 과정 |

(가) A~E를 주기를 기준으로 분류하고, 같은 주기에서 원자 반지름의 크기를 비교한다.

(나) 같은 주기에서 원자 번호 증가 순으로 원소를 배열한다.

	2주기	3주기
	― C, A	㉠ E, D, B

| 결론 |

• 같은 주기에서 원자 번호가 증가할수록 원자 반지름은 감소한다. 같은 족에서는 원자 반지름 증가

이에 대한 설명으로 옳은 것만을 | 보기 |에서 있는 대로 고른 것은?

┌ 보기 ┐

ㄱ. ㉠은 B, D, E이다.
　　E, D, B

ㄴ. A와 C는 같은 족 원소이다.
　　A와 C는 같은 2주기 원소

ㄷ. B가 D보다 원자 번호가 크다. B는 13번 Al, D는 12번 Mg
　　　　　　　　　　　　　　　　→ 원자 번호는 B>D

① ㄱ　　② ㄴ　　③ ㄷ　　④ ㄱ, ㄴ　　⑤ ㄱ, ㄷ

개념 꼭!

* 주기율표의 왼쪽 아래로 갈수록 **❶** [　　　] 증가, 이온화 에너지, 전기 음성도 감소

* 주기율표의 오른쪽 위로 갈수록 이온화 에너지, 전기 음성도 **❷** [　　　]

답 ❶ 원자 반지름 ❷ 증가

자료 해석

* 원자 반지름은 같은 족에서는 원자 번호가 클수록 증가하고 같은 주기에서는 원자 번호가 클수록 감소한다. → 원자 반지름은 같은 주기에서 Be < Li, Al < Mg < Na이고, 같은 족에서는 Be < Mg, Li < Na이다.

* 원자 반지름의 주기성에 따라 원자 반지름이 가장 큰 원소 E는 **❸** [　　　]으로 3주기 1족 원소이다. D는 주 양자수(n)가 3이므로 3주기 원소로 Al과 Mg 중 원자 반지름이 더 큰 원소는 Mg이다. B는 남은 3주기 원소인 Al이다. C는 A보다 원자 반지름이 더 크므로 남은 2주기 원소 중 Li이며, A는 Be이다.

→ 주어진 조건에서 원자 반지름은 Be < Al < Li < Mg < Na이다.

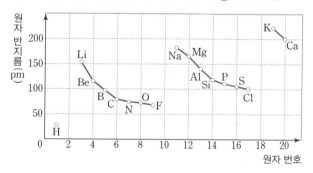

* ㉠에 3주기 원소를 원자 번호 순서로 나열하면 **❹** [　　　]이며, 대응하는 실제 원소는 각각 Na, Mg, Al이다. 2주기 원소는 원자 번호 순서로 나열하면 C, A이며, 대응하는 실제 원소는 각각 Li, Be이다.

답 ❸ Na ❹ E, D, B

Point 해설

ㄱ. ㉠은 3주기에서 원자 번호 증가 순서로 원소를 배열하면 E, D, B이다.

ㄴ. A는 2주기 2족, C는 2주기 1족이므로 같은 주기 원소이다.

ⓒ D는 12번 Mg, B는 13번 Al이므로 원자 번호는 B가 D보다 크다.　**답 ③**

전략 비법 노트

● 주기율표에서 **왼쪽 아래로 갈수록: 원자 반지름 증가 / 양이온** 되기 쉬움

● 주기율표에서 **오른쪽 위로 갈수록: 이온화 에너지, 전기 음성도가 증가 / 음이온** 되기 쉬움

● **바닥상태** → **원자가 전자의 주 양자수(n) = 전자 껍질 수(주기)**

memo

수능전략 | 화학 I

수능에 꼭 나오는
필수 유형 ZIP 1

수능전략

과·학·탐·구·영·역

화학 I

BOOK 1

BOOK 1
1주, 2주

BOOK 2
1주, 2주

BOOK 3
정답과 해설

본책인 BOOK 1과 BOOK2의 구성은 아래와 같습니다.

주 도입

본격적인 학습에 앞서, 재미있는 만화를 살펴보며 이번 주에 학습할 내용을 확인해 봅니다.

1일

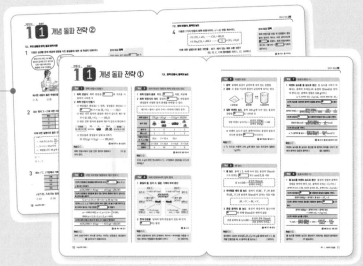

개념 돌파 전략
수능을 대비하기 위해 꼭 알아야 할 핵심 개념을 익힌 뒤, 간단한 문제를 풀며 개념을 잘 이해했는지 확인해 봅니다.

2일, 3일

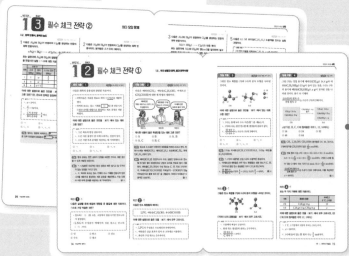

필수 체크 전략
기출문제에서 선별한 대표 유형 문제와 쌍둥이 문제를 함께 풀며 문제에 접근하는 과정과 해결 전략을 체계적으로 익혀 봅니다.

부록 수능에 꼭 나오는 필수 유형 ZIP

본 책에서 다룬 대표 유형과 그 해결 전략을 집중적으로 연습할 수 있도록 권두 부록을 구성했습니다.
부록을 뜯으면 미니북으로 활용할 수 있습니다.

주 마무리 학습

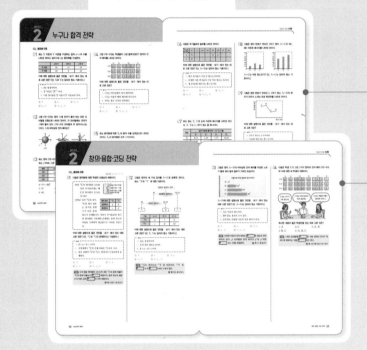

누구나 합격 전략
수능 유형에 맞춘 기초 연습 문제를 풀며
학습 자신감을 높일 수 있습니다.

창의·융합·코딩 전략
수능에서 요구하는 융복합적 사고력과
문제 해결력을 기를 수 있습니다.

권 마무리 학습

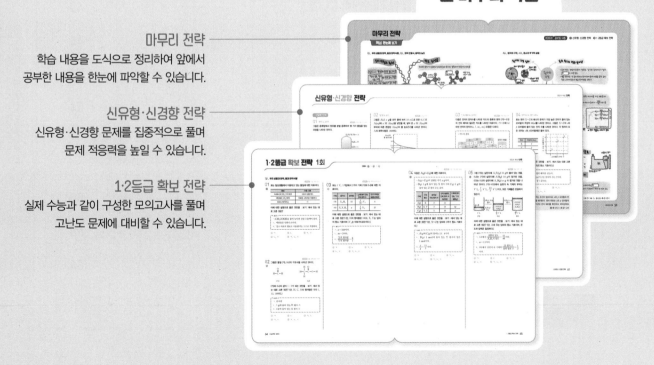

마무리 전략
학습 내용을 도식으로 정리하여 앞에서
공부한 내용을 한눈에 파악할 수 있습니다.

신유형·신경향 전략
신유형·신경향 문제를 집중적으로 풀며
문제 적응력을 높일 수 있습니다.

1·2등급 확보 전략
실제 수능과 같이 구성한 모의고사를 풀며
고난도 문제에 대비할 수 있습니다.

이 책의 차례

BOOK 1

BOOK 2

파이팅!!

WEEK 1

Ⅰ 화학의 첫걸음

1강_ 우리 생활과 화학, 몰과 화학식량

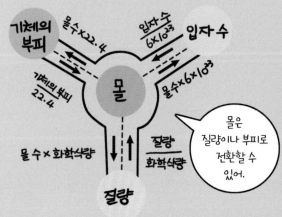

2강_ 화학 반응식, 용액의 농도

개념 1 우리 생활과 화학

1 식량 문제 해결 하버가 ❶[   ]를 대량 합성하는 제조 공정 개발 ➡ 질소 비료의 대량 합성이 가능해져 식량 생산량이 크게 증가

$$N_2 + 3H_2 \xrightarrow[\text{200 기압, 500~600 °C}]{\text{산화 철(촉매)}} 2NH_3$$

2 의류 문제 해결
- 천연 섬유는 환경 친화적이고 흡습성과 촉감이 좋으나 대량 생산이 어려움
- 합성 섬유는 석탄, ❷[   ], 천연가스 등을 원료로 하여 대량 생산이 가능 ⒟ 나일론(최초의 합성 섬유), 폴리에스터 등

3 주거 문제 해결 철, 시멘트, 콘크리트 등의 다양한 건축 자재와 화석 연료 이용

답 ❶ 암모니아 ❷ 석유

확인 Q 1
질기고 신축성이 좋아 스타킹, 그물 등의 재료로 사용하는 최초의 합성 섬유는 (   )이다.

개념 2 탄소 화합물과 탄화수소

1 탄소 화합물 탄소 원자(C)가 다른 탄소 원자(C)나 수소, 산소, 질소, 플루오린 등의 여러 원자들과 결합하여 이루어진 물질 ➡ 탄소 원자는 다른 원자들과 최대 ❶[   ]개의 결합을 형성

2 탄화수소 탄소 원자(C)와 수소 원자(H)로만 이루어진 화합물 ⒟ LNG(메테인), 가정용 연료(프로페인), 야외용 연료(뷰테인), 액화 석유가스(프로페인＋뷰테인) 등 ➡ 주로 화석 연료 속에 들어 있고, 완전 연소하면 ❷[   ]와 물이 생성

▲메테인(CH₄)   ▲프로페인(C₃H₈)   ▲뷰테인(C₄H₁₀)

답 ❶ 4 ❷ 이산화 탄소

확인 Q 2
탄소를 중심으로 4개의 수소가 결합하고 있는 탄화수소는?

개념 3 대표적인 탄소 화합물

1 알코올 탄화수소에서 수소 원자 대신 ❶[   ] (−OH)가 탄소 원자에 결합되어 있는 탄소 화합물

메탄올(CH₃OH)		에탄올(C₂H₅OH)	
H | H−C−O−H | H	탄소 원자 1개	H H | | H−C−C−O−H | | H H	탄소 원자 2개
독성이 있으며, 알코올 램프 연료, 화공 약품으로 이용		향수 등의 용매, 소독약, 손 소독제, 술의 원료로 이용	

2 아세트산(CH₃COOH) 물에 녹아 산성을 띠고, 신맛이 나며, ❷[   ]에 포함되어 있음

3 폼알데하이드(HCHO) 접착제, 도료, 방부제 등에 이용

4 아세톤(CH₃COCH₃) 특유의 냄새가 나고, 휘발성이 강하며, 인화성이 크고, 대부분의 물질을 잘 녹임

답 ❶ 하이드록시기 ❷ 식초

확인 Q 3
탄화수소에서 수소 원자 대신 하이드록시기(−OH)가 탄소 원자에 결합되어 있는 탄소 화합물을 (   )이라고 한다.

개념 4 탄소 화합물과 우리 생활

1 플라스틱 원유에서 분리되는 ❶[   ]를 원료로 합성한 고분자 탄소 화합물로서 가볍고 외부 충격에 강하며 일상생활에서 널리 사용

2 아스피린(아세틸 살리실산) 최초의 합성 의약품으로 해열제나 진통제로 사용

3 페니실린 최초의 항생제로 ❷[   ]에서 발견

4 비누, 합성 세제 계면 활성제가 포함되어 있음

5 탄소 섬유 가벼우면서도 강도가 세며 열팽창률이 작아 다른 재료와 결합하여 사용

답 ❶ 나프타 ❷ 푸른곰팡이

확인 Q 4
아스피린 이외에도 백신, 항생제, 항암제 등은 대부분 (   ) 화합물이다.

개념 5 원자량과 분자량, 화학식량

1 원자량 탄소 원자(^{12}C)의 질량을 ❶[_____]으로 정하고, 이를 기준으로 나타낸 원자의 상대적 질량

원소	원자량	원소	원자량	원소	원자량
H	1.0	He	4.0	C	12.0
N	14.0	O	16.0	Na	23.0
Mg	24.3	Al	27.0	Cl	35.5

2 분자량 분자를 구성하는 모든 원자의 ❷[_____]을 합한 값

　⊙ H_2O의 분자량
　=1.0(H의 원자량)×2+16.0(O의 원자량)=18.0

3 화학식량 물질의 화학식을 이루는 모든 원자의 원자량을 합한 값

　⊙ NaCl의 화학식량=23.0+35.5=58.5

　　　　　　　　　　　답 ❶ 12.00 ❷ 원자량

확인 Q 5

CO_2의 분자량은?

개념 6 몰과 아보가드로수

1 몰(mole) 원자나 분자, 이온 등의 수를 나타내기 위해 사용하는 묶음 단위 ⊙ 1몰=❶[_____]개 의 입자

2 아보가드로수 물질의 종류와 관계없이 물질 1몰에 들어 있는 입자 수($6.02×10^{23}$)

$$입자 수=몰(mol)×(6.02×10^{23}/mol)$$

3 몰과 질량

• 몰 질량: 1몰의 질량(g/mol)으로, 1몰을 구성하고 있는 입자 $6.02×10^{23}$개의 질량

• 물질의 질량: 물질의 양(mol) × ❷[_____]

종류	탄소(C)	철(Fe)	물(H_2O)
화학식량	12.0	55.8	18.0
1몰의 질량	12.0 g	55.8 g	18.0 g

　　　　　답 ❶ $6.02×10^{23}$ ❷ 1몰의 질량(화학식량)

확인 Q 6

분자량이 18인 H_2O 2몰의 질량은 몇 g인가?

개념 7 몰과 기체의 부피

1 아보가드로 법칙 같은 온도와 압력에서 모든 기체는 같은 부피 속에 같은 수의 ❶[_____]가 들어 있음

➡ 모든 기체는 분자의 종류에 관계없이 0 ℃, 1기압에서 22.4 L의 부피 속에 $6.02×10^{23}$개의 분자가 포함

2 몰 부피 0 ℃, 1기압에서 기체 1몰의 부피(❷[_____] L/mol)

➡ 기체의 양(mol)은 0 ℃, 1기압에서 측정한 기체의 부피를 몰 부피로 나누어서 구한다.

$$기체의 양(mol)=\frac{기체의 부피(L)}{22.4\ L/mol}(0\ ℃, 1기압)$$

3 몰과 입자 수, 질량, 기체의 부피 관계

$$몰(mol)=\frac{입자수}{6.02×10^{23}/mol}=\frac{질량(g)}{몰\ 질량(g/mol)}$$
$$=\frac{기체의\ 부피(L)}{22.4\ L/mol}(0\ ℃, 1기압)$$

　　　　　　　　　　　답 ❶ 분자 ❷ 22.4

확인 Q 7

0 ℃, 1기압에서 산소(O_2) 기체 11.2 L의 질량은?

개념 8 기체의 분자량 구하기

1 밀도 이용하기

$$기체의 밀도(0\ ℃, 1\ 기압)=\frac{기체의\ 질량}{기체의\ 부피}$$
$$=\frac{❶[\quad]}{22.4}(g/L)$$

분자량=기체의 밀도×22.4 (0 ℃, 1 기압)

2 아보가드로 법칙 이용하기 같은 온도와 압력에서 두 기체의 밀도비는 분자량 비와 같다.

$$밀도비=❷[\quad]=분자량 비$$
$$\frac{A기체의\ 밀도}{B기체의\ 밀도}=\frac{A기체의\ 질량}{B기체의\ 질량}=\frac{A기체의\ 분자량}{B기체의\ 분자량}$$

　　　　　　　　　　　답 ❶ 분자량 ❷ 질량비

확인 Q 8

0 ℃, 1 기압에서 밀도가 2.5 g/L인 기체의 분자량은?

개념 돌파 전략 ①

2강_ 화학 반응식, 용액의 농도

개념 1 화학 반응식 만들기

1 **화학 반응식** 화학 반응을 ❶[　　]과 기호를 사용하여 나타낸 식

2 **화학 반응식 만들기**

① 반응물은 화살표(→) 왼쪽, 생성물은 화살표(→) ❷[　　]에 쓰기 📗 $H_2 + O_2 \longrightarrow H_2O$

② 반응 전후 원자의 종류와 개수가 같도록 계수 맞추기 📗 $2H_2 + O_2 \longrightarrow 2H_2O$

③ 반응 전후 원자의 종류와 개수가 같은지 확인하기

| 반응물
H: 4개, O: 2개 | $2H_2$ ⚪⚪ + O_2 ⚫ → $2H_2O$ ⚪⚫⚪ ⚪⚫⚪ | 생성물
H: 4개, O: 2개 |

④ 반응물과 생성물의 상태 표시하기

📗 $2H_2(g) + O_2(g) \longrightarrow 2H_2O(l)$

답 ❶ 화학식 ❷ 오른쪽

확인 Q 1

화학 반응식에서 반응 전후 원자의 종류와 (　　　)가 같아야 한다.

개념 2 미정 계수법을 활용하여 계수 맞추기

1단계: 반응물과 생성물을 화학식으로 쓰고 ❶[　　]를 $a, b, x,$ y 등으로 나타내기

$$a\mathrm{CH_3OH}(l) + b\mathrm{O_2}(g) \longrightarrow x\mathrm{CO_2}(g) + y\mathrm{H_2O}(l)$$

2단계: 반응물과 생성물에 들어 있는 원자의 종류와 개수가 같아지도록 관계식을 세우기

$$\mathrm{C}: a = x, \ \mathrm{O}: a + 2b = 2x + y, \ \mathrm{H}: 4a = 2y$$

3단계: a, b, x, y 가운데 임의의 계수 값을 1로 놓고 다른 계수의 값을 구하고 분수는 가장 간단한 ❷[　　]로 만들기

$a = 1$이라고 하면, $x = 1, y = 2, b = \dfrac{3}{2}$이 된다.

따라서, $a = 2, b = 3, x = 2, y = 4$이다.

4단계: 화학 반응식 완성 후 원자 수가 같은지 확인하기

$$2\mathrm{CH_3OH}(l) + 3\mathrm{O_2}(g) \longrightarrow 2\mathrm{CO_2}(g) + 4\mathrm{H_2O}(l)$$

답 ❶ 계수 ❷ 정수

확인 Q 2

화학 반응식에서 계수를 맞추는 이유는 반응물과 생성물의 (　　　)를 같게 하기 위해서이다.

개념 3 화학 반응의 종류와 화학 반응식의 의미

1 **화학 반응의 종류** 화합, ❶[　　], 치환, 복분해

2 **화학 반응식의 의미** 물질의 ❷[　　]로 반응물과 생성물의 다양한 양적 관계를 파악할 수 있다.

계수비＝몰비＝분자 수비＝부피비(기체의 경우)

화학 반응식	$\mathrm{CH_4}(g) + 2\mathrm{O_2}(g) \longrightarrow \mathrm{CO_2}(g) + 2\mathrm{H_2O}(l)$				
분자 모형	⚫	+ ⚫⚫	→ ⚫	+ ⚪⚪	
분자 수	1	: 2	1	:	2
몰(mol)	1	: 2	1	:	2
기체의 부피(L) (0 ℃, 1기압)	22.4	2×22.4	22.4		
질량(g)	1×16.0	2×32.0	1×44.0	2×18.0	
질량비	4	: 16	11	:	9

답 ❶ 분해 ❷ 계수비

확인 Q 3

$\mathrm{CH_4}$ 8 g이 완전 연소하여 0 ℃, 1기압에서 생성되는 $\mathrm{CO_2}$의 부피는?

개념 4 화학 반응에서의 양적 관계

1 **물질의 몰, 입자 수, 질량, 기체의 부피 환산**

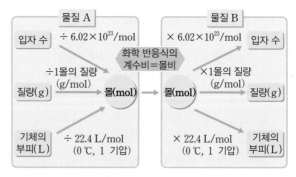

2 **한계 반응물** 임의의 양의 반응물이 있을 때 먼저 ❶[　　]되는 물질

답 ❶ 소모

확인 Q 4

화학 반응에서의 양적 관계에서 계수비＝부피비를 이용할 수 있는 경우는 반응물과 생성물이 모두 (　　　)인 경우이다.

개념 5 퍼센트 농도

1 용액 용매와 용질이 균일하게 섞여 있는 혼합물

2 용해 두 종류 이상의 물질이 균일하게 섞이는 현상

소금(용질)   물(용매)   →용해   소금물(용액)

3 질량 퍼센트 농도 용액 100 g에 녹아 있는 용질의 질량을 ❶〔   〕로 나타낸 것

$$질량 퍼센트 농도(\%) = \frac{용질의 질량(g)}{용액의 질량(g)} \times 100$$

➡ 퍼센트 농도가 같은 용액이더라도 용질의 종류가 다르면 용질의 ❷〔   〕가 다르다.

답 ❶ 백분율 ❷ 입자 수

확인 Q 5

5 % 포도당 수용액 200 g에 들어 있는 포도당의 질량은 (   ) g이다.

개념 6 몰 농도

1 몰 농도 용액 1 L 속에 녹아 있는 용질의 양(mol)으로 단위는 ❶〔   〕또는 mol/L를 사용

$$몰 농도(M) = \frac{용질의 양(mol)}{용액의 부피(L)}$$

2 희석했을 때의 몰 농도 묽히기 전(M_1, V_1)과 묽힌 후(M_2, V_2)의 용질의 양(mol)이 같다는 것을 이용

$$M_1 \times V_1 = M_2 \times V_2$$

3 혼합 용액의 몰 농도 용질이 반응하지 않는다면 ❷〔   〕의 전체 양(mol)은 변하지 않음

$$혼합 용액의 몰 농도(M) = \frac{용질의 전체 양(mol)}{혼합 용액의 부피(L)}$$

답 ❶ M ❷ 용질

확인 Q 6

분자량이 180인 포도당$(C_6H_{12}O_6)$ 90 g을 물에 녹여 2 L 용액을 만들었을 때, 이 용액의 몰 농도는 (   ) M이다.

개념 7 농도의 환산 (1)

1 퍼센트 농도를 몰 농도로 환산 몰 농도를 구하기 위해서는 용액의 부피(L)와 용질의 양(mol)을 알아야 한다.(단, 용액의 질량은 100 g이다.)

(a % 용액의 밀도: d g/mL, 용질의 화학식량: M_w)

1단계: 밀도를 사용하여 용액의 질량을 용액의 ❶〔   〕로 환산한다.

$$용액의 부피(L) = \frac{용액의 질량(g)}{용액의 밀도(g/mL) \times 1000} = \frac{100}{1000d} = \frac{1}{10d}$$

2단계: 용질의 ❷〔   〕을 사용하여 용질의 양(mol)을 구한다.

$$용질의 양(mol) = \frac{용질의 질량(a)}{용질의 분자량(M_w)} = \frac{a}{M_w}(mol)$$

3단계: 몰 농도를 구한다.

$$a\,\% 용액의 몰 농도 = \frac{용질의 양(mol)}{용액의 부피(L)} = \frac{10ad}{M_w}(mol/L)$$

답 ❶ 부피 ❷ 분자량(화학식량)

확인 Q 7

퍼센트 농도를 몰 농도로 환산할 때 용액의 부피를 구하기 위해서 용액의 질량과 용액의 (   )를 사용한다.

개념 8 농도의 환산 (2)

1 몰 농도를 퍼센트 농도로 환산 용질의 질량과 용액의 질량을 알아야 한다.(단, 용액의 부피는 1 L이다.)

(용액의 몰 농도: b M, 용질의 분자량: M_w, 용액의 밀도: d g/mL)

1단계: 분자량과 ❶〔   〕를 이용하여 용질의 질량을 구한다.

$$용질의 질량(g) = 분자량 \times 몰 농도 = M_w \times b$$

2단계: 용액의 부피와 밀도를 이용하여 용액의 ❷〔   〕을 구한다.

$$용액의 질량(g) = 용액의 부피 \times 용액의 밀도$$
$$= 1000\,mL \times d\,g/mL$$

3단계: 퍼센트 농도를 구한다.

$$\% 농도 = \frac{용질의 질량(g)}{용액의 질량(g)} \times 100 = \frac{100bM_w}{1000d} = \frac{bM_w}{10d}$$

답 ❶ 몰 농도 ❷ 질량

확인 Q 8

몰 농도를 퍼센트 농도로 환산하기 위해서는 용질의 분자량과 용액의 (   )가 필요하다.

개념 돌파 전략 ②

1강_ 우리 생활과 화학, 몰과 화학식량

1 다음은 실생활 문제 해결에 영향을 미친 물질들에 대한 세 학생의 대화이다.

암모니아(NH_3)의 대량 생산은 급격한 인구 증가로 인한 식량 부족 문제 해결에 크게 기여했어.

합성 섬유는 천연 섬유의 단점을 보완한 섬유로 대량 생산이 가능해.

철(Fe)은 단단하고 내구성이 뛰어나 건축물의 골조에 쓰이지.

학생 A   학생 B   학생 C

제시한 내용이 옳은 학생만을 있는 대로 고른 것은?

① A   ② B   ③ A, C   ④ B, C   ⑤ A, B, C

2 표는 원자 X~Z에 대한 자료이다. X~Z는 임의의 원소 기호이다.

원자	원자 1개의 질량(g)	원자량
X	㉠	12
Y	w	16
Z	$1.5w$	㉡

이에 대한 설명으로 옳은 것만을 │보기│에서 있는 대로 고른 것은?

┌ 보기 ┐

ㄱ. 아보가드로수는 $\dfrac{16}{w}$ 이다.

ㄴ. ㉠ × ㉡ = $21w$ 이다.

ㄷ. 화합물 ZY 20 g에 포함된 Z 원자 수는 0.25몰이다.

① ㄱ   ② ㄷ   ③ ㄱ, ㄴ

④ ㄴ, ㄷ   ⑤ ㄱ, ㄴ, ㄷ

3 표는 t ℃, 1기압에서 기체 (가)~(다)에 대한 자료이고, 1몰의 부피는 24 L이다.

기체	분자식	질량(g)	부피(L)
(가)	AB	30	x
(나)	AB_2	23	12
(다)	A_2B_3	19	6

x는? (단, A와 B는 임의의 원소 기호이다.)

① 12   ② 16   ③ 18   ④ 20   ⑤ 24

4 다음은 2가지 반응의 화학 반응식이다. $a \sim c$는 반응 계수이다.

> (가) $CH_4 + aO_2 \longrightarrow CO_2 + bH_2O$
>
> (나) $Na_2CO_3 + cHCl \longrightarrow 2\boxed{\,\text{㉠}\,} + CO_2 + H_2O$

이에 대한 설명으로 옳은 것만을 | 보기 |에서 있는 대로 고른 것은?

(단, H, C, O의 원자량은 각각 1, 12, 16이다.)

┌─ 보기 ┌

ㄱ. $\dfrac{b}{a+c} = \dfrac{1}{2}$이다.

ㄴ. ㉠은 NaCl이다.

ㄷ. (가)에서 CH_4 0.25 mol이 반응할 때 생성되는 H_2O의 질량은 9 g이다.

① ㄱ   ② ㄷ   ③ ㄱ, ㄴ
④ ㄴ, ㄷ   ⑤ ㄱ, ㄴ, ㄷ

문제 해결 전략

화학 반응식을 만들 때 반응물과 생성물의 원자의 개수는 서로 같아지도록 **❶**를 맞춘다. 화학 반응식에서 계수비=몰수비=**❷**(기체의 경우)이다.

目 ❶ 계수 ❷ 부피비

5 다음은 금속 산화물 MO가 수소(H_2)와 반응하여 M(s)과 $H_2O(l)$을 생성하는 반응의 화학 반응식이다.

> $MO(s) + H_2(g) \longrightarrow M(s) + H_2O(l)$

금속 산화물 MO 8 g이 모두 반응하여 $H_2O(l)$ 1.8 g이 생성되었다. 금속 M의 원자량은? (단, H와 O의 원자량은 1, 16이다.)

① 24   ② 32   ③ 48
④ 60   ⑤ 64

문제 해결 전략

물질의 양(mol)
$= \dfrac{\text{질량}}{\text{분자량 (❶\,\,\,\,\,)}}$ 이므로

물질의 질량=물질의 양(mol)×**❷**이다.

目 ❶ 1몰의 질량 ❷ 분자량(1몰의 질량)

6 다음은 서로 다른 농도의 X 수용액을 만드는 실험이다.

> (가) 0.5 M X(aq) 40 mL 중 10 mL를 플라스크에 넣고 물을 가하여 부피가 100 mL인 수용액 Ⅰ을 만든다.
>
> (나) (가)에서 남은 X(aq)에 X(s) 0.6 g 넣은 뒤 물을 가하여 부피가 200 mL인 수용액 Ⅱ를 만든다.

$\dfrac{\text{수용액 Ⅰ의 몰 농도}}{\text{수용액 Ⅱ의 몰 농도}}$는? (단, 온도는 일정하고, X의 화학식량은 60이다.)

① $\dfrac{1}{10}$ ② $\dfrac{1}{5}$ ③ $\dfrac{3}{10}$

④ $\dfrac{2}{5}$ ⑤ $\dfrac{2}{3}$

문제 해결 전략

몰 농도(M)$= \dfrac{\text{용질의 양(mol)}}{\text{용액의 부피(L)}}$

이므로 **❶**은 몰 농도×용액의 부피이다. 용질의 양(mol)이 일정할 때 **❷**의 부피가 증가하면 몰 농도는 감소한다.

目 ❶ 용질의 양(mol) ❷ 용액

필수 체크 전략 ①

1강_ **우리 생활과 화학, 몰과 화학식량**

대표 기출 **1**

2021 9월 모평 1번 유사

다음은 화학의 유용성과 관련된 자료이다.

- 과학자들은 석유를 원료로 하여 ㉠나일론을 개발하였다.
- 하버와 보슈는 질소 기체를 ㉡ 와/과 반응시켜 ㉢암모니아를 대량으로 합성하는 제조 공정을 개발하였다.

이에 대한 설명으로 옳은 것만을 | 보기 |에서 있는 대로 고른 것은?

┌ 보기 ┐
ㄱ. ㉠은 최초의 합성 섬유이다.
ㄴ. ㉡은 다른 물질이 잘 타게 도와주는 성질이 있다.
ㄷ. ㉢은 식량 부족 문제를 개선하는 데 기여하였다.

① ㄱ   ② ㄴ   ③ ㄱ, ㄷ
④ ㄴ, ㄷ   ⑤ ㄱ, ㄴ, ㄷ

Tip 합성 섬유는 천연 섬유의 단점을 보완한 것으로, 대량 생산할 수 있게 개발된 섬유이다.

풀이 ㄱ. 나일론은 대표적인 합성 섬유로 매우 질기고 잘 구겨지지 않는 장점을 가지고 있다.
ㄴ, ㄷ. 하버와 보슈는 질소 기체와 수소 기체를 반응시켜 암모니아를 대량으로 합성하는 제조 공정을 개발하였고, 이는 인류의 식량 부족 문제를 해결하는 데 기여하였다. 답 ③

대표 기출 **2**

2021 3월 학평 18번 유사

다음은 메테인(CH_4), 에탄올(C_2H_5OH), 아세트산(CH_3COOH)에 대한 세 학생의 대화이다.

메테인은 액화 석유가스(LPG)의 주성분이야.

에탄올은 구성 원소가 3가지야.

아세트산은 식초에 들어 있어.

학생 A   학생 B   학생 C

제시한 내용이 옳은 학생만을 있는 대로 고른 것은?
① A   ② B   ③ A, B
④ A, C   ⑤ B, C

Tip 탄소와 수소로만 이루어진 화합물을 탄화수소라고 한다. 탄화수소에는 메테인(CH_4), 에테인(C_2H_6), 프로페인(C_3H_8), 뷰테인(C_4H_{10}) 등이 있다.

풀이 메테인(CH_4)은 천연가스의 주요 성분인 탄화수소로 연소할 때 많은 열이 발생하므로 난방과 조리용 연료로 많이 사용한다. 에탄올(C_2H_5OH)의 구성 원소는 C, H, O로 3가지이다. 아세트산(CH_3COOH)은 카복실기($-COOH$)가 있는 카복실산으로 물에 녹아 H^+을 내놓는다. 따라서 아세트산 수용액은 산성이다. 답 ⑤

확인 **1**-1

다음은 실생활 문제 해결에 영향을 준 물질에 대한 자료이다. ㉠으로 가장 적절한 것은?

- 질소와 (㉠)를 고온, 고압에서 반응시키면 암모니아가 생성된다.
- LNG의 주성분인 메테인의 성분 원소는 탄소와 (㉠)이다.

① 인   ② 탄소   ③ 산소
④ 수소   ⑤ 염소

확인 **2**-1

다음은 탄소 화합물의 예이다.

LPG, 에탄올(C_2H_5OH), 폼산(HCOOH)

이에 대한 설명으로 옳은 것을 | 보기 |에서 모두 고르시오.

┌ 보기 ┐
ㄱ. LPG의 주성분은 프로페인과 뷰테인이다.
ㄴ. 에탄올은 살균 효과가 있어 손 소독제로 이용한다.
ㄷ. 폼산의 구성 원소는 3가지이다.

대표 기출 **3**

그림은 탄소 화합물 (가)와 (나)의 분자 모형을 나타낸 것이다.

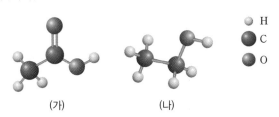

H
C
O

(가)   (나)

이에 대한 설명으로 옳은 것만을 │보기│에서 있는 대로 고른 것은?

│보기│
ㄱ. (나)는 물에 녹아 수소 이온(H^+)을 내놓는다.
ㄴ. (가)와 (나)는 완전 연소할 때 생성물의 종류가 같다.
ㄷ. $\dfrac{\text{H 원자 수}}{\text{O 원자 수}}$ 는 (나)가 (가)의 3배이다.

① ㄱ   ② ㄴ   ③ ㄱ, ㄷ
④ ㄴ, ㄷ   ⑤ ㄱ, ㄴ, ㄷ

Tip (가)는 아세트산(CH_3COOH)이고, (나)는 에탄올 (C_2H_5OH)이다.

풀이 ㄱ. (가)의 수용액은 산성, (나)의 수용액은 중성이다.
ㄴ. 아세트산과 에탄올은 모두 탄소 화합물로 성분 원소가 C, H, O이므로 완전 연소 생성물은 모두 CO_2와 H_2O이다.
ㄷ. $\dfrac{\text{H 원자 수}}{\text{O 원자 수}}$ 는 (가)가 $\dfrac{4}{2}=2$이고, (나)가 $\dfrac{6}{1}=6$이다. 답 ④

확인 **3**-1

그림은 탄소 화합물 (가)와 (나)의 분자 모형을 나타낸 것이다.

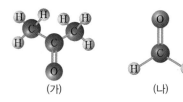

(가)   (나)

(가)와 (나)의 공통점을 │보기│에서 모두 고르시오.

│보기│
ㄱ. 수용액의 액성이 산성이다.
ㄴ. 완전 연소 생성물의 종류는 2가지이다.
ㄷ. $\dfrac{\text{H 원자 수}}{\text{C 원자 수}}=2$이다

대표 기출 **4**

그림 (가)는 강철 용기에 메테인($CH_4(g)$) 14.4 g과 에탄올($C_2H_5OH(g)$) 23 g이 들어 있는 것을, (나)는 (가)의 용기에 메탄올($CH_3OH(g)$) x g이 첨가된 것을 나타낸 것이다. 용기 속 기체의

$\dfrac{\text{산소(O)의 원자 수}}{\text{전체 원자 수}}$ 는 (나)가 (가)의 2배이다.

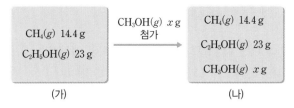

$CH_4(g)$ 14.4 g	$CH_3OH(g)$ x g 첨가	$CH_4(g)$ 14.4 g
$C_2H_5OH(g)$ 23 g		$C_2H_5OH(g)$ 23 g
		$CH_3OH(g)$ x g

(가)   (나)

x는? (단, H, C, O의 원자량은 각각 1, 12, 16이다.)
① 16   ② 24   ③ 32
④ 48   ⑤ 64

Tip CH_4, C_2H_5OH, CH_3OH의 분자량은 16, 46, 32이고, (가)에 첨가한 CH_3OH의 양은 $\dfrac{x}{32}$ mol이다.

풀이 전체 원자 수는 (가)$=(0.9\times5)+(0.5\times9)=9$ mol이고, (나)$=9+(\dfrac{x}{32}\times6)=(9+\dfrac{3x}{16})$ mol이다. (가)와 (나)에 들어 있는 O 원자 수는 각각 0.5 mol, $(0.5+\dfrac{x}{32})$ mol이다. $\dfrac{\text{산소(O)의 원자 수}}{\text{전체 원자 수}}$ 는 (나)가 (가)의 2배이므로, 이를 계산하면 $x=48$이다. 답 ④

확인 **4**-1

표는 두 가지 기체에 대한 자료이다.

기체	종류와 질량	부피(L) (t ℃, 1기압)
(가)	$C_2H_6(g)$ 15 g	12
(나)	$C_2H_6(g)$ 15 g, $CH_4(g)$ 4 g	x

이에 대한 설명으로 옳은 것을 │보기│에서 모두 고르시오. (단, C와 H의 원자량은 각각 12, 1이다.)

│보기│
ㄱ. t ℃, 1기압에서 1몰의 부피는 24 L이다.
ㄴ. $x=18$이다.
ㄷ. (나)에 들어 있는 H 원자 수는 $\dfrac{3}{4}$ mol이다.

대표 기출 5

2022 9월 모평 18번 유사

표는 원소 X와 Y로 이루어진 분자 (가)~(다)에서 구성 원소의 질량비를 나타낸 것이다. t ℃, 1기압에서 기체 1 g의 부피비는 (가) : (나)$=15 : 22$이고, (가)~(다)의 분자당 구성 원자 수는 각각 5 이하이다. 원자량은 Y가 X보다 크다.

분자	(가)	(나)	(다)
$\dfrac{\text{Y의 질량}}{\text{X의 질량}}$ (상댓값)	1	2	3

이에 대한 설명으로 옳은 것만을 | 보기 |에서 있는 대로 고른 것은? (단, X와 Y는 임의의 원소 기호이다.)

보기
ㄱ. $\dfrac{\text{Y의 원자량}}{\text{X의 원자량}} = \dfrac{4}{3}$이다.

ㄴ. (가)의 분자식은 X_2Y이다.

ㄷ. (나)와 (다)의 분자량 비는 (나) : (다)$=11 : 19$이다.

① ㄱ   ② ㄴ   ③ ㄷ

④ ㄱ, ㄴ   ⑤ ㄴ, ㄷ

Tip 같은 온도, 같은 압력, 같은 질량의 기체에서

분자량$\propto \dfrac{1}{\text{기체의 부피}}$이다.

풀이 ㄱ, ㄴ. 기체 1 g의 부피비가 (가) : (나)$=15 : 22$이므로 분자량의 비는 (가) : (나)$=22 : 15$이다. $\dfrac{\text{Y의 질량}}{\text{X의 질량}}$ (상댓값)이 (가) : (나) : (다)$=1 : 2 : 3$이고, 원자량은 Y$>$X이므로 분자식은 (가)$=X_2Y$, (나)$=XY$, (다)$=X_2Y_3$이다. X의 원자량을 x, Y의 원자량을 y라고 한다면 (가)의 분자량은 $2x+y=22k$이고 (나)의 분자량은 $x+y=15k$이므로, X의 원자량은 $7k$, Y의 원자량은 $8k$이다.

따라서 $\dfrac{\text{Y의 원자량}}{\text{X의 원자량}} = \dfrac{8k}{7k} = \dfrac{8}{7}$이다.

ㄷ. (나)의 분자량은 $15k$이고, (다)의 분자량은 $2 \times 7k + 3 \times 8k = 38k$이므로 (나)와 (다)의 분자량 비는 (나) : (다)$=15 : 38$이다. **답 ②**

확인 5 -1

표는 원소 A와 B로 이루어진 기체 분자 (가)~(다)에 대한 자료이다.

기체	(가)	(나)	(다)
분자식	AB	A_2B	A_2B_3
분자량(상대값)	15	23	

이에 대한 설명으로 옳은 것만을 | 보기 |에서 있는 대로 고른 것은? (단, 온도와 압력은 t ℃, 1기압이다.)

보기
ㄱ. 원자량은 A$>$B이다.

ㄴ. (다)의 분자량은 37이다.

ㄷ. t ℃, 1기압에서 1 g의 부피는 (가)$>$(나)이다.

① ㄱ   ② ㄷ   ③ ㄱ, ㄴ

④ ㄴ, ㄷ   ⑤ ㄱ, ㄴ, ㄷ

확인 5 -2

표는 분자 (가)~(다)의 분자 당 구성 원자 수와 분자량을 나타낸 것이다. N_A는 아보가드로수이다.

분자	구성 원자 수	분자량
(가)	3	18
(나)	4	17
(다)	5	16

이에 대한 설명으로 옳은 것만을 | 보기 |에서 있는 대로 고른 것은?

보기
ㄱ. (나) 8.5 g에 있는 분자 수는 $\dfrac{1}{2} \times N_A$이다.

ㄴ. (다) 4 g에 들어 있는 전체 원자 수는 $\dfrac{5}{2}$ mol이다.

ㄷ. 1 g에 들어 있는 전체 원자 수비는 (가) : (다)$=8 : 15$이다.

① ㄱ   ② ㄴ   ③ ㄱ, ㄷ

④ ㄴ, ㄷ   ⑤ ㄱ, ㄴ, ㄷ

대표 기출 ⑥

2021 6월 모평 18번

표는 t ℃, 1기압에서 기체 (가)~(다)에 대한 자료이다.

기체	분자식	질량(g)	분자량	부피(L)	전체 원자 수 (상댓값)
(가)	XY_2	18		8	1
(나)	ZX_2	23		a	1.5
(다)	Z_2Y_4	26	104		b

이에 대한 설명으로 옳은 것만을 |보기|에서 있는 대로 고른 것은? (단, X~Z는 임의의 원소 기호이고, t ℃, 1기압에서 기체 1 mol의 부피는 24 L이다.)

> **보기**
> ㄱ. $a \times b = 18$이다.
> ㄴ. 1 g에 들어 있는 전체 원자 수는 (나) > (다)이다.
> ㄷ. t ℃, 1기압에서 $X_2(g)$ 6 L의 질량은 8 g이다.

① ㄱ ② ㄷ ③ ㄱ, ㄴ
④ ㄴ, ㄷ ⑤ ㄱ, ㄴ, ㄷ

Tip t ℃ 1기압에서 기체 1 mol의 부피는 24 L이고, (가)의 부피는 8 L이므로 (가)의 양은 $\frac{1}{3}$ mol이다. (가) 분자의 구성 원자 수는 3, (나) 분자의 구성 원자 수는 3, (다) 분자의 구성 원자 수는 6이다.

풀이 ㄱ. (가)의 전체 원자 수는 $\frac{1}{3} \times 3 = 1$ mol이고 전체 원자 수비가 (가) : (나) = 1 : 1.5이므로 (나)의 전체 원자 수는 1.5 mol, (나)의 양은 $\frac{1.5}{3} = 0.5$ mol이다. 따라서 (나)의 부피(a)는 12 L이다. (다)의 양은 $\frac{26}{104} = 0.25$ mol이고 (다)의 전체 원자 수(b)는 (다) 분자의 양 × 6 = 0.25 × 6 = 1.50이므로 $a \times b = 12 \times 1.5 = 18$이다.

ㄴ. 분자량 = $\frac{물질의 질량}{몰수}$이므로 (가)~(다)의 분자량은 각각 54, 46, 104이다. 1 g에 들어 있는 전체 원자 수는 $\frac{1 \text{ mol}}{분자량}$ × (구성 원자 수)이므로 (나)가 $\frac{3}{46}$ mol, (다)가 $\frac{3}{52}$ mol이므로 (나) > (다)이다.

ㄷ. X~Z의 원자량이 각각 16, 19, 14이므로 X_2의 분자량은 32이다. t ℃, 1기압에서 6 L($= \frac{6}{24} = \frac{1}{4}$ mol)의 질량은 $\frac{1}{4} \times 32 = 8$ g이다.

답 ⑤

확인 ⑥-1

2020 6월 모평 13번 유사

표는 $AB_2(g)$에 대한 자료이다. AB_2의 분자량은 M이다.

질량	부피	1 g에 들어 있는 전체 원자 수
1 g	4 L	N

$AB_2(g)$에 대한 설명으로 옳은 것만을 |보기|에서 있는 대로 고른 것은? (단, A와 B는 임의의 원소 기호이며, 온도와 압력은 일정하다.)

> **보기**
> ㄱ. 1 g에 들어 있는 B 원자 수는 $\frac{2N}{3}$이다.
> ㄴ. 1몰의 부피는 $4M$ L이다.
> ㄷ. 1몰에 해당하는 분자 수는 MN이다.

① ㄱ ② ㄷ ③ ㄱ, ㄴ
④ ㄴ, ㄷ ⑤ ㄱ, ㄴ, ㄷ

확인 ⑥-2

표는 t ℃, 1기압에서 기체 (가)와 (나)에 관한 자료이다. t ℃, 1기압에서 기체 1 mol의 부피는 24 L이다.

기체	(가)	(나)
분자식	X_2Y_4	X_3Y_8
분자량	28	y
부피(L)	x	16
질량(g)	7	22

이에 대한 설명으로 옳은 것만을 |보기|에서 있는 대로 고른 것은?

> **보기**
> ㄱ. $\frac{y}{x} = \frac{11}{2}$이다.
> ㄴ. 전체 원자 수비는 (가) : (나) = 3 : 8이다.
> ㄷ. t ℃, 1기압에서 $X_2Y_4(g)$ 3 L의 질량은 3.5 g이다.

① ㄱ ② ㄴ ③ ㄱ, ㄷ
④ ㄴ, ㄷ ⑤ ㄱ, ㄴ, ㄷ

1강_ 우리 생활과 화학, 몰과 화학식량

2021 7월 학평 5번 유사

1 다음은 탄소 화합물 학습 카드와 탄소 화합물 A~C의 모형을 나타낸 것이다. A~C는 각각 메테인, 에탄올, 아세트산 중 하나이다.

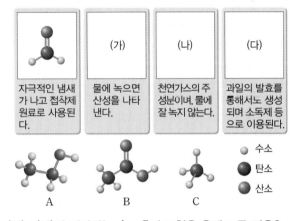

| (가) | (나) | (다) |
| 자극적인 냄새가 나고 접착제 원료로 사용된다. | 물에 녹으면 산성을 나타낸다. | 천연가스의 주성분이며, 물에 잘 녹지 않는다. | 과일의 발효를 통해서도 생성되며 소독제 등으로 이용된다. |

○ 수소
● 탄소
● 산소

A   B   C

(가)~(다)에 해당하는 A~C의 모형을 옳게 고른 것은?

	(가)	(나)	(다)		(가)	(나)	(다)
①	A	B	C	②	A	C	B
③	B	A	C	④	B	C	A
⑤	C	B	A				

Tip 물에 녹아 ❶ 을 내놓는 물질은 산성을 나타내고, 과일의 발효로 생성되는 물질은 ❷ 과 이산화 탄소이다.

답 ❶H⁺ ❷에탄올

2020 9월 모평 16번 유사

2 표는 t ℃, 1기압에서 기체 (가)~(다)에 대한 자료이다.

기체	분자식	질량(g)	부피(L)	전체 원자 수(상댓값)
(가)	AB_2	16	6	1
(나)	AB_3	30	9	x
(다)	CB_2	23	y	2

이에 대한 설명으로 옳은 것만을 |보기|에서 있는 대로 고른 것은? (단, A~C는 임의의 원소 기호이다.)

보기
ㄱ. $x+y=14$이다.
ㄴ. 원자량은 $A>B$이다.
ㄷ. 1 g에 들어 있는 B 원자 수는 (나)>(다)이다.

① ㄱ   ② ㄴ   ③ ㄷ
④ ㄱ, ㄴ   ⑤ ㄴ, ㄷ

Tip 같은 온도, 압력에서 기체의 부피는 ❶ 에 비례하고, 분자 내 전체 원자 수는 ❷ 에 비례한다.

답 ❶몰수 ❷기체의 양

2015 6월 모평 18번 유사

3 표는 원자 X와 Y로 이루어진 분자 (가)~(다)에 대한 자료이다.

분자	구성 원자 수	성분 원소의 질량비(X : Y)	분자량
(가)	3	7 : 16	$23a$
(나)	3	7 : 4	$22a$
(다)	5	㉠	$38a$

이에 대한 설명으로 옳은 것만을 |보기|에서 있는 대로 고른 것은? (단, X와 Y는 임의의 원소 기호이다.)

보기
ㄱ. (가)의 분자식은 XY_2이다.
ㄴ. 원자량은 $X>Y$이다.
ㄷ. ㉠은 7 : 12이다.

① ㄴ   ② ㄷ   ③ ㄱ, ㄴ
④ ㄱ, ㄷ   ⑤ ㄱ, ㄴ, ㄷ

Tip (가)와 (나)는 구성 원자 수가 모두 ❶ 이고, 분자식은 X_2Y이거나 ❷ 이다.

답 ❶3 ❷XY_2

4 그림 (가)~(다)는 25 ℃, 1기압에서 실린더에 $XY_2(g)$ 5.5 g, $Y_2(g)$ $\frac{8}{3}$ g, $XZ_4(g)$ 4 g을 차례로 넣어주었을 때 기체의 부피를 나타낸 것이다. 각 기체는 서로 반응하지 않는다.

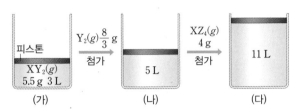

(가)　　　(나)　　　(다)

이에 대한 설명으로 옳은 것만을 | 보기 |에서 있는 대로 고른 것은? (단, X~Z는 임의의 원소 기호이고, 25 ℃, 1기압에서 기체 1몰의 부피는 24 L이다.)

> **보기**
> ㄱ. 분자량의 비는 $XY_2 : XZ_4 = 11 : 4$이다.
> ㄴ. (다)에서 $\dfrac{\text{Y 원자 수}}{\text{X 원자 수}} = \dfrac{5}{9}$이다.
> ㄷ. 25 ℃, 1기압에서 $X_3Z_4(g)$ 6 L의 질량은 10 g 이다.

① ㄱ　　　② ㄴ　　　③ ㄱ, ㄷ
④ ㄴ, ㄷ　　　⑤ ㄱ, ㄴ, ㄷ

> **Tip** 같은 온도, 압력에서 기체의 분자 수는 ❶[　　　]에 비례한다.
> 답 ❶ 부피

2019 수능 9번 유사

5 표는 같은 온도와 압력에서 질량이 같은 기체 (가)~(다)에 대한 자료이다.

기체	분자식	부피(L)
(가)	XY_4	22
(나)	XZ_2	8
(다)	Z_2	11

이에 대한 설명으로 옳은 것만을 | 보기 |에서 있는 대로 고른 것은? (단, X~Z는 임의의 원소 기호이다.)

> **보기**
> ㄱ. 분자량은 $Z_2 > XY_4$이다.
> ㄴ. 1 g에 들어 있는 원자 수는 (가)가 (다)의 5배이다.
> ㄷ. 원자량은 X > Z이다.

① ㄱ　　　② ㄴ　　　③ ㄱ, ㄴ
④ ㄴ, ㄷ　　　⑤ ㄱ, ㄴ, ㄷ

> **Tip** 같은 온도, 압력에서 질량이 같을 때 기체의 분자량은 부피에 ❶[　　　]하고, 원자 수에 ❷[　　　]한다.
> 답 ❶ 반비례 ❷ 비례

6 표는 t ℃의 기체 (가)와 (나)에 대한 자료이다. t ℃, 1기압에서 기체 1몰의 부피는 V L이다.

기체	분자식	부피(L)	질량(g)	압력(기압)
(가)	A_2	$0.25V$	$4w$	2
(나)	AB_2	$2V$	$4.5w$	0.5

이에 대한 설명으로 옳은 것만을 | 보기 |에서 있는 대로 고른 것은? (단, A와 B는 임의의 원소 기호이다.)

> **보기**
> ㄱ. $\dfrac{\text{(나)에서 B 의 원자 수}}{\text{(가)에서 A의 원자 수}} = \dfrac{1}{2}$이다.
> ㄴ. 원자량 비는 A : B = 16 : 1이다.
> ㄷ. t ℃, 1기압에서 B_2 $2V$ L의 질량은 w g이다.

① ㄱ　　　② ㄴ　　　③ ㄱ, ㄷ
④ ㄴ, ㄷ　　　⑤ ㄱ, ㄴ, ㄷ

> **Tip** 일정한 온도에서 기체의 압력과 ❶[　　　]는 반비례하고, 일정한 온도와 압력에서 기체의 부피는 ❷[　　　]에 비례한다.
> 답 ❶ 부피 ❷ 질량

대표 기출 **1**

2021 수능 5번 유사

다음은 2가지 반응의 화학 반응식이다.

· $Zn(s) + 2HCl(aq) \longrightarrow \boxed{①}(aq) + H_2(g)$
· $2Al(s) + aHCl(aq) \longrightarrow 2AlCl_3(aq) + bH_2(g)$

이에 대한 설명으로 옳은 것만을 |보기|에서 있는 대로 고른 것은? (단, a, b는 반응 계수이다.)

보기
ㄱ. ①은 $ZnCl_2$이다.
ㄴ. $a : b = 2 : 1$이다.
ㄷ. 1 mol의 $Zn(s)$과 $Al(s)$을 각각 충분한 양의 $HCl(aq)$에 넣어 반응을 완결시켰을 때 생성되는 H_2의 몰비는 1 : 2이다.

① ㄱ   ② ㄷ   ③ ㄱ, ㄴ
④ ㄴ, ㄷ   ⑤ ㄱ, ㄴ, ㄷ

Tip 화학 반응식에서 반응 전후 원자 수의 총합은 같고, 각각의 원자 수도 같다.

풀이 ㄱ. ①은 $ZnCl_2$이다.
ㄴ. $2Al(s) + 6HCl(aq) \longrightarrow 2AlCl_3(aq) + 3H_2(g)$이므로 $a : b = 2 : 1$이다.
ㄷ. 1 mol의 $Zn(s)$와 $Al(s)$가 각각 충분한 $HCl(aq)$과 반응할 때 생성되는 H_2의 양은 1 mol, 1.5 mol이므로 몰수비는 2 : 3이다.

답 ③

대표 기출 **2**

2021 6월 모평 7번 유사

다음은 과산화 수소(H_2O_2) 분해 반응의 화학 반응식이다.

$$2H_2O_2 \longrightarrow 2H_2O + \boxed{①}$$

이에 대한 설명으로 옳은 것만을 |보기|에서 있는 대로 고른 것은? (단, H와 O의 원자량은 각각 1과 16이다.)

보기
ㄱ. ①은 H_2이다.
ㄴ. 3 mol의 H_2O_2가 분해되면 1.5 mol의 ①이 생성된다.
ㄷ. 0.5 mol의 H_2O_2가 분해되면 전체 생성물의 질량은 34 g이다.

① ㄱ   ② ㄴ   ③ ㄷ
④ ㄱ, ㄴ   ⑤ ㄱ, ㄴ, ㄷ

Tip 화학 반응식에서 반응물과 생성물의 질량 총합은 같고, 계수비=몰비이다.

풀이 ㄱ. 과산화 수소(H_2O_2) 분해 반응의 화학 반응식은 $2H_2O_2 \longrightarrow 2H_2O + O_2$이므로 ①은 O_2이다.
ㄴ. H_2O_2와 O_2의 계수비가 2 : 1이므로 3 mol의 H_2O_2가 분해되면 1.5 mol의 O_2가 생성된다.
ㄷ. 화학 반응 전후 반응물과 생성물의 질량은 같으므로 0.5 mol H_2O_2(17 g)가 분해되면 전체 생성물의 질량은 17 g이다.

답 ②

확인 **1**-1

다음은 2가지 화학 반응식이다.

· $CaCO_3(s) \longrightarrow \boxed{①}(s) + CO_2(g)$
· $aNaHCO_3(s) \longrightarrow Na_2CO_3(s) + bH_2O(l) + CO_2(g)$

이에 대한 설명으로 옳은 것을 |보기|에서 모두 고르시오.

보기
ㄱ. ①은 CaO이다.
ㄴ. $a + b = 3$이다.
ㄷ. 1 mol의 $CaCO_3$와 $NaHCO_3$가 분해될 때 생성되는 CO_2의 몰비는 1 : 1이다.

확인 **2**-1

다음은 염소산 칼륨($KClO_3$) 분해 반응에 대한 화학 반응식이다.

$$aKClO_3(s) \longrightarrow 2KCl(s) + bO_2(g)$$

이에 대한 설명으로 옳은 것을 |보기|에서 모두 고르시오.
(단, O의 원자량은 16이다.)

보기
ㄱ. $3a = 2b$이다.
ㄴ. 1 mol의 $KClO_3$가 분해되면 1 mol의 KCl이 생성된다.
ㄷ. 0.5 mol의 $KClO_3$이 분해되면 O_2 48 g이 생성된다.

대표 기출 3

2020 9월 모평 17번

다음은 A와 B가 반응하여 C를 생성하는 화학 반응식이다.

$$A + bB \longrightarrow cC \ (b, c는 반응 계수)$$

그림은 m몰의 B가 들어 있는 용기에 A를 넣어 반응을 완결시켰을 때, 넣어 준 A의 몰수에 따른 반응 후 $\dfrac{전체\ 물질의\ 몰수}{C의\ 몰수}$를 나타낸 것이다.

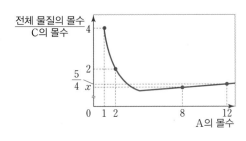

$m \times x$는?

① 36　　　　② 33　　　　③ 32

④ 30　　　　⑤ 27

Tip 그래프의 기울기가 음에서 양으로 변하는 때 반응이 완결되었다.

풀이 A가 1 mol, 2 mol일 때 A가 모두 반응하므로 $\dfrac{전체\ 물질의\ 몰수}{C의\ 몰수}$는 A가 1 mol일 때 $\dfrac{m-b+c}{c}=4$이고, A가 2 mol일 때 $\dfrac{m-2b+2c}{2c}=2$이다. 따라서 $m=4b$, $b=c$이다. A가 12 mol일 때 B가 모두 반응하므로 $\dfrac{전체\ 물질의\ 몰수}{C의\ 몰수}$는 $\dfrac{12-\dfrac{m}{b}+m}{m}=\dfrac{5}{4}$이다. 따라서 $m=32$, $b=c=8$이다. A가 8 mol일 때 B가 모두 반응하므로 $x=\dfrac{4+32}{32}=\dfrac{36}{32}$이다. 따라서 $m \times x=36$이다.

답 ①

확인 ③-1

다음은 A와 B가 반응하여 C가 생성되는 화학 반응식이다.

$$A + 3B \longrightarrow cC \ (단, c는 반응 계수)$$

표는 넣어준 A와 B의 양(mol)에 따른 $\dfrac{전체\ 물질의\ 몰수}{C의\ 몰수}$를 나타낸 것이다.

A의 양 (mol)	B의 양 (mol)	전체 물질의 몰수 / C의 몰수	반응 후 남은 기체
1	m	3.5	B
2	m	1.5	B
3	m	x	A

$x \times m \times c$는?

확인 ③-2

다음은 기체 A와 B가 반응하여 기체 C가 생성되는 반응의 화학 반응식이다.

$$aA(g) + B(g) \longrightarrow 2C(g)$$

그림은 실린더에 A(g)와 B(g)를 넣고 반응을 완결시켰을 때의 변화이다. (단, a는 반응 계수이고, 실린더 속 온도와 압력은 일정하다.)

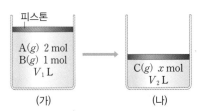

이에 대한 설명으로 옳은 것만을 | 보기 | 에서 모두 고르시오.

┌ 보기 ┐
ㄱ. (나)에서 남은 반응물은 없다.

ㄴ. $a \times x = 4$이다.

ㄷ. $\dfrac{V_1}{V_2} = \dfrac{2}{3}$이다.

대표 기출 4

2022 9월 모평 15번 유사

다음은 $A(aq)$을 만드는 실험이다. A의 화학식량은 a 이다.

> (가) $A(s)$ $2x$ g을 모두 녹여 $A(aq)$ 1000 mL를 만든다.
>
> (나) (가)에서 만든 $A(aq)$ 100 mL에 $A(s)$ $\dfrac{x}{2}$ g을 모두 녹이고 물을 넣어 $A(aq)$ 500 mL를 만든다.
>
> (다) (가)에서 만든 $A(aq)$ 50 mL와 (나)에서 만든 $A(aq)$ 200 mL를 혼합하고 물을 넣어 0.2 M $A(aq)$ 500 mL를 만든다.

x는? (단, 온도는 일정하다.)

① $\dfrac{1}{19}a$　② $\dfrac{2}{19}a$　③ $\dfrac{3}{19}a$

④ $\dfrac{4}{19}a$　⑤ $\dfrac{5}{19}a$

Tip 용액 속 $A(s)$의 양(mol)$=\dfrac{A(s)\text{의 질량}}{a}$이고, 혼합 전후 용액 속의 용질의 양(mol)은 같다.

풀이 (가)에서 $A(s)$의 양은 $\dfrac{2x}{a}$ mol이고, (나)에서 $A(s)$의 양은 $\dfrac{1}{10}\times\dfrac{2x}{a}+\dfrac{x}{2a}=\dfrac{0.7x}{a}$ mol이며, (다)에서 $A(s)$의 양은 $\dfrac{1}{20}\times\dfrac{2x}{a}+\dfrac{0.7x}{a}\times\dfrac{2}{5}=0.1$이다. 따라서 $x=\dfrac{5}{19}a$이다.

답 ⑤

대표 기출 5

2021 수능 13번

다음은 수산화 나트륨 수용액($NaOH(aq)$)에 관한 실험이다.

> (가) 2 M $NaOH(aq)$ 300 mL에 물을 넣어 1.5 M $NaOH(aq)$ x mL를 만든다.
>
> (나) 2 M $NaOH(aq)$ 200 mL에 $NaOH(s)$ y g과 물을 넣어 2.5 M $NaOH(aq)$ 400 mL를 만든다.
>
> (다) (가)에서 만든 수용액과 (나)에서 만든 수용액을 모두 혼합하여 z M $NaOH(aq)$을 만든다.

$\dfrac{y\times z}{x}$는? (단, NaOH의 화학식량은 40이고, 온도는 일정하며, 혼합 용액의 부피는 혼합 전 각 용액의 부피의 합과 같다.)

① $\dfrac{12}{25}$　② $\dfrac{9}{25}$　③ $\dfrac{6}{25}$

④ $\dfrac{3}{25}$　⑤ $\dfrac{1}{25}$

Tip 몰 농도$=\dfrac{\text{용질의 양(mol)}}{\text{용액의 부피(L)}}$이고, 혼합 전후 용액 속 용질의 양은 같다.

풀이 (가)에서 $2\times0.3=1.5\times\dfrac{x}{1000}\rightarrow x=400$이고, (나)에서 $2\times0.2+\dfrac{y}{40}=2.5\times0.4\rightarrow y=24$이다. (가)와 (나)에서 NaOH의 양은 각각 0.6 mol, 1 mol이므로 (다)에서 NaOH의 양은 1.6 mol이다. (다)의 부피는 800 mL이므로 $z=\dfrac{1.6}{0.8}=2$이다. 따라서 $\dfrac{y\times z}{x}=\dfrac{24\times2}{400}=\dfrac{3}{25}$이다.

답 ④

확인 ❹-1

다음은 수산화 나트륨(NaOH) 수용액을 만드는 과정을 나타낸 것이다.

> (가) $NaOH(s)$ 8 g을 물에 녹여 0.5 M $NaOH(aq)$ x mL를 만든다.
>
> (나) (가)에서 만든 $NaOH(aq)$ 100 mL에 $NaOH(s)$ y g을 모두 녹이고, 물을 넣어 0.4 M $NaOH(aq)$ 500 mL를 만든다.

$\dfrac{y}{x}$는? (단, NaOH의 화학식량은 40이다.)

확인 ❺-1

다음은 $A(aq)$에 관한 실험이다.

> (가) 1.5 M $A(aq)$ 200 mL에 물을 넣어 x M $A(aq)$ 300 mL를 만든다.
>
> (나) 1.5 M $A(aq)$ 100 mL에 $A(aq)$ 15 g과 물을 넣어 0.8 M $A(aq)$ y mL를 만든다.

$x\times y$는? (단, A의 화학식량은 60이다.)

대표 기출 **6**

2022 6월 모평 12번 유사

다음은 A(aq)에 관한 실험이다.

┃ 실험 과정 ┃

(가) 1 M A(aq)을 준비한다.

(나) (가)의 A(aq) x mL를 취하여 100 mL 부피 플라스크에 모두 넣는다.

(다) (나)의 부피 플라스크에 표시된 눈금선까지 물을 넣고 섞어 수용액 Ⅰ을 만든다.

(라) (가)의 A(aq) y mL를 취하여 250 mL 부피 플라스크에 모두 넣는다.

(마) (라)의 부피 플라스크에 표시된 눈금선까지 물을 넣고 섞어 수용액 Ⅱ를 만든다.

┃ 실험 결과 및 자료 ┃

• $x+y=35$이다.

• Ⅰ과 Ⅱ의 몰 농도는 모두 a M이다.

이에 대한 설명으로 옳은 것만을 ┃보기┃에서 있는 대로 고른 것은? (단, 온도는 25 ℃로 일정하다.)

┌ 보기 ┐

ㄱ. $x=25$이다.

ㄴ. $a=0.1$이다.

ㄷ. Ⅰ과 Ⅱ를 모두 혼합한 수용액에 포함된 A의 양은 0.035 mol이다.

① ㄱ   ② ㄴ   ③ ㄱ, ㄷ

④ ㄴ, ㄷ   ⑤ ㄱ, ㄴ, ㄷ

Tip 수용액 Ⅰ과 Ⅱ에 포함된 A의 양은 각각 0.01 mol, 0.025 mol이다.

풀이 ㄱ, ㄴ. 수용액 Ⅰ의 몰 농도가 a M이므로

$1 \times \dfrac{x}{1000} = a \times 0.1 \rightarrow x=100a$이고, 수용액 Ⅱ의 몰 농도도 a M이므로 $1 \times \dfrac{y}{1000} = a \times 0.25 \rightarrow y=250a$이다.

$x+y=35=350a$이므로 $a=0.1$이고,
$x=100 \times 0.1=10$, $y=250 \times 0.1=25$이다.

ㄷ. 수용액 Ⅰ에서 A의 양은 0.01 mol이고, Ⅱ에서 A의 양은 0.025 mol이므로 Ⅰ과 Ⅱ를 모두 혼합한 수용액에 포함된 A의 양은 0.01+0.025=0.035 mol이다.

답 ④

확인 **6**-1

다음은 A(aq)에 관한 실험이다.

(가) x M A(aq)을 준비한다.

(나) (가)의 A(aq) 200 mL를 취하여 500 mL 부피 플라스크에 넣는다.

(다) 부피 플라스크의 표시된 눈금선까지 물을 넣어 수용액 Ⅰ을 만든다.(단, 수용액 Ⅰ의 몰 농도는 0.2 M이다.)

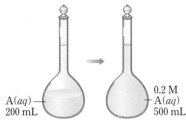

A(aq) 200 mL   0.2 M A(aq) 500 mL

(라) (가)의 A(aq) 50 mL를 취하여 100 mL 부피 플라스크에 넣는다.

(마) 부피 플라스크의 표시된 눈금선까지 물을 넣어 y M 수용액 Ⅱ를 만든다.

이에 대한 설명으로 옳은 것만을 ┃보기┃에서 있는 대로 고른 것은? (단, 온도는 일정하다.)

┌ 보기 ┐

ㄱ. $x=0.5$이다.

ㄴ. $y=0.025$이다.

ㄷ. $\dfrac{\text{Ⅰ에서 A의 양(mol)}}{\text{Ⅱ에서 A의 양(mol)}}=4$이다.

① ㄱ   ② ㄴ   ③ ㄱ, ㄷ

④ ㄴ, ㄷ   ⑤ ㄱ, ㄴ, ㄷ

필수 체크 전략 ②

2강_ 화학 반응식, 용액의 농도

2022 9월 모평 20번 유사

1 다음은 A(g)와 B(g)가 반응하여 C(g)를 생성하는 반응의 화학 반응식이다.

$$a\text{A}(g) + \text{B}(g) \longrightarrow c\text{C}(g) \ (a, c\text{는 반응 계수})$$

표는 실린더에 A(g)와 B(g)의 질량을 달리하여 넣고 반응을 완결시킨 실험 Ⅰ~Ⅲ에 대한 자료이다.

실험	반응 전		반응 후		
	A의 질량(g)	B의 질량(g)	A 또는 B의 질량(g)	C의 밀도(상댓값)	전체 기체의 부피(상댓값)
Ⅰ	1	w	$\frac{4}{5}$	17	6
Ⅱ	3	w	1	17	12
Ⅲ	4	$w+2$		x	17

이에 대한 설명으로 옳은 것만을 |보기|에서 있는 대로 고른 것은? (단, 온도와 압력은 일정하다.)

> **보기**
> ㄱ. $a=2$이다.
> ㄴ. $\frac{x}{c}=24$이다.
> ㄷ. $\dfrac{\text{C의 분자량}}{\text{B의 분자량}}=\dfrac{9}{8}$이다.

① ㄱ   ② ㄴ   ③ ㄱ, ㄷ

④ ㄴ, ㄷ   ⑤ ㄱ, ㄴ, ㄷ

> **Tip** 밀도는 질량에 비례하고, ❶ _____ 에 반비례한다. 반응 전후 반응물의 총질량과 ❷ _____ 의 총질량은 같다.
>
> **답** ❶ 부피 ❷ 생성물

2021 6월 모평 19번

2 다음은 A(g)와 B(g)가 반응하여 C(g)를 생성하는 화학 반응식이다. 분자량은 A가 B의 2배이다.

$$a\text{A}(g) + \text{B}(g) \longrightarrow a\text{C}(g) \ (a\text{는 반응 계수})$$

그림은 A(g) V L가 들어 있는 실린더에 B(g)를 넣어 반응을 완결시켰을 때, 넣어 준 B(g)의 질량에 따른 반응 후 전체 기체의 밀도를 나타낸 것이다. P에서 실린더의 부피는 $2.5V$ L이다.

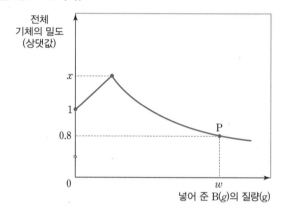

$a \times x$는? (단, 기체의 온도와 압력은 일정하다.)

① $\dfrac{3}{2}$ ② $\dfrac{5}{2}$ ③ $\dfrac{7}{2}$

④ $\dfrac{15}{4}$ ⑤ $\dfrac{25}{4}$

> **Tip** 기체의 밀도가 증가하는 것은 몰수가 ❶ _____ 하여 부피기 ❷ _____ 히기 때문이다.
>
> **답** ❶ 감소 ❷ 감소

2020 수능 19번

3 다음은 A(s)와 B(g)가 반응하여 C(g)를 생성하는 반응의 화학 반응식이다.

$$A(s)+bB(g) \longrightarrow C(g) \ (b: 반응 계수)$$

표는 실린더에 A(s)와 B(g)의 양(mol)을 달리하여 넣고 반응을 완결시킨 실험 Ⅰ, Ⅱ에 대한 자료이다.

$\dfrac{B의 \ 분자량}{C의 \ 분자량} = \dfrac{1}{16}$이다.

실험	넣어 준 물질의 양(mol)		실린더 속 기체의 밀도(상댓값)	
	A(s)	B(g)	반응 전	반응 후
Ⅰ	2	7	1	7
Ⅱ	3	8	1	x

$b \times x$는? (단, 기체의 온도와 압력은 일정하다.)

① 15 ② 20 ③ 21
④ 24 ⑤ 32

> **Tip** 제시된 표에서 주어진 밀도는 고체를 제외한 ❶ 의 밀도를 나타낸다.   답 ❶ 기체

4 표는 25 ℃에서 용질 A~C가 녹아 있는 수용액에 대한 자료이다.

수용액	A(aq)	B(aq)	C(aq)
용질의 화학식량	40	y	$3y$
수용액의 몰 농도(M)	x	0.1	0.2
수용액의 부피(L)	0.4	$2x$	$4x$
용질의 질량(g)	1.6	1.2	z

$\dfrac{z}{xy}$는?

① 0.6 ② 1.2 ③ 2.4
④ 3.6 ⑤ 4

> **Tip** 물질의 양(mol)은 ❶ 에 비례하고, ❷ 에 반비례한다.   답 ❶ 질량 ❷ 화학식량

2021 6월 모평 8번

5 다음은 0.1 M 포도당($C_6H_{12}O_6$) 수용액을 만드는 실험 과정이다.

> **실험 과정**
> (가) 전자 저울을 이용하여 $C_6H_{12}O_6$ x g을 준비한다.
> (나) 준비한 $C_6H_{12}O_6$ x g을 비커에 넣고 소량의 물을 부어 모두 녹인다.
> (다) 250 mL ㉠ 에 (나)의 용액을 모두 넣는다.
> (라) 물로 (나)의 비커에 묻어 있는 용액을 몇 번 씻어 (다)의 ㉠ 에 모두 넣고 섞는다.
> (마) (라)의 ㉠ 에 표시된 눈금선까지 물을 넣고 섞는다.

이에 대한 설명으로 옳은 것만을 |보기|에서 있는 대로 고른 것은? (단, $C_6H_{12}O_6$의 분자량은 180이다.)

> **보기**
> ㄱ. '부피 플라스크'는 ㉠으로 적절하다.
> ㄴ. $x=9$이다.
> ㄷ. (마) 과정 후의 수용액 100 mL에 들어 있는 $C_6H_{12}O_6$의 양은 0.02 mol이다.

① ㄱ ② ㄴ ③ ㄷ
④ ㄱ, ㄴ ⑤ ㄱ, ㄷ

> **Tip** 일정량의 용액의 부피를 만들 때 ❶ 를, 용질의 질량을 측정할 때 ❷ 을 사용한다.   답 ❶ 부피 플라스크 ❷ (전자) 저울

1강_ 우리 생활과 화학, 몰과 화학식량

01 다음은 하버―보슈법에 의한 암모니아 합성의 화학 반응식을 나타낸 것이다.

$$N_2(g) + 3H_2(g) \xrightarrow[\text{고온, 고압}]{\text{철 촉매}} 2NH_3(g)$$

이에 대한 설명으로 옳은 것만을 │보기│에서 있는 대로 고른 것은?

┌─ 보기 ─────────────────
ㄱ. 암모니아의 구성 원소는 질소와 수소이다.
ㄴ. 전체 기체의 몰수는 반응 후가 반응 전보다 크다.
ㄷ. 위 반응을 이용하여 질소 비료의 대량 생산이 가능하게 되었다.
──────────────────────

① ㄱ   ② ㄴ   ③ ㄱ, ㄷ
④ ㄴ, ㄷ   ⑤ ㄱ, ㄴ, ㄷ

03 표는 물질 X_2와 X_2Y에 대한 자료이다.

물질	X_2	X_2Y
전체 원자 수	$2N_A$	$6N_A$
질량(g)	28	88

이에 대한 설명으로 옳은 것만을 │보기│에서 있는 대로 고른 것은? (단, X와 Y는 임의의 원소 기호이고, N_A는 아보가드로수이다.)

┌─ 보기 ─────────────────
ㄱ. X_2의 양은 2 mol이다.
ㄴ. 분자량의 비는 $X_2 : X_2Y = 7 : 11$이다.
ㄷ. 원자량은 Y > X이다.
──────────────────────

① ㄱ   ② ㄴ   ③ ㄱ, ㄷ
④ ㄴ, ㄷ   ⑤ ㄱ, ㄴ, ㄷ

02 다음은 메테인(CH_4), 에탄올(C_2H_5OH), 아세트산(CH_3COOH)에 대한 세 학생의 대화이다.

제시한 내용이 옳은 학생만을 있는 대로 고른 것은?
① A   ② B   ③ A, B
④ A, C   ⑤ B, C

04 그림은 같은 질량의 기체 A와 B가 서로 다른 부피의 용기에 각각 들어 있는 것을 나타낸 것이다. 두 용기 속 기체의 온도와 압력은 같다.

A(g)	B(g)
w g	w g
$2V$ L	$4V$ L

$\dfrac{\text{B의 분자량}}{\text{A의 분자량}}$ 은?

① $\dfrac{1}{4}$ ② $\dfrac{1}{2}$ ③ 1
④ 2   ⑤ 4

2강_ 화학 반응식, 용액의 농도

05 다음은 수소 기체와 산소 기체가 반응하여 물을 생성하는 반응의 화학 반응식이다.

$$2H_2 + O_2 \longrightarrow 2H_2O$$

이 반응에서 1 mol의 H_2O이 생성되었을 때 반응한 O의 질량(g)은? (단, O의 원자량은 16이다.)

① 8 　　② 16 　　③ 32
④ 48 　　⑤ 64

06 다음은 2가지 반응의 화학 반응식이다.

> (가) $aNaHCO_3 \longrightarrow \boxed{\ \bigcirc\ } + CO_2 + H_2O$
> (나) $CaCO_3 \longrightarrow CaO + bCO_2$

이에 대한 설명으로 옳은 것만을 |보기|에서 있는 대로 고른 것은? (단, a, b는 반응 계수이다.)

> ┌ 보기 ┐
> ㄱ. $a+b=3$이다.
> ㄴ. ㉠은 Na_2CO_3이다.
> ㄷ. (가)와 (나)의 각 반응에서 반응물 1몰을 반응시켰을 때 생성되는 CO_2의 몰수는 같다.

① ㄱ 　　② ㄴ 　　③ ㄷ
④ ㄱ, ㄴ 　　⑤ ㄴ, ㄷ

07 다음은 아세틸렌(C_2H_2) 연소 반응의 화학 반응식이다.

$$2C_2H_2 + 5O_2 \longrightarrow aCO_2 + 2H_2O \ (a는 반응 계수)$$

이 반응에서 1 mol의 C_2H_2이 반응하여 x mol의 CO_2와 1 mol의 H_2O이 생성되었을 때, $a+x$는?

① 4 　　② 5 　　③ 6
④ 7 　　⑤ 8

08 다음은 수산화 나트륨($NaOH$) 수용액을 만드는 실험이다.

> ┌ 실험 과정 ┐
> (가) $NaOH(s)$ $2w$ g을 물 200 mL에 모두 녹인다.
> (나) (가)의 수용액을 모두 V mL 부피 플라스크에 넣고 표시선까지 물을 넣고 섞는다.
>
> ┌ 실험 결과 ┐
> • (나)에서 만든 $NaOH(aq)$의 몰 농도는 $2a$ M이다.

V는? (단, $NaOH$의 화학식량은 40이다.)

① $\dfrac{w}{50a}$ 　　② $\dfrac{w}{25a}$ 　　③ $\dfrac{25w}{a}$
④ $\dfrac{40w}{a}$ 　　⑤ $\dfrac{50w}{a}$

09 그림은 같은 질량의 황산 구리($CuSO_4$)와 A가 각각 녹아 있는 수용액 (가)와 (나)를 나타낸 것이다.

0.25 M $CuSO_4(aq)$ 500 mL (가)　　0.8 M $A(aq)$ 1 L (나)

이에 대한 설명으로 옳은 것만을 |보기|에서 있는 대로 고른 것은? (단, $CuSO_4$의 화학식량은 160이다.)

> ┌ 보기 ┐
> ㄱ. (가)에 녹아 있는 $CuSO_4$의 질량은 24 g이다.
> ㄴ. (나)에 녹아 있는 A의 몰수는 0.8몰이다.
> ㄷ. A의 화학식량은 25이다.

① ㄱ 　　② ㄷ 　　③ ㄱ, ㄴ
④ ㄴ, ㄷ 　　⑤ ㄱ, ㄴ, ㄷ

1강_ 우리 생활과 화학, 물과 화학식량

2020 7월 학평 1번 변형 유사

01 다음은 인류 생활에 기여한 물질 (가)와 (나)에 대한 설명이다.

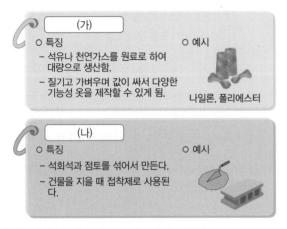

(가)
○ 특징
 – 석유나 천연가스를 원료로 하여 대량으로 생산함.
 – 질기고 가벼우며 값이 싸서 다양한 기능성 옷을 제작할 수 있게 됨.
○ 예시
 나일론, 폴리에스터

(나)
○ 특징
 – 석회석과 점토를 섞어서 만든다.
 – 건물을 지을 때 접착제로 사용된다.
○ 예시

(가)와 (나)에 해당하는 물질로 옳은 것은?

	(가)	(나)
①	천연 섬유	합성 섬유
②	건축 자재	화학 비료
③	건축 자재	인공 염료
④	합성 섬유	건축 자재
⑤	천연 섬유	건축 자재

Tip 천연 섬유는 생산량이 일정하지 않으며 생산 과정에 많은 시간과 노력이 든다는 문제가 있다. 반면에 ❶ 섬유는 석유나 천연가스를 원료로 하여 ❷ 으로 생산할 수 있다는 장점이 있다.
답 ❶ 합성 ❷ 대량

02 그림은 에탄올(C_2H_5OH), 메테인(CH_4), 아세트산(CH_3COOH)을 주어진 기준에 따라 분류한 결과를 나타낸 것이다.

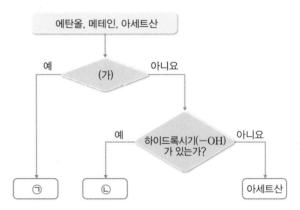

에탄올, 메테인, 아세트산
↓
(가) — 예 / 아니요
예 → ㉠
아니요 → 하이드록시기(−OH)가 있는가?
 예 → ㉡
 아니요 → 아세트산

이에 대한 설명으로 옳은 것만을 |보기|에서 있는 대로 고른 것은?

보기
ㄱ. '카복실기(−COOH)가 있는가'는 (가)로 적절하다.
ㄴ. ㉠은 일상생활에서 액체 상태로 존재한다.
ㄷ. ㉡은 소독용 의약품 등으로 사용한다.

① ㄱ ② ㄷ ③ ㄱ, ㄴ
④ ㄴ, ㄷ ⑤ ㄱ, ㄴ, ㄷ

Tip 메테인은 가정용 ❶ 로 사용하고, 에탄올은 살균 효과가 있어 손 소독제 등에 사용하며 ❷ 은 산성으로 식초의 성분이다.
답 ❶ 연료 ❷ 아세트산

03 표는 같은 온도와 압력에서 같은 부피의 기체 (가)~(다)에 대한 자료이다. (다)는 X와 Y로 이루어진 화합물이다.

기체	(가)	(나)	(다)
기체 모형	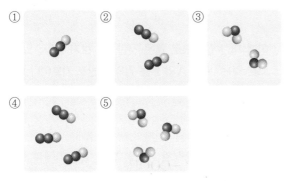		㉠
질량(상댓값)	14	16	23
분자식	X_2	Y_2	

㉠으로 가장 적절한 것은?(단, X와 Y는 임의의 원소 기호이다.)

① ② ③
④ ⑤

Tip 온도와 [❶] 이 같으면 기체의 종류에 관계없이 같은 부피 안에는 같은 수의 [❷] 가 존재한다.

답 ❶ 압력 ❷ 분자

04 다음은 주어진 자료를 이용하여 물의 몰수를 구하는 과정과 이에 대한 학생들의 대화이다.

┌ **자료** ┐
• 물질 1몰의 질량은 그 물질의 화학식량에 g을 붙인 값과 같다.
• t ℃, 1기압에서 기체 분자 1몰의 부피는 22.4 L이다.
• t ℃, 1기압에서 물의 밀도는 1 g/mL이다.
• 물의 화학식량은 18이다.

┌ **실험 과정 및 결과** ┐
(가) t ℃, 1기압의 실험실에서 t ℃의 물을 기구를 사용하여 정확히 18 mL 측정한다.
(나) (가)에서 측정한 물의 몰수를 계산한다.

제시한 내용이 옳은 학생만을 있는 대로 고른 것은? (단, H의 원자량은 1, O의 원자량은 16이다.)

① A ② B ③ A, C
④ B, C ⑤ A, B, C

Tip 밀도는 $\dfrac{질량}{부피}$ 이고, t ℃, 1기압에서 물의 밀도가 1 g/mL이므로 t ℃의 물 18 mL의 질량은 [❶] g 이다. 물의 몰수는 물의 질량을 물의 [❷] 으로 나누어서 구한다.

답 ❶ 18 ❷ 화학식량

2강_ 화학 반응식, 용액의 농도

2019 7월 학평 7번 유사

05 다음은 0 °C, 1기압에서 에타인(C_2H_2) 13 g을 완전 연소시킬 때 생성되는 이산화 탄소의 부피를 구하는 과정이다.

> 단계 1: 에타인이 완전 연소되는 반응의 화학 반응식을 완성한다.
> $$aC_2H_2(g) + bO_2(g) \longrightarrow cCO_2(g) + 2H_2O(l)$$
> ($a \sim c$는 반응 계수)
>
> 단계 2: 에타인의 몰수를 구하기 위해서 13 g을 ⓐ (으)로 나눈다.
>
> 단계 3: 단계 2와 계수비로부터 ⓑ 을(를) 구한다.
> $$ⓑ = 에타인 13 g의 몰수 \times \frac{c}{a}$$
>
> 단계 4: ⓑ 을(를) 이용하여 이산화 탄소의 부피를 구한다.
> $$1몰 : 22.4 L = ⓑ : 이산화 탄소의 부피(L)$$

이에 대한 설명으로 옳은 것만을 ㅣ보기ㅣ에서 있는 대로 고른 것은? (단, 0 °C, 1기압에서 기체 1몰의 부피는 22.4 L이다.)

> ┌─ 보기 ┐
> ㄱ. $a+b < c+2$이다.
> ㄴ. '에타인 분자량에 g을 붙인 값'은 ⓐ으로 적절하다.
> ㄷ. '이산화 탄소의 몰수'는 ⓑ으로 적절하다.

① ㄴ   ② ㄷ   ③ ㄱ, ㄴ
④ ㄱ, ㄷ   ⑤ ㄴ, ㄷ

> **Tip** 몰 질량은 1몰의 질량으로 단위는 ❶ ▢ 이다. 원자 1몰의 질량은 원자량에 g을 붙인 값이고, 분자 1몰의 질량은 ❷ ▢ 에 g을 붙인 값이다.
>
> 답 ❶ g/mol ❷ 분자량

2013 10월 학평 7번 유사

06 다음은 기체 A_2와 B_2가 반응하여 기체 X가 생성되는 반응의 화학 반응식이고, 그림은 A_2와 B_2의 몰수를 달리하여 반응시켰을 때 생성된 X의 몰수를 나타낸 것이다.

> $$aA_2(g) + bB_2(g) \longrightarrow 2X(g)$$
> (a와 b는 반응식의 계수)

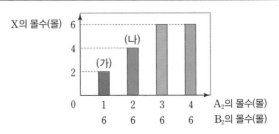

이에 대한 설명으로 옳은 것만을 ㅣ보기ㅣ에서 있는 대로 고른 것은? (단, A와 B는 임의의 원소 기호이다.)

> ┌─ 보기 ┐
> ㄱ. $a+b=3$이다.
> ㄴ. X를 구성하는 원자의 개수는 3개이다.
> ㄷ. 반응 후 생성된 기체와 남아 있는 기체의 몰수의 합은 (가)와 (나)가 같다.

① ㄴ   ② ㄷ   ③ ㄱ, ㄴ
④ ㄱ, ㄷ   ⑤ ㄱ, ㄴ, ㄷ

> **Tip** 임의의 양의 반응물이 있을 때, 먼저 소모되는 물질을 ❶ ▢ 반응물이라고 한다. 한계 반응물이 아닌 과량 존재하는 반응물은 반응이 끝난 후에도 ❷ ▢ 한다.
>
> 답 ❶ 한계 ❷ 존재

2019 고2 6월 학평 5번 유사

07 다음은 0.4 M 포도당 수용액을 만드는 실험 과정이다.

┌ 실험 과정 ┐

(가) 포도당 x g을 적당량의 증류수가 들어 있는 비커에 넣어 녹인다.

(나) (가)의 용액을 1 L ⃞⑤ 에 모두 넣는다.

(다) (나)의 ⃞⑤ 표시선의 $\frac{2}{3}$ 정도가 되는 부분까지 증류수를 넣고 용액을 잘 섞는다.

(라) 표시선까지 증류수를 채운 후 ⃞⑤ 의 마개를 막고 여러 번 흔들어 용액을 잘 섞는다.

이에 대한 설명으로 옳은 것만을 ㅣ보기ㅣ에서 있는 대로 고른 것은? (단, 포도당의 분자량은 180이다.)

┌ 보기 ┐

ㄱ. $x=72$이다.

ㄴ. '부피 플라스크'는 ⑤으로 적절하다.

ㄷ. (라)에서 만든 수용액 250 mL에 녹아 있는 포도당의 몰수는 0.1몰이다.

① ㄱ   ② ㄷ   ③ ㄱ, ㄴ

④ ㄴ, ㄷ   ⑤ ㄱ, ㄴ, ㄷ

Tip 용액 1 L 속에 녹아 있는 ❶ ⃞ 의 양을 몰 농도라고 한다. 몰 농도의 단위는 M 또는 ❷ ⃞ 를 사용한다.

답 ❶ 용질 ❷ mol/L

2021 4월 학평 4번

08 다음은 0.1 M 포도당 수용액을 만드는 과정에 대한 원격 수업 장면의 일부이다.

대화 참여자 24

※ 몰 농도(M) = $\dfrac{⃞⑤}{용액의 부피(L)}$

※ 포도당의 분자량 : 180

< 0.1 M 포도당 수용액 500 mL 만들기 >

(가) 포도당 ⃞ⓒ g 을 소량의 물이 들어 있는 비커에 넣어 녹인다.

(나) 500 mL ⃞ⓒ 에 (가)의 수용액을 모두 넣는다.

(다) (나)의 ⃞ⓒ 에 물을 표시선까지 넣고 섞는다.

오후 3:33 ⑤~ⓒ에 들어갈 내용은 무엇일까요?

학생 A
⑤은 용질의 질량(g)입니다. 오후 3:34

학생 B
ⓒ은 9입니다. 오후 3:35

학생 C
부피 플라스크는 ⓒ으로 적절합니다. 오후 3:36

>   ☺ 전송

제시한 내용이 옳은 학생만을 있는 대로 고른 것은?

① A   ② B   ③ C

④ A, B   ⑤ B, C

Tip 몰 농도와 용질의 화학식량을 알면 용질의 ❶ ⃞ (mol)뿐만 아니라 용질의 ❷ ⃞ (g)도 알 수 있다.

답 ❶ 양 ❷ 질량

2 Ⅱ 원자의 세계

3강_ 원자의 구조

4강_ 원소의 주기적 성질

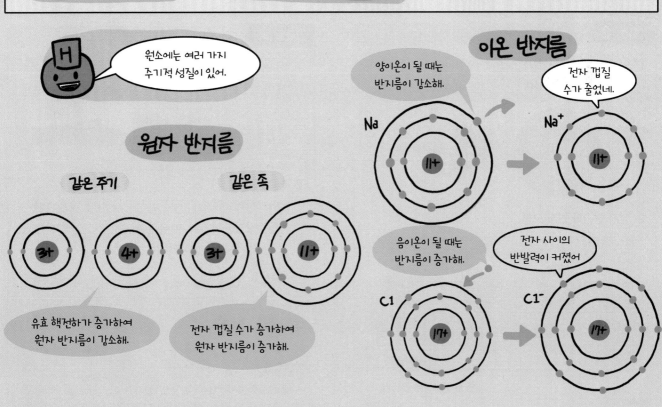

개념 **1** 원자를 구성하는 입자의 발견

1 전자의 발견 음극선은 질량을 가진 (—)전하를 띤 입자인 **❶**[　　　]의 흐름

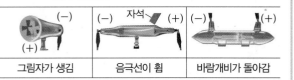

(—) (+)	(—) 자석 (+)	(—)　　(+)
그림자가 생김	음극선이 휨	바람개비가 돌아감

2 원자핵의 발견 α 입자를 산란 실험으로 원자 중심에 (+)전하를 띠면서 원자 질량의 대부분을 차지하는 매우 작은 입자인 **❷**[　　] 발견

3 음극선 실험의 의의 원자는 더 이상 쪼갤 수 없는 입자가 아님(돌턴의 원자 모형이 수정됨)

답 ❶ 전자 **❷** 원자핵

확인 Q 1

음극선은 (　　　　　)을 가지고 있어, 음극선의 진행 경로에 바람개비를 두면 바람개비가 돌아간다.

개념 **2** 원자를 구성하는 입자의 성질

1 양성자와 중성자 원자핵은 (+)전하를 띤 양성자와 전하를 띠지 않는 **❶**[　　]로 이루어진다.

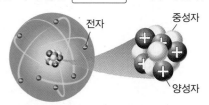

2 입자 발견과 원자 모형

	돌턴	톰슨	러더퍼드
원자 모형			
한계점	음극선 실험 결과 설명 불가	α 입자 산란 실험 설명 불가	수소 원자의 **❷**[　　] 설명 불가

답 ❶ 중성자 **❷** 선 스펙트럼

확인 Q 2

원자의 질량을 결정하는 것은 주로 어떤 입자인가?

개념 **3** 원자의 표시와 동위 원소

1 원자 번호와 질량수

원자 번호＝양성자수 ＝중성 원자의 전자 수 이고, 질량수＝양성자 수＋중성자수이다.

질량수＝양성자수＋중성자수
$^{12}_{6}C$ ─ 원소 기호
원자 번호＝양성자수

2 동위 원소 양성자수는 같으나 **❶**[　　]수가 달라서 질량수가 다른 원소

수소($^{1}_{1}H$)　　중수소($^{2}_{1}H$)　　삼중수소($^{3}_{1}H$)

3 평균 원자량 동위 원소의 존재 비율을 고려한 원자량의 **❷**[　　]

답 ❶ 중성자 **❷** 평균

확인 Q 3

같은 원소의 원자는 (양성자 , 중성자) 수가 모두 같다.

개념 **4** 수소 원자의 선 스펙트럼

1 선 스펙트럼 수소 방전관에서 방출되는 빛을 프리즘에 통과시키면 **❶**[　　]적인 선 스펙트럼이 나타냄

(+) 수소 방전관 (—)　　　슬릿　　프리즘　　감광판

2 에너지 준위
- 바닥상태: 원자의 에너지 준위가 가장 낮은 상태
- 들뜬상태: 전자가 에너지를 **❷**[　　]하여 높은 에너지 준위로 올라가 있는 상태

에너지 흡수　　　　　　　에너지 방출

답 ❶ 불연속 **❷** 흡수

확인 Q 4

선 스펙트럼은 바닥상태에 있던 전자가 에너지를 흡수하여 들뜬상태가 된 후 다시 바닥상태로 되돌아가면서 두 에너지 차이만큼 빛에너지를 (방출 , 흡수)해서 나타난다.

개념 **5** 현대 원자 모형

1 **보어의 원자 모형** 수소 원자의 선 스펙트럼은 설명 가능하나 다전자 원자의 선 스펙트럼은 설명 불가

2 **전자의 파동성** 전자는 입자성과 **❶**〔 〕을 동시에 가지고 있다.

3 **불확정성 원리** 전자의 위치와 운동량을 동시에 정확하게 알 수는 없다. ➡ 전자의 파동성 때문에 불확정성이 나타나며 전자의 위치는 확률적으로만 알 수 있다고 해석

4 **현대 원자 모형** 전자는 특정한 위치에서 나타날 **❷**〔 〕로만 나타내며 전자의 분포 상태를 구름처럼 나타냄

답 ❶ 파동성 ❷ 확률

확인 Q 5

현대의 원자 모형은 전자의 어떤 성질과 관련이 있는가?

개념 **6** 오비탈

1 **오비탈** 원자핵 주위에서 전자가 발견될 확률 분포를 나타냄

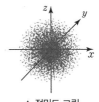

▲ 점밀도 그림 　　　▲ 경계면 그림

2 **오비탈의 종류**

• s 오비탈: 구형이며, 전자가 존재할 확률은 원자핵으로부터의 **❶**〔 〕에 따라 달라지나 **❷**〔 〕과 관계없이 일정

• p 오비탈: 아령 모양이며, 전자가 존재할 확률은 방향에 따라 다르다.

2s 　　2p_x 　　2p_y 　　2p_z

답 ❶ 거리 ❷ 방향

확인 Q 6

(s , p) 오비탈은 전자가 존재할 확률이 방향에 따라 다르다.

개념 **7** 양자수와 오비탈

1 **양자수**

• 주 양자수(n): 오비탈의 **❶**〔 〕와 에너지 준위

• 방위 양자수(l): 오비탈의 모양(종류)

• 자기 양자수(m_l): 오비탈의 방향

2 **양자수와 오비탈**

주 양자수 (n)	방위 양자수 (l)	자기 양자수 (m_l)	오비탈 종류	오비탈 수 (n^2)	
1	0	0	1s	1	1
2	0	0	2s	1	4
	1	$-1, 0, +1$	**❷**〔 〕	3	
3	0	0	3s	1	9
	1	$-1, 0, +1$	3p	3	
	2	$-2, -1, 0, +1, +2$	3d	5	

답 ❶ 크기 ❷ 2p

확인 Q 7

$n=3$, $l=1$인 오비탈은 (3s, 3p) 오비탈이다.

개념 **8** 오비탈의 전자 배치

1 **오비탈의 에너지 준위**

• 수소 원자: $1s < 2s = 2p < 3s = 3p = 3d < 4s \cdots$

• 다전자 원자: $1s < 2s < 2p < 3s < 3p < 4s < 3d \cdots$

2 **전자 배치 규칙**

• 쌓음 원리: 전자는 에너지 준위가 **❶**〔 〕 오비탈부터 순서대로 채워져야 한다.

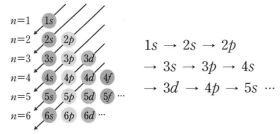

$1s \rightarrow 2s \rightarrow 2p$
$\rightarrow 3s \rightarrow 3p \rightarrow 4s$
$\rightarrow 3d \rightarrow 4p \rightarrow 5s \cdots$

▲ 다전자 원자의 오비탈에 전자가 채워지는 순서

• 파울리 배타 원리: 한 오비탈에 전자가 최대 2개까지 들어가며, 두 전자의 스핀 방향은 달라야 한다.

• 훈트 규칙: 에너지 준위가 같은 오비탈에 전자가 들어갈 때는 **❷**〔 〕가 많을수록 안정하다.

답 ❶ 낮은 ❷ 홀전자 수

확인 Q 8

오비탈에서 쌍을 이루지 않은 전자를 ( )라고 한다.

개념 돌파 전략 ①

개념 1 주기율표

1 **주기율** 원소를 원자 번호 순으로 배열할 때, 성질이 비슷한 원소가 **❶**〔　　　〕적으로 나타나는 것

2 **주기율표** 주기율에 따라 원소들을 배열한 표

3 **주기율표가 만들어지기까지**

되베라이너 (1828년)	뉴랜즈 (1864년)	멘델레예프 (1869년)	모즐리 (1913년)
세 쌍 원소설	옥타브설	최초의 주기율표	현대의 주기율표 틀 완성

• 모즐리는 원소를 **❷**〔　　　〕 순으로 배열하여 원자량 순서와 화학적 성질의 불일치 문제를 해결

답 ❶ 주기 **❷** 양성자수

확인 Q 1

멘델레예프의 주기율표는 원소를 무엇을 기준으로 나열하였는가?

개념 2 현대의 주기율표

1 **현대의 주기율표** 원소들을 원자 번호 순으로 나열하여 화학적 성질이 비슷한 원소들이 같은 세로줄에 오도록 배열한 표

2 **주기와 족**

• 주기: 주기율표의 **❶**〔　　　〕. 1~7주기, 전자가 들어 있는 전자 껍질 수와 같다.

• 족: 주기율표의 **❷**〔　　　〕. 원자가 전자 수가 같아 화학적 성질이 비슷, 같은 족 원소를 동족 원소라고 한다.

3 **최외각 전자와 원자가 전자**

족	1	2	13	14	15	16	17	18
최외각 전자 수	1	2	3	4	5	6	7	8 (He은 2)
원자가 전자 수	1	2	3	4	5	6	7	0

답 ❶ 가로줄 **❷** 세로줄

확인 Q 2

동족 원소는 원자가 전자 수가 같아서 (　　　　)이 비슷하다.

개념 3 원소의 분류

▶ **원소의 분류**

족\주기	1	2	3~12	13	14	15	16	17	18
1	H								He
2	Li	Be		B	C	N	O	F	Ne
3	Na	Mg		Al	Si	P	S	Cl	Ar
4	K	Ca		Ga	Ge	As	Se	Br	Kr
5	Rb	Sr		In	Sn	Sb	Te	I	Xe
6	Cs	Ba		Tl	Pb	Bi	Po	At	Rn
7	Fr	Ra		Nh	Fl	Mc	Lv	Ts	Og

▢ 금속　▢ 준금속　▢ 비금속

• 금속 원소: 열과 전기 전도성이 **❶**〔　　　〕고, 대부분 상온에서 고체 상태로 존재하며, 양이온이 되기 쉬움(Hg은 액체)

• 비금속 원소: 열과 전기 전도성이 **❷**〔　　　〕고, 대부분 상온에서 고체나 기체 상태로 존재하며, 음이온이 되기 쉬움(18족 제외)

• 준금속: 금속과 비금속의 중간 성질을 가짐

답 ❶ 크 **❷** 작

확인 Q 3

금속 원소는 전자를 잃고 (양이온 , 음이온)이 되기 쉽다.

개념 4 원소의 전자 배치와 주기율

1 **전자 배치의 주기성** 바닥상태의 전자 배치에서 가장 바깥 전자 껍질에 들어 있는 전자 수가 규칙적으로 변한다.

족\주기	1	2	13	14	15	16	17	18
1	$1s^1$	$1s^2$						$1s^2$
2	$2s^1$	$2s^2$	$2s^22p^1$	$2s^22p^2$	$2s^22p^3$	$2s^22p^4$	$2s^22p^5$	$2s^22p^6$
3	$3s^1$	$3s^2$	$3s^23p^1$	$3s^23p^2$	$3s^23p^3$	$3s^23p^4$	$3s^23p^5$	$3s^23p^6$
4	$4s^1$	$4s^2$	$4s^24p^1$	$4s^24p^2$	$4s^24p^3$	$4s^24p^4$	$4s^24p^5$	$4s^24p^6$
가장 바깥 전자 껍질의 전자 배치 **❶**	ns^1	ns^2	ns^2np^1	ns^2np^2	ns^2np^3	ns^2np^4	ns^2np^5	ns^2np^6
	1	2	3	4	5	6	7	0

2 **원자가 전자** 화학 결합에 관여하고 원소의 **❷**〔　　　〕 성질을 결정한다.

답 ❶ 원자가 전자 수 **❷** 화학적

확인 Q 4

1족 원소들은 s 오비탈에 1개, 17족 원소들은 p 오비탈에 (　　　)개의 전자가 들어간다.

개념 5 유효 핵전하

1 **가려막기 효과** 전자가 여러 개 있는 원자에서 전자 사이의 ❶ [ ]이 전자에 작용하는 원자핵의 인력을 약하게 만드는 효과

2 **유효 핵전하** 전자에 실제로 작용하는 핵전하

3 **유효 핵전하의 주기성**

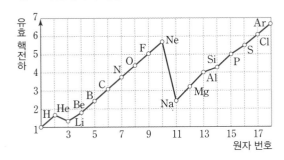

- 같은 주기에서는 원자 번호 증가에 따라 유효 핵전하가 ❷ [ ]하나 주기가 바뀌면 크게 감소한다.

답 ❶ 반발력 ❷ 증가

확인 Q 5

다전자 원자 내의 전자들은 원자핵의 ( )과 내부 전자들 사이의 ( )을 동시에 받는다.

개념 6 원자 반지름과 이온 반지름

1 **원자 반지름** 같은 종류의 원자가 결합하고 있을 때 두 원자핵 사이 거리의 ❶ [ ]로 정함
  - 같은 주기: 원자 번호가 증가할수록 유효 핵전하가 증가하여 원자 반지름 감소
  - 같은 족: 원자 번호가 증가할수록 전자 껍질 수가 증가하여 원자 반지름 증가

2 **이온 반지름**
  - 양이온 반지름: 양이온이 되면 전자 껍질 수가 감소하여 원자 반지름보다 반지름 감소(예 $Na > Na^+$)
  - 음이온 반지름: 전자 수가 증가하여 전자 사이의 반발력이 증가하여 원자 반지름보다 반지름 ❷ [ ] (예 $Cl < Cl^-$)

답 ❶ $\frac{1}{2}$ ❷ 증가

확인 Q 6

전자 수가 같은 서로 다른 이온들은 원자 번호가 클수록 이온 반지름이 (증가 , 감소)한다.

개념 7 이온화 에너지와 주기성

1 **이온화 에너지** 기체 상태의 원자 1몰에서 전자 1몰을 떼어 내는 데 필요한 에너지

2 **이온화 에너지의 주기성**

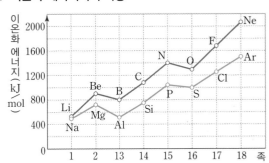

- 같은 주기: 원자 번호가 증가할수록 ❶ [ ]가 증가하여 이온화 에너지가 대체로 증가
- 같은 족: 원자 번호가 증가할수록 ❷ [ ]가 커져 이온화 에너지가 감소

답 ❶ 유효 핵전하 ❷ 전자 껍질 수

확인 Q 7

이온화 에너지는 같은 주기에서는 ( )족 원소가 가장 작고 ( )족 원소가 가장 크다.

개념 8 순차 이온화 에너지

1 **순차 이온화 에너지** 기체 상태의 원자 1몰에서 전자를 1몰씩 차례로 떼어 내는 데 필요한 에너지
  - $M(g) + E_1 \longrightarrow M^+(g) + e^-$
    (E_1: 제1 이온화 에너지)
  - $M^+(g) + E_2 \longrightarrow M^{2+}(g) + e^-$
    (E_2: 제2 이온화 에너지)
  - $M^{2+}(g) + E_3 \longrightarrow M^{3+}(g) + e^-$
    (E_3: 제3 이온화 에너지)

2 **순차 이온화 에너지의 크기** $E_1 < E_2 < E_3 < E_4 < \cdots$
  - 원자에서 전자를 떼어 낼수록 ❶ [ ]가 증가하므로 더 많은 에너지가 필요하다.
  - 전자 껍질 수가 감소할 때는 순차 이온화 에너지가 크게 증가하므로 순차 이온화 에너지로부터 ❷ [ ]를 예상할 수 있다.

답 ❶ 유효 핵전하 ❷ 원자가 전자 수

확인 Q 8

이온화 에너지와 원자 반지름의 주기성은 서로(반대 , 같은) 경향으로 나타난다.

개념 돌파 전략 ②

3강_ 원자의 구조

1 그림은 톰슨의 음극선 실험 장치를 나타낸 것이다. (가)는 음극선의 경로에 전기장을, (나)는 음극선의 경로에 바람개비를 놓아 둔 것이다. 이에 대한 설명으로 옳지 <u>않은</u> 것은?

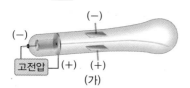
고전압 (+) (+)
(가)

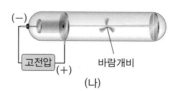
고전압 (+) 바람개비
(나)

① 음극선은 질량을 가지고 있다.

② (나)에서는 바람개비가 회전한다.

③ 이 실험으로 전자를 발견하였다.

④ 이 실험으로 원자핵 주변에 전자가 분포하는 것을 알 수 있다.

⑤ 이 실험으로 원자에 (−)전하를 띠는 입자가 존재함을 알 수 있다.

2 표는 $^3_1H^+$과 이온 A, B를 구성하는 입자의 수를 나타낸 것이다. (가)~(다)는 각각 전자, 양성자, 중성자 중 하나이다.
이에 대한 설명으로 옳은 것만을 |보기|에서 있는 대로 고른 것은? (단, A, B는 임의의 기호이다.)

구성 입자 이온	(가)	(나)	(다)
$^3_1H^+$	1	0	2
A	3	2	4
B	4	2	3

┌ 보기 ┐
ㄱ. A와 B는 질량수가 같다.
ㄴ. B는 음이온이다.
ㄷ. (다)는 중성자이다.

① ㄱ   ② ㄴ   ③ ㄱ, ㄷ

④ ㄴ, ㄷ   ⑤ ㄱ, ㄴ, ㄷ

3 표는 모양이 서로 다른 오비탈 A, B에 대한 자료이다.
이에 대한 설명으로 옳은 것만을 |보기|에서 있는 대로 고른 것은? (단, A, B는 임의의 오비탈 기호이다.)

오비탈	주 양자수 (n)	방위(부) 양자수 (l)
A	a	0
B	2	b

┌ 보기 ┐
ㄱ. A는 s 오비탈이다.
ㄴ. a는 b보다 작다.
ㄷ. b는 0이다.

① ㄱ   ② ㄷ   ③ ㄱ, ㄴ

④ ㄱ, ㄷ   ⑤ ㄱ, ㄴ, ㄷ

4강_ 원소의 주기적 성질

4 그림은 주기율표의 일부를 나타낸 것이다.

주기＼족	1	2	13	14	15	16	17	18
1	A							
2	B						C	
3		D					E	

원소 A~E에 대한 설명으로 옳지 <u>않은</u> 것은? (단, A~E는 임의의 원소 기호이다.)

① A는 비금속 원소이다.

② B는 양이온이 되기 쉽다.

③ C와 E는 원자가 전자 수가 같다.

④ D와 E는 바닥상태에서 전자 껍질 수가 같다.

⑤ 홀전자 수는 E가 B보다 많다.

5 그림은 몇 가지 원소들의 원자 반지름과 안정한 이온의 반지름의 크기를 나타낸 것이다. 이에 대한 설명으로 옳은 것만을 ｜보기｜에서 있는 대로 고른 것은? (단, A~C는 원자나 이온을 나타낸 기호이다.)

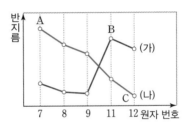

┌ 보기 ┐
ㄱ. (가)는 원자 반지름, (나)는 이온 반지름이다.
ㄴ. A는 C보다 전자 수가 더 많다.
ㄷ. B는 양이온이다.

① ㄱ   ② ㄷ   ③ ㄱ, ㄴ

④ ㄱ, ㄷ   ⑤ ㄱ, ㄴ, ㄷ

6 표는 3주기 원소 A의 순차 이온화 에너지(E_n)를 나타낸 것이다.

순차 이온화 에너지(kJ/mol)							
E_1	E_2	E_3	E_4	E_5	E_6	E_7	E_8
1012	1900	2910	4960	6270	22200	25430	29870

이에 대한 설명으로 옳은 것만을 ｜보기｜에서 있는 대로 고른 것은?

┌ 보기 ┐
ㄱ. 15족 원소이다.
ㄴ. A는 금속 원소이다.
ㄷ. 바닥상태에서 홀전자 수는 3이다.

① ㄴ   ② ㄷ   ③ ㄱ, ㄴ

④ ㄱ, ㄷ   ⑤ ㄱ, ㄴ, ㄷ

필수 체크 전략 ①

대표 기출 1

2018 10월 학평 5번

다음은 자연계에 존재하는 염소(Cl)의 동위 원소에 대한 자료와 이에 대한 학생들의 대화이다.

동위 원소	$^{35}_{17}Cl$	$^{37}_{17}Cl$
존재 비율(%)	75	25

원자 1 g에 들어 있는 원자의 수는 $^{35}_{17}Cl$가 $^{37}_{17}Cl$보다 많아.

Cl_2 분자 1개에 들어 있는 양성자 수는 중성자수보다 작아.

자연계에는 분자량이 다른 3가지 Cl_2 분자가 존재해.

학생 A   학생 B   학생 C

제시한 내용이 옳은 학생만을 있는 대로 고른 것은?

① A
② C
③ A, B
④ B, C
⑤ A, B, C

Tip 동위 원소는 양성자수는 같고 중성자수가 다른 원소이다.

풀이 A. $^{35}_{17}Cl$는 $^{37}_{17}Cl$보다 중성자가 2개 더 많으므로 원자 1개의 질량이 크다. 따라서 같은 1 g에 들어 있는 원자의 수는 질량수가 작은 $^{35}_{17}Cl$가 더 많다.
B. $^{35}_{17}Cl$에는 18개, $^{37}_{17}Cl$에는 20개의 중성자가 존재한다.
C. 분자량이 다른 Cl_2 분자는 3가지이다.   답 ⑤

확인 1 -1

표는 마그네슘(Mg) 동위 원소의 자연 상태에서의 존재 비율을 나타낸 것이다.

동위 원소	원자량	존재 비율(%)
^{26}Mg	26	11.01
^{25}Mg	25	10.00
^{24}Mg	24	78.99

이에 대한 설명으로 옳은 것을 | 보기 |에서 모두 고르시오.

보기
ㄱ. Mg의 평균 원자량은 25보다 크다.
ㄴ. 원자 1개의 질량이 가장 작은 것은 ^{24}Mg이다.
ㄷ. 1 g 속에 들어 있는 원자의 개수는 ^{26}Mg이 ^{25}Mg보다 적다.

대표 기출 2

2018 7월 학평 15번 유사

그림은 원자 X, Y와 이온 Z^+을 구성하는 입자를 두 종류로 나타낸 것이다. $a \sim c$는 각각 양성자, 중성자, 전자 중 하나이다.

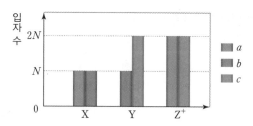

이에 대한 설명으로 옳은 것만을 | 보기 |에서 있는 대로 고른 것은?

보기
ㄱ. b는 중성자이다.
ㄴ. X와 Z는 양성자수가 같다.
ㄷ. Y의 질량수는 $3N$이다.

① ㄱ
② ㄴ
③ ㄷ
④ ㄱ, ㄷ
⑤ ㄴ, ㄷ

Tip 질량수는 양성자수＋중성자수이다. 원자는 양성자수＝전자 수이고, 양이온은 양성자수＞전자 수이다.

풀이 ㄱ. 원자 Y에서 b와 c의 입자 수가 다르기 때문에 b와 c 중 하나는 중성자이며, b가 중성자라면 a와 c가 양성자와 전자 중 하나여야 하기 때문에 Z^+에서 입자 수가 같을 수 없다. 따라서 c가 중성자이다.
ㄴ. 양성자수가 X는 N, Z는 $2N$(또는 $2N+1$)으로 다르다.
ㄷ. Y의 질량수는 양성자수(N)＋중성자수($2N$)＝$3N$이다.   답 ③

확인 2 -1

2019 9월 모평 15번

그림은 용기 속에 ^4He과 ^1H, ^{12}C, ^{13}C만으로 이루어진 CH_4이 들어 있는 것을 나타낸 것이다.

용기 속에 들어 있는 ^{12}C와 ^{13}C의 원자 수 비가 1 : 1일 때, 용기 속 $\dfrac{\text{전체 양성자수}}{\text{전체 중성자수}}$는?

He 1몰
CH₄ 4몰

대표 기출 3

표는 원자 (가)~(다)에 대한 자료이다. ㉠은 양성자와 중성자 중 하나이다.

원자	(가)	(나)	(다)
원자의 표시 방법	$_6^x C$	$_7^x N$	$_y^{15} N$
㉠의 수 − 전자의 수	2	0	a

이에 대한 설명으로 옳은 것만을 │보기│에서 있는 대로 고른 것은?

┌─ 보기 ────────────────────
ㄱ. ㉠은 중성자이다.
ㄴ. $a=1$이다.
ㄷ. $x-y$는 7이다.
└──────────────────────────

① ㄱ   ② ㄴ   ③ ㄱ, ㄷ
④ ㄴ, ㄷ   ⑤ ㄱ, ㄴ, ㄷ

Tip 원자를 구성하는 입자 수와 원자 번호, 동위 원소의 관계를 파악해야 한다.

풀이 ㄱ. (가)에서 ㉠의 수−전자의 수는 2이다. 원자에서 양성자수와 전자 수는 같으므로 ㉠은 중성자이다. 따라서 x는 14이다.
ㄴ. (다)의 중성자수는 8, 전자 수는 7이므로 $a=1$이다.
ㄷ. y는 7이므로 $x-y=14-7$은 7이다.   **답 ⑤**

확인 ❸-1

그림은 원자 A~C의 구조를 모형으로 나타낸 것이다. ●, ○, ● 는 원자를 구성하는 입자이다.

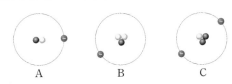

A   B   C

이에 대한 설명으로 옳은 것을 │보기│에서 모두 고르시오.
(단, A~C는 임의의 원소 기호이다.)

┌─ 보기 ────────────────────
ㄱ. A와 B는 동위 원소이다.
ㄴ. 질량수는 B와 C가 같다.
ㄷ. C에 원자 번호와 질량수를 표시하면 $_1^3 C$이다.
└──────────────────────────

대표 기출 4

그림은 오비탈 (가), (나)를 모형으로 나타낸 것이고, 표는 오비탈 A, B에 대한 자료이다.

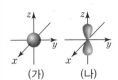

(가)   (나)

오비탈	주 양자수 (n)	방위(부) 양자수 (l)
A	1	a
B	2	b

이에 대한 설명으로 옳은 것만을 │보기│에서 있는 대로 고른 것은?

┌─ 보기 ────────────────────
ㄱ. (가)는 A이다.
ㄴ. $b-a=0$이다.
ㄷ. (나)의 자기 양자수(m_l)는 $-\dfrac{1}{2}$이다.
└──────────────────────────

① ㄱ   ② ㄴ   ③ ㄱ, ㄷ
④ ㄴ, ㄷ   ⑤ ㄱ, ㄴ, ㄷ

Tip n이 1이면 l은 0만 가능하므로 s 오비탈이고, n이 2이면 l은 0과 1이 가능하므로 s와 p 오비탈이 가능하다.

풀이 ㄱ. (가)는 주 양자수$(n)=1$이므로 A이다.
ㄴ. (가)는 $1s$ 오비탈이므로 $n=1$, $l=0$이다. (나)는 $2p$ 오비탈이므로 $n=2$, $l=1$이다. 따라서 $b-a=1$이다.
ㄷ. (나)의 자기 양자수(m_l)는 -1, 0, $+1$ 중 하나이다.   **답 ①**

확인 ❹-1

그림은 바닥상태 나트륨($_{11}Na$) 원자에 전자가 들어 있는 오비탈 (가), (나)를 모형으로 나타낸 것이다. 에너지 준위는 (가)가 (나)보다 높다.

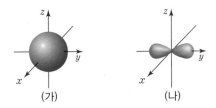

(가)   (나)

이에 대한 설명으로 옳은 것을 │보기│에서 모두 고르시오.

┌─ 보기 ────────────────────
ㄱ. (가)와 (나)에 들어 있는 전자의 주 양자수(n)는 (나)>(가)이다.
ㄴ. 오비탈에 들어 있는 전자 수는 (나)가 (가)의 2배이다.
ㄷ. (나)에 들어 있는 전자의 방위 양자수(l)는 0이다.
└──────────────────────────

대표 기출 5 2021 수능 3번 유사

그림 (가)~(라)는 학생들이 그린 어떤 X 원자의 전자 배치이다.

	1s	2s	2p			3s
(가)	↑↓	↑↓	↑↓	↑	↑	
(나)	↑↓	↑↓	↑	↑	↑↓	
(다)	↑↓	↑↓	↑↑	↑	↑	
(라)	↑↓	↑↓	↑	↑	↑	↑

이에 대한 설명으로 옳은 것만을 |보기|에서 있는 대로 고른 것은? (단, X는 임의의 원소 기호이다.)

| 보기 |
ㄱ. (가)는 바닥상태의 전자 배치이다.
ㄴ. (나)와 (라)는 들뜬상태의 전자 배치이다.
ㄷ. (다)는 파울리 배타 원리에 어긋난다.

① ㄱ   ② ㄴ   ③ ㄱ, ㄷ
④ ㄴ, ㄷ   ⑤ ㄱ, ㄴ, ㄷ

Tip 2p 오비탈 3개는 에너지 준위가 같다.

풀이 ㄱ, ㄴ. (가)와 (나)는 모두 전자 배치 원리를 만족하고 있으므로 바닥상태의 전자 배치이다. (라)는 3s 오비탈에 전자가 1개 있으므로 2p 오비탈의 전자가 에너지를 흡수하여 전자 전이한 들뜬상태의 전자 배치이다.
ㄷ. (다)는 2p 오비탈에 쌍을 이룬 전자의 스핀 방향이 같으므로 파울리 배타 원리에 어긋난다. 답 ③

확인 5-1 2020 9월 모평 3번

그림 (가)~(다)는 학생이 그린 원자 C, N와 이온 Al^{3+}의 전자 배치를 나타낸 것이다.

		1s	2s	2p		
(가)	C	↑↓	↑↓		↑	↑
(나)	N	↑↓	↑	↑↑		↑
(다)	Al^{3+}	↑↓	↑↓	↑↓	↑↓	↑↓

이에 대한 설명으로 옳은 것을 |보기|에서 모두 고르시오. (단, C, N, Al의 원자 번호는 6, 7, 13이다.)

| 보기 |
ㄱ. (가)는 들뜬상태의 전자 배치이다.
ㄴ. (나)는 파울리 배타 원리에 어긋난다.
ㄷ. 바닥상태의 원자 Al에서 전자가 들어 있는 오비탈의 수는 8이다.

대표 기출 6 2021 수능 7번 유사

표는 수소 원자의 오비탈 (가)~(다)에 대한 자료이다. n, l, m_l은 각각 주 양자수, 방위(부) 양자수, 자기 양자수이다.

	$n+l$	$l+m_l$
(가)	1	0
(나)	2	0
(다)	3	1

이에 대한 설명으로 옳은 것만을 |보기|에서 있는 대로 고른 것은?

| 보기 |
ㄱ. 방위(부) 양자수(l)는 (가)=(나)이다.
ㄴ. 에너지 준위는 (다)>(나)이다.
ㄷ. (나)의 모양은 아령 모양이다.

① ㄱ   ② ㄴ   ③ ㄷ
④ ㄱ, ㄴ   ⑤ ㄴ, ㄷ

Tip 주 양자수(n), 방위(부) 양자수(l), 자기 양자수(m_l)가 (가)는 1, 0, 0, (나)는 2, 0, 0, (다)는 2, 1, 0이다.

풀이 ㄱ. 방위(부) 양자수(l)는 (가)=(나)=0이다.
ㄴ. 수소 원자의 에너지 준위는 2s=2p이므로 (나)=(다)이다.
ㄷ. (나)는 2s 오비탈이므로 공 모양(구형)이다. 답 ①

확인 6-1 2021 6월 모평 12번

그림은 수소 원자의 오비탈 (가)~(다)를 모형으로 나타낸 것이다. (가)~(다)는 각각 1s, 2s, $2p_z$ 오비탈 중 하나이다. 수소 원자의 바닥상태 전자 배치에서 전자는 (다)에 들어간다.

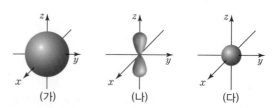

이에 대한 설명으로 옳은 것을 |보기|에서 모두 고르시오.

| 보기 |
ㄱ. 주 양자수(n)는 (가)>(나)이다.
ㄴ. 방위(부) 양자수(l)는 (가)=(다)이다.
ㄷ. 에너지 준위는 (나)=(다)이다.

대표 기출 **7**

다음은 자연계에 존재하는 수소(H)와 플루오린(F)에 대한 자료이다.

- $_1^1H$, $_1^2H$, $_1^3H$의 존재 비율(%)은 각각 a, b, c이다.
- $a+b+c=100$이고, $a>b>c$이다.
- F은 $_9^{19}F$으로만 존재한다.
- $_1^1H$, $_1^2H$, $_1^3H$, $_9^{19}F$의 원자량은 각각 1, 2, 3, 19 이다.

이에 대한 설명으로 옳은 것만을 ｜보기｜에서 있는 대로 고른 것은?

┌ 보기 ┐

ㄱ. H의 평균 원자량은 $\dfrac{a+b+c}{100}$이다.

ㄴ. $\dfrac{\text{분자량이 5인 } H_2\text{의 존재 비율(\%)}}{\text{분자량이 6인 } H_2\text{의 존재 비율(\%)}}<2$이다.

ㄷ. $\dfrac{1 \text{ mol의 } H_2 \text{ 중 분자량이 3인 } H_2\text{의 전체 중성자의 수}}{1 \text{ mol의 HF 중 분자량이 20인 HF의 전체 중성자의 수}}$ $=\dfrac{b}{500}$이다.

① ㄱ   ② ㄷ   ③ ㄱ, ㄴ
④ ㄴ, ㄷ   ⑤ ㄱ, ㄴ, ㄷ

Tip H_2 분자량에 따른 존재 비율은 다음과 같다.

H_2 분량	2	3	4	5	6
존재 비율(%)	a^2	$2ab$	b^2+2ac	$2bc$	c^2

풀이 ㄱ. 평균 원자량은 (동위 원소의 원자량×동위 원소의 존재 비율)의 합이므로 H의 평균 원자량은 $\dfrac{a+2b+3c}{100}$이다.

ㄴ. $\dfrac{\text{분자량이 5인 } H_2\text{의 존재 비율(\%)}}{\text{분자량이 6인 } H_2\text{의 존재 비율(\%)}}=\dfrac{2bc}{c^2}=\dfrac{2b}{c}$이다.

$b>c$이므로 $\dfrac{2b}{c}>2$이다.

ㄷ. 분자량이 3인 H_2의 중성자수는 1이며 존재 비율은 $\dfrac{2ab}{100^2}$, 분자량이 20인 HF의 중성자수는 10이며 존재 비율은 $\dfrac{a}{100}$이다. 따라서 $\dfrac{1\times\dfrac{2ab}{100^2}}{10\times\dfrac{a}{100}}=\dfrac{b}{500}$이다.   **답** ②

확인 **7**-1

표는 자연계에 존재하는 원소 A와 B의 동위 원소의 원자량과 존재 비율(%)을 나타낸 것이다.

원소	동위 원소	원자량	존재 비율(%)	평균 원자량
A	^{12}A	12	a	12.01
	^{13}A	13	b	
B	^{16}B	16	99.76	c
	^{17}B	17	0.04	
	^{18}B	18	0.20	

이에 대한 설명으로 옳은 것을 ｜보기｜에서 모두 고르시오. (단, A, B는 임의의 원소 기호이며, A와 B는 각각 2가지, 3가지 동위 원소만 존재한다.)

┌ 보기 ┐

ㄱ. $\dfrac{\text{분자량이 28인 AB의 존재 비율(\%)}}{\text{분자량이 31인 AB의 존재 비율(\%)}}$ $=\dfrac{28\times99.76a}{31\times0.2b}$이다.

ㄴ. $c=\dfrac{16\times99.76+17\times0.04+18\times0.20}{100}$이다.

ㄷ. A, B의 동위 원소로 만들 수 있는 AB_2 분자의 종류는 12가지이다.

필수 체크 전략 ②

최다 오답 문제

3강_ 원자의 구조

2021 3월 학평 11번 유사

1 표는 2, 3주기 바닥상태 원자 X~Z에 대한 자료이다.

원자	X	Y	Z
모든 전자의 주 양자수(n)의 합	a	$a+4$	$a+9$

X~Z에 대한 설명으로 옳은 것만을 |보기|에서 있는 대로 고른 것은? (단, X~Z는 임의의 원소 기호이다.)

┌ 보기 ┐
ㄱ. 3주기 원소는 2가지이다.
ㄴ. 전자가 들어 있는 오비탈 수는 X > Y이다.
ㄷ. 모든 전자의 방위(부) 양자수(l)의 합은 Z가 X의 2배이다.
└────┘

① ㄱ ② ㄷ ③ ㄱ, ㄴ
④ ㄱ, ㄷ ⑤ ㄴ, ㄷ

> **Tip** 모든 전자의 주 양자수(n)의 합은 원자 번호가 증가할 때 2주기는 ❶[　　]씩, 3주기는 ❷[　　]씩 증가한다. 모든 전자의 방위(부) 양자수(l)의 합은 p 오비탈에 들어 있는 전자 수와 같다.
> 답 ❶ 2 ❷ 3

2 다음은 수소 원자의 오비탈 (가)~(라)에 대한 설명이다. n, l, m_l은 각각 주 양자수, 방위(부) 양자수, 자기 양자수이다.

> • (가)~(라)의 $n+l$은 1, 2, 3, 4이다.
> • n은 (가) < (나) < (다) = (라)이다.

이에 대한 설명으로 옳은 것만을 |보기|에서 있는 대로 고른 것은?

┌ 보기 ┐
ㄱ. (가)의 m_l은 1이다.
ㄴ. l은 (나) = (라)이다.
ㄷ. (다)는 3s 오비탈이다.
└────┘

① ㄱ ② ㄷ ③ ㄱ, ㄴ
④ ㄴ, ㄷ ⑤ ㄱ, ㄴ, ㄷ

> **Tip** $n+l$이 1인 오비탈은 1s, 2인 오비탈은 2s, 3인 오비탈은 ❶[　　] 또는 ❷[　　]이다.
> 답 ❶ 2p ❷ 3s

2020 10월 학평 10번

3 그림은 바닥상태 나트륨($_{11}$Na) 원자에서 전자가 들어 있는 오비탈 중 (가)~(다)를 모형으로 나타낸 것이다. $n+l$은 모두 같다.

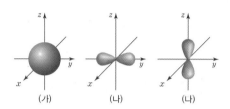

(가) (나) (나)

이에 대한 설명으로 옳은 것만을 |보기|에서 있는 대로 고른 것은? (단, n, l은 각각 주 양자수, 방위(부) 양자수이다.)

┌ 보기 ┐
ㄱ. 주 양자수(n)는 (가) > (나)이다.
ㄴ. (나)에 들어 있는 전자 수는 2이다.
ㄷ. 에너지 준위는 (나)와 (다)가 같다.
└────┘

① ㄱ ② ㄴ ③ ㄱ, ㄴ
④ ㄴ, ㄷ ⑤ ㄱ, ㄴ, ㄷ

> **Tip** (가)는 ❶[　　] 오비탈, (나)와 (다)는 ❷[　　] 오비탈이다.
> 답 ❶ 3s ❷ 2p

2021 7월 학평 13번

4 표는 바닥상태의 황($_{16}$S) 원자에서 전자가 들어 있는 오비탈 중 3가지 오비탈 (가)~(다)에 대한 자료이다. n, l, m_l는 각각 주 양자수, 방위(부) 양자수, 자기 양자수이다.

	$n+l$	$n+m_l$	$l+m_l$
(가)	2	2	a
(나)	3	2	b
(다)	4	c	2

$a+b+c$는?

① 4 ② 5 ③ 6
④ 7 ⑤ 8

> **Tip** 원자 $_{16}$S의 전자 배치는 ❶[　　]이므로, 3가지 양자수인 ❷[　　]로 각 오비탈을 구분한다.
> 답 ❶ $1s^2 2s^2 2p^6 3s^2 3p^4$ ❷ n, l, m_l

5 표는 원자 A∼C에 대한 자료이다.

원자	A	B	C
중성자수	6	7	8
$\dfrac{\text{전자 수}}{\text{질량수}}$	$\dfrac{1}{2}$	$\dfrac{1}{2}$	$\dfrac{3}{7}$

이에 대한 설명으로 옳은 것만을 │보기│에서 있는 대로 고른 것은? (단, A∼C는 임의의 원소 기호이다.)

│보기│
ㄱ. A는 $^{12}_{6}\text{C}$이다.
ㄴ. B와 C는 동위 원소이다.
ㄷ. 질량수는 C>A이다.

① ㄱ　　　　② ㄴ　　　　③ ㄱ, ㄷ
④ ㄴ, ㄷ　　　⑤ ㄱ, ㄴ, ㄷ

Tip 원자의 전자 수는 ❶[　　　]와 같다. 동위 원소는 원자 번호는 같지만 ❷[　　　]가 다른 원소이다.
답 ❶ 양성자수 ❷ 질량수(또는 중성자수)

2020 학평 4월 9번

6 표는 원자 (가)∼(다)에 대한 자료이다. (가)∼(다)는 각각 ^{m}X, ^{n}X, ^{l}Y 중 하나이다. X의 평균 원자량은 63.6이며, 원자량은 $^{m}\text{X} > ^{n}\text{X}$이다.

원자	(가)	(나)	(다)
원자량	63	64	65
중성자수	a	a	b

이에 대한 설명으로 옳은 것만을 │보기│에서 있는 대로 고른 것은? (단, X와 Y는 임의의 원소 기호이고, 자연계에서 X의 동위 원소는 ^{m}X와 ^{n}X만 존재한다고 가정한다.)

│보기│
ㄱ. (가)는 ^{n}X이다.
ㄴ. (나)는 (가)보다 원자 번호가 더 크다.
ㄷ. X의 동위 원소 중 ^{n}X의 비율은 70 %이다.

① ㄱ　　　　② ㄴ　　　　③ ㄱ, ㄷ
④ ㄴ, ㄷ　　　⑤ ㄱ, ㄴ, ㄷ

Tip 동위 원소는 ❶[　　　]가 다르므로 (가)와 (나)는 동위 원소가 아니다. 중성자수가 같다면 원자 번호가 큰 원소가 ❷[　　　]이(가) 더 크다. 답 ❶ 중성자수 ❷ 원자량(질량수)

2021 4월 학평 17번

7 다음은 자연계에 존재하는 원소 X에 대한 자료이다.

- X의 동위 원소의 원자량과 존재 비율

동위 원소	^{a}X	^{a+2}X
원자량	a	$a+2$
존재 비율(%)	b	$100-b$

- $\dfrac{\text{분자량이 } 2a+4 \text{인 } \text{X}_2 \text{의 존재 비율(\%)}}{\text{분자량이 } 2a \text{인 } \text{X}_2 \text{의 존재 비율(\%)}} = \dfrac{1}{9}$이다.

이에 대한 설명으로 옳은 것만을 │보기│에서 있는 대로 고른 것은? (단, X는 임의의 원소 기호이다.)

│보기│
ㄱ. 분자량이 서로 다른 X_2는 3가지이다.
ㄴ. $b<50$이다.
ㄷ. X의 평균 원자량은 $a+\dfrac{1}{2}$이다.

① ㄱ　　　　② ㄴ　　　　③ ㄱ, ㄷ
④ ㄴ, ㄷ　　　⑤ ㄱ, ㄴ, ㄷ

Tip X의 동위 원소가 2가지이므로 분자량이 서로 다른 X_2는 ❶[　　　]가지이고 분자량은 각각 $2a$, ❷[　　　], $2a+4$이다. 답 ❶ 3 ❷ $2a+2$

8 표는 몇 가지 원자 또는 이온의 구성 입자 수에 대한 자료이다. (가)∼(다)는 각각 양성자, 중성자, 전자 중 하나이다.

원자	(가)	(나)	(다)
$^{23}_{11}\text{Na}$	a	a	−
$^{18}_{8}\text{O}^{2-}$	b	−	b
$^{x}_{16}\text{X}^{2-}$	−	c	c

이에 대한 설명으로 옳은 것만을 │보기│에서 있는 대로 고른 것은? (단, X는 임의의 원소 기호이다.)

│보기│
ㄱ. (가)는 양성자이다.
ㄴ. $x=32$이다.
ㄷ. $a+b+c=37$이다.

① ㄱ　　　　② ㄴ　　　　③ ㄷ
④ ㄴ, ㄷ　　　⑤ ㄱ, ㄴ, ㄷ

Tip 원자는 ❶[　　　]와 전자 수가 동일하다. ❷[　　　]는 중성자수＋양성자수이다. 답 ❶ 양성자수 ❷ 질량수

대표 기출 **1**

2018 4월 학평 8번 유사

다음은 원소 X에 대한 설명과 주기율표의 일부이다.

- X는 주기율표의 (가)~(마) 위치 중 하나에 위치한다.
- 바닥 상태의 X 원자에서 전자가 들어 있는 전자 껍질 수는 원자가 전자 수보다 크다.

주기\족	1	2	13	14
2		(가)		
3	(나)		(다)	(라)
4				(마)

X의 위치는? (단, X는 임의의 원소 기호이다.)

① (가) ② (나) ③ (다)
④ (라) ⑤ (마)

Tip 주기율표에서 족은 원자가 전자와 관련이 있고, 주기는 전자 껍질 수와 관련이 있다.

풀이 바닥상태에서는 전자 껍질의 수와 주기가 동일하며 원자가 전자 수는 족의 일의 자리와 같다. 따라서 (나)의 위치가 3주기 1족 원소로 이 조건을 만족한다. **답 ②**

대표 기출 **2**

2021 7월 학평 4번 유사

그림은 바닥상태 원자 X~Z의 전자 배치의 일부이다. X~Z의 홀전자 수의 합은 6이다.

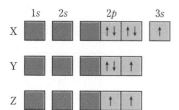

이에 대한 설명으로 옳은 것만을 |보기|에서 있는 대로 고른 것은? (단, X ~ Z는 임의의 원소 기호이다.)

┌ 보기 ┐
ㄱ. X의 원자 번호는 10이다.
ㄴ. Y는 16족 원소이다.
ㄷ. 전자가 들어 있는 오비탈 수는 Y=Z이다.

① ㄱ ② ㄷ ③ ㄱ, ㄴ
④ ㄴ, ㄷ ⑤ ㄱ, ㄴ, ㄷ

Tip 홀전자가 6개이며 바닥상태이므로 $1s$와 $2s$ 오비탈에는 전자가 모두 들어 있다.

풀이 ㄱ. X는 음영 부분에 전자가 모두 2개씩 들어가므로 11번이다.
ㄴ. Y는 원자가 전자가 6개이므로 16족 원소이다.
ㄷ. 전자가 들어 있는 오비탈의 수는 Y와 Z가 5개로 같다. **답 ④**

확인 **1**-1

그림은 주기율표의 일부를 나타낸 것이다.

주기\족	1	2	13	14	15	16	17
1	A						
2						B	
3	C						D

이에 대한 설명으로 옳은 것을 |보기|에서 모두 고르시오.

┌ 보기 ┐
ㄱ. 홀전자 수는 C가 A보다 많다.
ㄴ. 원자가 전자가 느끼는 유효 핵전하는 D가 C보다 크다.
ㄷ. B는 B^{2-}일 때 18족 원소의 전자 배치를 가진다.

확인 **2**-1

그림은 원자 A와 이온 B^-의 전자 배치를 나타낸 것이다.

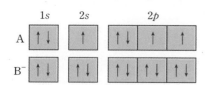

이에 대한 설명으로 옳은 것을 |보기|에서 모두 고르시오.
(단, A, B는 임의의 원소 기호이다.)

┌ 보기 ┐
ㄱ. A는 바닥상태이다.
ㄴ. 제1 이온화 에너지는 A가 B보다 크다.
ㄷ. 바닥상태에서 홀전자 수는 A가 B의 3배이다.

대표 기출 ③ · 2020 10월 학평 2번 유사

그림은 원자 X~Z의 전자 배치를 나타낸 것이다.

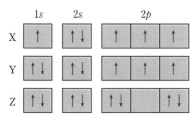

이에 대한 설명으로 옳은 것만을 | 보기 |에서 있는 대로 고른 것은? (단, X~Z는 임의의 원소 기호이다.)

┌ 보기 ┐
ㄱ. X는 14족 원소이다.
ㄴ. Y의 전자 배치는 훈트 규칙을 만족한다.
ㄷ. 바닥상태에서 홀전자 수는 Z > X이다.

① ㄱ   ② ㄴ   ③ ㄱ, ㄴ
④ ㄱ, ㄷ   ⑤ ㄴ, ㄷ

Tip Y는 바닥상태의 전자 배치이며, X와 Z는 들뜬상태이다. X는 C, Y는 N, Z는 O이다.

풀이 ㄱ. X는 바닥상태의 전자 배치가 $1s^2 2s^2 2p^2$이고, 원자가 전자 수가 4개이므로 14족 원소이다.
ㄴ. Y의 바닥상태에서의 전자 배치이다.
ㄷ. X와 Z는 바닥상태에서 홀전자 수가 모두 2이다. **답** ③

확인 ③-1 · 2021 3월 학평 3번

그림은 원자 X~Z의 전자 배치를 나타낸 것이다.

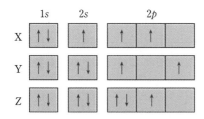

이에 대한 설명으로 옳은 것을 | 보기 |에서 모두 고르시오.
(단, X~Z는 임의의 원소 기호이다.)

┌ 보기 ┐
ㄱ. X는 바닥상태이다.
ㄴ. Y는 훈트 규칙을 만족한다.
ㄷ. Z는 바닥상태일 때 홀전자 수가 1이다.

대표 기출 ④ · 2022 6월 모평 16번

다음은 바닥상태 원자 W~Z에 대한 자료이다.

• W~Z의 원자 번호는 각각 7~14 중 하나이다.
• W~Z의 홀전자 수와 제2 이온화 에너지

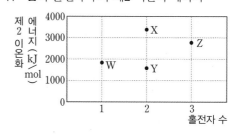

이에 대한 설명으로 옳은 것만을 | 보기 |에서 있는 대로 고른 것은? (단, W~Z는 임의의 원소 기호이다.)

┌ 보기 ┐
ㄱ. W는 13족 원소이다.
ㄴ. 원자 반지름은 X > Y이다.
ㄷ. $\dfrac{\text{제2 이온화 에너지}}{\text{제1 이온화 에너지}}$ 는 Z > X이다.

① ㄱ   ② ㄴ   ③ ㄱ, ㄷ
④ ㄴ, ㄷ   ⑤ ㄱ, ㄴ, ㄷ

Tip 원소의 홀전자 수는 3(N), 2(O), 1(F), 0(Ne), 1(Na), 0(Mg), 1(Al), 2(Si)이다. Z는 N이고, X와 Y는 O나 Si이다.

풀이 ㄱ. W는 제2 이온화 에너지가 N(질소)보다 작아야 하므로 F와 Na는 아니다. 따라서 W는 Al이다.
ㄴ. 제2 이온화 에너지가 X > Z이므로 X는 O이고, Y는 Si이다. 원자 반지름은 3주기 왼쪽에 있는 Y(Si)가 X(O)보다 크다.
ㄷ. 제1 이온화 에너지는 Z(N) > X(O)이고 제2 이온화 에너지는 반대이므로 $\dfrac{\text{제2 이온화 에너지}}{\text{제1 이온화 에너지}}$ 는 Z < X이다. **답** ①

확인 ④-1 · 2017 4월 학평 9번 유사

표는 2, 3주기 바닥상태의 원자 X~Z에 관한 자료이다.

원자	X	Y	Z
전자가 들어 있는 전자 껍질 수	2	3	3
원자가 전자 수	㉠	㉡	㉢
$\dfrac{s\ \text{오비탈에 들어 있는 전자 수}}{\text{홀전자 수}}$	4	2	6

X~Z의 원자가 전자 수의 합(㉠+㉡+㉢)은? (단, X~Z는 임의의 원소 기호이다.)

① 8   ② 9   ③ 10   ④ 11   ⑤ 12

대표 기출 5

2020 9월 모평 14번

그림 (가)는 원자 A~D의 제1 이온화 에너지를, (나)는 주기율표에 원소 ㉠~㉣을 나타낸 것이다.

(가)
A B   C   D
0 ─────────────────────→ 제1 이온화 에너지

(나)

족 주기	1	2	13	14	15	16	17	18
2						㉠	㉡	
3		㉢	㉣					

이에 대한 설명으로 옳은 것만을 |보기|에서 있는 대로 고른 것은? (단, A~D는 임의의 원소 기호이다.)

┌ 보기 ┐
ㄱ. A는 ㉡이다.
ㄴ. C와 D는 3주기 원소이다.
ㄷ. $\dfrac{\text{제3 이온화 에너지}}{\text{제2 이온화 에너지}}$ 는 B > A이다.
└─────┘

① ㄱ   ② ㄷ   ③ ㄱ, ㄴ
④ ㄴ, ㄷ   ⑤ ㄱ, ㄴ, ㄷ

Tip 제1 이온화 에너지는 같은 주기에서 대체로 증가하지만 2족과 13족, 15족과 16족에서 역전이 일어난다.

풀이 ㄱ. 3주기 원소에서 제1 이온화 에너지는 ㉢(Mg)이 ㉣(Al)보다 크다. 따라서 제1 이온화 에너지는 ㉡ > ㉠ > ㉢ > ㉣이므로 A = ㉣, B = ㉢, C = ㉠, D = ㉡이다.

ㄴ. C = ㉠, D = ㉡이므로 같은 2주기 원소이다.

ㄷ. B는 Mg이고 A는 Al이므로 제2 이온화 에너지(E_2)는 A > B이고, 제3 이온화 에너지(E_3)는 B > A이므로 $\dfrac{E_3}{E_2}$ 는 B > A이다.

답 ②

확인 5-1

2019 3월 학평 13번

그림은 2, 3주기 원소 A~D의 이온 반지름을 나타낸 것이다. A^{2+}, B^{3+}, C^{2-}, D^-은 18족 원소의 전자 배치를 갖는다.

이에 대한 설명으로 옳은 것을 |보기|에서 모두 고르시오.
(단, A~D는 임의의 원소 기호이다.)

┌ 보기 ┐
ㄱ. A는 2족 원소이다.
ㄴ. 원자 번호는 C가 D보다 크다.
ㄷ. 원자 반지름은 D가 B보다 크다.
└─────┘

확인 5-2

2017 9월 모평 11번 유사

그림은 원자 A~D의 이온 반지름을 나타낸 것이다. A~D의 이온은 모두 Ne의 전자 배치를 가지며, 원자 번호는 각각 8, 9, 11, 12 중 하나이다.

A   B   C D
0 ─────────────────────→ 이온 반지름(상댓값)

이에 대한 설명으로 옳은 것을 |보기|에서 모두 고르시오.

┌ 보기 ┐
ㄱ. 전기 음성도는 D가 가장 크다.
ㄴ. 원자가 전자가 느끼는 유효 핵전하는 A가 가장 크다.
ㄷ. B와 C는 1 : 1로 결합하여 안정한 화합물을 형성한다.
└─────┘

대표 기출 **6**

2021 6월 모평 17번 유사

다음은 원자 번호가 연속인 2주기 원자 $W \sim Z$ 의 이온화 에너지에 대한 자료이다. 원자 번호는 $W < X < Y < Z$이다.

- 제n 이온화 에너지(E_n)
  제1 이온화 에너지(E_1): $M(g) + E_1 \rightarrow M^+(g) + e^-$
  제2 이온화 에너지(E_2): $M^+(g) + E_2 \rightarrow M^{2+}(g) + e^-$
  제3 이온화 에너지(E_3): $M^{2+}(g) + E_3 \rightarrow M^{3+}(g) + e^-$

- $W \sim Z$의 $\dfrac{E_3}{E_2}$

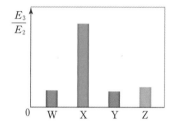

이에 대한 설명으로 옳은 것만을 |보기|에서 있는 대로 고른 것은? (단, $W \sim Z$는 임의의 원소 기호이다.)

보기
ㄱ. 원자 반지름은 $X > W$이다.
ㄴ. E_2는 $Y > Z$이다.
ㄷ. $\dfrac{E_2}{E_1}$는 $W > Z$이다.

① ㄱ　　　　② ㄷ　　　　③ ㄱ, ㄴ
④ ㄴ, ㄷ　　　⑤ ㄱ, ㄴ, ㄷ

Tip 제2 이온화 에너지는 2족이 가장 작고, 제3 이온화 에너지는 2족이 가장 크다. 따라서 $\dfrac{E_3}{E_2}$가 가장 큰 X는 2족 원소이며, W는 1족, Y는 13족, Z는 14족 원소이다.

풀이 ㄱ. 같은 주기에는 원자 번호가 클수록 원자 반지름이 감소하므로 원자 반지름은 $W > X$이다.

ㄴ. 제1 이온화 에너지는 같은 주기에서 원자 번호가 증가하면 대체로 증가하지만 2족과 13족 사이에 역전이 일어나며, 제2 이온화 에너지는 13족과 14족 사이에 역전이 일어난다. 따라서 제2 이온화 에너지는 $Y > Z$이다.

ㄷ. 2주기에서 1족 원소는 제1 이온화 에너지가 가장 작고 제2 이온화 에너지는 가장 크다. 따라서 $\dfrac{E_2}{E_1}$는 1족인 W가 가장 크므로 $\dfrac{E_2}{E_1}$는 $W > Z$이다.

답 ④

확인 **6**-1

2021 3월 학평 17번 유사

그림은 2주기 원소 중 6가지 원소에 대한 자료이다.

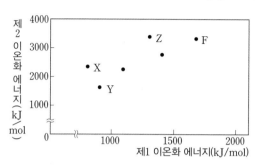

이에 대한 설명으로 옳은 것을 |보기|에서 모두 고르시오. (단, $X \sim Z$는 임의의 원소 기호이다.)

보기
ㄱ. X는 B이다.
ㄴ. Y와 Z의 원자 번호 차는 3이다.
ㄷ. $\dfrac{\text{제2 이온화 에너지}}{\text{제1 이온화 에너지}}$는 $X > Y$이다.

확인 **6**-2

2019 수능 15번 유사

그림은 원자 $V \sim Z$의 제2 이온화 에너지를 나타낸 것이다. $V \sim Z$는 각각 원자 번호 9~13의 원소이다.

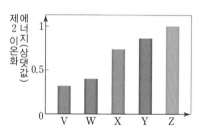

이에 대한 설명으로 옳은 것을 |보기|에서 모두 고르시오. (단, $V \sim Z$는 임의의 원소 기호이다.)

보기
ㄱ. Z는 2족 원소이다.
ㄴ. X와 Y는 같은 족 원소이다.
ㄷ. 원자가 전자가 느끼는 유효 핵전하는 $W > V$이다.

4강_ 원소의 주기적 성질

2021 4월 학평 13번

1 표는 2, 3주기 바닥상태 원자 A~D의 전자 배치에 대한 자료이다. n, l은 각각 주 양자수, 방위(부) 양자수이다.

원자	A	B	C	D
$n+l=3$인 전자 수	6	㉠	㉡	㉢
$\dfrac{s\ \text{오비탈의 전자 수}}{p\ \text{오비탈의 전자 수}}$	$\dfrac{2}{3}$	$\dfrac{1}{2}$	㉣	$\dfrac{3}{5}$

이에 대한 설명으로 옳은 것만을 | 보기 |에서 있는 대로 고른 것은? (단, A~D는 임의의 원소 기호이다.)

┌ 보기 ┐
ㄱ. ㉠은 8이다.
ㄴ. ㉡×㉢=16이다.
ㄷ. A와 B는 같은 족 원소이다.

① ㄱ ② ㄴ ③ ㄷ
④ ㄴ, ㄷ ⑤ ㄱ, ㄴ, ㄷ

Tip $n+l=3$인 오비탈은 ❶[   ]와 ❷[   ] 오비탈이다.
답 ❶ 3s ❷ 2p

2 다음은 바닥 상태의 원자 A~C에 대한 자료이다. A~C는 각각 O, F, Mg 중 하나이며, A~C 이온의 전자 배치는 모두 Ne과 같다.

• $\dfrac{\text{이온 반지름}}{|\text{이온의 전하}|}$ 은 A>B>C이다.
• 원자 반지름은 B>A이다.

이에 대한 설명으로 옳은 것만을 | 보기 |에서 있는 대로 고른 것은?

┌ 보기 ┐
ㄱ. B는 Mg이다.
ㄴ. 제1 이온화 에너지는 B>C이다.
ㄷ. 홀전자 수는 B>A이다.

① ㄱ ② ㄴ ③ ㄷ
④ ㄱ, ㄴ ⑤ ㄴ, ㄷ

Tip 이온 반지름은 ❶[   ]이 가장 크고 ❷[   ]이 가장 작다.
답 ❶ O^{2-} ❷ Mg^{2+}

2021 3월 학평 9번

3 다음은 원소 A~C에 대한 자료이다.

• A~C는 각각 Cl, K, Ca 중 하나이다.
• A~C의 이온은 모두 Ar의 전자 배치를 갖는다.
• $\dfrac{\text{이온 반지름}}{\text{원자 반지름}}$ 은 B가 가장 크다.
• 바닥상태 원자에서 $\dfrac{p\ \text{오비탈의 전자 수}}{s\ \text{오비탈의 전자 수}}$ 는 A>C이다.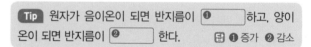

A~C에 대한 설명으로 옳은 것만을 | 보기 |에서 있는 대로 고른 것은?

┌ 보기 ┐
ㄱ. 원자 반지름은 A가 가장 크다.
ㄴ. 원자가 전자 수는 B가 가장 작다.
ㄷ. 원자가 전자가 느끼는 유효 핵전하는 C>A이다.

① ㄱ ② ㄴ ③ ㄱ, ㄷ
④ ㄴ, ㄷ ⑤ ㄱ, ㄴ, ㄷ

Tip 원자가 음이온이 되면 반지름이 ❶[   ]하고, 양이온이 되면 반지름이 ❷[   ]한다.
답 ❶ 증가 ❷ 감소

4 그림은 원자 W~Z의 이온화 에너지를 나타낸 것이다.

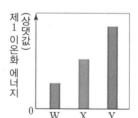 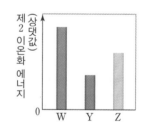

이에 대한 설명으로 옳은 것만을 | 보기 |에서 있는 대로 고른 것은? W~Z는 각각 C, F, Na, Mg 중 하나이다.

┌ 보기 ┐
ㄱ. W는 Na이다.
ㄴ. 원자 반지름은 X>Z이다.
ㄷ. 원자가 전자가 느끼는 유효 핵전하는 Z>Y이다.

① ㄴ ② ㄷ ③ ㄱ, ㄴ
④ ㄱ, ㄷ ⑤ ㄱ, ㄴ, ㄷ

Tip 제1 이온화 에너지는 F>❶[   ]>❷[   ]>Na이다.
답 ❶ C ❷ Mg

5 그림은 2, 3주기 원자 A~D의 원자가 전자 수와 제1 이온화 에너지를 나타낸 것이다.

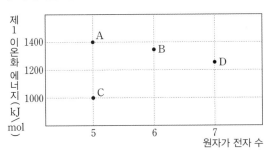

A~D에 대한 설명으로 옳은 것만을 │보기│에서 있는 대로 고른 것은? (단, A~D는 임의의 원소 기호이다.)

┌ 보기 ┐
ㄱ. A는 2주기 원소이다.
ㄴ. 원자 반지름은 B>A이다.
ㄷ. 원자가 전자가 느끼는 유효 핵전하는 C>D이다.

① ㄱ　　　　② ㄷ　　　　③ ㄱ, ㄴ
④ ㄴ, ㄷ　　　⑤ ㄱ, ㄴ, ㄷ

> **Tip** 이온화 에너지는 같은 ❶◯◯◯◯◯ 에서 원자 번호가 커질수록 증가하지만 15족 원소의 이온화 에너지가 16족 원소의 이온화 에너지보다 ❷◯◯◯◯.
> 　　　　　　　　　　　　답 ❶ 주기 ❷ 크다

2019 9월 모평 11번

6 그림은 원자 A~C에 대하여 $\dfrac{원자\ 반지름}{이온\ 반지름}$ 과

$\dfrac{이온\ 반지름}{|이온의\ 전하|}$ 을 나타낸 것이다. A~C는 각각 O, Na, Al 중 하나이며, A~C 이온의 전자 배치는 모두 Ne과 같다.

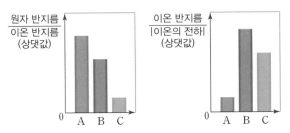

이에 대한 설명으로 옳은 것만을 │보기│에서 있는 대로 고른 것은? (단, A~C는 임의의 원소 기호이다.)

┌ 보기 ┐
ㄱ. 원자가 전자가 느끼는 유효 핵전하는 B>A이다.
ㄴ. 이온 반지름은 C 이온이 B 이온보다 크다.
ㄷ. |이온의 전하|는 C>A이다.

① ㄱ　　　　② ㄴ　　　　③ ㄱ, ㄷ
④ ㄴ, ㄷ　　　⑤ ㄱ, ㄴ, ㄷ

> **Tip** 전자 수가 같을 때 이온 반지름은 원자 번호가 작을수록 ❶◯◯◯◯. 같은 주기에서 원자가 느끼는 유효 핵전하는 원자 번호가 클수록 ❷◯◯◯◯.
> 　　　　　　　　　　　　답 ❶ 크다 ❷ 크다

2020 6월 모평 16번

7 그림은 원자 A~E의 제1 이온화 에너지와 제2 이온화 에너지를 나타낸 것이다. A~E의 원자 번호는 각각 3, 4, 11, 12, 13 중 하나이다.

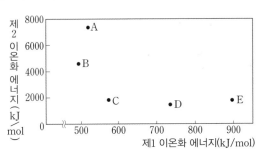

이에 대한 설명으로 옳은 것만을 │보기│에서 있는 대로 고른 것은? (단, A~E는 임의의 원소 기호이다.)

┌ 보기 ┐
ㄱ. 원자 번호는 B>A이다.
ㄴ. D와 E는 같은 주기 원소이다.
ㄷ. $\dfrac{제3\ 이온화\ 에너지}{제2\ 이온화\ 에너지}$ 는 C>D이다.

① ㄱ　　　　② ㄴ　　　　③ ㄱ, ㄷ
④ ㄴ, ㄷ　　　⑤ ㄱ, ㄴ, ㄷ

> **Tip** 1족 원소는 제 ❶◯◯◯◯ 이온화 에너지가 급격히 증가한다. 같은 족 원소는 원자 번호가 클수록 이온화 에너지가 ❷◯◯◯◯ 한다.
> 　　　　　　　　　　　　답 ❶ 2 ❷ 감소

3강_ 원자의 구조

01

표는 X 이온과 Y 이온을 구성하는 입자 $a \sim c$의 수를 나타낸 것이다. 입자 b와 c는 원자핵을 구성한다.

	a의 수	b의 수	c의 수
X 이온	10	11	12
Y 이온	10	8	10

이에 대한 설명으로 옳은 것만을 |보기|에서 있는 대로 고른 것은? (단, X와 Y는 임의의 원소 기호이다.)

> 보기
> ㄱ. b는 양성자이다.
> ㄴ. Y 이온은 $^{18}_{8}Y^{2+}$이다.
> ㄷ. 이온 반지름은 X 이온이 Y 이온보다 작다.

① ㄱ   ② ㄴ   ③ ㄱ, ㄷ
④ ㄴ, ㄷ   ⑤ ㄱ, ㄴ, ㄷ

02

그림 (가)~(다)는 원자 A에 전자가 들어 있는 모든 오비탈을 모형으로 나타낸 것이다. 각 오비탈에는 전자가 1개씩 들어 있다. (가)~(다) 오비탈의 주 양자수(n)는 2이다. A의 바닥상태 전자 배치는?

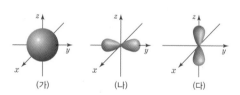

(가)   (나)   (다)

03

표는 원자 (가)~(다)에 대한 자료이다. (가)~(다)는 $_7$N 또는 $_8$O이며, ㉠은 양성자수와 중성자수 중 하나이다.

원자	㉠	질량수	전자의 수
(가)	a	15	7
(나)	7	b	8
(다)	8	c	8

$a+b+c$는?

① 37   ② 38   ③ 39
④ 40   ⑤ 41

04

그림 (가)~(다)는 학생들이 그린 플루오린(F) 원자의 전자 배치를 나타낸 것이다.

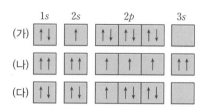

이에 대한 설명으로 옳은 것만을 |보기|에서 있는 대로 고른 것은?

> 보기
> ㄱ. (가)는 바닥상태의 전자 배치이다.
> ㄴ. (나)는 파울리 배타 원리에 어긋난다.
> ㄷ. (다)는 훈트 규칙을 만족한다.

① ㄱ   ② ㄴ   ③ ㄱ, ㄷ
④ ㄴ, ㄷ   ⑤ ㄱ, ㄴ, ㄷ

05

표는 분자량에 따른 X_2의 분자 수를 상댓값으로 나타낸 것이다. X_2의 분자량은 모두 3가지이다.

분자량	70	72	74
분자 수(상댓값)	9	6	1

이에 대한 설명으로 옳은 것만을 |보기|에서 있는 대로 고른 것은?

> 보기
> ㄱ. 동위 원소의 종류는 2가지이다.
> ㄴ. 평균 원자량은 36.5이다.
> ㄷ. 원자량이 큰 X가 더 많이 존재한다.

① ㄱ   ② ㄴ   ③ ㄱ, ㄷ
④ ㄴ, ㄷ   ⑤ ㄱ, ㄴ, ㄷ

4강_ 원소의 주기적 성질

06 다음은 주기율표의 일부를 나타낸 것이다.

족 주기	1	2	13	14	15	16	17	18
2	A				B	C		
3	D							

이에 대한 설명으로 옳은 것만을 | 보기 |에서 있는 대로 고른 것은? (단, A~D는 임의의 원소 기호이다.)

> **보기**
> ㄱ. 원자 반지름이 가장 큰 원소는 D이다.
> ㄴ. 안정한 이온 반지름이 가장 작은 원소는 A이다.
> ㄷ. 제1 이온화 에너지는 B>C이다.

① ㄱ   ② ㄴ   ③ ㄱ, ㄷ
④ ㄴ, ㄷ   ⑤ ㄱ, ㄴ, ㄷ

07 표는 원소 X, Y의 순차 이온화 에너지를 나타낸 것이다. X, Y는 2, 3주기 원소 중 하나이다.

원소	순차 이온화 에너지($\times 10^3$ kJ/몰)			
	E_1	E_2	E_3	E_4
X	0.74	1.45	7.73	10.54
Y	0.80	2.42	3.66	25.02

이에 대한 설명으로 옳은 것만을 | 보기 |에서 있는 대로 고른 것은? (단, X, Y는 임의의 원소 기호이다.)

> **보기**
> ㄱ. X는 13족 원소이다.
> ㄴ. 원자 번호는 X가 Y보다 크다.
> ㄷ. 기체 상태에서 Y가 Y^{3+}이 되는 데 6.88×10^3 kJ/몰의 에너지가 필요하다.

① ㄱ   ② ㄴ   ③ ㄷ
④ ㄱ, ㄴ   ⑤ ㄴ, ㄷ

08 그림은 원자 번호가 연속인 2주기 원소 A~C의 제1, 제2 이온화 에너지를 나타낸 것이다.

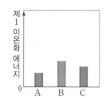 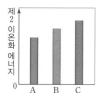

A~C는 어떤 원소인가? (단, A~C는 임의의 원소 기호이다.)

09 그림은 원자 번호가 연속인 2, 3주기 원소 A~D의 원자가 전자가 느끼는 유효 핵전하를 나타낸 것이다.

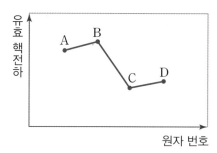

이에 대한 설명으로 옳은 것만을 | 보기 |에서 있는 대로 고른 것은?

> **보기**
> ㄱ. 3주기 원소는 1가지이다.
> ㄴ. 이온화 에너지는 B>C이다.
> ㄷ. 원자 반지름은 A>D이다.

① ㄱ   ② ㄴ   ③ ㄱ, ㄷ
④ ㄴ, ㄷ   ⑤ ㄱ, ㄴ, ㄷ

10 표는 원자 A~C의 이온화 에너지에 대한 자료이다. A~C는 각각 O, F, Na 중 하나이다.

원자	A	B	C
$\dfrac{\text{제2 이온화 에너지}}{\text{제1 이온화 에너지}}$	2.0	2.6	9.2

A~C의 원자 반지름을 바르게 비교한 것은?

① A>B>C   ② A>C>B   ③ B>A>C
④ C>A>B   ⑤ C>B>A

창의·융합·코딩 전략

3강_ 원자의 구조

2020 6월 모평 7번 유사

01 다음은 원자량에 대한 학생과 선생님의 대화이다.

학생: ^{12}C의 원자량은 12.00 인데 주기율표에는 왜 C의 원자량이 12.01 인가요?

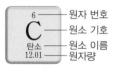

6	원자 번호
C	원소 기호
탄소	원소 이름
12.01	원자량

선생님: 표의 ^{13}C와 같이, ^{12}C와 원자 번호 는 같지만 질량 수가 다른 동위

동위 원소	^{12}C	^{13}C
양성자수	u	b
중성자수	c	d

원소가 존재합니다. 따라서 주기율표에 제시 된 원자량은 자연계에 존재하는 동위 원소의 비율을 고려하여 평균값으로 나타낸 것입니 다.

이에 대한 설명으로 옳은 것만을 ㅣ보기ㅣ에서 있는 대로 고른 것은? (단, ^{12}C와 ^{13}C만 존재한다고 가정한다.)

┌ 보기 ┌

ㄱ. $d > a = b = c$이다.

ㄴ. 자연계에서 ^{12}C의 존재 비율은 ^{13}C보다 크다.

ㄷ. 같은 질량의 ^{12}C와 ^{13}C에는 양성자수가 동일하게 존재한다.

① ㄱ   ② ㄷ   ③ ㄱ, ㄴ

④ ㄴ, ㄷ   ⑤ ㄱ, ㄴ, ㄷ

Tip C의 평균 원자량이 12.01인 것은 ^{12}C의 존재 비율이 ^{13}C의 존재 비율보다 **❶** 때문이다. 동위 원소의 질량 수가 다른 것은 **❷** 수 차이 때문이다.

답 ❶ 크(많)기 ❷ 중성자

02 그림은 원자의 구성 입자를 A~C로 분류한 것이고, 표는 ^{15}X와 $^{18}Y^-$에 대한 자료이다.

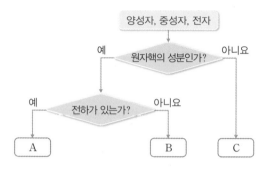

구분	A 수	B 수	C 수
^{15}X	a	7	b
$^{18}Y^-$	c	d	10

이에 대한 설명으로 옳은 것만을 ㅣ보기ㅣ에서 있는 대로 고른 것은? (단, X, Y는 임의의 원소 기호이다.)

┌ 보기 ┌

ㄱ. A는 중성자이다.

ㄴ. X의 원자 번호는 8이다.

ㄷ. $b + a = d + c$이다.

① ㄱ   ② ㄴ   ③ ㄱ, ㄷ

④ ㄴ, ㄷ   ⑤ ㄱ, ㄴ, ㄷ

Tip ^{15}X는 원자이고 $^{18}Y^-$은 이온이다. $^{18}Y^-$은 **❶** 수가 **❷** 수보다 1개 더 많다.

답 ❶ 전자 ❷ 양성자

03 그림은 원자 A~D의 바닥상태 전자 배치를 작성한 노트가 물에 젖어 글씨 일부가 가려진 모습이다.

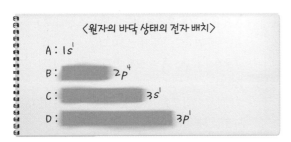

〈원자의 바닥 상태의 전자 배치〉

A : $1s^1$

B : $2p^4$

C : $3s^1$

D : $3p^1$

A~D에 대한 설명으로 옳은 것만을 |보기|에서 있는 대로 고른 것은? (단, A~D는 임의의 원소 기호이다.)

┌─ 보기 ──────────────────────────┐
ㄱ. A는 비금속 원소이다.

ㄴ. B와 D는 홀전자 수가 같다.

ㄷ. C와 D는 안정한 이온의 전자 배치가 같다.
└──────────────────────────────┘

① ㄱ   ② ㄴ   ③ ㄱ, ㄷ

④ ㄴ, ㄷ   ⑤ ㄱ, ㄴ, ㄷ

Tip 안정한 이온의 전자 배치는 [❶   ]족 원소의 전자 배치와 같다. p 오비탈의 전자 배치가 p^2와 p^4라면 [❷   ] 수는 2개로 동일하다.   📋 ❶18 ❷홀전자

04 다음은 학생 X가 그린 3가지 원자의 전자 배치 (가)~(다)와 이에 대한 세 학생의 대화이다.

제시한 내용이 옳은 학생만을 있는 대로 고른 것은?

① A   ② C   ③ A, B

④ B, C   ⑤ A, B, C

Tip 파울리 배타 원리는 1개의 오비탈에 [❶   ]이 서로 반대인 전자가 최대 [❷   ]개 채워지는 것이다.   📋 ❶스핀 ❷2

4강_ 원소의 주기적 성질

2021 7월 학평 6번 유사

05 그림은 원소 A~E를 주어진 기준에 따라 분류한 것이다.

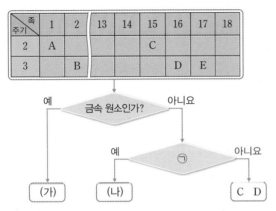

A~E에 대한 설명으로 옳은 것만을 |보기|에서 있는 대로 고른 것은? (단, A~E는 임의의 원소 기호이다.)

보기
ㄱ. (가)에 해당하는 원소는 2가지이다.
ㄴ. ㉠에 '바닥상태 원자의 전자 배치에서 홀전자 수는 2인가?'를 적용할 수 있다.
ㄷ. (나)에 해당하는 원소는 음이온이 되기 쉽다.

① ㄱ   ② ㄴ   ③ ㄱ, ㄷ
④ ㄴ, ㄷ   ⑤ ㄱ, ㄴ, ㄷ

Tip 금속 원소는 주기율표의 왼쪽에, 비금속 원소는 오른쪽에 위치한다. 금속 원소는 **❶** 이온이, 비금속 원소는 **❷** 이온이 되기 쉽다. **답 ❶양 ❷음**

2016 9월 모평 15번

06 다음은 원소 A, B에 대한 자료이다.

· A와 B는 금속 원소와 비금속 원소 중 하나이다.
· A는 2주기, B는 3주기 원소이다.
· 그림에서 R_A는 A의 원자 반지름, R_B는 B의 원자 반지름이다.
· 그림에서 ㉠과 ㉡은 각각 A 이온의 반지름, B 이온의 반지름 중 하나이다.

이에 대한 설명으로 옳은 것만을 |보기|에서 있는 대로 고른 것은? (단, A와 B는 임의의 원소 기호이고, 이온은 안정한 상태이며 18족 원소의 전자 배치를 갖는다.)

보기
ㄱ. 원자가 전자 수는 A가 B보다 크다.
ㄴ. A 이온과 B 이온의 전자 배치는 같다.
ㄷ. ㉠은 A 이온의 반지름이다.

① ㄱ   ② ㄴ   ③ ㄷ
④ ㄱ, ㄷ   ⑤ ㄴ, ㄷ

Tip 원자 반지름은 같은 **❶** 에서는 원자 번호가 클수록 크고, 같은 **❷** 에서는 원자 번호가 작을수록 크다. **답 ❶족 ❷주기**

2014 9월 모평 8번

07 그림은 몇 가지 원소의 전기 음성도를 주기에 따라 나타낸 것이다. 같은 점선으로 연결한 원소는 같은 족에 속한다 (단, 화합물 BC는 이온 결합 물질이다).

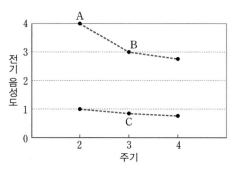

이에 대한 설명으로 옳은 것만을 | 보기 |에서 있는 대로 고른 것은? (단, A~D는 임의의 원소 기호이다.)

┌ 보기 ┐
ㄱ. A는 17족 원소이다.
ㄴ. 원자가 전자 수는 B>C이다.
ㄷ. 안정한 이온의 반지름은 C가 A보다 크다.

① ㄱ   ② ㄴ   ③ ㄱ, ㄴ
④ ㄱ, ㄷ   ⑤ ㄴ, ㄷ

Tip 전기 음성도는 공유 전자쌍을 끌어당기는 힘이 가장 큰 **❶**□□□의 전기 음성도를 4.0으로 정하고, 다른 원자들의 전기 음성도를 **❷**□□□으로 나타낸 값이다.

답 ❶ 플루오린(F) **❷** 상대적

2021 7월 학평 18번 유사

08 다음은 원자 ㉠~㉺의 카드를 이용한 탐구활동이다.

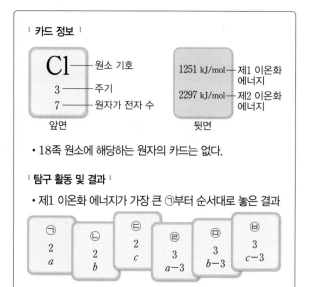

| 카드 정보 |

Cl ── 원소 기호
3 ── 주기
7 ── 원자가 전자 수
앞면

1251 kJ/mol ── 제1 이온화 에너지
2297 kJ/mol ── 제2 이온화 에너지
뒷면

• 18족 원소에 해당하는 원자의 카드는 없다.

| 탐구 활동 및 결과 |

• 제1 이온화 에너지가 가장 큰 ㉠부터 순서대로 놓은 결과

㉠	㉡	㉢	㉣	㉤	㉥
2	2	2	3	3	3
a	b	c	$a-3$	$b-3$	$c-3$

• 제2 이온화 에너지가 가장 큰 (가)부터 순서대로 놓은 결과

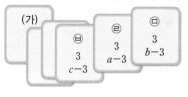

(가)	㉥	㉣	㉤
	3	3	3
	$c-3$	$a-3$	$b-3$

이에 대한 설명으로 옳은 것만을 | 보기 |에서 있는 대로 고른 것은?

┌ 보기 ┐
ㄱ. (가)는 ㉢이다.
ㄴ. 원자가 전자가 느끼는 유효 핵전하는 ㉢>㉠이다.
ㄷ. Ne의 전자 배치를 갖는 이온 반지름은 ㉤>㉥이다.

① ㄱ   ② ㄴ   ③ ㄱ, ㄷ
④ ㄴ, ㄷ   ⑤ ㄱ, ㄴ, ㄷ

Tip 2, 3주기에서 제1 이온화 에너지는 대체로 원자 번호가 클수록 증가하지만 2족과 13족, **❶**□□족과 **❷**□□족 사이에서는 감소한다.
답 ❶ 15 **❷** 16

마무리 전략

1강_ 우리 생활과 화학, 몰과 화학식량, **2강_** 화학 반응식, 용액의 농도

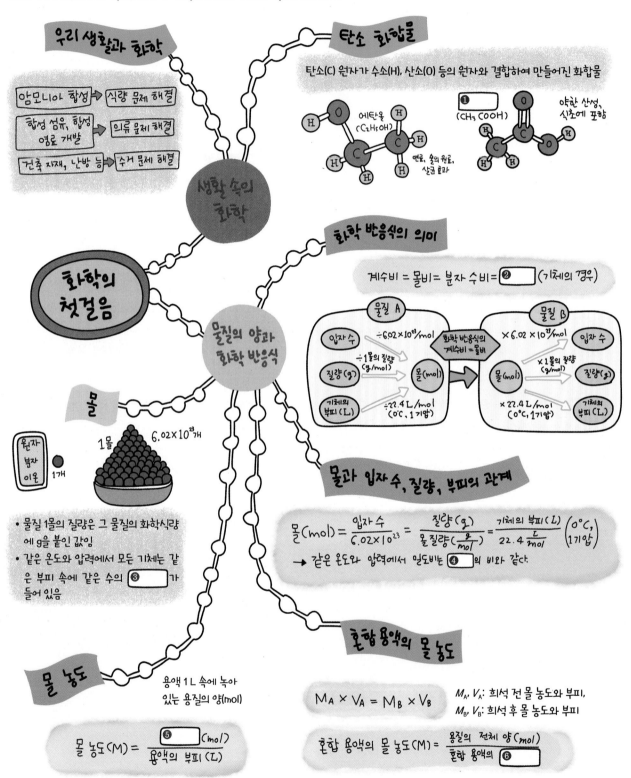

우리 생활과 화학

- 암모니아 합성 ⇒ 식량 문제 해결
- 합성 섬유, 합성 ⇒ 의류 문제 해결
  염료 개발
- 건축 자재, 난방 등 ⇒ 주거 문제 해결

생활 속의 화학

화학의 첫걸음

물질의 양과 화학 반응식

탄소 화합물

탄소(C) 원자가 수소(H), 산소(O) 등의 원자와 결합하여 만들어진 화합물

에탄올 (C₂H₅OH)
연료, 술의 원료, 살균 효과

❶ (CH₃COOH)
약한 산성, 식초에 포함

화학 반응식의 의미

계수비 = 몰비 = 분자 수비 = ❷ (기체의 경우)

물질 A
- 입자 수 ÷ 6.02×10²³/mol
- 질량(g) ÷ 1몰의 질량 (g/mol)
- 기체의 부피(L) ÷ 22.4 L/mol (0℃, 1기압)
→ 몰(mol)

화학 반응식의 계수비 = 몰비

몰(mol) →
물질 B
- ×6.02×10²³/mol 입자 수
- ×1몰의 질량 (g/mol) 질량(g)
- ×22.4 L/mol (0℃, 1기압) 기체의 부피(L)

몰

원자 분자 이온 1개

1몰 6.02×10²³개

- 물질 1몰의 질량은 그 물질의 화학식량에 g을 붙인 값임
- 같은 온도와 압력에서 모든 기체는 같은 부피 속에 같은 수의 ❸ 가 들어 있음

몰과 입자 수, 질량, 부피의 관계

$$몰(mol) = \frac{입자 수}{6.02×10^{23}} = \frac{질량(g)}{몰질량(\frac{g}{mol})} = \frac{기체의 부피(L)}{22.4 \frac{L}{mol}} \left(\begin{array}{c}0℃, \\ 1기압\end{array}\right)$$

→ 같은 온도와 압력에서 밀도비는 ❹ 의 비와 같다.

몰 농도

용액 1 L 속에 녹아 있는 용질의 양(mol)

$$몰 농도(M) = \frac{❺ (mol)}{용액의 부피(L)}$$

혼합 용액의 몰 농도

$$M_A × V_A = M_B × V_B$$

M_A, V_A: 희석 전 몰 농도와 부피,
M_B, V_B: 희석 후 몰 농도와 부피

$$혼합 용액의 몰 농도(M) = \frac{용질의 전체 양(mol)}{혼합 용액의 ❻}$$

답 ❶ 아세트산 ❷ 부피비 ❸ 분자 ❹ 분자량 ❺ 용질의 양 ❻ 부피(L)

3강_ 원자의 구조, 4강_ 원소의 주기적 성질

원자의 구성 입자

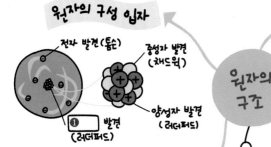

전자 발견 (톰슨)
중성자 발견 (채드윅)
❶ [ ] 발견 (러더퍼드)
양성자 발견 (러더퍼드)

원자의 구조

동위 원소와 평균 원자량

- 동위 원소: 양성자수(원자 번호)는 같지만 중성자수가 달라 ❷ [ ]가 다른 원소
- 평균 원자량: 각 동위 원소의 원자량에 존재 비율을 곱한 값의 합을 구하여 원소의 평균 원자량을 구한다.

현대 원자 모형과 전자 배치

- 오비탈: 원자핵 주위에 전자가 존재할 수 있는 공간을 확률 분포로 나타낸 것 예) s, p, d, f 등

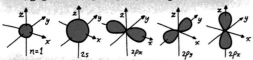

$n=1$ $2s$ $2p_x$ $2p_y$ $2p_x$

- 쌓음 원리: 전자는 에너지 준위가 ❸ [ ]은 오비탈부터 차례로 채워진다.
- 파울리 배타 원리: 전자는 한 오비탈에 최대 2개까지 배치, 2개의 전자는 스핀 방향이 반대
- 훈트 규칙: 에너지 준위가 같은 오비탈에 전자가 배치될 때 홀전자 수가 최대가 되도록 배치

보어 원자 모형

- 원자핵 주위의 ❹ [ ]는 특정한 에너지를 가진 궤도를 따라 원운동을 함
- 수소 원자는 주 양자수가 n일 때 에너지 준위가 $-\dfrac{1312}{n_2}$ kJ/몰의 값을 가짐

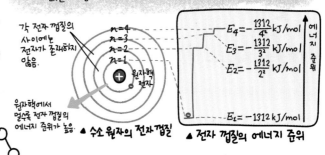

각 전자 껍질의 사이에는 전자가 존재하지 않음.

$n=4$
$n=3$
$n=2$
$n=1$
원자핵 전자

원자핵에서 멀수록 전자 껍질의 에너지 준위가 높음.

▲ 수소 원자의 전자 껍질

$E_4 = -\dfrac{1312}{4^2}$ kJ/mol
$E_3 = -\dfrac{1312}{3^2}$ kJ/mol
$E_2 = -\dfrac{1312}{2^2}$ kJ/mol
$E_1 = -1312$ kJ/mol

에너지 준위

▲ 전자 껍질의 에너지 준위

원자의 세계

원소의 주기적 성질

- 유효 핵전하 증가
- 원자 반지름 감소
- 이온화 에너지 대체로 증가
- 원자 반지름 증가
- 이온화 에너지 대체로 감소

F
Fr

원소의 주기적 성질

주기율표

- 같은 족 원소들은 원자가 전자 수가 ❻ [ ].
- 같은 주기의 원소들은 전자가 들어 있는 전자 껍질 수가 같음

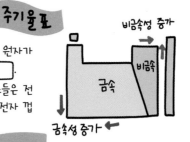

비금속성 증가
비금속
금속
금속성 증가 ←

등전자 이온의 반지름 비교

- 전자 배치가 Ne과 같은 이온 비교
  $O^{2-} > F^- > Na^+ > Mg^{2+}$
- 전자 배치가 ❺ [ ]과 같은 이온 비교
  $S^{2-} > Cl^- > K^+ > Ca^{2+}$

순차 이온화 에너지

- 이온화 차수가 커질수록 순차 이온화 에너지는 ❼ [ ].
- 순차 이온화 에너지가 급격히 증가하기 직전까지 떼어 낸 전자 수는 원자가 전자 수와 같다.

답 ❶ 원자핵 ❷ 질량수 ❸ 낮 ❹ 전자 ❺ Ar ❻ 같음 ❼ 증가한다

신유형·신경향 전략

신유형 전략

01 원유의 분리

2013 9월 모평 7번 유사

그림은 증류탑에서 원유를 분별 증류하여 몇 가지 물질을 얻는 과정을 나타낸 것이다.

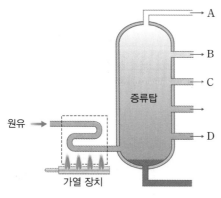

이에 대한 설명으로 옳은 것만을 | 보기 |에서 있는 대로 고른 것은?

┌ 보기 ┐
ㄱ. A의 주성분과 액화 천연가스(LNG)의 주성분은 같다.
ㄴ. 물질을 구성하는 분자의 평균 탄소 수는 C가 D보다 적다.
ㄷ. 끓는점은 C가 B보다 낮다.

① ㄱ   ② ㄴ   ③ ㄷ
④ ㄱ, ㄴ   ⑤ ㄴ, ㄷ

> **Tip** 증류탑을 이용한 원유의 분리는 원유를 성분 물질의 **❶**☐☐☐☐ 차를 이용하여 분리하는 방법이다. 증류탑 아래에 가열한 원유를 공급하면 위쪽으로 올라갈수록 온도가 낮아지므로 끓는점이 낮은 물질은 **❷**☐☐☐에서, 끓는점이 높은 물질은 아래쪽에서 분리된다.
> **답 ❶** 끓는점 **❷** 위쪽

02 용액의 농도

2022 수능 15번

그림은 A(s) x g을 모두 물에 녹여 10 mL로 만든 0.3 M A(aq)에 a M A(aq)을 넣었을 때, 넣어 준 a M A(aq)의 부피에 따른 혼합된 A(aq)의 몰 농도(M)를 나타낸 것이다. A의 화학식량은 180이다.

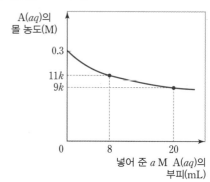

$\dfrac{x}{a}$는? (단, 온도는 일정하며, 혼합 용액의 부피는 혼합 전 각 용액의 부피의 합과 같다.)

① $\dfrac{7}{3}$ ② $\dfrac{7}{2}$ ③ $\dfrac{9}{2}$

④ $\dfrac{27}{4}$ ⑤ $\dfrac{27}{2}$

> **Tip** 일정한 온도와 압력에서 기체의 부피는 기체의 **❶**☐☐ 에 비례하고, 밀도는 $\dfrac{질량}{부피}$이다.
> **답 ❶** 몰수

03 전자 배치와 양자수
`2020` 7월 학평 15번

다음은 전자의 양자수를 나타낸 카드의 종류와 원자 (가)~(다)의 전자 배치에 필요한 카드를 나타낸 자료이다. ㉠~㉧에 나타낸 전자의 양자수(n, l, m_l, m_s) 조합은 다르다.

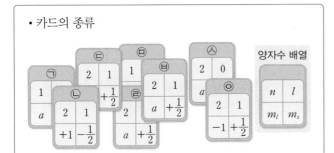

• 원자 (가)~(다)의 전자 배치에 필요한 카드

원자	전자 배치	필요한 카드
(가)	1s 2s 2p [↑↓][↑][↑][ ][ ]	㉠ ㉣ ㉤ ㉥
(나)	—	㉠ ㉡ ㉢ ㉣ ㉤
(다)	—	㉠ ㉢ ㉣ ㉤ ㉦ ㉧

이에 대한 설명으로 옳은 것만을 ㅣ보기ㅣ에서 있는 대로 고른 것은?

┌─ 보기 ─────────────────
ㄱ. $a=1$이다.
ㄴ. (나)에서 오비탈의 에너지 준위는 ㉢에 해당하는 전자가 ㉣에 해당하는 전자보다 높다.
ㄷ. (다)는 바닥 상태 전자 배치를 갖는다.
└──────────────────────

① ㄱ   ② ㄴ   ③ ㄱ, ㄷ
④ ㄴ, ㄷ   ⑤ ㄱ, ㄴ, ㄷ

Tip 파울리의 배타 원리는 한 원자 안에 있는 전자는 4가지 **①**[   ]가 모두 같을 수 없다. 1개의 오비탈에는 **②**[   ] 방향이 반대인 전자가 최대 2개까지 들어간다. 달 **①** 양자수 **②** 스핀

04 양자수와 전자 배치

표는 원자 X~Z의 에너지 준위가 가장 높은 전자가 들어 있는 오비탈의 주양자 수(n)를 나타낸 것이고, 그림은 X~Z의 s와 p 오비탈에 들어 있는 전자 수를 나타낸 것이다. 각 원자의 모든 전자는 s와 p오비탈에만 들어 있다.

원자	주양자 수(n)
X	2
Y	2
Z	3

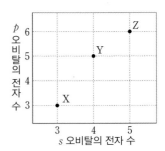

이에 대한 설명으로 옳은 것만을 ㅣ보기ㅣ에서 있는 대로 고른 것은? (단, X~Z는 임의의 원소 기호이다.)

┌─ 보기 ─────────────────
ㄱ. X는 바닥상태의 전자 배치를 갖는다.
ㄴ. Y에서 주양자 수(n)가 2인 전자의 수는 7이다.
ㄷ. 원자가 전자 수는 Y＝Z이다.
└──────────────────────

① ㄱ   ② ㄴ   ③ ㄱ, ㄴ
④ ㄴ, ㄷ   ⑤ ㄱ, ㄴ, ㄷ

Tip 원자가 바닥상태라는 조건이 없으므로, s와 p 오비탈의 전자 수를 고려하여 전자를 배치한다. 원자 번호는 s와 p 오비탈의 **①**[   ]의 합이다. 각각의 전자 배치를 확인하고 바닥상태와 **②**[   ]를 구분한다. 달 **①** 전자수 **②** 들뜬상태

신경향 **전략**

05 몰과 입자 수, 질량, 부피의 관계 2016 7월 학평 19번 유사

그림은 기체 상태의 탄화수소 A, B의 질량에 따른 부피이다. A, B의 분자량은 45보다 작으며 B는 실험식과 분자식이 같다.

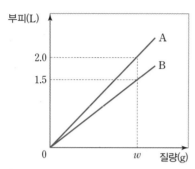

이에 대한 설명으로 옳은 것만을 | 보기 |에서 있는 대로 고른 것은? (단, 온도와 압력은 일정하고, H, C의 원자량은 각각 1, 12이다.)

> 보기
> ㄱ. B의 분자량은 40이다.
> ㄴ. 수소(H)의 질량 백분율(%)은 A : B=2 : 1이다.
> ㄷ. w g에 포함된 탄소 수는 B가 A의 1.5배이다.

① ㄱ   ② ㄷ   ③ ㄱ, ㄴ
④ ㄴ, ㄷ   ⑤ ㄱ, ㄴ, ㄷ

> **Tip** 일정한 온도와 압력에서 기체의 부피는 기체의 **❶** [　] 에 비례하고, 밀도는 $\dfrac{\text{질량}}{❷[\ \ ]}$ 이다.   답 ❶ 몰수 ❷ 부피

06 몰과 화학식량 2022 수능 18번

표는 용기 (가)와 (나)에 들어 있는 기체에 대한 자료이다. (나)에서 $\dfrac{\text{X의 질량}}{\text{Y의 질량}}=\dfrac{15}{16}$이다.

용기	기체	기체의 질량(g)	$\dfrac{\text{X의 원자 수}}{\text{Z의 원자 수}}$	단위 질량당 Y 원자 수(상댓값)
(가)	XY_2, YZ_4	$55w$	$\dfrac{3}{16}$	23
(나)	XY_2, X_2Z_4	$23w$	$\dfrac{5}{8}$	11

이에 대한 설명으로 옳은 것만을 | 보기 |에서 있는 대로 고른 것은? (단, X~Z는 임의의 원소 기호이고, 모든 기체는 반응하지 않는다.)

> 보기
> ㄱ. (가)에서 $\dfrac{\text{X의 질량}}{\text{Y의 질량}}=\dfrac{1}{2}$이다.
> ㄴ. $\dfrac{\text{(나)에 들어 있는 전체 분자 수}}{\text{(가)에 들어 있는 전체 분자 수}}=\dfrac{3}{7}$이다.
> ㄷ. $\dfrac{\text{X의 원자량}}{\text{Y의 원자량}+\text{Z의 원자량}}=\dfrac{4}{17}$이다.

① ㄱ   ② ㄴ   ③ ㄷ
④ ㄱ, ㄴ   ⑤ ㄴ, ㄷ

> **Tip** $\dfrac{\text{X 원자 수}}{\text{Z 원자 수}}$는 (가)와 (나)가 각각 $\dfrac{3}{16}$, $\dfrac{5}{8}$이므로 (가)에는 XY_2가 3 mol, YZ_4가 **❶** [　] mol 들어 있다면 (나)에는 XY_2가 k mol, **❷** [　] 가 $2k$ mol 들어 있다.   답 ❶ 4 ❷ X_2Z_4

07 순차 이온화 에너지

그림은 원소 W~Z의 순차 이온화 에너지 차를 나타낸 것이다. W~Z는 각각 Li, Be, B, C 중 하나이고, E_n은 제n 이온화 에너지이다.

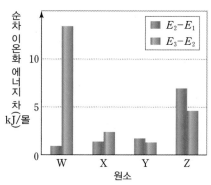

이에 대한 설명으로 옳은 것만을 | 보기 |에서 있는 대로 고른 것은?

┌ 보기 ┐
ㄱ. Z는 1족 원소이다.
ㄴ. E_2는 W>Y이다.
ㄷ. 원자가 전자가 느끼는 유효 핵전하는 X>Y이다.
└────┘

① ㄱ   ② ㄷ   ③ ㄱ, ㄴ
④ ㄱ, ㄷ   ⑤ ㄱ, ㄴ, ㄷ

> **Tip** 순차 이온화 에너지가 급격히 증가하는 구간은 원소의 **❶**〔　　〕 수와 관련이 있다. 제2 이온화 에너지는 13족 원소가 14족 원소보다 **❷**〔　　〕.
> 답 ❶ 원자가 전자 ❷ 크다

08 주기성과 이온 반지름

다음은 바닥상태 원자 A~D에 대한 자료이다.

- 원자 번호는 각각 8, 9, 11, 12 중 하나이다.
- 원자가 전자 수는 B>C이다.
- 각 원자의 이온은 모두 Ne의 전자 배치를 갖는다.
- A~D의 $\dfrac{\text{이온반지름}}{|q|}$ (q는 이온의 전하)

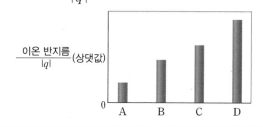

이에 대한 설명으로 옳은 것만을 | 보기 |에서 있는 대로 고른 것은? (단, A~D는 임의의 원소 기호이다.)

┌ 보기 ┐
ㄱ. B는 $\dfrac{\text{원자 반지름}}{\text{이온 반지름}}<1$이다.
ㄴ. 원자 반지름은 D>B이다.
ㄷ. 원자가 전자가 느끼는 유효 핵전하는 A>C이다.
└────┘

① ㄱ   ② ㄴ   ③ ㄱ, ㄴ
④ ㄱ, ㄷ   ⑤ ㄴ, ㄷ

> **Tip** 전자 수가 같을 때 이온 반지름의 크기는 원자 번호가 클수록 **❶**〔　　〕진다. 유효 핵전하는 같은 주기에서는 원자 번호가 클수록 **❷**〔　　〕한다.
> 답 ❶ 작아 ❷ 증가

1·2등급 확보 전략 1회

빈출도 ● > ● > ●

1강_ 우리 생활과 화학, 물과 화학식량

01 표는 일상생활에서 이용되고 있는 물질에 대한 자료이다.

2022 수능 2번 유사

물질	이용 사례
아세트산(CH₃COOH)	식초의 성분이다.
에탄올(C₂H₅OH)	의료용 소독제로 이용된다.
암모니아(NH₃)	⊙

이에 대한 설명으로 옳은 것만을 |보기|에서 있는 대로 고른 것은?

> **보기**
> ㄱ. CH_3COOH을 물에 녹이면 산성 수용액이 된다.
> ㄴ. 에탄올은 탄화수소이다.
> ㄷ. '질소 비료의 원료로 이용된다'는 ⊙으로 적절하다.

① ㄱ ② ㄴ ③ ㄱ, ㄷ
④ ㄴ, ㄷ ⑤ ㄱ, ㄴ, ㄷ

---

02 그림은 물질 (가), (나)의 구조식을 나타낸 것이다.

2019 3월 학평 4번 유사

(가)와 (나)의 값이 1 : 2가 되는 것만을 |보기|에서 있는 대로 고른 것은? (단, H, C, O의 원자량은 각각 1, 12, 16이다.)

> **보기**
> ㄱ. 분자량
> ㄴ. 1 g에 들어 있는 H 원자 수
> ㄷ. 1몰에 들어 있는 O 원자 수

① ㄱ ② ㄷ ③ ㄱ, ㄴ
④ ㄱ, ㄷ ⑤ ㄱ, ㄴ, ㄷ

---

03 표는 t ℃, 1기압에서 2가지 기체 (가)와 (나)에 대한 자료이다.

2021 4월 학평 10번 유사

기체	분자식	분자량	1 g에 들어 있는 전체 원자 수	단위 부피당 질량(상댓값)
(가)	X_mH_n	32	$\frac{3}{16}N_A$	8
(나)	$X_nY_nH_n$	a	$\frac{1}{9}N_A$	27

이에 대한 설명으로 옳은 것만을 |보기|에서 있는 대로 고른 것은? (단, H의 원자량은 1이고, X, Y는 임의의 원소 기호이며 N_A는 아보가드로수이다.)

> **보기**
> ㄱ. $a=108$이다.
> ㄴ. $m=2$이다.
> ㄷ. $\dfrac{X의\ 원자량}{Y의\ 원자량}=\dfrac{7}{6}$

① ㄱ ② ㄴ ③ ㄱ, ㄴ
④ ㄴ, ㄷ ⑤ ㄱ, ㄴ, ㄷ

64 수능전략·화학 I

2022 6월 모평 18번 유사

04 다음은 A(g)~C(g)에 대한 자료이다.

- A(g)~C(g)의 질량은 각각 x g이다.
- B(g) 1 g에 들어 있는 X 원자 수와 C(g) 1 g에 들어 있는 Z 원자 수는 같다.

기체	구성 원소	분자당 구성 원자 수	단위 질량당 전체 원자 수 (상댓값)	기체에 들어 있는 Y의 질량(g)
A(g)	X	2	11	
B(g)	X, Y	3	12	$2y$
C(g)	Y, Z	5	10	y

이에 대한 설명으로 옳은 것만을 │보기│에서 있는 대로 고른 것은? (단, X~Z는 임의의 2주기 원소 기호이다.)

│보기│
ㄱ. A(g)와 C(g)의 몰비는 11 : 4이다.
ㄴ. B(g) 1 mol에 들어 있는 Y 원자의 양은 1 mol이다.
ㄷ. $\dfrac{x}{y}=\dfrac{11}{3}$이다.

① ㄱ   ② ㄷ   ③ ㄱ, ㄴ
④ ㄴ, ㄷ   ⑤ ㄱ, ㄴ, ㄷ

2021 9월 모평 17번

05 그림 (가)는 실린더에 A_2B_4(g) 23 g이 들어 있는 것을, (나)는 (가)의 실린더에 AB(g) 10 g이 첨가된 것을, (다)는 (나)의 실린더에 A_2B(g) w g이 첨가된 것을 나타낸 것이다. (가)~(다)에서 실린더 속 기체의 부피는 V L, $\dfrac{7}{3}V$ L, $\dfrac{13}{3}V$ L이고, 모든 기체들은 반응하지 않는다.

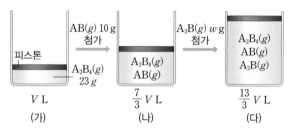

이에 대한 설명으로 옳은 것만을 │보기│에서 있는 대로 고른 것은? (단, A와 B는 임의의 원소 기호이며, 온도와 압력은 일정하다.)

│보기│
ㄱ. (나)에서 $\dfrac{AB의\ 밀도}{A_2B_4의\ 밀도}=\dfrac{15}{46}$이다.
ㄴ. $w=11$이다.
ㄷ. (다)에서 실린더 속 기체의 $\dfrac{B\ 원자\ 수}{전체\ 원자\ 수}=\dfrac{1}{2}$이다.

① ㄱ   ② ㄷ   ③ ㄱ, ㄷ
④ ㄴ, ㄷ   ⑤ ㄱ, ㄴ, ㄷ

2강_ 화학 반응식, 용액의 농도

∴ 1등급 킬러

06 다음은 A(g)와 B(g)가 반응하여 C(g)와 D(g)를 생성하는 반응의 화학 반응식이다.

$$A(g) + xB(g) \longrightarrow yC(g) + 4D(g)$$

(x, y는 반응 계수)

그림 (가)는 실린더에 A(g), B(g), C(g)를 넣은 것을, (나)는 (가)의 실린더에 반응을 완결시킨 것을 나타낸 것이다. (가)와 (나)에서 $\dfrac{C의 \ 양(mol)}{전체 \ 기체의 \ 양(mol)}$은 각각 $\dfrac{1}{13}$, $\dfrac{7}{15}$이다.

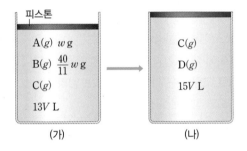

(가)   (나)

이에 대한 설명으로 옳은 것만을 |보기|에서 있는 대로 고른 것은? (단, 실린더 속 온도와 압력은 일정하다.)

┌─ 보기 ──────────────────────┐
ㄱ. $x + y = 7$이다.

ㄴ. 분자량의 비는 A : B = 11 : 8이다.

ㄷ. (가)에서 $\dfrac{C의 \ 분자 \ 수}{A의 \ 분자 \ 수} = \dfrac{1}{2}$이다.
└────────────────────────────┘

① ㄱ   ② ㄷ   ③ ㄱ, ㄴ

④ ㄴ, ㄷ   ⑤ ㄱ, ㄴ, ㄷ

07 다음은 A(g)와 B(g)가 반응하여 C(g)를 생성하는 반응의 화학 반응식이다.

$$aA(g) + B(g) \longrightarrow aC(g) \ (a는 \ 반응 \ 계수)$$

표는 실린더에 A(g)와 B(g)를 넣고 반응을 완결시킨 실험 Ⅰ~Ⅲ에 대한 자료이다.

실험	반응 전			반응 후
	A(g)의 질량(g)	B(g)의 질량(g)	전체 기체의 밀도(상댓값)	전체 기체의 부피(상댓값)
Ⅰ	4	3	4	4
Ⅱ	4	4		5
Ⅲ	12	2	5	x

$\dfrac{x}{a}$는? (단, 기체의 온도와 압력은 일정하다.)

① $\dfrac{3}{2}$ ② $\dfrac{7}{3}$ ③ 3

④ $\dfrac{7}{2}$ ⑤ 4

∴ 1등급 킬러

08 그림은 반응 전 실린더 속에 들어 있는 기체 XY와 Y$_2$를 모형으로 나타낸 것이고, 표는 반응 전과 후의 실린더 속 기체에 대한 자료이다. ㉠은 반응하고 남은 XY와 Y$_2$ 중 하나이고, ㉡은 X를 포함하는 3원자 분자이며 기체이다.

	반응 전	반응 후
기체의 종류	XY, Y$_2$	㉠, ㉡
전체 기체의 부피(L)	$4V$	$3V$

피스톤

○ X
● Y

반응 전

㉠과 ㉡으로 옳은 것은? (단, X와 Y는 임의의 원소 기호이며, 반응 전과 후 기체의 온도와 압력은 일정하다.)

	㉠	㉡		㉠	㉡
①	XY	XY$_2$	②	XY	X$_2$Y
③	Y$_2$	XY$_2$	④	Y$_2$	X$_2$Y
⑤	Y$_2$	X$_3$			

：• 1등급 킬러 2019 9월 학평 19번

09 다음은 기체 A와 B의 반응에 대한 자료와 실험이다.

> ┤ 자료 ├
>
> • 화학 반응식: $aA(g) + B(g) \longrightarrow 2C(g)$
>
>   (a는 반응 계수)
>
> • t ℃, 1기압에서 기체 1몰의 부피: 40 L
>
> • B의 분자량: x
>
> ┤ 실험 과정 및 결과 ├
>
> • $A(g)$ y L가 들어 있는 실린더에 $B(g)$의 질량을 달리하여 넣고 반응을 완결시켰을 때, 넣어 준 B의 질량에 따른 전체 기체의 부피는 그림과 같았다.

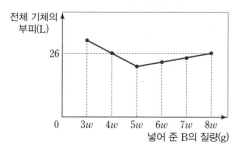

$\dfrac{y}{x}$는? (단, 온도와 실린더 속 전체 기체 압력은 t ℃, 1기압으로 일정하다.)

① $\dfrac{3}{w}$ ② $\dfrac{5}{2w}$ ③ $\dfrac{2}{w}$

④ $\dfrac{3}{2w}$ ⑤ $\dfrac{1}{w}$

：• 1등급 킬러

10 다음은 NaOH(s) 4 g을 이용하여 2가지 농도의 NaOH(aq)을 만드는 실험이다. ㉠과 ㉡은 각각 250 mL, 500 mL 중 하나이다.

> (가) 소량의 물에 NaOH(s) w g을 녹인 후 ㉠ 부피 플라스크에 넣고 표시된 눈금선까지 물을 넣고 섞어 0.3 M NaOH(aq)을 만든다.
>
> (나) 소량의 물에 (가)에서 사용하고 남은 NaOH(s)을 모두 녹인 후 ㉡ 부피 플라스크에 넣고 표시된 눈금선까지 물을 넣고 섞어 a M NaOH(aq)을 만든다.

이에 대한 설명으로 옳은 것만을 ┤보기├에서 있는 대로 고른 것은? (단, NaOH(aq)의 화학식량은 40이다.)

> ┤ 보기 ├
>
> ㄱ. $w = 3$이다.
>
> ㄴ. ㉠은 500 mL이다.
>
> ㄷ. $a = 0.05$이다.

① ㄱ   ② ㄷ   ③ ㄱ, ㄷ

④ ㄴ, ㄷ   ⑤ ㄱ, ㄴ, ㄷ

 2020 6월 화학Ⅱ 모평 6번 유사

11 그림은 황산(H_2SO_4)이 들어 있는 시약병을 나타낸 것이다.

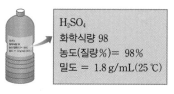

시약병에서 98 % H_2SO_4 10 mL를 취한 후 증류수로 희석하여 x M $H_2SO_4(aq)$ 1 L를 만들었다. x는? (단, 온도는 25 ℃로 일정하다.)

① 0.18   ② 0.15   ③ 0.10

④ 0.09   ⑤ 0.05

1·2등급 확보 전략 2회

빈출도 ● > ● > ●

3강_ 원자의 구조

2021 6월 모평 15번

01 다음은 원자 X의 평균 원자량을 구하기 위해 수행한 탐구 활동이다.

ㅣ탐구 과정ㅣ

(가) 자연계에 존재하는 X의 동위 원소와 각각의 원자량을 조사한다.

(나) 원자량에 따른 X의 동위 원소 존재 비율을 조사한다.

(다) X의 평균 원자량을 구한다.

ㅣ탐구 결과 및 자료ㅣ

- X의 동위 원소

동위 원소	원자량	존재 비율(%)
^{a}X	A	75
^{b}X	B	25

- $b>a$이다.
- 평균 원자량은 w이다.

이에 대한 설명으로 옳은 것만을 ｜보기｜에서 있는 대로 고른 것은?

ㅣ보기ㅣ

ㄱ. 중성자수는 $^{a}X<^{b}X$이다.

ㄴ. $w=\dfrac{(0.75\times A)+(0.25\times B)}{2}$이다.

ㄷ. $\dfrac{1\text{ g의 X에 들어 있는 }^{b}\text{X의 양성자수}}{1\text{ g의 X에 들어 있는 }^{a}\text{X의 양성자수}}<1$이다.

① ㄱ ② ㄷ ③ ㄱ, ㄴ ④ ㄱ, ㄷ ⑤ ㄱ, ㄴ, ㄷ

2021 9월 모평 16번

02 다음은 자연계에 존재하는 모든 X_2에 대한 자료이다.

- X_2는 분자량이 서로 다른 (가), (나), (다)로 존재한다.
- X_2의 분자량: (가) > (나) > (다)
- 자연계에서 $\dfrac{\text{(나)의 존재 비율(\%)}}{\text{(다)의 존재 비율(\%)}}=\dfrac{2}{3}$이다.

이에 대한 설명으로 옳은 것만을 ｜보기｜에서 있는 대로 고른 것은? (단, X는 임의의 원소 기호이다.)

ㅣ보기ㅣ

ㄱ. X의 원자량은 $\dfrac{\text{(가)의 분자량}}{2}$와 $\dfrac{\text{(다)의 분자량}}{6}$이다.

ㄴ. X의 평균 원자량은 $\dfrac{\text{(나)의 분자량}}{2}$보다 크다.

ㄷ. 자연계에서 $\dfrac{\text{(나)의 존재 비율(\%)}}{\text{(가)의 존재 비율(\%)}}=6$이다.

① ㄴ ② ㄷ ③ ㄱ, ㄴ ④ ㄱ, ㄷ ⑤ ㄴ, ㄷ

03 다음은 수소 원자의 오비탈 (가)~(다)에 대한 설명이다. n, l, m_l은 각각 주 양자수, 방위(부) 양자수, 자기 양자수이다.

- (가)~(다)의 $n+l$은 각각 1, 2, 3 중 하나이다.
- n은 (가) = (나) > (다)이다.
- l은 (나) = (다)이다.

이에 대한 설명으로 옳은 것만을 ｜보기｜에서 있는 대로 고른 것은?

ㅣ보기ㅣ

ㄱ. (가)는 $2p$ 오비탈이다.

ㄴ. (나)의 $m_l=0$이다.

ㄷ. 에너지 준위는 (가) > (나) > (다)이다.

① ㄱ ② ㄷ ③ ㄱ, ㄴ ④ ㄴ, ㄷ ⑤ ㄱ, ㄴ, ㄷ

04 그림은 분자 X_2가 자연계에 존재하는 비율을 나타낸 것이다.

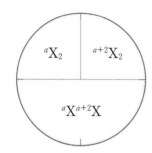

이에 대한 설명으로 옳은 것만을 |보기|에서 있는 대로 고른 것은? (단, X는 임의의 원소 기호이다.)

┌ 보기 ┐
ㄱ. ^aX와 ^{a+2}X의 존재 비율은 같다.
ㄴ. $^{a+2}X_2$의 중성자수는 $^aX_2$의 중성자수보다 2개 더 많다.
ㄷ. $^aX_2$와 $^{a+2}X_2$의 화학적 성질은 같다.

① ㄱ   ② ㄴ   ③ ㄷ
④ ㄱ, ㄴ   ⑤ ㄱ, ㄷ

05 다음은 2주기 원자 A~D에 대한 자료이다. (가)와 (나)는 각각 양성자수와 중성자수 중 하나이고, ㉠~㉣은 각각 A~D 중 하나이다.

• A는 B의 동위 원소이다.
• C와 D의 중성자수 − 전자 수＝1이다.
• 질량수는 B＞A＞C＞D
• A~D의 양성자수와 중성자수

원자	㉠	㉡	㉢	㉣
(가)	9		7	
(나)	9	9		11

이에 대한 설명으로 옳은 것만을 |보기|에서 있는 대로 고른 것은? (단, A~D는 임의의 원소 기호이다.)

┌ 보기 ┐
ㄱ. (가)는 중성자수이다.
ㄴ. B의 질량수는 20이다.
ㄷ. D의 원자 번호는 7이다.

① ㄱ   ② ㄷ   ③ ㄱ, ㄴ
④ ㄴ, ㄷ   ⑤ ㄱ, ㄴ, ㄷ

4강_ 원소의 주기적 성질

∵ 1등급 킬러 (2022) 9월 모평 11번 유사

06 표는 원자 번호가 20 이하인 바닥상태 원자 X~Z에 대한 자료이다.

원자	X	Y	Z
전자가 들어 있는 전자 껍질 수	4	3	㉠
원자가 전자 수	㉡	5	0
$\dfrac{p \text{ 오비탈에 들어 있는 전자 수}}{s \text{ 오비탈에 들어 있는 전자 수}}$	$\dfrac{3}{2}$	㉢	$\dfrac{3}{2}$

이에 대한 설명으로 옳은 것만을 |보기|에서 있는 대로 고른 것은? (단, X~Z는 임의의 원소 기호이다.)

┌ 보기 ┐
ㄱ. ㉠＋㉡＋㉢＝$\dfrac{11}{2}$이다.
ㄴ. 홀전자 수는 X＞Y이다.
ㄷ. Z에서 전자가 들어 있는 오비탈의 수는 5이다.

① ㄱ   ② ㄴ   ③ ㄱ, ㄷ
④ ㄴ, ㄷ   ⑤ ㄱ, ㄴ, ㄷ

(2015) 3월 학평 5번

07 그림은 바닥상태 원자 (가)~(라)에 대해 전자가 들어 있는 오비탈 수와 홀전자 수를 나타낸 것이다. ㉠은 원자 (가)~(라) 중 한 가지 원자의 들뜬상태 전자 배치이다.

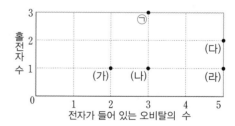

(가)~(라)에 대한 설명으로 옳은 것만을 |보기|에서 있는 대로 고른 것은?

┌ 보기 ┐
ㄱ. 원자 번호는 (다)＞(라)＞(나)＞(가)이다.
ㄴ. ㉠은 (나)의 들뜬상태이다.
ㄷ. 원자가 전자 수가 가장 큰 것은 (라)이다.

① ㄱ   ② ㄷ   ③ ㄱ, ㄴ
④ ㄴ, ㄷ   ⑤ ㄱ, ㄴ, ㄷ

08 그림은 원자 (가), (나)의 전자 배치를 나타낸 것이다.

	$1s$	$2s$	$2p$			$3s$
(가)	↑↓	↑	↑↓	↑	↑	↑
(나)	↑↓	↑↓	↑	↑↓	↑↓	

이에 대한 설명으로 옳은 것만을 | 보기 | 에서 있는 대로 고른 것은?

┌ 보기 ┐
ㄱ. 원자가 전자 수는 (가)=(나)이다.
ㄴ. (가)와 (나)는 같은 주기 원소이다.
ㄷ. (나)의 전자 배치는 들뜬상태이다.

① ㄱ   ② ㄴ   ③ ㄱ, ㄷ
④ ㄴ, ㄷ   ⑤ ㄱ, ㄴ, ㄷ

09 다음은 중성 원자 N, O, F, Al, Si 중 하나인 A~E 를 구별하기 위한 자료이다.

홀전자 수의 차	원자 반지름
$a-b=d$ $c-d=0$ $c-e=1$	B<E C<D

이에 대한 설명으로 옳은 것만을 | 보기 | 에서 있는 대로 고른 것은? (a~e는 각각 A~E의 바닥상태 전자 배치의 홀전자 수이다.)

┌ 보기 ┐
ㄱ. $b+c=d+e$이다.
ㄴ. 이온화 에너지는 C>A>B이다.
ㄷ. 원자가 전자가 느끼는 유효 핵전하는 D>E이다.

① ㄱ   ② ㄴ   ③ ㄱ, ㄷ
④ ㄴ, ㄷ   ⑤ ㄱ, ㄴ, ㄷ

⁂ 1등급 킬러 2019 6월 모평 17번 유사

10 다음은 리튬(Li), 산소(O)와 2, 3주기 원자 V~Z에 대한 자료이다.

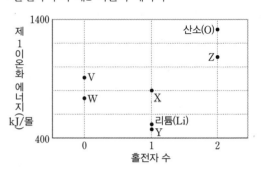

• 모든 원자는 바닥상태이다.
• 전자가 들어 있는 p 오비탈의 수는 3 이하이다.
• 홀전자 수와 제1 이온화 에너지

이에 대한 설명으로 옳은 것만을 | 보기 | 에서 있는 대로 고른 것은? (단, V~Z는 임의의 원소 기호이다.)

┌ 보기 ┐
ㄱ. X는 13족 원소이다.
ㄴ. 원자 반지름은 W>X>V이다.
ㄷ. 제2 이온화 에너지는 Y>X>Z이다.

① ㄱ   ② ㄴ   ③ ㄱ, ㄷ
④ ㄴ, ㄷ   ⑤ ㄱ, ㄴ, ㄷ

11 다음은 A 학생의 탐구 수행 보고서를 나타낸 것이다. 보고서의 자료 및 내용 일부가 빠져 있다.

┌───┐
│ **│ 학습 내용 │**
│ • 원자 반지름에 영향을 주는 요인
│ – 원자가 전자가 느끼는 유효 핵전하
│ – 바닥상태에서 전자가 들어 있는 전자 껍질 수
│
│ **│ 탐구 과정 │**
│ • 2족과 2주기에 속한 원자의 유효 핵전하, 전자 껍질
│ 수, 원자 반지름을 각각 조사하고 이를 비교한다.
│
│ **│ 탐구 결과 │**
│ • 2족 원소

원소	Be	Mg	Ca	Sr
유효 핵전하	1.9	3.3	4.4	6.1
전자 껍질 수	2	3	4	5
원자 반지름(pm)	113	160	197	215

│ • 2주기 원소

원소	C	N	O	F
유효 핵전하			4.5	㉠
전자 껍질 수			2	
원자 반지름(pm)		㉡	66	

│ **│ 결론 │**
│ • 원자 반지름은 원자 번호가 클수록 같은 족에서는 증
│ 가하고, 같은 주기에서는 [   ]한다.
│ • 원자 반지름의 크기는 같은 족에서는 [㉢]에 더 큰
│ 영향을 받고, 같은 주기에서는 [   ]에 더 큰 영향
│ 을 받는다.
└───┘

이에 대한 설명으로 옳은 것만을 | 보기 |에서 있는 대로 고른 것은?

┌─ 보기 ─────────────────────────────┐
│ ㄱ. 4.5 > ㉠ > 1.9이다.
│ ㄴ. ㉡ > 66 pm이다.
│ ㄷ. ㉢은 전자 껍질 수이다.
└──────────────────────────────────┘

① ㄱ   ② ㄴ   ③ ㄱ, ㄷ

④ ㄴ, ㄷ   ⑤ ㄱ, ㄴ, ㄷ

2020 10월 학평 17번

12 표는 2, 3주기 바닥상태 원자 A~C의 전자 배치에 대한 자료이다. n은 주 양자수, l은 방위(부) 양자수이다.

원자	A	B	C
$\dfrac{p\ 오비탈의\ 전자\ 수}{s\ 오비탈의\ 전자\ 수}$	$\dfrac{3}{2}$	$\dfrac{3}{2}$	$\dfrac{5}{3}$
$n+l=3$인 전자 수	8	6	8

이에 대한 설명으로 옳은 것만을 | 보기 |에서 있는 대로 고른 것은? (단, A~C는 임의의 원소 기호이다.)

┌─ 보기 ─────────────────────────────┐
│ ㄱ. A~C 중 3주기 원소는 2가지이다.
│ ㄴ. B와 C는 같은 족 원소이다.
│ ㄷ. 이온화 에너지는 A > C이다.
└──────────────────────────────────┘

① ㄱ   ② ㄴ   ③ ㄱ, ㄷ

④ ㄴ, ㄷ   ⑤ ㄱ, ㄴ, ㄷ

memo

핵심 개념부터 실전까지, 고품격 수능 대비서

고등 수능전략

전과목 시리즈

체계적인 수능 대비

하루 6쪽, 주 3일 학습으로
핵심 개념과 유형, 실전까지
빠르고 확실하게 준비 완료!

신유형 문제까지 정복

수능에 자주 나오는 유형부터
신유형·신경향 문제까지
다양한 유형의 문제를 마스터!

실전 감각 익히기

수능과 모의평가 유형의 구성으로
단기간에 실전 감각을 익혀
실제 수능에 완벽하게 대비!

개념과 유형, 실전을 한 번에!

국어: 고2~3(문학/독서/언어와 매체/화법과 작문)
수학: 고2~3(수학Ⅰ/수학Ⅱ/확률과 통계/미적분)
영어: 고2~3(어법/독해 150/독해 300/어휘/듣기)

사회: 고2~3(한국사/사회·문화/생활과 윤리/한국지리)
과학: 고2~3(물리학Ⅰ/화학Ⅰ/생명과학Ⅰ/지구과학Ⅰ)

book.chunjae.co.kr

교재 내용 문의 ···················· 교재 홈페이지 ▶ 고등 ▶ 교재상담

교재 내용 외 문의 ···················· 교재 홈페이지 ▶ 고객센터 ▶ 1:1문의

발간 후 발견되는 오류 ············· 교재 홈페이지 ▶ 고등 ▶ 학습지원 ▶ 학습자료실

수능공략 필승학습!
단기간에 끝장내자!

BOOK 2

실 전 에 강 한
수능전략

과탐영역 화학 I

천재교육

실 전 에 강 한

수능전략

과탐영역 **화학 I**

실 전 에 강 한

수능전략

과탐영역 **화학 I**

수능에 꼭 나오는
필수 유형 ZIP 2

천재교육

수능전략

과·학·탐·구·영·역

화학 I

수능에 꼭 나오는
필수 유형 ZIP 2

차례 ❷권

수능에 꼭 나오는
필수 유형 ZIP

물의 전기 분해

물을 전기 분해할 때 (＋)극과 (－)극에서 발생하는 기체의 종류와 성질에 대한 이해가
필요하고, 공유 결합 물질에 전자가 관여함을 알아야 한다.

다음은 물의 전기 분해 실험을 나타낸 것이다.

| 실험 과정 |

(가) 비커에 물을 넣고, 황산 나트륨을
소량 녹인다.

(나) (가)의 수용액으로 가득 채운 시
험관 A와 B에 전극을 설치하고
전류를 흘려 주면서 생성되는 기
체를 시험관에 각각 모은다.

(다) (나)의 각 시험관에 모인 기체의
부피를 측정하고 종류를 확인한다.

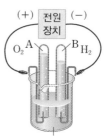

물+황산 나트륨

| 실험 결과 |

• 각 시험관에 모인 기체는 각각 수소(H_2)와 산소(O_2)였다.
• 기체의 부피비는 $V_A : V_B = 1 : 2$였다.

이에 대한 설명으로 옳은 것만을 |보기|에서 있는 대로 고른 것은?

| 보기 |

ㄱ. A에 모인 기체는 산소(O_2)이다.

ㄴ. 이 실험으로 물이 원소임을 알 수 있다.

ㄷ. 물을 이루는 수소(H) 원자와 산소(O) 원자 사이의 결합
에는 전자가 관여한다.

① ㄱ ② ㄴ ③ ㄱ, ㄷ ④ ㄴ, ㄷ ⑤ ㄱ, ㄴ, ㄷ

* 물을 전기 분해하면 (＋)극에서 전자를 잃는 반응이, (－)극에서 전자를
　❶　　　 반응이 일어난다.

* (＋)극: $2H_2O(l) \longrightarrow O_2(g) + 4H^+(aq) + 4e^-$
* (－)극: $4H_2O(l) + 4e^- \longrightarrow 2H_2(g) + 4OH^-(aq)$
* 공유 결합에 **❷**　　　가 관여한다.　　　　　답 ❶ 얻는 ❷ 전자

자료 해석

* 물에 전해질을 소량 녹이고 직류 전류를 흘려 주면 물이 ❸ [   ]된다.

* 물 분해의 전체 반응식은 $2H_2O(l) \longrightarrow 2H_2(g) + O_2(g)$이며, 각 전극에서 다음 반응이 일어난다.

구분	(−)극	(+)극
발생하는 물질	수소 기체	산소 기체
기체의 상대적 부피	2	1
기체의 확인	불을 가까이 하면 폭발하듯이 탄다. → 가연성이 있다.	꺼져가는 불씨를 다시 살린다. → 조연성이 있다.
화학 반응식	$4H_2O(l) + 4e^- \longrightarrow$ $\quad 2H_2(g) + 4OH^-(aq)$	$2H_2O(l) \longrightarrow$ $\quad O_2(g) + 4H^+(aq) + 4e^-$
화학 반응	(−)극에서 전자 공급 ➡ 물 분자와 전자가 결합 ➡ 물이 전자를 얻으면서 OH^-과 H_2가 됨.	(+)극에서 물 분자가 전극으로 전자를 내놓음. ➡ 물이 전자를 잃으면서 H^+과 O_2가 됨.

* 물에 전류가 흐르면 물이 분해되어 성분 물질이 얻어진다. ➡ 물을 구성하는 원소 사이의 화학 결합에 ❹ [   ]가 관여함을 알 수 있다.

답 ❸ 분해 ❹ 전자

Point 해설

ㄱ. A에 연결된 극은 (+)극이고, 기체의 부피가 B>A이므로 A에 모인 기체는 산소이다.

ㄴ. 실험에서 물이 2가지 원소로 분해되므로 물이 화합물임을 알 수 있다.

ㄷ. 물을 전기 분해하면 (+)극에서 전자를 잃는 반응이, (−)극에서 전자를 얻는 반응이 일어난다. 따라서 물을 이루고 있는 수소 원자와 산소 원자 사이의 화학 결합에 전자가 관여한다.

답 ③

전략 비법 노트

● 물의 전기 분해 → 물에 전류를 흘려 주면 성분 원소인 수소와 산소로 분해됨 → 수소 원자 2개와 산소 원자 1개가 공유 결합하여 물을 생성할 때 전자가 관여함을 알 수 있음 → 공유 결합의 형성에 전자 관여함

● 염화 나트륨의 전기 분해 → 염화 나트륨에서 성분 원소들의 화학 결합에 전자가 관여함을 알 수 있음 → 이온 결합의 형성에 전자 관여

02 화학 결합 모형

원자와 이온의 전자 배치 모형을 나타내는 방법을 알고, 원자나 이온의 모형으로 이온 결합 물질과 공유 결합 물질을 나타낼 수 있어야 한다. 또한, 화학 결합 모형을 보고, 물질을 이루는 원소의 종류를 찾아낼 수 있어야 한다.

그림은 화합물 ABC와 B_2D_2의 화학 결합 모형을 나타낸 것이다.

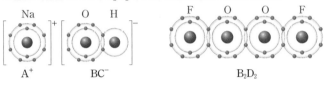

A^+ BC^- B_2D_2

이에 대한 옳은 설명만을 |보기|에서 있는 대로 고른 것은? (단, A~D는 임의의 원소 기호이다.)

보기
ㄱ. CD는 이온 결합 물질이다.
ㄴ. B_2D_2에는 무극성 공유 결합이 있다.
ㄷ. C_2B에서 C는 부분적인 음전하(δ^-)를 띤다.

① ㄱ   ② ㄴ   ③ ㄱ, ㄷ   ④ ㄴ, ㄷ   ⑤ ㄱ, ㄴ, ㄷ

* 원자 번호는 중성인 원자에서 전자의 수와 같다.
* 양이온은 |이온의 전하량|과 전자의 수를 더한 값이 원자 번호이다.
* 음이온은 전자의 수에서 |이온의 전하량|을 뺀 값이 원자 번호이다.
* 양이온과 음이온의 결합은 ❶   결합이고, 원자 사이에 전자를 공유하는 결합은 ❷   결합이다.
* 옥텟 규칙에 따르면 가장 바깥 껍질에 8개의 전자가 채워질 때 안정해진다.
* 양이온과 음이온은 큰 에너지를 방출하면서 이온 결합을 형성하여 안정해진다.
* 이온 결합 물질에는 염화 나트륨($NaCl$), 수산화 나트륨($NaOH$), 황산 구리 ($CuSO_4$) 등이 있다.
* 비금속 원소의 원자들은 비활성 기체와 같은 전자 배치를 이루기 위해 자신의 전자를 내놓아 전자쌍을 만들고, 그 전자쌍을 ❸   하면서 결합을 형성한다.
* 종류가 같은 원자 사이에 형성되는 공유 결합은 무극성 공유 결합이고, 종류가 다른 원자 사이에 형성되는 공유 결합은 ❹   공유 결합이다.

답 ❶ 이온 ❷ 공유 ❸ 공유 ❹ 극성

자료 해석

* 화학 결합 모형을 보면 A는 전자를 1개 잃고 전자가 10개인 A^+가 되었다. ➡ A 는 원자 번호 11번인 Na이다.

* BC^-는 이온이므로, C는 원자 번호 1번인 H이고, B는 전자 1개가 추가되어 9개 의 전자를 가지므로, 원자 번호 8번인 O이다. ➡ ABC는 **⑤**□□□□□이다.

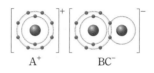

$$A^+ \qquad BC^-$$

* B는 O이므로, 원자가 전자가 6개이고, 2개의 공유 결합을 형성해야 옥텟 규칙을 만족한다. B_2D_2의 화학 결합 모형을 보면, 2개의 공유 결합을 하는 원자는 중앙의 2개 원자이므로 중앙의 두 원자가 O이고, 분자의 양쪽 끝 원자가 D이다.

D 원자는 1개의 공유 결합을 형성하여 옥텟 규칙을 만족하므로 원자 번호 9번인 F이다. ➡ B_2D_2는 **⑥**□□□□□이다.

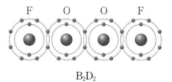

$$F \qquad O \qquad O \qquad F$$

$$B_2D_2$$

답 ⑤ NaOH **⑥** F−O−O−F

Point 해설

ㄱ. C는 H이고, D는 F로 둘 다 비금속이다. 따라서 CD, 즉 HF는 공유 결합 물질 이다.

ㄴ. B_2D_2에서 B, 즉 산소는 두 원자가 모두 중앙에 위치하여 O와 O가 결합한다. O−O 결합은 같은 원자끼리의 결합이므로 전기 음성도 차이가 없는 무극성 공 유 결합이다.

ㄷ. C_2B에서 C는 H이고 B는 O이다. 전기 음성도는 H=2.1로 O=3.5보다 작 으므로, H_2O에서 O는 부분적인 음전하(δ^-)를 띠고 H는 부분적인 양전하(δ^+) 를 띤다.

답 ②

전략 비법 노트

● **극성 공유 결합** ➡ **전기 음성도 다를 때** ➡ 전기 음성도가 큰 원자는 부분적인 음전 하를 띠고 전기 음성도가 작은 원자는 부분적인 양전하를 띰

● **무극성 공유 결합** ➡ **전기 음성도 같을 때**

임의의 원소 기호를 이용하여 루이스 전자점식으로 나타낸 화학식에서 실제 원소가 무엇인지 찾아낼 수 있어야 하고, 해당 원소들로 구성된 분자들의 결합각과 분자 모양을 비교할 수 있어야 한다.

그림은 1, 2 주기 원소 $W \sim Z$로 이루어진 분자 (가)와 이온 (나)를 루이스 전자점식으로 나타낸 것이다.

$$: \ddot{X} :$$
$$: \ddot{X} : \ddot{W} : \ddot{X} : \qquad \left[\begin{matrix} Z \\ Z : \ddot{Y} : Z \\ Z \end{matrix} \right]^{+}$$
$$: \ddot{X} :$$

(가)   (나)

이에 대한 옳은 설명만을 |보기|에서 있는 대로 고른 것은? (단, $W \sim Z$는 임의의 원소 기호이다.)

보기
ㄱ. 원자가 전자 수는 W와 Y가 같다.
ㄴ. 분자의 결합각은 WZ_4가 YZ_3보다 크다.
ㄷ. W_2Z_2의 분자 모양은 직선형이다.

① ㄱ   ② ㄴ   ③ ㄱ, ㄷ   ④ ㄴ, ㄷ   ⑤ ㄱ, ㄴ, ㄷ

개념 꼭!

* 1주기의 원자가 전자 수는 $H = \boxed{❶}$ 이다.

* 2주기의 원자가 전자 수는 $Li = 1$, $Be = 2$, $B = 3$, $C = \boxed{❷}$, $N = 5$, $O = 6$, $F = 7$이다.

* 2주기 원소 중 화학 결합을 형성할 때 옥텟 규칙을 만족하는 원소는 C, $\boxed{❸}$, O, F이다.

* 2주기 원소 중 Be, B는 화학 결합을 형성해도 옥텟 규칙을 만족하지 않는다. BeH_2는 구조식이 $H - Be - H$로 직선형이고 중심 원자 주위의 원자가 전자 수는 총 4개이다. BCl_3는 평면 삼각형 구조이고 결합각이 $120°$로 중심 원자 주위의 원자가 전자 수는 총 6개이다.

답 ❶1 ❷4 ❸N

자료 해석

* W~Z는 1, 2주기 원소이고, (가)에서 W는 원자가 전자가 4개이므로 C이고, X 는 원자가 전자가 7개이므로 F이다. (나)는 1가 양이온이므로, Y는 원자가 전자가 5개인 N이고, Z는 원자가 전자가 1개인 H이다.

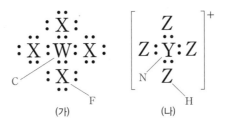

(가)   (나)

* 따라서 원자가 전자 수는 W＝C＝4개, X＝F＝7개, Y＝N＝3개, Z＝H＝1개이다.

* 분자의 결합각은 (가)와 (나)는 **❹**□□□°이고, YZ_3는 **❺**□□□°이다.

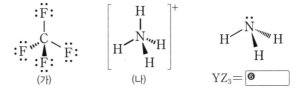

(가)   (나) YZ_3＝**❻**□□□

* W_2Z_2는 H－C≡C－H이다.

답 ❹ 109.5 ❺ 107 ❻ NH_3

Point 해설

ㄱ. W(탄소)는 원자가 전자가 4개이고, Y(질소)는 원자가 전자가 5개이므로 원자가 전자 수는 W(탄소)와 Y(질소)가 다르다.

ㄴ. 결합각이 WZ_4(＝CH_4)는 109.5°, YZ_3(NH_3)는 107° 이므로 분자의 결합각 은 WZ_4가 YZ_3보다 크다.

ㄷ. W_2Z_2(＝C_2H_2)의 분자 모양은 직선형이다.

답 ④

전략 비법 노트

● 중심 원자에 단일 결합인 **공유 전자쌍 4개** → **정사면체형, 결합각** 109.5°

● 중심 원자에 단일 결합인 **공유 전자쌍 3개**, **비공유 전자쌍 1개** → **삼각뿔형, 결합각** 107°

● 중심 원자에 비공유 전자쌍 없이, **양쪽 방향으로 결합** → **직선형, 결합각** 180°

04 분자식과 공유 전자쌍 수

수능 전략 Key 미지의 원소로 이루어진 분자의 분자식과 공유 전자쌍 수의 상댓값을 알 때, 분자의 극성 여부와 비공유 전자쌍 수를 비교할 수 있어야 한다.

표는 2주기 원소 X~Z로 이루어진 분자 (가)~(다)에 대한 자료이다. (가)~(다)에서 X~Z는 모두 옥텟 규칙을 만족한다.

분자	(가)	(나)	(다)
분자식	X_2	YX_2	Y_2Z_4
공유 전자쌍 수	a	$2a$	$2a+2$

이에 대한 옳은 설명만을 |보기|에서 있는 대로 고른 것은? (단, X~Z는 임의의 원소 기호이다.)

보기
ㄱ. $a=2$이다.
ㄴ. (가), (나), (다)는 모두 무극성 분자이다.
ㄷ. $\dfrac{\text{비공유 전자쌍 수}}{\text{공유 전자쌍 수}}$ 의 비는 (가):(나):(다) = 2:1:2이다.

① ㄱ ② ㄴ ③ ㄱ, ㄷ ④ ㄴ, ㄷ ⑤ ㄱ, ㄴ, ㄷ

개념 꼭!

* 2주기 원소 중에서 옥텟 규칙을 만족하는 것은 **❶ [   ]**, N, O, F이다.

* C는 원자가 전자가 4개이므로 **❷ [   ]** 개의 공유 결합을 한다.

* N은 원자가 전자가 5개이므로 3개의 공유 결합을 한다.

* O는 원자가 전자가 6개이므로 **❸ [   ]** 개의 공유 결합을 한다.

* F는 원자가 전자가 7개이므로 1개의 공유 결합을 한다.

* 분자에서 중심 원자 주위의 전자쌍들은 정전기적 반발력을 최소화하기 위해 멀리 떨어져 있으려고 한다.

* 비공유 전자쌍은 공유 전자쌍보다 더 큰 공간을 차지하므로 비공유 전자쌍이 많을 수록 공유 전자쌍 사이의 각이 작아진다.

* 결합각이 CH_4는 109.5°, NH_3는 107°, H_2O는 104.5°이다.

답 ❶C ❷4 ❸2

자료 해석

분자	(가)	(나)	(다)
분자식	X_2	YX_2	Y_2Z_4
공유 전자쌍 수	a	$2a$	$2a+2$

* 2주기 원소이며 옥텟 규칙을 만족하는 원소는 C, N, O, F이다.

* (나)처럼 YX_2를 만족하려면, $O=C=O$가 가능하다. 따라서 Y는 C이고, X는 O이다.

* (나)에서 CO_2의 공유 전자쌍 수는 4이므로, $a=$ ❹ 이다.

* (다)에서 Y_2Z_4의 공유 전자쌍 수는 $2 \times 2 + 2 =$ ❺ 이고, Y는 C이므로, C_2F_4가 가능하다.

* (가) O_2, (나) CO_2, (다) C_2F_4이다.

	(가)	(나)	(다)
$\dfrac{\text{비공유 전자쌍 수}}{\text{공유 전자쌍 수}}$	$\dfrac{4}{2}$	$\dfrac{4}{4}$	$\dfrac{12}{6}$

답 ❹ 2 ❺ 6

Point 해설

ㄱ X는 O(산소)이므로 X_2의 공유 전자쌍 수 $a=2$이다.

ㄴ (가)는 무극성 공유 결합을 하므로 무극성 분자이다. (나)와 (다)는 극성 공유 결합을 포함하지만 분자 구조가 대칭을 이루어 무극성 분자이다. 즉, (가), (나), (다)는 모두 무극성 분자이다.

ㄷ $\dfrac{\text{비공유 전자쌍 수}}{\text{공유 전자쌍 수}}$의 비는 (가) : (나) : (다) $= \dfrac{4}{2} : \dfrac{4}{4} : \dfrac{12}{6} = 2 : 1 : 2$이다.

답 ⑤

전략 비법 노트

● 화학 결합을 이룰 때 2주기의 옥텟 규칙을 만족하는 원소 → C, N, O, F

● 옥텟 규칙을 만족할 때 공유 결합 수 → C=4, N=3, O=2, F=1

● 극성 분자 → 쌍극자 모멘트≠0 (비대칭)

● 무극성 분자 → 쌍극자 모멘트=0 (대칭)

수능 전략 Key
이온 상태의 전자 수의 상댓값과 화합물에 따른 액체 상태에서의 전기 전도성을 이용하여 미지의 원소를 찾아낼 수 있어야 한다.

다음은 2, 3 주기 원소 $X \sim Z$로 이루어진 화합물과 관련된 자료이다. 화합물에서 $X \sim Z$는 모두 옥텟 규칙을 만족한다.

- $X \sim Z$의 이온은 모두 18족 원소의 전자 배치를 갖는다.

이온	X 이온	Y 이온	Z 이온
전자 수	$n = 10$	$n = 10$	$n + 8 = 18$

- 액체 상태에서의 전기 전도성

화합물	$\underset{\rightarrow MgO}{XY}$	$\underset{\rightarrow MgCl_2}{XZ_2}$	$\underset{\rightarrow OCl_2}{YZ_2}$
액체 상태에서의 전기 전도성	있음	㉠	없음

이에 대한 옳은 설명만을 |보기|에서 있는 대로 고른 것은? (단, $X \sim Z$는 임의의 원소 기호이다.)

보기

$Mg \overset{\rightarrow O}{\longleftarrow}$

ㄱ. X와 Y는 3주기 원소이다.
ㄴ. '있음'은 ㉠으로 적절하다.
ㄷ. 원자가 전자 수는 $Z > X > Y$이다.

$Cl \overset{\rightarrow O}{\underset{\rightarrow Mg}{\longrightarrow}}$

① ㄱ　　② ㄴ　　③ ㄱ, ㄷ　　④ ㄴ, ㄷ　　⑤ ㄱ, ㄴ, ㄷ

개념 꼭!

* 이온 결합 물질은 ❶ [　　　] 상태와 수용액 상태에서 전기 전도성을 가진다.

* 공유 결합 물질은 고체와 액체 상태에서 전기 전도성이 없다(예외: 고체 흑연(C)은 전기 전도성이 있다).

* ❷ [　　　] 결합 물질은 고체 상태일 때도 전기 전도성을 가진다.

* 옥텟 규칙: 비활성 기체 이외의 원자들은 가장 바깥 전자 껍질에 8개의 전자를 가져 안정해지려는 경향이 있다.

답 ❶ 액체 ❷ 금속

자료 해석

* $X \sim Z$는 2, 3주기 원소이고, $X \sim Z$의 이온은 모두 18족 원소의 전자 배치를 갖는다. X 이온과 Y 이온은 전자 수가 n으로 같으므로 등전자 이온이며 ❸⬚의 전자 배치를 갖고, Z 이온은 전자 수가 $n+8$이므로 ❹⬚의 전자 배치를 갖는다. ➡ X와 Y 중 하나는 2주기 비금속 원소이고, 다른 하나는 3주기 금속 원소이다. Z는 3주기 비금속 원소이다.

* 액체 상태에서의 전기 전도성

화합물	XY	XZ_2	YZ_2
액체 상태에서의 전기 전도성	있음	㉠	없음

이온 결합 물질 → XY, XZ_2 / 공유 결합 물질 → YZ_2

* XY는 액체 상태에서 전기 전도성이 있으므로 ❺⬚ 결합 물질이고, 금속과 비금속의 결합이다. YZ_2는 액체 상태에서 전기 전도성이 없으므로 ❻⬚ 결합 물질이고, Y와 Z는 비금속 원소이다. Y가 비금속이므로 X는 금속이다. ➡ X 이온과 Y 이온의 전자 수가 같으려면, X는 3주기 금속 원소이고, Y는 2주기 비금속 원소이다.

* YZ_2는 공유 결합 물질인데 원자 수비 $Y : Z = 1 : 2$로 결합하므로 Y는 16족, Z는 17족 원소이다. XY는 이온 결합 물질이고 1 : 1로 결합하는데, Y가 16족 원소이므로, X는 $+2$의 전하량을 갖게 되어 2족 원소임을 알 수 있다.

* 따라서 X, Y, Z는 Mg, O, Cl이다.

* X는 2족 금속 원소이고, Z는 17족 비금속 원소이므로, XZ_2는 이온 결합 물질이며, 액체 상태에서 전기 전도성을 가진다.

답 ❸ Ne ❹ Ar ❺ 이온 ❻ 공유

Point 해설

ㄱ. X는 3주기, Y는 2주기 원소이다.

ⓛ '있음'은 ㉠으로 적절하다.

ㄷ. X, Y, Z는 차례로 Mg, O, Cl이므로 원자의 전자 수는 차례로 2, 6, 7이다. 따라서 원자가 전자 수는 $Z > Y > X$이다.

답 ②

전략 비법 노트

● **금속 원소와 비금속 원소의 결합** ➡ 양이온과 음이온이 **정전기적 인력으로 결합** ➡ **이온 결합**
● **비금속 원소끼리의 결합** ➡ 비금속 원소의 원자끼리 **전자쌍을 공유하여 결합** ➡ **공유 결합**
● **2주기** 원소의 음이온과 **3주기** 원소의 **양이온**은 전자 수 동일 ➡ **등전자 이온**

06 분자의 구조와 극성(1)

수능 전략 Key

분자식을 보고 분자의 구조 및 성질을 파악할 수 있어야 하며, 분자들을 기준에 맞게 분류할 수 있어야 한다.

표는 3가지 분자 C_2H_2, CH_2O, CH_2Cl_2을 기준에 따라 분류한 것이다.

분류 기준	예	아니요
(가) 이중 결합이 있는가?	CH_2O	C_2H_2, CH_2Cl_2
모든 구성 원자가 동일 평면에 있는가?	㉠ CH_2O, C_2H_2	㉡ CH_2Cl_2
극성 분자인가?	㉢	㉣ C_2H_2

↳ CH_2O, CH_2Cl_2

이에 대한 옳은 설명만을 ㅣ보기ㅣ에서 있는 대로 고른 것은?

┌ 보기 ┌
ㄱ. '이중 결합이 있는가?'는 (가)로 적절하다.
ㄴ. ㉡과 ㉢에 해당하는 분자는 각각 2가지이다.
ㄷ. ㉠과 ㉣에 공통으로 해당하는 분자는 CH_2Cl_2이다.

① ㄱ   ② ㄴ   ③ ㄱ, ㄷ   ④ ㄴ, ㄷ   ⑤ ㄱ, ㄴ, ㄷ

개념 꼭!

* 주기율표의 족에 따라 원자가 전자 중에서 쌍을 이루지 않은 전자의 수가 다르다.
* 원자가 전자 중 결합에 참여 가능한 전자 수는 공유 결합 수와 같다.
* 족에 따른 공유 결합 수: 1족−1개, 14족−4개, 15족−3개, 16족−2개, 17족−1개
* 무극성 분자: 같은 원소로 이루어진 이원자 분자(H_2, O_2 등)와 **❶ [   ]** 구조의 다원자 분자(CO_2, CH_4, BCl_3 등)는 무극성 분자이다.
* 극성 분자: 서로 **❷ [   ]** 원소로 이루어진 이원자 분자(HCl, CO 등)와 비대칭 구조의 다원자 분자(H_2O, NH_3, HCN, CH_3Cl 등)는 극성 분자이다.
* 직선형 구조를 가지는 분자는 모든 원자가 동일 평면에 존재한다.
* 사면체 구조를 가지는 분자는 모든 원자가 동일 평면에 존재하지 않으므로 입체 구조이다.

답 ❶ 대칭 ❷ 다른

자료 해석

* CH_2O, C_2H_2, CH_2Cl_2의 분자 구조와 성질은 다음과 같다.

O ‖ C H H	Cl | H⫴⫴C | Cl H	H—C≡C—H
평면 구조, 극성 분자	입체 구조(사면체), 극성 분자	직선형 구조, 무극성 분자

* CH_2Cl_2에서 C의 전기 음성도가 H보다 크므로 H—C의 결합에서는 C 쪽으로 전자가 치우쳐 있고, Cl의 전기 음성도가 C보다 크므로 C—Cl의 결합에서는 Cl 쪽으로 전자가 치우쳐 있다. ➡ 분자 전체적으로는 H 원자가 있는 쪽보다 Cl 원자가 있는 쪽이 부분적인 음전하(δ^-)를 나타내는 극성 분자이다.

→ 쌍극자 모멘트의 합≠0

* CH_2O와 C_2H_2, CH_2Cl_2의 분류 기준으로 '이중 결합이 있는가?'는 적당하다.
  (가) 이중 결합이 있는가?
  • 예: ❸   / • 아니요: C_2H_2, CH_2Cl_2
* 모든 구성 원자가 동일 평면에 있는가?
  • 예: CH_2O, C_2H_2 / • 아니요: ❹
* 극성 분자인가?
  • 예: CH_2O, CH_2Cl_2 / • 아니요: ❺

📋 ❸ CH_2O ❹ CH_2Cl_2 ❺ C_2H_2

Point 해설

ㄱ. '이중 결합이 있는가?'는 (가)로 적절하다.

ㄴ. ⓒ에 해당하는 분자는 1가지이고, ⓒ에 해당하는 분자는 2가지이다.

ㄷ. ㉠과 ㉣에 공통으로 해당하는 분자는 C_2H_2이다.

📋 ①

전략 비법 노트

• 분자의 중심을 기준으로 **대칭**이면, 결합의 쌍극자 모멘트 합＝0 ➡ **무극성 분자**

• 분자의 중심을 기준으로 **비대칭**이면, 결합의 쌍극자 모멘트 합≠0 ➡ **극성 분자**

수능 전략 Key 분자 모형과 분자식을 보고 분자의 구조 및 성질을 파악할 수 있어야 한다.

다음은 CO_2와 OF_2의 분자 모형을 만드는 탐구 활동이다.

| 탐구 자료 |

(가) 둥근 홈이 있는 나무틀에 크기가 다른 스타이로폼 공을 넣고 열선 커터기로 자른다.

스타이로폼 공   열선 커터기

나무틀

(나) 자른 큰 공의 다른 면을 자른 후 작은 공 2개를 붙여서 분자 모형 A를 완성한다.

(다) (가)와 (나)의 과정을 반복하여 분자 모형 B를 완성한다.

| 탐구 결과 |

비대칭 구조   대칭 구조

A   B

분자 모형 B에 해당하는 물질이 A에 해당하는 물질보다 더 큰 값을 갖는 것만을 | 보기 |에서 있는 대로 고른 것은?

┌ 보기 ┌
ㄱ. 결합각
ㄴ. 쌍극자 모멘트
ㄷ. 비공유 전자쌍 수

① ㄱ   ② ㄴ   ③ ㄱ, ㄷ   ④ ㄴ, ㄷ   ⑤ ㄱ, ㄴ, ㄷ

개념 꼭!

* 분자의 구조가 ❶ [   ]이면, 쌍극자 모멘트가 0이고, 무극성 분자이다.

* 분자의 구조가 ❷ [   ]이면, 쌍극자 모멘트가 0보다 크고, 극성 분자이다.

답 ❶ 대칭 ❷ 비대칭

자료 해석

* OF_2의 분자 구조와 성질은 다음과 같다.

$$\ddot{\text{F}} \diagdown \overset{\displaystyle \ddot{\text{O}}}{} \diagup \ddot{\text{F}}$$

- ❸⬚⬚⬚ 구조이며 쌍극자 모멘트 합이 0보다 크므로 극성 분자이다.

- 공유 전자쌍 수는 2개이고, 비공유 전자쌍 수는 8개이다.

- 중심 원자에 비공유 전자쌍이 2개이고 공유 전자쌍이 2개이므로 결합각은 약 ❹⬚⬚⬚이다.

→ A는 OF_2이다.

* CO_2의 분자 구조와 성질은 다음과 같다.

$$\ddot{\text{O}} = \text{C} = \ddot{\text{O}}$$

- ❺⬚⬚⬚ 구조이며 쌍극자 모멘트 합이 0이므로 무극성 분자이다.

- 공유 전자쌍 4개, 비공유 전자쌍 4개이다.

- 중심 원자에 공유 전자쌍이 4개인데, 양쪽으로 2개씩 존재하므로, 결합각은 ❻⬚⬚⬚이다.

→ B는 CO_2이다.

답 ❸ 굽은 형 ❹ $104.5°$ ❺ 직선형 ❻ $180°$

Point 해설

㉠ 결합각은 A가 $104.5°$, B가 $180°$이므로 $A<B$이다.

ㄴ. 쌍극자 모멘트가 A는 0보다 크고 B는 0이므로 $A>B$이다.

ㄷ. 비공유 전자쌍 수는 A 8개, B 4개이므로 $A>B$이다.

답 ①

전략 비법 노트

- 공유 전자쌍은 공유 결합하고 있는 두 원자의 핵에 모두 끌리지만, 비공유 전자쌍은 중심 원자의 핵에만 끌림 → 비공유 전자쌍이 공유 전자쌍보다 더 넓은 공간을 차지

- **공유 전자쌍** 사이의 반발력<**공유 전자쌍과 비공유 전자쌍** 사이의 반발력<**비공유 전자쌍** 사이의 반발력

- 중심 원자에 비공유 전자쌍 수가 많을수록 결합각이 작아짐 → 결합각이 $CH_4 - 109°$, $NH_3 - 107°$, $H_2O - 104.5°$임

08 분자의 구조와 극성(3)

수능 전략 Key 화학물에서 결합하고 있는 원자 수 비율을 통하여 미지의 원소가 무엇인지 찾고, 분자의 성질 및 결합의 극성을 파악할 수 있어야 한다.

그림은 서로 다른 화합물 (가)~(다)를 구성하는 원소의 종류와 양(mol)의 비율을 각각 나타낸 것이다. X~Z는 2주기 원소이다.

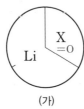 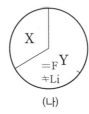 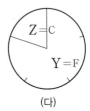

(가)   (나)   (다)

이에 대한 옳은 설명만을 |보기|에서 있는 대로 고른 것은? (단, X ~ Z는 임의의 원소 기호이다.)

┌─ 보기 ┌
ㄱ. X, Y, Z는 옥텟 규칙을 만족한다.
   O   F   C
ㄴ. (다)는 극성 분자이다.
ㄷ. (가)와 (나)에서 X는 부분적인 음전하를 나타낸다.

① ㄱ   ② ㄴ   ③ ㄱ, ㄷ   ④ ㄴ, ㄷ   ⑤ ㄱ, ㄴ, ㄷ

개념 꼭!
* 금속과 비금속이 결합하면 [❶   ] 물질이다.
* 비금속과 비금속이 결합하면 [❷   ] 물질이다.

답 ❶ 이온 결합 ❷ 공유 결합

자료 해석

구분	(가)	(나)	(다)
원자 수비	Li : X=2 : 1	X : Y=1 : 2	Z : Y=1 : 4
화합물	Li_2O	OF_2	CF_4

* (가): Li은 전자를 1개 잃어 1가 양이온이 되고, 화합물을 이루는 원자 수비가 Li : X=2 : 1이므로, X는 전자를 2개 얻어 2가 음이온이 된다. ➔ 2주기에서 2가 음이온이 되는 원소는 [❸   ]이다.

* (나): X와 Y가 원자 수비 1 : 2로 결합하는데, X가 비금속이므로 Y가 금속이면 이온 결합을 하고, Y가 비금속이면 공유 결합을 한다.

  – (나)가 이온 결합을 하면, Y가 Li이어야 하는데, 그러면 (가)와 (나)가 동일한 물질이 된다. ➡ Y는 Li이 아니다.

  – (나)가 공유 결합 물질이면 Y가 F일 경우 ❹ [ ]가 된다. 즉 원자 수비 X : Y = 1 : 2로 결합하여 옥텟 규칙을 만족하게 된다.

* (다): 화합물을 이루는 원자 수비가 Z : Y = 1 : 4이면서 옥텟 규칙을 만족하는 것은 ❺ [ ]일 때이다. 따라서 Z는 탄소(C)이다.

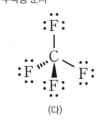

이온 결합 화합물

(가)

• O−F 결합: 극성 공유 결합
• 쌍극자 모멘트 ≠ 0
→ 극성 분자

(나)

• C−F 결합: 극성 공유 결합
• 쌍극자 모멘트 = 0
→ 무극성 분자

(다)

답 ❸ 산소(O) ❹ OF_2 ❺ CF_4

Point 해설

㉠ 화합물 (가)~(다)에서 X, Y, Z는 각각 산소, 플루오린, 탄소로 모두 옥텟 규칙을 만족한다.

ㄴ. (다)는 CF_4로 대칭 구조이며 쌍극자 모멘트가 0이므로 무극성 분자이다.

ㄷ. (가)는 Li_2O이고 (나)는 OF_2이다. Li_2O에서 X(산소)는 부분적인 음전하를 나타내지만, OF_2에서 X(산소)는 부분적인 양전하를 나타낸다.

답 ①

전략 비법 노트

● 안정한 화합물에서 **옥텟 규칙을 만족하는 2주기 원소** ➡ C, N, O, F
● 같은 주기 원소의 전기 음성도 ➡ **원자 번호가 클수록** 대체로 커짐
● 전기 음성도 ➡ C (2.5)< N (3.0)< O (3.5)< F (4.0)

분자의 구조와 성질(1)

분자식을 보고 분자의 구조 및 성질을 파악할 수 있어야 하고, 분자들을 기준에 맞게 분류할 수 있어야 한다.

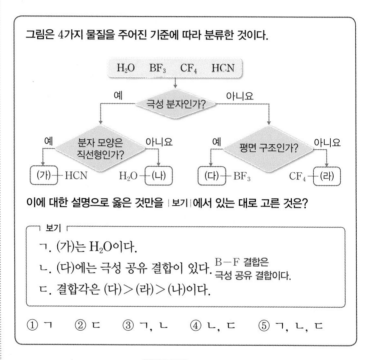

그림은 4가지 물질을 주어진 기준에 따라 분류한 것이다.

이에 대한 설명으로 옳은 것만을 |보기|에서 있는 대로 고른 것은?

> 보기
>
> ㄱ. (가)는 H_2O이다.
> ㄴ. (다)에는 극성 공유 결합이 있다. $B-F$ 결합은 극성 공유 결합이다.
> ㄷ. 결합각은 (다) > (라) > (나)이다.

① ㄱ   ② ㄷ   ③ ㄱ, ㄴ   ④ ㄴ, ㄷ   ⑤ ㄱ, ㄴ, ㄷ

* 쌍극자 모멘트의 합이 0이면 **❶ [　　　]** 분자이다.

* 메테인(CH_4): $C-H$ 결합이 극성 공유 결합이지만, 비공유 전짜쌍이 없고 분자가 대칭 구조이므로 쌍극자 모멘트 합이 0이다. 따라서 무극성 분자이다.

* 이산화 탄소(CO_2): $C-O$ 결합이 극성 공유 결합이지만 중심 원자 C에 비공유 전자쌍이 없고 분자가 대칭 구조이므로 쌍극자 모멘트 합이 0이다. 따라서 무극성 분자이다.

* 분자 구조를 파악할 때 **❷ [　　　]** 전자쌍은 제외하고 생각한다.

* 암모니아(NH_3): 비공유 전자쌍 1개, $N-H$는 극성 공유 결합이므로 분자는 비대칭 구조이고 쌍극자 모멘트 합이 0이 아니다. 따라서 극성 분자이다.

* 물(H_2O): 비공유 전자쌍 2개, $O-H$는 극성 공유 결합이므로 분자는 비대칭 구조이고 쌍극자 모멘트 합이 0이 아니다. 따라서 극성 분자이다.

🔑 ❶ 무극성 ❷ 비공유

자료 해석

* H_2O, BF_3, CF_4, HCN의 분자 구조와 성질은 다음과 같다.

(가)	(나)	(다)	(라)
$H-C\equiv N:$	$104.5°$ 구조 (H_2O)	BF_3 구조	CF_4 구조
평면 구조	평면 구조	평면 구조	입체 구조
직선형	굽은 형	평면 삼각형	정사면체
극성 분자	극성 분자	무극성 분자	무극성 분자
결합각: 180°	결합각: 104.5°	결합각: 120°	결합각: 109.5°

* 극성 분자인가? → 분자의 **❸**   의 합이 0이 아닌가?

  • 예 — H_2O, HCN / • 아니요 — BF_3, CF_4

* 분자 모양은 직선형인가?

  • 예 — **❹**   / • 아니요 — H_2O, BF_3, CF_4

* 평면 구조인가?

  • 예 — H_2O, BF_3, HCN / • 아니요 — **❺**

  → (가)는 HCN, (나)는 H_2O, (다)는 BF_3, (라)는 CF_4이다.

답 ❸ 쌍극자 모멘트 ❹ HCN ❺ CF_4

Point 해설

ㄱ. (가)는 HCN이다.

ⓛ (다)는 BF_3로 평면 삼각형 구조이며, B−F 결합은 극성 공유 결합이다.

ⓒ 결합각은 (나)는 H_2O로 104.5°, (다)는 BF_3로 120°, (라)는 CF_4로 109.5° 이므로 결합각의 크기를 비교하면 (다)>(라)>(나)이다.

답 ④

전략 비법 노트

● 화합물에서 중심 원자에 비공유 전자쌍이 있을 때 → **극성 분자**

● 화합물에서 중심 원자에 비공유 전자쌍이 없고, 중심 원자와 결합한 원자의 종류가 같고 단일 결합뿐 → **무극성 분자**

수능 전략 Key 분자의 구조식을 보고 분자의 성질과 결합각, 전자쌍의 수를 파악할 수 있어야 한다.

그림은 분자 (가)와 (나)의 구조식을 나타낸 것이다.

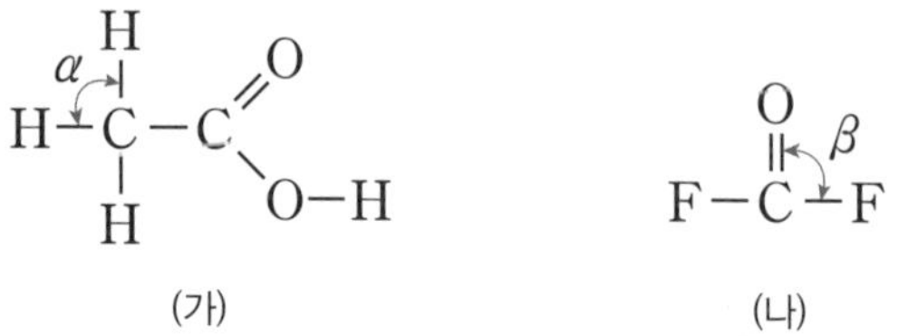

(가)

(나)

이에 대한 설명으로 옳은 것만을 |보기|에서 있는 대로 고른 것은?

┌ 보기 ┐

ㄱ. (나)는 평면 구조이다.

ㄴ. 결합각은 $\alpha = \beta$이다.

ㄷ. $\dfrac{\text{공유 전자쌍 수}}{\text{비공유 전자쌍 수}}$ 는 (가)가 (나)의 4배이다.

① ㄱ　　② ㄴ　　③ ㄱ, ㄷ　　④ ㄴ, ㄷ　　⑤ ㄱ, ㄴ, ㄷ

개념 꼭!

* 결합의 극성은 원자와 원자 간의 전기 음성도 차이로 판단한다.

* 분자의 극성은 분자 내 모든 결합의 쌍극자 모멘트의 합으로 판단한다.

* 탄소 원자에 단일 결합만 존재할 때는 **❶**　　　　를 형성한다.

* 탄소 원자에 이중 결합이 존재할 때는 **❷**　　　　를 형성한다.

* 분자 안에서 산소 원자는 **❸**　　　　의 공유 전자쌍과 2개의 비공유 전자쌍을 형성하여 옥텟 규칙을 만족한다.

* 직선형의 무극성 분자: H_2, N_2, O_2, Cl_2, CO_2, BeH_2, $H-C\equiv C-H$ 등

* 직선형의 극성 분자: HCl, $H-C\equiv N$ 등

* 중심 원자에 비공유 전자쌍이 없는 무극성 분자: BeH_2, BCl_3, CH_4 등

* 중심 원자에 비공유 전자쌍이 있는 극성 분자: NH_3, PH_3, H_2O, H_2S, OF_2 등

* 중심 원자에 다중 결합이 포함된 분자: 무극성 - CO_2, C_2H_4 / 극성 - HCN 등

답 ❶ 입체 구조 **❷** 평면 구조 **❸** 2개

자료 해석

* CH_3COOH, COF_2의 분자 구조와 성질은 다음과 같다.

구분	(가) CH_3COOH	(나) COF_2	중심 원자에 비공유 전자쌍이 없고, 2종류 3개의 원자와 공유 결합, 쌍극자 모멘트 합$\neq$0
구조식			
분자의 구조	입체 구조	평면 구조	
분자의 극성	❹ □ 분자	극성 분자	
결합각	$\alpha \fallingdotseq 109.5°$	$\beta \fallingdotseq$ ❺ □ °	
공유 전자쌍	8	4	
비공유 전자쌍	4	8	

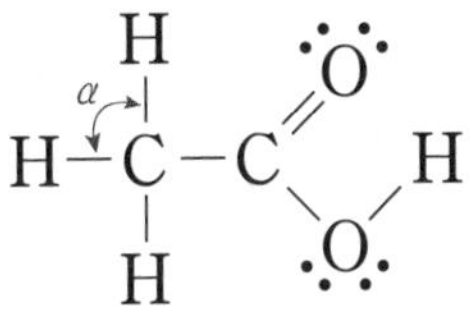

* (가)의 $\dfrac{\text{공유 전자쌍 수}}{\text{비공유 전자쌍 수}} = \dfrac{8}{4} = 2$이고, (나)의 $\dfrac{\text{공유 전자쌍 수}}{\text{비공유 전자쌍 수}} = \dfrac{4}{8} = \dfrac{1}{2}$이다.

답 ❹ 극성 ❺ 120

Point 해설

ㄱ. (나)는 중심 원자 C에 비공유 전자쌍이 없고 3개의 원자와 결합하므로 평면 구조이다.

ㄴ. 결합각은 α는 약 $109.5°$이고, β는 약 $120°$이므로 $\alpha < \beta$이다.

ㄷ. $\dfrac{\text{공유 전자쌍 수}}{\text{비공유 전자쌍 수}}$ 는 (가)는 $\dfrac{8}{4}$, (나)는 $\dfrac{4}{8}$이므로 (가)가 (나)의 4배이다.

답 ③

전략 비법 노트

● 탄소 원자가 **4개의 단일 결합**을 가질 때 **사면체의 입체 구조** → **결합각 $109.5°$**
● 탄소 원자가 **2개의 단일 결합**과 **1개의 이중 결합**을 가질 때 **삼각 평면 구조** → **결합각 약 $120°$**

수능 전략 Key 분자식을 보고 분자의 구조 및 성질을 파악할 수 있어야 한다.

다음은 3가지 분자 Ⅰ~Ⅲ에 대한 자료이다.

- 분자식

Ⅰ	Ⅱ	Ⅲ
CH_4	NH_3	HCN

- Ⅰ~Ⅲ의 특성을 나타낸 벤 다이어그램

(가): Ⅰ과 Ⅱ만의 공통된 특성

(나): Ⅰ과 Ⅲ만의 공통된 특성

(다): Ⅱ와 Ⅲ만의 공통된 특성

이에 대한 설명으로 옳은 것만을 |보기|에서 있는 대로 고른 것은?

> **보기**
>
> ㄱ. '단일 결합만 존재한다.'는 (가)에 속한다.
>
> ㄴ. '공유 전자쌍 수가 4이다.'는 (나)에 속한다.
>
> ㄷ. '쌍극자 모멘트가 0이다.'는 (다)에 속한다.

① ㄱ ② ㄷ ③ ㄱ, ㄴ ④ ㄴ, ㄷ ⑤ ㄱ, ㄴ, ㄷ

개념 꼭!

* 직선형(예 CO_2) 또는 굽은 형(예 H_2O) 구조인 분자는 모든 원자가 **❶** 에 존재한다.

* 삼각뿔형(예 NH_3) 또는 사면체 구조인 분자는 모든 원자가 동일 평면에 존재하지는 않으므로 **❷** 이다.

* 무극성 공유 결합으로만 이루어진 분자는 무극성 분자이다.

* 극성 공유 결합을 하지만 대칭 구조를 이루어 쌍극자 모멘트 합이 0인 분자는 무극성 분자이다.

* 극성 공유 결합을 하며 비대칭 구조인 분자는 극성 분자이다.

답 ❶ 동일 평면 ❷ 입체 구조

자료 해석

* CH_4, NH_3, HCN 분자의 구조와 성질

구분	I CH_4	II NH_3	III HCN
구조식	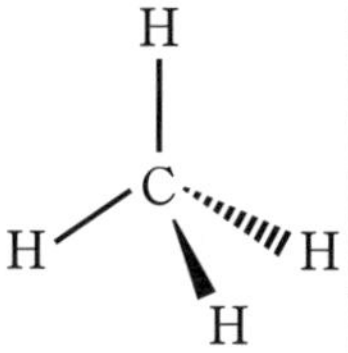	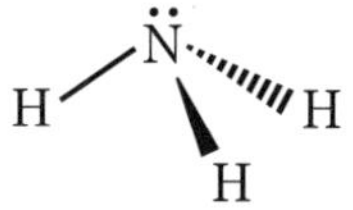	$H-C\equiv N:$
분자의 구조와 성질	입체 구조(정사면체), 쌍극자 모멘트 $=0$, 무극성 분자	입체 구조(❸), 쌍극자 모멘트 $\neq 0$, 극성 분자	평면 구조(직선형), 쌍극자 모멘트 $\neq 0$, 극성 분자

* $CH_4(I)$, $NH_3(II)$, $HCN(III)$의 특성 비교

(가)	I 과 II의 공통점	• 단일 결합만 존재한다. • 입체 구조이다.
(나)	I 과 III의 공통점	• 공유 전자쌍 수가 ❹ 이다.
(다)	II와 III의 공통점	• 극성 분자이다. • 비공유 전자쌍 수가 1이다.

* I, II, III의 공통점: ❺ 공유 결합을 한다.

답 ❸ 삼각뿔형 ❹ 4 ❺ 극성

Point 해설

㉠ '단일 결합만 존재한다.'는 (가)에 속한다.

㉡ '공유 전자쌍 수가 4이다.'는 (나)에 속한다.

ㄷ. 쌍극자 모멘트가 0이면 무극성 분자인데, (다)는 극성 분자이므로 '쌍극자 모멘트가 0이다.'는 (다)에 속하지 않는다.

답 ③

전략 비법 노트

• 쌍극자 모멘트 0 → 무극성 분자
• 직선형 구조와 굽은 형 구조 → 평면 구조
• 삼각뿔형, 정사면체형, 정팔면체형 → 입체 구조

12 동적 평형

동적 평형이 일어날 때 겉보기에는 변화가 일어나지 않는 것처럼 보이지만 서로 반대 방향의 변화가 같은 속도로 일어나고 있음을 알고 있어야 한다.

다음은 설탕의 용해에 대한 실험이다.

| 실험 과정 |

(가) 25 °C의 물이 담긴 비커에 충분한 양의 설탕을 넣고 유리 막대로 저어 준다.

(나) 시간에 따른 비커 속 고체 설탕의 양을 관찰하고 설탕 수용액의 몰 농도(M)를 측정한다.

| 실험 결과 |

시간	t	$4t$	$8t$
관찰 결과			
설탕 수용액의 몰 농도(M)	$\frac{2}{3}a$	x	

• $4t$일 때 설탕 수용액은 용해 평형에 도달하였다.

이에 대한 설명으로 옳은 것만을 |보기|에서 있는 대로 고른 것은? (단, 온도는 25 °C로 일정하고, 물의 증발은 무시한다.)

┌ 보기 ┌

ㄱ. $x > \frac{2}{3}a$이다.

ㄴ. t에서 설탕의 용해 속도는 석출 속도와 같다.

ㄷ. $8t$에서 설탕의 석출 속도는 0이다.

① ㄱ ② ㄷ ③ ㄱ, ㄴ ④ ㄴ, ㄷ ⑤ ㄱ, ㄴ, ㄷ

* 설탕의 용해 과정에서 동적 평형에 이르기 전까지는 용해 속도＞석출 속도이다.

* 용해 평형을 이루고 있을 때 용해 속도와 석출 속도는 ❶ [   ].   답 ❶ 같다

자료 해석

시간	t	$4t$ 동적 평형	$8t$ 동적 평형
관찰 결과	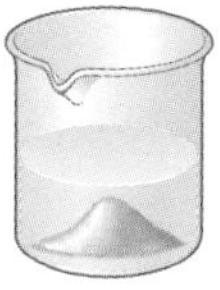	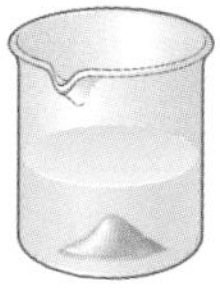	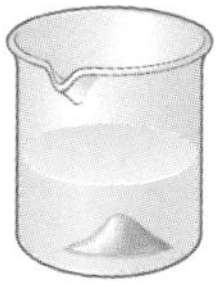
설탕 수용액의 몰 농도(M)	$\dfrac{2}{3}a$	$x > \dfrac{2}{3}a$	
용해 속도와 석출 속도의 비교	용해 속도 > 석출 속도	용해 속도 = 석출 속도	용해 속도 = 석출 속도

* $4t$ 이후 용액은 동적 평형 상태이므로 $8t$ 에서도 ❷ [ ] 상태이다. 즉, $8t$ 에서 겉보기에는 변화가 없지만 용해와 석출이 계속 일어나고 있으므로 석출 속도는 ❸ [ ] 이 아니다.

* t 에서는 아직 용해 평형 상태에 도달하지 않았으므로 설탕이 더 용해될 수 있다.
  → $4t$ 에서의 몰 농도 x 는 $\dfrac{2}{3}a$ 보다 크다.

* 아직 용해 평형에 도달하지 못한 t 에서는 용해 속도가 석출 속도보다 ❹ [ ]. $4t$ 일 때 용해 평형에 도달하였으므로 $4t$ 이후에는 항상 용해 속도와 석출 속도가 같다.

目 ❷ 동적 평형 ❸ 0 ❹ 크다

Point 해설

ㄱ. $4t$ 에 이를 때까지는 설탕이 계속 녹아 들어가므로 설탕 수용액의 몰 농도가 계속 커진다. 따라서 $x > \dfrac{2}{3}a$ 이다.

ㄴ. t 는 $4t$ 에 이르기 전이므로 용해 평형에 도달하지 않은 상태이다. 따라서 t 에서 설탕의 용해 속도는 석출 속도보다 크다.

ㄷ. 용해 평형에서 용해와 석출은 계속 일어나므로 $8t$ 에서 설탕의 석출 속도는 0이 아니다.

目 ①

전략 비법 노트

● **동적 평형** → 정반응과 역반응의 속도가 같다. → **속도 ≠ 0, 농도 일정**
● **동적 평형** → 겉보기에는 변화가 없지만 **정반응과 역반응이 모두 일어남**

13 산과 염기의 정의

아레니우스의 산 염기 정의와 브뢴스테드·로리의 산 염기 정의를 이해하고 다양한 화학 반응에서 각 물질이 아레니우스의 산 염기 및 브뢴스테드·로리의 산 염기 중 어느 것에 해당하는지 알아야 한다.

다음은 산 염기 반응 (가)~(다)의 화학 반응식이다.

(가) $HCN(g) + H_2O(l) \rightleftharpoons CN^-(aq) + H_3O^+(aq)$

(나) $HCO_3^-(aq) + H_2O(l) \rightleftharpoons H_2CO_3(aq) + OH^-(aq)$

(다) $(CH_3)_3N(aq) + HI(aq) \rightleftharpoons (CH_3)_3NH^+(aq) + I^-(aq)$

이에 대한 설명으로 옳은 것만을 |보기|에서 있는 대로 고른 것은?

┌ 보기 ┌
ㄱ. (가)에서 HCN은 아레니우스 산이다.
ㄴ. (다)에서 $(CH_3)_3N$은 브뢴스테드·로리 염기이다.
ㄷ. (가)와 (나)에서 H_2O은 양쪽성 물질로 작용한다.

① ㄱ ② ㄴ ③ ㄱ, ㄷ ④ ㄴ, ㄷ ⑤ ㄱ, ㄴ, ㄷ

---

* 아레니우스 산 염기 정의: 아레니우스 산은 수용액에서 수소 이온(H^+)을 내놓는 물질이고, 아레니우스 염기는 수용액에서 **❶ [   ]** 을 내놓는 물질이다.

* 아레니우스의 산 염기 정의의 한계: 수용액에서 일어나는 반응에만 적용할 수 있다. 또한, 수용액에서 수소 이온이나 수산화 이온을 직접 내놓지 않는 물질(예 암모니아(NH_3))에는 적용할 수 없다.

* 아레니우스 산의 예

   $HCl(aq) \longrightarrow H^+(aq) + Cl^-(aq)$

   $CH_3COOH(aq) \longrightarrow H^+(aq) + CH_3COOH^-(aq)$

* 아레니우스 염기의 예

   $NaOH(aq) \longrightarrow Na^+(aq) + OH^-(aq)$

   $Ca(OH)_2(aq) \longrightarrow Ca^{2+}(aq) + 2OH^-(aq)$

* 브뢴스테드·로리 산 염기 정의: 브뢴스테드·로리 산은 수소 이온(H^+)을 주는 물질이고, 브뢴스테드·로리 염기는 **❷ [   ]** 을 받는 물질이다.

* 브뢴스테드 · 로리의 산 염기 정의를 이용하면 수소 이온(H^+)이 실제로 하이드로늄 이온(H_3O^+) 형태로 존재하는 현상을 설명할 수 있다.
* 양쪽성 물질 : 반응 조건에 따라 산으로 작용하기도 하고, 염기로 작용하기도 하는 물질이다.
* $NH_3(g) + H_2O(l) \longrightarrow NH_4^+(aq) + OH^-(aq)$ ……㉠

  ㉠ 반응에서 물(H_2O)은 산으로 작용한다.
* $HCl(g) + H_2O(l) \longrightarrow H_3O^+(aq) + Cl^-(aq)$ ……㉡

  ㉡ 반응에서 물(H_2O)은 염기로 작용한다.

🔑 ❶ 수산화 이온(OH^-) ❷ 수소 이온(H^+)

자료 해석

* (가)에서 HCN는 물에 녹아 수소 이온(H^+)을 내놓으므로 아레니우스 산이다.

$$HCN \rightleftharpoons H^+ + CN^-$$

* (다)에서 $(CH_3)_3N$은 물에 녹아 수소 이온(H^+)을 받으므로 브뢴스테드 · 로리 염기이다.
* H_2O는 (가)에서 브뢴스테드 · 로리 염기로, (나)에서는 브뢴스테드 · 로리 산으로 작용한다. ➡ H_2O는 (가)에서 염기로 작용하고 (나)에서 산으로 작용하므로 H_2O는 ❸ □□□□ 이다.

🔑 ❸ 양쪽성 물질

Point 해설

㉠ (가)에서 HCN은 물에 녹아 수소 이온(H^+)을 내놓으므로 아레니우스 산이다.
㉡ (다)에서 $(CH_3)_3N$은 HI로부터 수소 이온(H^+)을 받으므로 브뢴스테드 · 로리 염기이다.
㉢ H_2O는 (가)에서는 염기로, (나)에서는 산으로 작용하므로 양쪽성 물질이다.

🔑 ⑤

전략 비법 노트

● 아레니우스 산 염기 정의에서 **산** → 수용액에서 **수소 이온(H^+)** 주개
● 아레니우스 산 염기 정의에서 **염기** → 수용액에서 **수산화 이온(OH^-)** 주개
● 브뢴스테드 · 로리 산 염기 정의에서 **산** → 양성자(H^+) 주개
● 브뢴스테드 · 로리 산 염기 정의에서 **염기** → 양성자(H^+) 받개

14 물의 자동 이온화와 pH

물의 자동 이온화와 물의 이온화 상수 개념을 알고 있어야 하고, 25 °C 물에서 물의 이온화 상수(K_w)는 1×10^{-14}로 일정함을 알아야 한다. 또, pH, pOH의 정의 및 이들과 $[H_3O^+]$의 관계를 알아야 한다. 25 °C의 물에서 pH와 pOH의 합은 14로 일정하다.

표는 25 °C 수용액 (가)와 (나)에 대한 자료이다. (가)와 (나)는 각각 HCl(aq), NaOH(aq) 중 하나이다.

수용액	몰 농도(M)	pH	부피(mL)
(가)	100a	3x	V
(나)	a	x	2V

이에 대한 설명으로 옳은 것만을 |보기|에서 있는 대로 고른 것은? (단, 25 °C에서 물의 이온화 상수(K_w)는 1×10^{-14}이다.)

┌─ 보기 ─────────────────────────

ㄱ. a는 1×10^{-2}이다.

ㄴ. pOH는 (나)가 (가)의 5배이다.

ㄷ. $\dfrac{\text{(가)에서 OH}^- \text{의 양(mol)}}{\text{(나)에서 H}^+ \text{의 양(mol)}} = \dfrac{1}{50}$이다.

───────────────────────────────

① ㄱ ② ㄴ ③ ㄱ, ㄷ ④ ㄴ, ㄷ ⑤ ㄱ, ㄴ, ㄷ

---

* 물의 자동 이온화: 순수한 물에서 매우 적은 양의 물 분자끼리 수소 이온(H^+)을 주고받아 하이드로늄 이온(H_3O^+)과 수산화 이온(OH^-)으로 이온화하는 현상이다.

* 물의 자동 이온화로 생성된 하이드로늄 이온(H_3O^+)의 몰 농도와 수산화 이온(OH^-)의 몰 농도의 곱 $K_w = [H_3O^+][OH^-]$을 물의 이온화 상수(K_w)라고 한다.

* 25 °C의 물에서 물의 이온화 상수(K_w)는 1×10^{-14}이므로 pH+pOH는 항상 ❶ [   ]이다.

* 수소 이온 농도 지수(pH)는 $-\log[H_3O^+]$으로 pH가 1 작아지면 $[H_3O^+]$는 ❷ [   ]배로 커진다.

* 수용액의 pH가 7이면 중성, pH가 7보다 크면 염기성, pH가 7보다 작으면 산성이다.

답 ❶ 14 ❷ 10

자료 해석

수용액	몰 농도(M)	pH	pOH	부피(mL)
(가)	$100a$ $=1 \times 10^{-2}$	$3x$ $=12$	2	V
(나)	a $=1 \times 10^{-4}$	x $=4$	10	$2V$

* (가)의 pH는 $3x$, (나)의 pH는 x이고 $x \leq 14$인 양수이므로 (가)는 (나)보다 pH가 크다. → (가)는 ❸ _____ , (나)는 $HCl(aq)$이다.

* (가)의 pH가 (나)의 3배이고, NaOH의 몰 농도가 HCl의 몰 농도의 100배가 되기 위해서는 $a=1 \times 10^{-4}$이고, $x=4$이다.

* 수용액 (가)의 몰 농도가 1×10^{-2} M이므로 V mL에는

$$\frac{V \text{ mL}}{1000 \text{ mL/1 L}} \times 10^{-2} \text{ mol/L만큼 } OH^- \text{가 존재한다.}$$

수용액 (나)의 몰 농도가 1×10^{-4} M이므로 $2V$ mL에는

$$\frac{2V \text{ mL}}{1000 \text{ mL/1 L}} \times 10^{-4} \text{ mol/L만큼 } H^+ \text{가 존재한다.}$$

→ $\dfrac{(가)에서 OH^-의 양(mol)}{(나)에서 H^+의 양(mol)} = \dfrac{V \times 10^{-2}}{2V \times 10^{-4}} =$ ❹ _____ 이다.

답 ❸ $NaOH(aq)$ ❹ 50

Point 해설

ㄱ. a는 1×10^{-4}이다.

ㄴ. (가)의 pOH는 2, (나)의 pOH는 10이므로 **pOH는 (나)가 (가)의 5배**이다.

ㄷ. $\dfrac{(가)에서 \textbf{OH}^-의 양\textbf{(mol)}}{(나)에서 \textbf{H}^+의 양\textbf{(mol)}} = 50$이다.

답 ②

전략 비법 노트

● 25 °C의 수용액에서

→ **물의 이온화 상수**$(K_w)=[H_3O^+][OH^-]=1.0 \times 10^{-14}$

→ pH+pOH=14

중화 적정 실험을 통해 농도를 모르는 용액의 농도를 측정하는 실험 방법과 원리를 알아야 하고, 중화 적정에 사용되는 실험 도구에 대해 알고 있어야 한다.

다음은 아세트산(CH_3COOH) 수용액의 몰 농도(M)를 알아보기 위한 실험이다.

| 실험 과정 |

(가) $CH_3COOH(aq)$를 준비한다.

(나) (가)의 수용액 10 mL에 물을 넣어 100 mL 수용액을 만든다.

(다) (나)에서 만든 수용액 ⓐ ㉠ mL를 삼각 플라스크에 넣고 페놀프탈레인 용액을 몇 방울 떨어뜨린다.

(라) 그림과 같이 ㉡ 에 들어 있는 0.1 M $NaOH(aq)$을 (다)의 삼각 플라스크에 한 방울씩 떨어뜨리면서 삼각 플라스크를 흔들어 준다.

농도를 알고 있는 용액이므로 표준 용액이다.

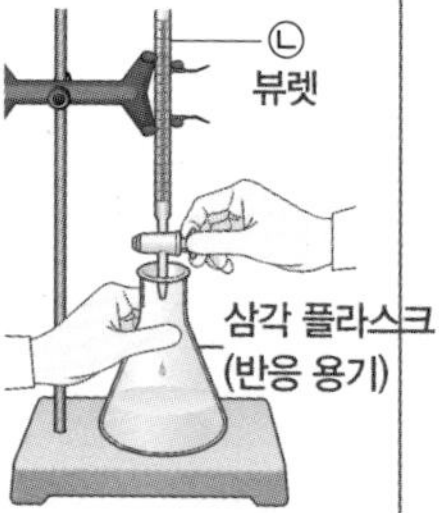

뷰렛

삼각 플라스크 (반응 용기)

(마) (라)의 삼각 플라스크 속 수용액 전체가 붉은색으로 변하는 순간 적정을 멈추고 적정에 사용된 $NaOH(aq)$의 부피(V)를 측정한다.

| 실험 결과 |

· V: 20 mL
· (가)에서 $CH_3COOH(aq)$의 몰 농도: 2 M

다음 중 ㉠과 ㉡으로 옳은 것은? (단, 온도는 25 °C로 일정하다.)

	㉠	㉡		㉠	㉡
①	10	뷰렛	②	10	피펫
③	50	뷰렛	④	50	피펫
⑤	100	뷰렛			

개념 꼭!

* 중화 적정은 **❶** 반응을 이용하여 농도를 모르는 산이나 염기 수용액의 농도를 알아내는 실험이다.

* 중화점에서는 산이 내놓는 H^+의 양(mol)과 **❷** 가 내놓는 OH^-의 양(mol)이 같다.

> 답 ❶ 중화 ❷ 염기

자료 해석

* 미지 용액인 아세트산(CH_3COOH) 수용액의 농도는 자료에 2 M이라고 제시되어 있다. 몰 농도가 2 M이지만 10 mL를 100 mL로 희석하였으므로 적정에 사용된 아세트산 수용액의 몰 농도는 **❸** 이고, 사용된 부피는 ㉠이다. 따라서 아세트산 수용액과 표준 용액인 수산화 나트륨($NaOH$) 수용액 사이에는 다음과 같은 양적 관계가 성립된다.

$$1 \times 0.2 \times ㉠ = 1 \times 0.1 \times 20$$

➡ ㉠ = 10 mL이다.

* 중화 적정에 필요한 주요 실험 기구는 다음과 같다.

피펫	액체의 부피를 정확히 취하여 옮길 때 사용
뷰렛	표준 용액을 미지의 용액에 가하면서 동시에 표준 용액의 부피를 측정하는 데 사용
부피 플라스크	정확한 몰 농도의 표준 용액을 만들 때 사용
삼각 플라스크	농도를 모르는 용액을 넣고, 여기에 뷰렛을 이용해 표준 용액을 넣으면서 반응시키는 반응 용기로 사용

➡ ㉡은 표준 용액 $NaOH(aq)$의 부피를 측정할 때 사용하므로 **❹** 이다.

> 답 ❸ 0.2 M ❹ 뷰렛

Point 해설

• 중화 반응에서 양적 관계로부터 $1 \times 0.2 \times ㉠ = 1 \times 0.1 \times 20$이므로 아세트산 수용액의 부피 ㉠은 **10(mL)**이다.
• 표준 용액을 반응 용기에 넣을 때 사용하는 실험 기구인 ㉡은 뷰렛이다.

> 답 ①

전략 비법 노트

● 중화 반응에서의 양적 관계(n: 산의 가수, M: 산 수용액의 몰 농도, V: 산 수용액의 부피, n': 염기의 가수, M': 염기 수용액의 몰 농도, V': 염기 수용액의 부피)

➡ $nMV = n'M'V'$

● 중화 적정에서 미지 용액에 가해지는 **표준 용액의 부피 측정 시 사용하는 실험 기구** ➡ **뷰렛**

필수 유형

16 산 염기 중화 반응에서 양적 관계(1)

수능 전략 Key 산 염기의 중화 반응에서의 양적 관계를 이해할 수 있다.

표는 HCl(aq), HBr(aq), NaOH(aq)의 부피를 달리하여 혼합한 용액에 대한 자료이다.

혼합 용액		(가)	(나)	(다)
혼합 전 수용액의 부피(mL)	HCl(aq)	30	0	10
	HBr(aq)	0	15	10
	NaOH(aq)	20	10	x
혼합 용액의 액성		중성	산성	염기성
$[Cl^-]+[Br^-]+[OH^-]$ (상댓값)		3	6	5

이에 대한 옳은 설명만을 보기에서 있는 대로 고른 것은? (단, 온도 일정, 혼합 용액 부피는 혼합 전 각 용액 부피의 합과 같으며, 물의 자동 이온화는 무시)

보기

ㄱ. 몰 농도 비는 HBr(aq) : NaOH(aq)$=3:2$이다.

ㄴ. $x=20$이다.

ㄷ. 생성된 물의 양(mol)은 (가)와 (다)에서 같다.

① ㄱ ② ㄷ ③ ㄱ, ㄴ ④ ㄴ, ㄷ ⑤ ㄱ, ㄴ, ㄷ

개념 꼭!

* 혼합 용액의 전체 이온 수

혼합 용액의 액성	혼합 용액의 총 이온 수
산성	총 이온 수=혼합 전 ❶ ( ) 수용액 속의 총 이온 수
염기성	총 이온 수=혼합 전 ❷ ( ) 수용액 속의 총 이온 수
중성	총 이온 수=혼합 전 산 또는 염기 수용액 속의 총 이온 수

* 중화 반응에서 생성된 물 분자 수(W)

혼합 용액의 액성	생성된 물 분자 수(W)
산성	W=혼합 전 염기 수용액 속의 OH^-의 수
염기성	W=혼합 전 산 수용액 속의 H^+의 수
중성	W=혼합 전 산 수용액 속의 H^+ 수 또는 염기 수용액 속의 OH^- 수

답 ❶ 산 ❷ 염기

자료 해석

혼합 용액		(가)	(나)	(다)
혼합 전 수용액의 부피(mL)	$HCl(aq)$	$30=3n$	0	$10=n$
	$HBr(aq)$	0	$15=3n$	$10=2n$
	$NaOH(aq)$	$20=3n$	$10=1.5n$	$x=40 \text{ mL}=2n$
혼합 용액의 액성		중성	산성	염기성
$[Cl^-]+[Br^-]+[OH^-]$ (상댓값)		3	6	5
혼합 용액의 부피(mL)		50	25	$20+x=60$
Cl^-와 Br^-, OH^-의 총 이온 수 (상댓값)		$3n$	$3n$	$6n$
생성된 물 분자 수 (상댓값)		$3n$	$1.5n$	$3n$

* 혼합 용액 (가)의 액성은 ❸ [ ] 이므로 H^+과 OH^-가 존재하지 않는다. 즉 $[Cl^-]+[Br^-]+[OH^-]$은 모두 Cl^-에 의한 것이다. → Cl^-는 $3n$개 존재한다. → Cl^-는 화학 반응에 참여하지 않으므로 HCl 30 mL에는 HCl이 $3n$개가 존재한다. 또한 중성이므로 NaOH 20 mL에도 $3n$개가 존재한다.

* 혼합 용액 (나)는 산성이므로 OH^-이 존재하지 않는다. 즉 $[Cl^-]+[Br^-]+[OH^-]$은 모두 Br^-에 의한 것이므로 HBr 15 mL에는 $3n$개가 존재한다.

* 혼합 용액 (다)는 염기성이므로 OH^-이 존재한다. HCl 10 mL에는 Cl^-가 n개, HBr 10 mL에는 Br^-가 $2n$개 존재한다. NaOH가 40 mL 반응하면 총 용액의 부피는 60 mL이고 Cl^-와 Br^-, OH^-의 총 이온 수는 $6n$개이므로 $[Cl^-]+[Br^-]+[OH^-]=5$이다. 즉 $x=40$이다.

* HCl 30 mL에는 $3n$개가, HBr 15 mL에는 $3n$개가, NaOH 20 mL에는 $3n$개가 존재하므로 농도 비는 HCl : HBr : NaOH $=\dfrac{3n}{30} : \dfrac{3n}{15} : \dfrac{3n}{20}$

$=$ ❹ [ ] 이다. 　　　　　답 ❸ 중성 ❹ 2 : 4 : 3

Point 해설

ㄱ. 몰 농도 비는 HBr : NaOH $=4 : 3$이다. 　　ㄴ. $x=40$이다.

ㄷ. 생성된 물의 양(mol)은 (가)와 (다)에서 같다. 　　　　답 ②

전략 비법 노트

● 중화 반응에서 혼합 용액에서의 총 이온 수 → **혼합 전 이온이 많은 용액이 혼합 용액에서 총 이온 수를 결정**

● 중화 반응에서 생성된 물 분자 수 → **혼합 전 이온이 적은 용액이 혼합 용액에서 새로 생성된 물 분자 수를 결정**

수능 전략 Key 산 염기의 중화 반응에서 양적 관계를 이해할 수 있다.

표는 $HCl(aq)$, $NaOH(aq)$, $KOH(aq)$의 부피를 달리하여 혼합한 용액 (가), (나)에 대한 자료이다.

혼합 용액		(가)	(나)
혼합 전 수용액의 부피(mL)	$HCl(aq)$	10	30
	$NaOH(aq)$	10	20
	$KOH(aq)$	20	20
혼합 용액의 양이온 수비 =면적의 비			

이에 대한 옳은 설명만을 |보기|에서 있는 대로 고른 것은?

┌ 보기 ┌
ㄱ. (가)의 액성은 중성이다.
ㄴ. 단위 부피당 이온 수비는 $HCl(aq)$: $NaOH(aq)$: $KOH(aq)=4 : 2 : 1$이다.
ㄷ. $\dfrac{\text{(나)에서 생성된 물 분자 수}}{\text{(가)에서 생성된 물 분자 수}}$ 는 $\dfrac{3}{2}$이다.

① ㄱ ② ㄷ ③ ㄱ, ㄴ ④ ㄴ, ㄷ ⑤ ㄱ, ㄴ, ㄷ

개념 꼭! *1가 산 염기 수용액의 단위 부피당 이온 수비(농도 비) 찾기
농도 비＝단위 부피당 총 이온 수 비＝단위 부피당 양이온 수 비＝단위 부피당 음이온 수 비

예 HCl 20 mL ＋ NaOH 10 mL의 혼합 용액이 중화점에 도달한 경우에

농도 비(반응 전) : HCl : NaOH＝$\dfrac{1}{20\ mL} : \dfrac{1}{10\ mL}$＝ ❶ ☐

답 ❶ 1:2

자료 해석

* 혼합 용액 (가)는 양이온의 종류가 2가지이므로 **❷** 는 존재하지 않는다. → 존재하는 양이온은 Na^+, K^+ 2가지이다. (나)는 양이온의 종류가 3가지이므로 용액의 액성은 **❸** 이다. ┌혼합 전 $NaOH(aq)$와
└$KOH(aq)$의 부피가 같기 때문

* 혼합 용액 (가)에서 $Na^+ : K^+ = 1 : 1$이므로 $NaOH$와 KOH의 단위 부피당 이온 수비(농도 비)는 $2 : 1$이다. 또한, (나)에서 $Na^+ : K^+$의 이온 수비는 $2 : 1$이다.

* (나)에서 Na^+가 $2a$개 있다고 가정하면 K^+는 a개이다. 그래프에서 $Na^+ : K^+ = 2a : a$가 되려면 ★ 영역이 H^+가 되어야 한다. → 중화 반응 후 H^+가 $3a$개이어야 하고, 반응 전 H^+는 $6a$개이어야 한다.

혼합 용액		(가)	(나)
혼합 전 수용액의 부피(mL)	$HCl(aq)$	10 $\begin{array}{l}H^+\ 2a개\\ Cl^-\ 2a개\end{array}$	30 $\begin{array}{l}H^+\ 6a개\\ Cl^-\ 6a개\end{array}$
	$NaOH(aq)$	10 $\begin{array}{l}Na^+\ a개\\ OH^-\ a개\end{array}$	20 $\begin{array}{l}Na^+\ 2a개\\ OH^-\ 2a개\end{array}$
	$KOH(aq)$	20 $\begin{array}{l}K^+\ a개\\ OH^-\ a개\end{array}$	20 $\begin{array}{l}K^+\ a개\\ OH^-\ a개\end{array}$
혼합 용액의 양이온 수비		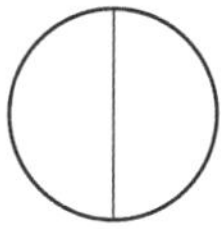 (원그래프)	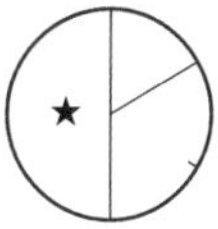 (원그래프 ★)

* 혼합 용액 (가)는 혼합 전 H^+가 $2a$개, OH^-가 $2a$개이므로 혼합 후 용액의 액성은 중성이다.

* HCl 10 mL에는 $2a$개가, $NaOH$ 10 mL에는 a개가, KOH 20 mL에는 a개가 존재하므로 농도 비는 $HCl : HBr : NaOH =$ **❹** 이다.

* (가)에서 중화 반응은 $2a$개만큼, (나)에서 중화 반응은 $3a$개만큼 진행되었다.

답 ❷ H^+ ❸ 산성 ❹ $4 : 2 : 1$

Point 해설

ㄱ (가)의 액성은 중성이다.

ㄴ 단위 부피당 이온 수 비는 $HCl(aq) : NaOH(aq) : KOH(aq) = 4 : 2 : 1$이다.

ㄷ 중화 반응의 진행 정도는 $\dfrac{(나)에서\ 생성된\ 물\ 분자\ 수}{(가)에서\ 생성된\ 물\ 분자\ 수} = \dfrac{3a}{2a} = \dfrac{3}{2}$이다.

답 ⑤

전략 비법 노트

● 중화 반응에서 양적 관계 → **단위 부피 당 총 이온 수는 중화점에서 부피의 역수에 비례**

필수 유형

18 산 염기 중화 반응에서 양적 관계(3)

수능 전략 Key 2가 산 염기의 중화 반응에서 양적 관계를 이해하고 계산할 수 있어야 한다.

다음은 중화 반응 실험이다.

| 자료 |

• 수용액에서 $X(OH)_2$는 X^{2+}와 OH^-으로 모두 이온화된다.

| 실험 과정 |

(가) a M $X(OH)_2(aq)$ V mL와 b M $HCl(aq)$ 40 mL를 혼합하여 용액 Ⅰ을 만든다.

(나) 용액 Ⅰ에 c M $NaOH(aq)$ 20 mL를 혼합하여 용액 Ⅱ를 만든다.

| 실험 결과 |

• 용액 Ⅰ과 Ⅱ에 대한 자료

용액	Ⅰ	Ⅱ
$\frac{\text{음이온의 양(mol)}}{\text{양이온의 양(mol)}}$	$\frac{3}{2}$	$\frac{7}{5}$
모든 이온의 몰 농도의 합(상댓값)	25	24

$\left(\frac{c}{a+b}\right) \times V$는? (단, X는 임의의 원소 기호이고, 혼합 용액의 부피는 혼합 전 각 용액의 부피의 합과 같으며, 물의 자동 이온화는 무시한다.)

① 10 ② 15 ③ 20 ④ 25 ⑤ 30

개념 꼭!

* '농도 비＝단위 부피당 총 이온 수 비＝단위 부피당 양이온 수 비＝단위 부피당 음이온 수 비'가 2가 산 염기의 반응에서는 성립하지 않는다.

* 1가, 2가 산 염기 수용액의 혼합 용액은 전기적으로 ❶ [ ] 이다. 답 ❶ 중성
  ↳ 중화 반응 완결 지점에서

자료 해석

용액	Ⅰ	Ⅱ
$\frac{\text{음이온의 양(mol)}}{\text{양이온의 양(mol)}}$	$\frac{3}{2}=\frac{6}{4}$ ⇒ 전기적으로 중성이 되기 위해서는 +2가의 양이온이 $2n$개 필요 음이온 $6n$개, 양이온 $4n$개	$\frac{7}{5}$ ⇒ 전기적으로 중성이 되기 위해서는 +2가의 양이온이 $2n$개 필요 음이온 $7n$개, 양이온 $5n$개

* a M $X(OH)_2$ V mL에는 $2n$개가 들어 있으므로 혼합 용액 I 에서의 $\dfrac{음이온의\ 양(mol)}{양이온의\ 양(mol)}$이 $\dfrac{3}{2}$이 되기 위해서는 b M HCl 40 mL에는 $6n$개가 존재해야 한다. ➡ 반응 전후 이온 수 변화는 다음과 같다.

용액	혼합 전		혼합 후	
	a M $X(OH)_2$ V mL	b M HCl 40 mL	a M $X(OH)_2$ V mL	b M HCl 40 mL
양이온	X^{2+} $2n$	H^+ $6n$	X^{2+} $2n$	H^+ $2n$
음이온	OH^- $4n$	Cl^- $6n$	OH^- $0n$	Cl^- $6n$

* 혼합 용액 II 에서의 $\dfrac{음이온의\ 양(mol)}{양이온의\ 양(mol)}$이 $\dfrac{7}{5}$이 되기 위해서는 c M NaOH 20 mL에는 $3n$개가 존재해야 한다. ➡ 반응 전후 이온 수 변화는 다음과 같다.

용액	혼합 전			혼합 후		
	a M $X(OH)_2$ V mL	b M HCl 40 mL	c M NaOH 20 mL	a M $X(OH)_2$ V mL	b M HCl 40 mL	c M NaOH 20 mL
양이온	X^{2+} $2n$	H^+ $6n$	Na^+ $3n$	X^{2+} $2n$	H^+ $0n$	Na^+ $3n$
음이온	OH^- $4n$	Cl^- $6n$	OH^- $3n$	OH^- $0n$	Cl^- $6n$	OH^- $1n$

* 혼합 용액 I 에서 총 부피는 $(V+40)$ mL이고 총 이온의 몰 수는 $10n$이며, II 에서 총 부피는 $(V+60)$ mL이고 총 이온의 몰 수는 $12n$이다. 실험 결과에서 몰 농도의 비가 ❸ 이므로

$$\dfrac{10n}{V+40} : \dfrac{12n}{V+60} = 25 : 24이다.$$ 이를 정리하면 $V =$ ❹ mL이다.

* a M $X(OH)_2$ 40 mL에는 $2n$개가, b M HCl 40 mL에는 $6n$개가, c M NaOH 20 mL에는 $3n$개가 존재하므로 이들의 몰 농도 비는 $1 : 3 : 3$이다.

그러므로 $\dfrac{c}{a+b} = \dfrac{3}{4}$이고 $\left(\dfrac{c}{a+b}\right) \times V = 30$이다.

답 ❸ $25:24$ ❹ 40

Point 해설

몰 농도 비는 $a : b : c = 1 : 3 : 3$이고 $V = 40$ mL이므로 $\left(\dfrac{c}{a+b}\right) \times V = 30$ 이다.

답 ⑤

수능 전략 Key
산화수란 어떤 물질에서 각 원자가 산화된 정도를 나타내는 가상적인 전하임을 이해하고, 공유 결합 물질에서의 산화수는 전기 음성도가 큰 원자가 공유 전자쌍을 모두 가진다고 가정한다는 것과 주요 원소의 산화수 또는 가능한 산화수를 알아야 한다.

다음은 분자 (가)~(다)의 루이스 구조식과 자료이다.

$$\begin{array}{ccc} & H & \\ & | & \\ H - & X - H & \\ & \underset{C}{|} & \\ & H & \end{array} \qquad \begin{array}{c} H \\ | \\ H - X = \ddot{Y} \\ \underset{C}{} \quad \underset{O}{} \end{array} \qquad \begin{array}{c} H \\ | \\ H - X - \ddot{Y} - \ddot{Z}: \\ \underset{C}{|} \quad \underset{O}{} \quad \underset{Cl}{} \\ H \end{array}$$

(가)   (나)   (다)

원소: H   C   O   F   Cl
전기 음성도: 2.1 2.5 3.5 4.0 3.0

- X~Z는 2, 3주기 원소이다.
- X의 산화수는 (나)에서가 (가)에서보다 크다.
- Y의 산화수는 (나)에서와 (다)에서 같다.

이에 대한 설명으로 옳은 것만을 |보기|에서 있는 대로 고른 것은? (단, X ~Z는 임의의 원소 기호이다.)

┌ 보기 ┌
ㄱ. (가)에서 X의 산화수는 양수이다.
ㄴ. 전기 음성도는 Y가 Z보다 크다.
ㄷ. Y의 산화수는 YF_2에서와 (나)에서 같다.

① ㄱ   ② ㄴ   ③ ㄱ, ㄷ   ④ ㄴ, ㄷ   ⑤ ㄱ, ㄴ, ㄷ

개념 꼭!
* 물질이 전자를 잃는 반응을 산화, 전자를 얻는 반응을 환원이라고 한다.

* 산화수는 가상적인 전하로, 실제 전하와 구별하여 원소 기호 위쪽에 +1, -1 등으로 표시한다.

* 공유 결합 물질에서의 산화수는 ❶ [   ]가 큰 원자가 공유 전자쌍을 모두 가진다고 가정할 때, 각 구성 원자의 전하가 그 원자의 산화수이다.

* 대부분 화합물에서 수소의 산화수는 +1이고, 산소의 산화수는 ❷ [   ]이다.

답 ❶ 전기 음성도 ❷ -2

자료 해석

$$H-\overset{\overset{\displaystyle H}{|}}{\underset{\underset{\displaystyle H}{|}}{X}}-H \qquad H-\overset{\overset{\displaystyle H}{|}}{X}=\ddot{Y} \qquad H-\overset{\overset{\displaystyle H}{|}}{\underset{\underset{\displaystyle H}{|}}{X}}-\ddot{Y}-\ddot{Z}\mathbin{:}$$

(가)   (나)   (다)

* 수소의 산화수가 $+1$이고, (가)에서 X는 수소 원자 4개와 결합하므로 X의 산화수는 $(-1)\times 4 =$ ❸ [ ]이다.

* X의 산화수가 (나)에서가 (가)에서보다 크다. ➜ X는 H보다는 전기 음성도가 크고 Y보다는 작다. ➜ X의 산화수는 (가)에서 -4, (나)에서 0이다. 그리고 Y의 전기 음성도는 Z보다 크다.

* Y의 산화수가 (나)와 (다)에서 같으므로 Y의 전기 음성도는 X와 Z보다 크다.
  ➜ Y의 산화수는 -2이다. YF_2에서 Y의 산화수는 ❹ [ ]이다.

답 ❸ -4 ❹ $+2$

Point 해설

ㄱ. (가)에서 X의 산화수는 -4로 음수이다.

ㄴ. 전기 음성도는 Y가 Z보다 크다.

ㄷ. Y의 산화수는 YF_2에서 $+2$, (나)에서 -2이므로 YF_2와 (나)에서 같지 않다.

답 ②

전략 비법 노트

- 산화수 ➜ **전자를 1개 잃으면 산화수 1 증가하고, 전자를 1개 가져오면 산화수 1 감소**한다고 가정함

- 공유 결합 물질에서 산화수 ➜ **전기 음성도가 큰 원자가 공유 전자쌍을 모두 가져간**다고 가정함

- 원소 ➜ **원자의 산화수는** 0

- HCl, H_2O, NH_3 등 대부분의 화합물에서 **H의 산화수는** $+1$

- LiH, NaH, BeH_2 등 금속의 수소 화합물에서 **H의 산화수는** -1

- H_2O, MgO, CO_2 등 대부분의 화합물에서 **O의 산화수는** -2

- **산소의 산화수** ➜ H_2O_2에서 -1, OF_2에서 $+2$

- 화합물에서 **F의 산화수는** -1

- 화합물에서 **1족 금속 원소의 산화수는** $+1$, **2족 금속 원소의 산화수는** $+2$

산화 환원 반응식

산화 환원 반응에서 산화된 물질의 증가한 산화수와 환원된 물질의 감소한 산화수는 같다.

다음은 산화 환원 반응 (가)~(다)의 화학 반응식이다.

(가) $2Na + 2H_2O \longrightarrow 2NaOH + H_2$

(나) $Fe_2O_3 + 3CO \longrightarrow 2Fe + 3CO_2$

(다) $aSn^{2+} + 2MnO_4^- + bH^+$
$\longrightarrow cSn^{4+} + 2Mn^{2+} + dH_2O$ ($a \sim d$는 반응 계수)

이에 대한 설명으로 옳은 것만을 |보기|에서 있는 대로 고른 것은?

┌ 보기 ┌
ㄱ. (가)에서 Na는 산화된다.
ㄴ. (나)에서 CO는 환원제이다.
ㄷ. (다)에서 $\dfrac{b+d}{a+c} > 2$이다.

① ㄱ ② ㄴ ③ ㄱ, ㄷ ④ ㄴ, ㄷ ⑤ ㄱ, ㄴ, ㄷ

---

* 산화 반응에서는 산화수가 증가하고 환원 반응에서는 산화수가 감소한다.
* 산화 환원 반응에서 한 원자의 산화수가 증가하면 다른 원자의 산화수는 감소한다.
* 산화 환원 반응식의 계수를 통해 산화된 물질과 환원된 물질의 양적 관계를 알 수 있다.
* 증가한 산화수의 총합과 감소한 산화수의 총합은 ❶ [   ].
* 자신은 환원되면서 다른 물질을 산화시키는 물질을 산화제라고 한다.
* 자신은 산화되면서 다른 물질을 환원시키는 물질을 환원제라고 한다.
* 산화제로 주로 작용하는 물질로 F_2, Cl_2, $KMnO_4$, $HClO_4$ 등이 있다.
* 환원제로 주로 작용하는 물질로 Li, Na, K, CO, $SnCl_3$, H_2S 등이 있다.

답 ❶ 같다

자료 해석

(가) $2Na + 2H_2O \longrightarrow 2NaOH + H_2$

산화 / 환원

(나) $Fe_2O_3 + 3CO \longrightarrow 2Fe + 3CO_2$

환원 / 산화

(다) $aSn^{2+} + 2MnO_4^{-} + bH^{+} \longrightarrow cSn^{4+} + 2Mn^{2+} + dH_2O$

산화 / 환원

$(a \sim d$는 반응 계수)

$a=5$, $b=16$, $c=5$, $d=8$이다.

* (가)에서 Na의 산화수는 0에서 +1로 증가하므로 **❷** [   ]된다.

* (나)에서 Fe_2O_3는 산소를 잃어버리므로 환원된다. 이때 CO는 Fe_2O_3를 환원시키므로 **❸** [   ]로 작용한다

* (다)에서 Sn의 산화수는 +2에서 +4로 2만큼 증가한다. Mn의 산화수는 +7에서 +2로 5만큼 감소한다. 증가한 산화수의 총합과 감소한 산화수의 총합이 같아야 하므로 Sn의 산화수는 10만큼 증가해야 한다. 그러므로 $a=c=5$이다. ➜ 산소 원자 수가 반응 전후에 같도록 d를 정하면 $d=8$이고, 수소 원자 수가 반응 전후에 같도록 b를 정하면 $b=16$이다.

답 ❷ 산화 **❸** 환원제

Point 해설

ㄱ. (가)에서 Na는 산화된다.

ㄴ. (나)에서 CO는 Fe_2O_3를 환원시키므로 환원제이다.

ㄷ. (다)에서 $\dfrac{b+d}{a+c} = \dfrac{16+8}{5+5} = \dfrac{24}{10}$이므로 $\dfrac{b+d}{a+c} > 2$이다.

답 ⑤

전략 비법 노트

● 화학 반응식에서 산화수 ➜ **증가한 산화수의 총합 = 감소한 산화수의 총합**

● 산화 환원 반응식의 계수 맞추기 ➜ 산화 반응과 환원 반응으로 분리한 뒤, **두 반쪽 반응에서 잃거나 얻은 전자의 양이 같음**을 이용해 계수를 맞춤

21 발열 반응과 흡열 반응

수능 전략 Key 발열 반응과 흡열 반응에 따른 에너지 출입과 이로 인해 나타나는 현상을 알아야 하고, 열량계를 이용하여 화학 반응에서 출입하는 열에너지를 측정하고 계산할 수 있어야 한다.

다음은 물질 A와 관련된 실험이다.

| 실험 과정 |

(가) 열량계에 20 °C 물 100 g을 넣는다.

(나) (가)의 열량계에 A w g을 넣고 모두 용해시킨다.

(다) 수용액의 최고 온도를 측정한다.

(라) 20 °C의 물 50 g을 이용하여 과정 (가)~(다)를 수행한다.

| 실험 결과 |

• (다)에서 측정한 수용액의 최고 온도: 23 °C

• (라)에서 측정한 수용액의 최고 온도: t °C

이에 대한 설명으로 옳은 것만을 │보기│에서 있는 대로 고른 것은?

┌ 보기 ┐

ㄱ. 물질 A의 용해 반응은 흡열 반응이다.

ㄴ. $t > 23$이다.

ㄷ. 물질 A의 용해 반응은 손난로를 만드는 데 이용될 수 있다.

① ㄱ   ② ㄴ   ③ ㄱ, ㄷ   ④ ㄴ, ㄷ   ⑤ ㄱ, ㄴ, ㄷ

개념 꼭!

* ❶ [　　　] 반응이 일어나면 주위의 온도가 올라가고, ❷ [　　　] 반응이 일어나면 주위의 온도가 내려간다.

* 화학 반응에서 출입한 열에너지의 양(Q)은 비열(c) × 질량(m) × 온도 변화(Δt)이다.

* 발열 반응에는 연소, 금속과 산의 반응, 산과 염기의 중화 반응 등이 있다.

* 흡열 반응에는 광합성, 열분해, 물의 전기 분해, 질산 암모늄의 용해 등이 있다.

답 ❶ 발열 ❷ 흡열

자료 해석

* 물질 A가 용해될 때 수용액의 온도가 20 °C에서 23 °C로 증가하므로 물질 A가 용해되는 반응은 ❷ [   ] 반응이다. ➡ 발열 반응이 일어나면 반응물과 생성물의 에너지 차이만큼이 열로 방출된다.
* 용매가 20 °C의 물 100 g과 물 50 g으로 달라도 용질의 종류와 양이 물질 A w g으로 일정하므로 화학 반응에서 출입한 열에너지의 양(Q)은 ❸ [   ]. 한편, (라)의 과정에서 물의 질량이 50 g으로 감소하였으므로 전체 용액의 질량은 감소하였다. 또, 비열(c)은 동일하다.

구분	열량	용액의 비열	용액의 질량	용액의 온도 변화
20 °C의 물 100 g에 녹일 때 — (다)	Q_1	c_1	m_1	Δt_1
20 °C의 물 50 g에 녹일 때 — (라)	Q_2	c_2	m_2	Δt_2
(다)와 (라)의 비교	$Q_1 = Q_2$	$c_1 = c_2$	$m_1 > m_2$	$\Delta t_1 < \Delta t_2$

* $Q_1 = Q_2$이고 $c_1 = c_2$이므로 $m_1 \Delta t_1 = m_2 \Delta t_2$이다. 그런데 $m_1 > m_2$이므로 $\Delta t_1 < \Delta t_2$이다. ➡ (다)보다 (라)에서 온도 변화가 더 크게 나타나므로 $t > 23$이다.
* 물질 A의 용해 과정은 발열 반응이므로 손난로를 만드는 데 이용될 수 있다.

답 ❷ 발열 ❸ 같다

Point 해설

ㄱ. 물질 A의 용해 반응은 발열 반응이다.

ㄴ. $t > 23$이다.

ㄷ. 물질 A의 용해 반응은 손난로를 만드는 데 이용될 수 있다.

답 ④

전략 비법 노트

● 열을 방출하는 반응은 발열 반응, 열을 흡수하는 반응은 흡열 반응
● 주위의 **온도가 올라가면 발열 반응**, 주위의 **온도가 내려가면 흡열 반응**
● 발열 반응 ➡ 반응물과 생성물의 에너지 차이만큼 열을 방출하므로 주위의 온도가 높아짐
● **화학 반응에서 출입한 열량의 계산** ➡ $Q = c \times m \times \Delta t$ (Q: 열량, c: 용액의 비열, m: 용액의 질량, Δt: 용액의 온도 변화)

22 화학 반응에서 출입하는 열의 측정

비열과 열용량, 열량의 정의를 알고, 화학 반응에서 출입하는 열량을 계산할 수 있어야 한다.

다음은 스타이로폼 컵 열량계를 이용하여 열의 출입을 측정하는 실험이다.

| 실험 I |

(가) 열량계에 물 48 g을 넣고 온도(t_1)를
측정한다.

(나) (가)에 A(s) 2 g을 넣고 젓개로 저어
완전히 녹인 후 수용액의 최고 온도(t_2)
를 측정한다.

(다) 실험에서 출입한 열량을 계산한다.

| 실험 II |

• 물의 질량을 98 g으로 바꾼 후 (가)~(다)를 수행한다.

| 실험 결과 및 자료 |

실험	물의 질량	t_1	t_2	출입한 열량
I	48 g	22 °C	29 °C	a J
II	98 g	22 °C	x °C	a J

• 실험 I과 II에서 수용액의 비열은 같다.

이에 대한 설명으로 옳은 것만을 |보기|에서 있는 대로 고른 것은? (단, 용해
반응 이외의 반응은 일어나지 않으며, 반응에서 출입하는 열은 열량계 속
수용액의 온도만을 변화시킨다.)

| 보기 |

ㄱ. A(s)가 용해되는 반응은 흡열 반응이다.

ㄴ. 실험 II에서 수용액의 비열(J/g · °C)은
$$\frac{a}{(x-22) \times 100} \text{이다.}$$

ㄷ. $x = 25.5$이다.

① ㄱ   ② ㄴ   ③ ㄱ, ㄷ   ④ ㄴ, ㄷ   ⑤ ㄱ, ㄴ, ㄷ

개념 꼭!

* **❶[　　　]** 반응이 일어나면 주위의 온도가 올라가고, **❷[　　　]** 반응이 일어나면 주위의 온도가 내려간다.

* 화학 반응에서, 비열(c)은 $\dfrac{출입한\ 열에너지의\ 양(Q)}{용액의\ 질량(m)\times 온도\ 변화(\Delta t)}$ 이다.

답 ❶ 발열 ❷ 흡열

자료 해석

* A가 용해될 때 수용액의 온도가 22 °C에서 29 °C로 높아졌다. ➔ 물질 A의 용해 반응은 **❸[　　　]** 반응이다.

* 실험 Ⅰ의 화학 반응에서 출입한 열에너지의 양(Q)은 a J이고 용액의 질량은 50 g, 용액의 온도 변화는 7 °C이므로 용액의 비열(J/g · °C)은 $\dfrac{a}{350}$이다.

* 실험 Ⅱ의 화학 반응에서 출입한 열에너지의 양(Q)은 a J이고 용액의 질량은 100 g, 용액의 온도 변화는 $(x-22)$ °C이므로 용액의 비열(J/g · °C)은 $\dfrac{a}{(x-22)\times 100}$이다.

* 실험 Ⅰ과 Ⅱ에서 비열은 **❹[　　　]**므로 $\dfrac{a}{(x-22)\times 100}=\dfrac{a}{350}$이다.

답 ❸ 발열 ❹ 같으

Point 해설

ㄱ. A(s)가 용해될 때 수용액의 온도가 22 °C에서 29 °C로 높아지므로 A(s)의 용해 반응은 발열 반응이다.

ㄴ. 실험 Ⅱ에서 수용액의 비열(J/g · °C)은 $\dfrac{a}{(x-22)\times 100}$이다.

ㄷ. 실험 Ⅰ과 Ⅱ에서 비열은 같으므로 $\dfrac{a}{(x-22)\times 100}=\dfrac{a}{350}$이다. 이로부터 $x=25.5$이다.

답 ④

전략 비법 노트

● **비열(c)** ➔ 물질 1 g의 온도를 1 °C 높이는 데 필요한 **열량**(단위: J/g·°C)

● **열용량(C)** ➔ 물질의 온도를 1 °C 높이는 데 필요한 **열량**(단위: J/°C)

● **열량(Q)**＝비열(c)×용액의 질량(m)×온도 변화(Δt)(단위: J 또는 kJ)

　➔ Q는 시(c)멘(m)트(Δt)

memo

수능전략 | 화학 I

수능에 꼭 나오는
필수 유형 ZIP 2

수능전략

과·학·탐·구·영·역

화학 I

BOOK 2

본책인 BOOK 1과 BOOK2의 구성은 아래와 같습니다.

BOOK 1
1주, 2주

BOOK 2
1주, 2주

BOOK 3
정답과 해설

주 도입

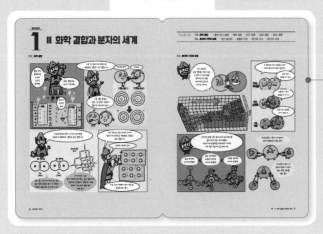

본격적인 학습에 앞서, 재미있는 만화를
살펴보며 이번 주에 학습할 내용을 확인해
봅니다.

1일

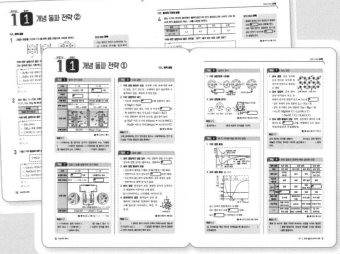

개념 돌파 전략

수능을 대비하기 위해 꼭 알아야 할 핵심
개념을 익힌 뒤, 간단한 문제를 풀며 개념을
잘 이해했는지 확인해 봅니다.

2일, 3일

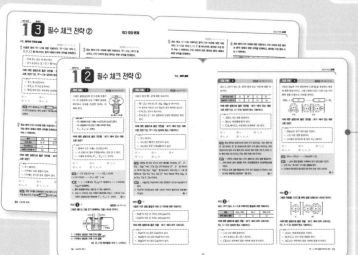

필수 체크 전략

기출문제에서 선별한 대표 유형 문제와 쌍둥이
문제를 함께 풀며 문제에 접근하는 과정과 해결
전략을 체계적으로 익혀 봅니다.

부록 수능에 꼭 나오는 필수 유형 ZIP

본 책에서 다룬 대표 유형과 그 해결 전략을 집중적으로
연습할 수 있도록 권두 부록을 구성했습니다.
부록을 뜯으면 미니북으로 활용할 수 있습니다.

주 마무리 학습

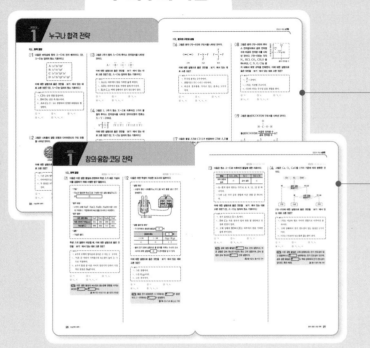

누구나 합격 전략
수능 유형에 맞춘 기초 연습 문제를 풀며
학습 자신감을 높일 수 있습니다.

창의·융합·코딩 전략
수능에서 요구하는 융복합적 사고력과
문제 해결력을 기를 수 있습니다.

권 마무리 학습

마무리 전략
학습 내용을 도식으로 정리하여 앞에서
공부한 내용을 한눈에 파악할 수 있습니다.

신유형·신경향 전략
신유형·신경향 문제를 집중적으로 풀며
문제 적응력을 높일 수 있습니다.

1·2등급 확보 전략
실제 수능과 같이 구성한 모의고사를 풀며
고난도 문제에 대비할 수 있습니다.

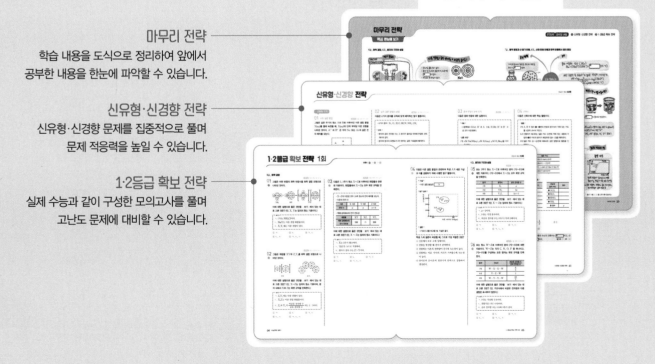

파이팅!!

Ⅲ 화학 결합과 분자의 세계

5강_ 화학 결합

물을 전기 분해하면 수소와 산소로 분해돼.

회학 결합에는 전자가 관여해.

수소가 산소의 2배

이온 간 정전기적 인력으로 형성되는 결합은 이온 결합이야.

전자를 줄게.

고마워.

Na (금속 원소)

Cl (비금속 원소)

이온 결합 물질은 입자 간 인력이 강해서 끓는점, 녹는점이 높아.

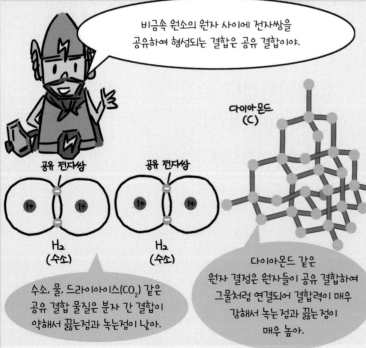

비금속 원소의 원자 사이에 전자쌍을 공유하여 형성되는 결합은 공유 결합이야.

다이아몬드 (C)

공유 전자쌍

공유 전자쌍

H₂ (수소)

H₂ (수소)

수소, 물, 드라이아이스(CO_2) 같은 공유 결합 물질은 분자 간 결합이 약해서 끓는점과 녹는점이 낮아.

다이아몬드 같은 원자 결정은 원자들이 공유 결합하여 그물처럼 연결되어 결합력이 매우 강해서 녹는점과 끓는점이 매우 높아.

자유 전자와 금속 양이온 사이에 정전기적 인력으로 형성되는 결합은 금속 결합이야.

전성과 연성도 있어.

자유 전자 덕택에 전기 전도성, 열전도성이 좋아.

6강_ 분자의 구조와 성질

개념 1 물의 전기 분해

구분	(−)극	(+)극
발생한 물질	수소(H_2) 기체	❶ ____ 기체
기체의 상대적 부피	❷ ____	1
기체 확인	폭발음을 내며 탐	꺼져가는 불씨를 다시 살림
화학 반응식	$4H_2O + 4e^- \longrightarrow 2H_2 + 4OH^-$	$2H_2O \longrightarrow O_2 + 4H^+ + 4e^-$
반응 모형		
전체 반응식	$2H_2O(l) \longrightarrow 2H_2(g) + O_2(g)$	

답 ❶ 산소(O_2) ❷ 2

확인 Q 1

(−)극에서는 물 분자와 전자가 반응하여 수소 기체와 ( ) 이온이 생성되며, (+)극에서는 물 분자가 전자를 내놓으면서 산소 기체와 ( ) 이온이 생성된다.

개념 2 염화 나트륨 용융액의 전기 분해

구분	(+)극	(−)극
발생한 물질	❶ ____ 기체	나트륨(Na) 금속
화학 반응식	$2Cl^- \longrightarrow Cl_2 + 2e^-$	❷ ____
반응 모형		
	염화 나트륨 용융액−Na^+, Cl^-이 존재	
전체 반응식	$2NaCl(l) \longrightarrow 2Na(l) + Cl_2(g)$	

답 ❶ 염소(Cl_2) ❷ $Na^+ + e^- \longrightarrow Na$

확인 Q 2

(+)극에서는 염화 이온이 ( )를 내놓고 염소 기체가 되고, (−)극에서는 ( ) 이온이 전자를 얻어 ( ) 금속이 된다.

개념 3 이온 결합

1 **이온 결합 물질의 성질** 결정형 고체, 물에 대한 용해성 있음, 전기 전도성 – 고체에서 없고 용융액과 수용액에서 있음, 깨짐과 쪼개짐 있음

2 **이온 결합력의 세기**
- 이온의 전하량이 ❶ ____ 수록 결합력이 세다.
  예 MgO > NaF
- 전하량이 같은 경우, 이온 간 거리가 ❷ ____ 수록 결합력이 세다. 예 LiCl > NaCl > KCl
- 이온 결합력이 클수록 녹는점, 끓는점이 높다.
  예 NaF 이온 간 거리 235(pm) ➡ 녹는점 996(℃)
  NaBr 이온 간 거리 298(pm) ➡ 녹는점 747(℃)

답 ❶ 클 ❷ 짧을

확인 Q 3

고체 상태에서는 전기 전도성이 없으나, 수용액에서는 전기 전도성을 가지는 물질의 결합 종류는?

개념 4 공유 결합

1 **공유 결합력과 결합 길이** 다중 결합의 결합 수가 많아질수록 결합 길이는 짧아지고, 결합력이 ❶ ____.

2 **공유 결합 물질의 성질**
- 실온에서 대부분 기체로 존재(비활성 기체 제외)
- 일반적으로 전기 전도성이 ❷ ____ (흑연 예외)
- 녹는점과 끓는점이 낮음(예외: 공유 결정은 높음)
- 일반적으로 물에 잘 녹지 않음

3 **분자 결정** 원자들이 공유 결합한 분자가 규칙적으로 배열하여 이루어진 고체 물질
  예 드라이아이스, 나프탈렌, 아이오딘 등

4 **공유(원자) 결정** 원자들이 공유 결합하여 그물처럼 연결되어 형성된 고체 물질 예 다이아몬드, 흑연, 석영 등

다이아몬드

답 ❶ 강해진다 ❷ 없음

확인 Q 4

( ) 결정은 분자 사이의 인력이 약해 녹는점, 끓는점이 비교적 낮고, ( ) 결정은 원자들이 강하게 결합하고 있어 녹는점, 끓는점이 매우 높다.

개념 **5** 결합의 형성

1 이온 결합(염화 나트륨)

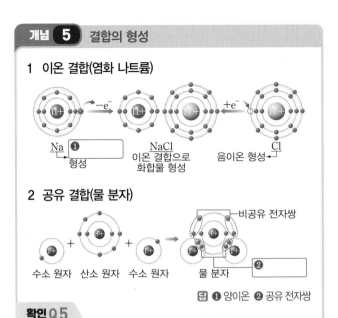

Na **❶**
형성

NaCl
이온 결합으로
화합물 형성

음이온 형성

Cl

2 공유 결합(물 분자)

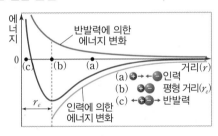

수소 원자   산소 원자   수소 원자   물 분자

비공유 전자쌍

❷

답 ❶ 양이온 ❷ 공유 전자쌍

확인 Q 5

물 분자는 ( )개의 비공유 전자쌍을 가진다.

개념 **6** 핵 간 거리에 따른 에너지 변화

1 이온 결합 물질

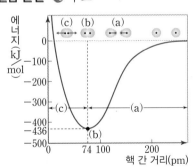

반발력에 의한
에너지 변화

거리(r)

(a) ➕→ ←➖ 인력
(b) ➕➖ 평형 거리(r_e)
(c) ➕← →➖ 반발력

인력에 의한
에너지 변화

2 공유 결합 물질 예 수소

(c) (b) (a)

(a): 인력이 반발력보다 우세함
(b): 에너지가 가장 **❶** 상태
(c): **❷** 이 인력보다 우세함

답 ❶ 낮은(안정한) ❷ 반발력

확인 Q 6

(a) 구간에서는 핵간 거리가 가까워질수록 에너지가 ( )
안정해진다.

개념 **7** 금속 결합

1 금속 결합 자유 전자와
금속 양이온 사이에 정
전기적 인력으로 형성되
는 결합

금속 양이온 자유 전자

2 금속 결합력 금속 양이
온의 반지름이 작고 전
하량이 클수록 결합력 증가 ➡ 녹는점 **❶**
 • 같은 족에서 금속 결합력: Li>Na>K
 • 같은 주기에서 금속 결합력: Na<Mg<Al
 • 녹는점: Mg(650 ℃)>Li(180.5 ℃)
  >Na(97.7 ℃)>K(63.6 ℃)

3 금속 결합 물질의 성질 광택, 실온에서 대부분 고체,
열전도성, **❷** (고체, 액체에서 모두 있음),
전성(퍼짐성)과 연성(뽑힘성)

답 ❶ 높음 ❷ 전기 전도성

확인 Q 7

금속 원자는 전자를 내놓아 ( )이 되고, 금속 원자가
내놓은 전자는 양이온 사이의 공간에서 ( ) 움직
인다.

개념 **8** 화학 결합의 종류에 따른 결정의 성질

화학 결합	이온 결합	공유 결합		금속 결합
결정	이온 결정	분자 결정	공유 결정	금속 결정
결정 입자	양이온, 음이온	분자	원자	금속 양이온, 자유 전자
녹는점, 끓는점	높음	낮음	매우 높음	높음
전기 전도성 고체	없음	없음	없음 (예외: 흑연)	**❷**
전기 전도성 액체	**❶**	없음	없음	있음
물에 대한 용해성	잘 녹음	물질에 따라 다름	녹지 않음	녹지 않음
기타 특성	힘을 가하면 쉽게 부서짐	승화성	매우 단단함	전성과 연성
예	염화 나트륨, 염화 칼륨	드라이아이스, 얼음, 나프탈렌	다이아몬드, 흑연	철, 구리, 알루미늄

답 ❶ 있음 ❷ 있음

확인 Q 8

물에 잘 녹으며, 힘을 가하면 부서지는 성질을 가지는 물질은
( ) 결합 물질이며, 전성과 연성을 가지는 물질은
( ) 결합 물질이다.

개념 돌파 전략 ①

개념 1 전기 음성도의 주기성

1 같은 주기에서의 전기 음성도 원자 번호 증가 → 유효 핵전하 증가 → 원자핵과 전자 사이의 인력 증가 → **❶**   을 끌어당기는 힘 증가

2 같은 족에서의 전기 음성도 원자 번호 증가 → 전자 껍질 수 증가 → 원자핵과 전자 사이의 **❷**   감소 → 공유 전자쌍을 끌어당기는 힘 감소

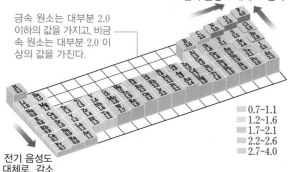

금속 원소는 대부분 2.0 이하의 값을 가지고, 비금속 원소는 대부분 2.0 이상의 값을 가진다.

전기 음성도 대체로 증가

전기 음성도 대체로 감소

- 0.7~1.1
- 1.2~1.6
- 1.7~2.1
- 2.2~2.6
- 2.7~4.0

답 ❶ 공유 전자쌍 ❷ 인력

확인 Q 1

같은 주기에서는 원자 번호가 증가할수록 전기 음성도가 대체로 (   )하고, 같은 족에서는 원자 번호가 증가할수록 전기 음성도가 대체로 (   )한다.

개념 2 결합의 극성

1 무극성 공유 결합
- 같은 원자 사이에 형성 ➡ 두 원자 사이의 **❶**   가 같아 공유 전자쌍의 치우침이 없음
- 결합하는 원자들은 부분적인 전하를 띠지 않는다.

2 극성 공유 결합
- 다른 원자 사이에 형성 ➡ 두 원자 사이의 전기 음성도 차이에 의해 공유 전자쌍이 한쪽으로 치우침
- 전기 음성도가 큰 원자는 공유 전자쌍을 강하게 끌어당겨 **❷**   를 띠고, 전기 음성도가 작은 원자는 공유 전자쌍을 약하게 끌어당겨 부분적인 양전하(δ^+)를 띤다.

답 ❶ 전기 음성도 ❷ 부분적인 음전하(δ^-)

확인 Q 2

같은 원자끼리는 전기 음성도 차이가 없으므로 (   ) 공유 결합을 하고, 다른 원자 간에는 전기 음성도 차이가 있으므로 (   ) 공유 결합을 한다.

개념 3 전기 음성도 차이와 결합의 극성

1 극성 공유 결합을 형성하고 있는 분자에서 두 원자 사이의 전기 음성도 차이가 **❶**   수록 공유 결합의 극성이 증가하며 더 강한 결합을 형성한다.

공유 결합	H−H	C−H	N−H	O−H	F−H
전기 음성도 차이	0	0.4	0.9	1.4	1.9
극성 비교	무극성	극성이 약함 ──────────→ 극성이 강함			

2 전기 음성도 차이와 결합 세기 할로젠화 수소 화합물에서는 전기 음성도 차이가 클수록 결합 길이가 짧고 결합 에너지가 **❷**   다.

화합물	전기 음성도 차이	결합 길이 (pm)	결합 에너지 (kJ/mol)
HF	1.9	93	565
HCl	0.9	128	429

답 ❶ 클 ❷ 크

확인 Q 3

전기 음성도 차이가 클수록 결합의 극성이 (   )하며, 결합 길이는 (   )하고, 결합 에너지는 (   )한다.

개념 4 전기 음성도 차이와 결합의 종류

두 원자의 전기 음성도 차이	결합의 종류
약 2.0보다 클 때	**❶** 결합이 형성
약 2.0보다 작을 때	극성 공유 결합이 형성
0일 때	**❷** 공유 결합이 형성

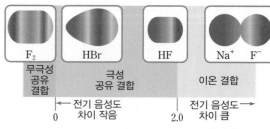

F₂ / 무극성 공유 결합

HBr / 극성 공유 결합

HF

Na⁺ F⁻ / 이온 결합

←전기 음성도 차이 작음 (0)   전기 음성도 차이 큼→ (2.0)

답 ❶ 이온 ❷ 무극성

확인 Q 4

두 원자의 전기 음성도 차이가 2.0보다 크면 이온 결합, 전기 음성도 차이가 2.0보다 작으면 (   ) 공유 결합, 전기 음성도 차이가 없으면 (   ) 공유 결합이 형성된다.

개념 **5** 중심 원자에 공유 전자쌍만 존재하는 분자

공유 전자쌍 수	루이스 구조식	분자 모형	분자 구조	결합각	화합물의 예
2	H−Be−H	H Be H	직선형	180°	BeH_2 BeF_2 $BeCl_2$
3	:Cl: ⋮B⋮ :Cl Cl:	Cl B Cl Cl	❶	120°	BCl_3
4	H ⋮ H−C−H ⋮ H	H C H H H	정사면체형	❷	CH_4 CCl_4 SiH_4 SiF_4

답 ❶ 평면 삼각형 ❷ 109.5°

확인 Q 5

Be과 B는 옥텟 규칙을 따르지 않으며, 다른 원자와 결합하여 분자가 되었을 때 (   ) 구조를 가진다.

개념 **6** 중심 원자에 비공유 전자쌍이 존재하는 분자

1 **반발력과 결합각** 비공유 전자쌍에 의한 반발력이 더 크므로, 중심 원자에 비공유 전자쌍이 많을수록 결합각이 작아진다.

2 **전자쌍 수와 종류에 따른 분자 구조**

비공유 전자쌍 수	0	1	2
공유 전자쌍 수	4	3	2
루이스 구조식	H ⋮ H−C−H ⋮ H	⋮⋮ N H H H	⋮⋮ O H H
분자 모형	H C H H H	N H H H	O H H
결합각	109.5°	❶	❷
분자 구조	정사면체형	삼각뿔형	굽은 형
예	CF_4, NH_4^+	NH_3, PH_3	H_2S, OF_2

답 ❶ 107° ❷ 104.5°

확인 Q 6

(   )형의 분자 구조를 가지는 화합물로 NH_3와 PH_3가 있으며, (   ) 형의 분자 구조를 가지는 화합물로 H_2O, H_2S, OF_2가 있다.

개념 **7** 중심 원자에 다중 결합이 포함된 분자

1 **분자 구조 예측** 다중 결합을 단일 결합으로 간주
2 **다중 결합**

구분	2중 결합		3중 결합
분자	이산화 탄소	에텐	사이안화 수소
루이스 구조식	:O=C=O:	H-C=C-H (H C C H)	❶
분자 모형	O C O	C C H H H H	H C N
결합각	180°	❷	180°
분자 구조	직선형	평면형	직선형

답 ❶ H−C≡N: ❷ 120°

확인 Q 7

에텐(C_2H_4) 분자는 (   ) 구조를 가지며, 에타인 (C_2H_2) 분자는 (   ) 구조를 가진다.

개념 **8** 분자의 극성

1 **무극성 분자**
- 같은 원소로 이루어진 이원자 분자(예 H_2, O_2, N_2)
- 대칭 구조의 다원자 분자: 극성 공유 결합을 하지만 대칭 구조를 이루어 쌍극자 모멘트의 합이 0이 되므로 무극성 분자이다.(예 CO_2, BCl_3, CH_4)

2 **극성 분자**
- 다른 원소로 이루어진 이원자 분자(예 HCl, CO)
- 비대칭 구조의 다원자 분자: 극성 공유 결합을 하며 비대칭 구조를 이루어 쌍극자 모멘트의 합이 0이 아니므로 극성 분자이다.
  (예 NH_3, H_2O, HCN, CH_3Cl)

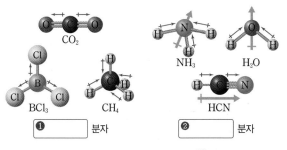

❶ [   ] 분자   ❷ [   ] 분자

답 ❶ 무극성 ❷ 극성

확인 Q 8

극성 공유 결합을 하고 있지만 (   ) 구조를 가지는 다원자 분자는 무극성 분자이다.

개념 돌파 전략 ②

5강_화학 결합

1 그림은 화합물 AB와 CD_3를 화학 결합 모형으로 나타낸 것이다.

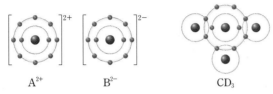

A^{2+} 　　　　 B^{2-} 　　　　 CD_3

이에 대한 설명으로 옳은 것만을 │보기│에서 있는 대로 고른 것은? (단, A~D는 임의의 원소 기호이다.)

│보기│
ㄱ. B_2에는 이중 결합이 있다.
ㄴ. D_2B는 공유 결합 물질이다.
ㄷ. A(s)는 전기 전도성이 있다.

① ㄱ 　　　　 ② ㄴ 　　　　 ③ ㄱ, ㄷ
④ ㄴ, ㄷ 　　　　 ⑤ ㄱ, ㄴ, ㄷ

문제 해결 전략

· O는 원자가 전자가 6개이므로, O_2는 2개의 전자를 공유해야 **❶** 규칙을 만족한다.
· Mg(s)는 **❷** 물질이며, 전기 전도성을 가진다.

답 ❶ 옥텟 ❷ 금속 결합

---

2 표는 원소 A~D로 이루어진 3가지 화합물에 대한 자료이다. A~D는 각각 O, F, Na, Mg 중 하나이다.

화합물	AB_2	CB	DB_2
액체의 전기 전도성	있음	있음	

이에 대한 설명으로 옳은 것만을 │보기│에서 있는 대로 고른 것은?

│보기│
ㄱ. D는 O이다.
ㄴ. DB_2는 액체 상태일 때 전기 전도성이 있다.
ㄷ. C와 D는 2 : 1로 결합하여 안정한 화합물을 형성한다.

① ㄱ 　　　　 ② ㄴ 　　　　 ③ ㄱ, ㄷ
④ ㄴ, ㄷ 　　　　 ⑤ ㄱ, ㄴ, ㄷ

문제 해결 전략

· 금속 원소와 비금속 원소는 **❶** 결합을 하고, 비금속 원소와 비금속 원소는 공유 결합을 한다.
· 이온 결합 물질은 고체 상태일 때는 전기 전도성이 없지만, **❷** 상태와 수용액 상태일 때는 전기 전도성이 있다.

답 ❶ 이온 ❷ 액체

---

3 다음 3가지 물질에 대한 설명으로 옳은 것만을 │보기│에서 있는 대로 고른 것은?

구리(Cu) 　　 염화 나트륨(NaCl) 　　 다이아몬드(C)

│보기│
ㄱ. Cu(s)는 전성과 연성이 있다.
ㄴ. NaCl(s)은 전기 전도성이 있다.
ㄷ. C(s, 다이아몬드)를 구성하는 원자는 금속 결합을 하고 있다.

① ㄱ 　　　　 ② ㄷ 　　　　 ③ ㄱ, ㄴ
④ ㄴ, ㄷ 　　　　 ⑤ ㄱ, ㄴ, ㄷ

문제 해결 전략

· 공유 결합 물질에는 분자 결정과 **❶** 결정이 있다.
· **❷** 결합 물질은 연성과 전성을 가지며, 고체와 액체에서 모두 전기 전도성을 가진다.

답 ❶ 공유(원자) ❷ 금속

6강_ 분자의 구조와 성질

4 표는 4가지 각각의 분자에서 플루오린(F)의 전기 음성도(a)와 나머지 구성 원소의 전기 음성도(b) 차($a-b$)를 나타낸 것이다.

분자	CF_4	OF_2	PF_3	ClF
전기 음성도 차 ($a-b$)	1.5	0.5	x	1.0

이에 대한 설명으로 옳은 것만을 | 보기 |에서 있는 대로 고른 것은?

┌─ 보기 ┌
ㄱ. $x > 1.0$이다.
ㄴ. PF_3은 무극성 분자이다.
ㄷ. Cl_2O에서 Cl는 부분적인 양전하(δ^+)를 띤다.

① ㄱ   ② ㄴ   ③ ㄱ, ㄷ
④ ㄴ, ㄷ   ⑤ ㄱ, ㄴ, ㄷ

5 그림은 화합물 WX와 WYZ를 화학 결합 모형으로 나타낸 것이다.

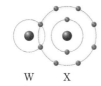
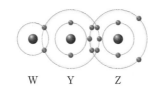

W   X   W   Y   Z

이에 대한 설명으로 옳은 것만을 | 보기 |에서 있는 대로 고른 것은? (단, W~Z는 임의의 원소 기호이다.)

┌─ 보기 ┌
ㄱ. ZW_3은 무극성 분자이다.
ㄴ. 전기 음성도는 Y > W이다.
ㄷ. YX_4에서 Y는 부분적인 양전하(δ^+)를 띤다.

① ㄱ   ② ㄷ   ③ ㄱ, ㄴ
④ ㄴ, ㄷ   ⑤ ㄱ, ㄴ, ㄷ

6 그림은 분자 (가)~(다)의 구조식을 나타낸 것이다.

$$H-C\equiv N \qquad F-B-F \qquad F-C-F$$

(가)   (나)   (다)

이에 대한 설명으로 옳은 것만을 | 보기 |에서 있는 대로 고른 것은?

┌─ 보기 ┌
ㄱ. (나)의 분자 모양은 삼각뿔형이다.
ㄴ. (다)는 평면 구조이다.
ㄷ. 결합각은 (가) > (나) > (다)이다.

① ㄱ   ② ㄴ   ③ ㄷ
④ ㄱ, ㄴ   ⑤ ㄴ, ㄷ

대표 기출 1

2021 6월 모평 4번 유사

그림은 물(H_2O)의 전기 분해 실험이다. 각 시험관에 모은 기체의 종류를 확인하고 부피를 측정한 결과는 아래와 같다.

물+황산 나트륨

┌─ 실험 결과 ─┐
- 각 시험관에 모은 기체는 수소(H_2)와 산소(O_2)였다.
- 각 시험관에 각각 모은 기체의 부피(V)비는 $V_A : V_B = a : b$였다.

이에 대한 설명으로 옳은 것만을 |보기|에서 있는 대로 고른 것은?

┌─ 보기 ─┐
ㄱ. B에서 모은 기체는 산소(O_2)이다.
ㄴ. 이 실험으로 물이 혼합물이라는 것을 알 수 있다.
ㄷ. 기체의 부피비는 $V_A : V_B = 1 : 2$이다.

① ㄱ   ② ㄷ   ③ ㄱ, ㄴ
④ ㄴ, ㄷ   ⑤ ㄱ, ㄴ, ㄷ

Tip (−)극: $4H_2O + 4e^- \longrightarrow 2H_2 + 4OH^-$
(+)극: $2H_2O \longrightarrow O_2 + 4H^+ + 4e^-$

풀이 ㄱ. (−)극에서는 $H_2(g)$가 발생하고, (+)극에서는 $O_2(g)$가 발생한다.
ㄴ. 물이 화합물이라는 것을 알 수 있는 실험이다.
ㄷ. A는 (+)극이고 산소 기체가 생성되며, B는 (−)극이고 수소 기체가 생성되므로 부피비는 $V_A : V_B = 1 : 2$이다. **답** ②

확인 **1**-1

2020 10월 학평 13번

그림은 물(H_2O)을 전기 분해하는 것을 나타낸 것이다.

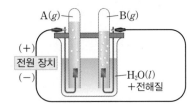

$\dfrac{(-)극에서\ 생성된\ 기체\ B의\ 질량}{(+)극에서\ 생성된\ 기체\ A의\ 질량}$ 은?

(단, H, O의 원자량은 각각 1, 16이다.)

대표 기출 2

2021 수능 12번 유사

다음은 원자 W~Z에 대한 자료이다.

- W~Z는 각각 O, F, Na, Mg 중 하나이다.
- 각 원자의 이온은 모두 Ne의 전자 배치를 갖는다.
- Y와 Z는 2주기 원소이다.
- X와 Z는 2 : 1로 결합하여 안정한 화합물을 형성한다.

이에 대한 설명으로 옳은 것만을 |보기|에서 있는 대로 고른 것은? (단, W~Z는 임의의 원소 기호이다.)

┌─ 보기 ─┐
ㄱ. Y는 O이다.
ㄴ. 녹는점은 WZ가 XY보다 높다.
ㄷ. 녹는점은 XY가 NaBr보다 높다.

① ㄱ   ② ㄴ   ③ ㄷ
④ ㄱ, ㄴ   ⑤ ㄴ, ㄷ

Tip 이온일 때 모두 Ne의 전자 배치를 가지므로, O^{2-}, F^-, Na^+, Mg^{2+}이다. Y와 Z는 2주기이므로 O^{2-}, F^- 중 하나이고, W와 X는 Na^+, Mg^{2+} 중 하나이다. X와 Z는 2 : 1로 결합하므로, X는 Na^+이고, Z는 O^{2-}이다. 따라서 W는 Mg, X는 Na, Y는 F, Z는 O이다.

풀이 ㄴ. MgO은 NaF보다 이온 전하량이 크므로 녹는점이 더 높다.
ㄷ. NaF은 NaBr보다 이온 사이의 거리가 짧으므로 녹는점이 더 높다. **답** ⑤

확인 **2**-1

다음은 이온 결합 물질의 이온 간 거리에 대한 자료이다.

- NaF의 이온 간 거리는 235 pm이다.
- CaO의 이온 간 거리는 240 pm이다.

이에 대한 설명으로 옳은 것을 |보기|에서 모두 고르시오.

┌─ 보기 ─┐
ㄱ. NaF의 녹는점은 CaO보다 높다.
ㄴ. NaBr의 녹는점은 NaF보다 낮다.
ㄷ. MgO의 녹는점은 CaO보다 높다.

대표 기출 **3**

2021 7월 학평 3번 유사

표는 1, 2주기 원소 A~D의 원자 또는 이온에 대한 자료이다.

원자 또는 이온	A	B^+	C	D^-
양성자수＋전자 수	2	5	14	19

이에 대한 설명으로 옳은 것만을 │보기│에서 있는 대로 고른 것은? (단, A~D는 임의의 원소 기호이다.)

┌ 보기 ┐
ㄱ. AD는 이온 결합 물질이다.
ㄴ. B(s)는 연성(뽑힘성)이 있다.
ㄷ. CA_3에서 C는 부분적인 음전하(δ^-)를 띤다.
└──────┘

① ㄱ   ② ㄴ   ③ ㄱ, ㄷ
④ ㄴ, ㄷ   ⑤ ㄱ, ㄴ, ㄷ

Tip 중성 원자는 양성자수와 전자 수가 같으므로, A는 원자 번호 1인 H이다. B^+은 양성자수와 전자 수의 합이 5이므로, B의 양성자수와 전자 수의 합이 6이 되므로 원자 번호 3인 Li이다. C는 원자 번호 7인 N이고, D는 원자 번호 9인 F이다.

풀이 ㄱ. HF는 비금속 원소 간의 결합으로 공유 결합 물질이다.
ㄴ. 고체 금속은 금속 결합을 하며, 연성(뽑힘성)과 전성(퍼짐성)을 가진다.
ㄷ. NH_3는 공유 결합 물질이며, N의 전기 음성도가 H보다 크므로 N는 부분적인 음전하(δ^-)를 띤다. **답** ④

대표 기출 **4**

2022 9월 모평 7번 유사

다음은 Na과 ㉠이 반응하여 ㉡과 H_2를 생성하는 반응의 화학 반응식이고, 그림 (가)와 (나)는 ㉠과 ㉡을 각각 화학 결합 모형으로 나타낸 것이다.

$$2Na + 2\boxed{㉠} \longrightarrow 2\boxed{㉡} + H_2$$

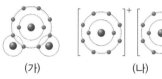

(가)   (나)

이에 대한 설명으로 옳은 것만을 │보기│에서 있는 대로 고른 것은?

┌ 보기 ┐
ㄱ. Na(s)은 전기 전도성을 가진다.
ㄴ. ㉡은 이온 결합 물질이다.
ㄷ. (나)에서 음이온의 총 전자 수는 10이다.
└──────┘

① ㄱ   ② ㄷ   ③ ㄱ, ㄴ
④ ㄴ, ㄷ   ⑤ ㄱ, ㄴ, ㄷ

Tip $2Na + 2H_2O \longrightarrow 2NaOH + H_2$

풀이 ㄱ. 금속 결합 물질은 고체에서 전기 전도성을 가진다.
ㄴ. ㉡은 Na^+과 OH^-이 이온 결합을 한다.
ㄷ. (나)에서 양이온과 음이온의 총 전자 수는 각각 10이다. **답** ⑤

확인 **3**-1

표는 2주기 원소 A~E로 이루어진 물질에 대한 자료이다.

물질	AD_2, DE_2	B, C	BD, CE
화학 결합의 종류	㉠	㉡	㉢

이에 대한 설명으로 옳은 것을 │보기│에서 모두 고르시오. (단, A~E는 임의의 원소 기호이다.)

┌ 보기 ┐
ㄱ. ㉡은 금속 결합 물질이다.
ㄴ. 전기 음성도는 E＞D＞A이다.
ㄷ. CE(s)는 외부에서 힘을 가하면 쉽게 부서진다.
└──────┘

확인 **4**-1

그림은 화합물 ABC를 화학 결합 모형으로 나타낸 것이다.

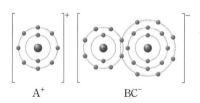

A^+ BC^-

이에 대한 설명으로 옳은 것을 │보기│에서 모두 고르시오. (단, A~C는 임의의 원소 기호이다.)

┌ 보기 ┐
ㄱ. A(s)는 전성(퍼짐성)을 가진다.
ㄴ. B_2와 C_2는 모두 단일 결합을 한다.
ㄷ. AC(s)는 외부에서 힘을 가하면 쉽게 부서진다.
└──────┘

대표 기출 5 · 2021 7월 학평 7번 유사

그림은 화합물 WXY와 ZYW를 화학 결합 모형으로 나타낸 것이다.

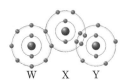

이에 대한 설명으로 옳은 것만을 |보기|에서 있는 대로 고른 것은? (단, W~Z는 임의의 원소 기호이다.)

|보기|
ㄱ. X_2W_2에는 다중 결합이 있다.
ㄴ. Y_2W_2에는 비공유 전자쌍이 4개 있다.
ㄷ. Z와 Y는 1 : 2로 결합하여 안정한 화합물을 형성한다.

① ㄱ   ② ㄷ   ③ ㄱ, ㄴ
④ ㄴ, ㄷ   ⑤ ㄱ, ㄴ, ㄷ

Tip W는 F, X는 N, Y는 O, Z는 Li이다.

풀이 ㄱ. F–N=N–F 또는 F–N=N–F 이므로 2중 결합이 있다.

ㄴ. F–O–O–F : 이므로 비공유 전자쌍이 10개이다.

ㄷ. Li^+과 O^{2-}은 2 : 1로 결합하여 Li_2O을 형성한다. **답 ①**

확인 5-1 · 2020 6월 모평 9번 유사

그림은 화합물 AB와 CDB를 화학 결합 모형으로 나타낸 것이다.

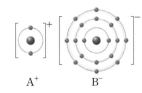

이에 대한 설명으로 옳은 것을 |보기|에서 모두 고르시오. (단, A~D는 임의의 원소 기호이다.)

|보기|
ㄱ. A와 C는 1족이다.
ㄴ. AB는 고체 상태에서 전기 전도성이 있다.
ㄷ. 비공유 전자쌍 수는 $B_2>D_2$이다.

대표 기출 6 · 2022 6월 모평 7번 유사

표는 수소가 포함된 4가지 분자 (가)~(라)에 대한 자료이다. X와 Y는 2주기 원소이고, 분자 내에서 옥텟 규칙을 만족한다.

분자	구성 원자 수			공유 전자쌍 수	비공유 전자쌍 수
	X	Y	H		
(가)	1	0	a	a	0
(나)	0	1	b	b	2
(다)	1	c	2	4	2
(라)	2	0	4	d	0

이에 대한 설명으로 옳은 것만을 |보기|에서 있는 대로 고른 것은? (단, X와 Y는 임의의 원소 기호이다.)

|보기|
ㄱ. $d=3b$이다.
ㄴ. XY_2는 공유 전자쌍과 비공유 전자쌍의 수가 같다.
ㄷ. (다)와 (라)에는 다중 결합이 있다.

① ㄱ   ② ㄴ   ③ ㄱ, ㄷ
④ ㄴ, ㄷ   ⑤ ㄱ, ㄴ, ㄷ

Tip X와 Y는 2주기 원소이고, 분자 내에서 옥텟 규칙을 만족하므로, (가)는 CH_4, (나)는 H_2O, (다)는 COH_2, (라)는 C_2H_4이다.

풀이 ㄱ. $a=4$, $b=2$, $c=1$, $d=6$이다.

ㄴ. O=C=O 는 공유 전자쌍이 4개, 비공유 전자쌍이 4개이다.

ㄷ. (다)는

```
    O
    ‖
    C
   / \
  H   H
```

이고, (라)는

```
 H       H
  \     /
   C = C
  /     \
 H       H
```

이다. **답 ⑤**

확인 6-1 · 2021 9월 모평 7번 유사

그림은 1, 2주기 원소 A~C로 이루어진 이온 (가)와 분자 (나)의 루이스 전자점식을 나타낸 것이다.

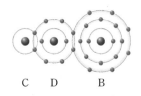

이에 대한 설명으로 옳은 것을 |보기|에서 모두 고르시오. (단, A~C는 임의의 원소 기호이다.)

|보기|
ㄱ. B는 비금속 원소이다.
ㄴ. A와 C는 같은 족 원소이다.
ㄷ. B_2A와 AC_2의 비공유 전자쌍의 수는 같다.

대표 기출 ❼ 〔2020〕 4월 학평 13번 유사

그림은 $Na^+(g)$과 $X^-(g)$, $Na^+(g)$과 $Y^-(g)$ 사이의 거리에 따른 에너지 변화를, 표는 $NaX(g)$와 $NaY(g)$가 가장 안정한 상태일 때 각 물질에서 양이온과 음이온 사이의 거리를 나타낸 것이다.

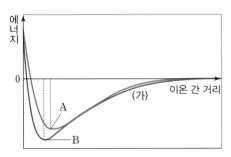

물질	이온 사이의 거리(pm)
$NaX(g)$	236
$NaY(g)$	250

이에 대한 설명으로 옳은 것만을 │보기│에서 있는 대로 고른 것은? (단, X와 Y는 임의의 원소 기호이다.)

│보기│
ㄱ. A는 $NaY(g)$이다.
ㄴ. 1기압에서 녹는점은 $NaX > NaY$이다.
ㄷ. (가)에서 이온 사이에 작용하는 힘은 인력보다 반발력이 우세하다.

① ㄱ ② ㄴ ③ ㄱ, ㄴ
④ ㄱ, ㄷ ⑤ ㄴ, ㄷ

Tip 에너지가 가장 낮은 지점은 인력과 반발력이 균형을 이루어 가장 안정한 상태이다.

풀이 ㄱ. 그림에서 A는 B보다 이온 간 거리가 길고, 표에서 이온 간 거리는 $NaY(g)$가 크므로, A는 $NaY(g)$이다.
ㄴ. 이온 결합 물질은 전하량이 클수록, 이온 간 거리가 가까울수록 녹는점이 높다. 이온 간 거리가 $NaX(g) < NaY(g)$이므로 녹는점은 $NaX > NaY$이다.
ㄷ. (가)에서는 반발력보다 인력이 우세하다. **답** ③

확인 ❼-1

그림은 H_2에서 수소 원자의 핵 간 거리에 따른 에너지 변화를 나타낸 것이다.

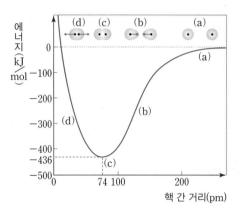

이에 대한 설명으로 옳은 것을 │보기│에서 모두 고르시오.

│보기│
ㄱ. (b)에서는 수소 원자 사이의 인력이 반발력보다 우세하다.
ㄴ. (c)에서는 수소 원자 사이에 반발력이 작용하지 않는다.
ㄷ. H_2에서 공유 결합을 형성할 때, 원자핵 사이의 거리는 74 pm이다.

5강_ 화학 결합

2022 6월 모평 8번

1 다음은 AB와 CD의 반응을 화학 반응식으로 나타낸 것이고, 그림은 AB와 CD를 결합 모형으로 나타낸 것이다.

$$2AB + CD \longrightarrow (가) + A_2D$$

A   B C^{m+} D^{m-}

이에 대한 설명으로 옳은 것만을 |보기|에서 있는 대로 고른 것은? (단, A~D는 임의의 원소 기호이다.)

> **보기**
> ㄱ. $m=2$이다.
> ㄴ. (가)는 공유 결합 물질이다.
> ㄷ. 비공유 전자쌍 수는 $B_2>D_2$이다.

① ㄱ   ② ㄴ   ③ ㄱ, ㄷ
④ ㄴ, ㄷ   ⑤ ㄱ, ㄴ, ㄷ

> **Tip** $MgCl_2$은 ❶[　　　] 결합 물질이고, Cl_2와 O_2의 비공유 전자쌍은 각각 ❷[　　　]개이다.   답 ❶ 이온 ❷ 6, 4

2021 4월 학평 3번 유사

2 그림은 2, 3주기 원소 W~Z로 이루어진 물질 XY, XZ, WY_2의 루이스 전자점식을 나타낸 것이다. 1기압에서 녹는점은 XY>XZ이다. X와 W는 같은 주기이다.

$$X^+\left[:\ddot{Y}:\right]^- \quad X^+\left[:\ddot{Z}:\right]^- \quad W^{2+}\left[:\ddot{Y}:\right]_2$$

이에 대한 설명으로 옳은 것만을 |보기|에서 있는 대로 고른 것은? (단, W~Z는 임의의 원소 기호이다.)

> **보기**
> ㄱ. 전기 음성도는 Y>Z이다.
> ㄴ. 녹는점은 WY_2가 XY보다 높다.
> ㄷ. 전기 전도성은 $YZ(l)>XZ(l)$이다.

① ㄱ   ② ㄷ   ③ ㄱ, ㄴ
④ ㄴ, ㄷ   ⑤ ㄱ, ㄴ, ㄷ

> **Tip** 녹는점은 이온의 전하량이 ❶[　　　]수록, 이온 간 거리가 ❷[　　　]수록 높다.   답 ❶ 클 ❷ 짧을

2021 3월 학평 14번 유사

3 표는 2주기 원소 X~Z로 이루어진 4가지 분자에 대한 자료이다. 모든 원자는 분자 내에서 옥텟 규칙을 만족한다.

분자	분자식	비공유 전자쌍 수
(가)	X_aY_a	8
(나)	X_aY_{a+2}	14
(다)	X_bY_{a+1}	10
(라)	Z_aY_a	10

이에 대한 설명으로 옳은 것만을 |보기|에서 있는 대로 고른 것은? (단, X~Z는 임의의 원소 기호이다.)

> **보기**
> ㄱ. $a+b=3$이다.
> ㄴ. Z는 16족 원소이다.
> ㄷ. 무극성 공유 결합이 있는 분자는 2가지이다.

① ㄱ   ② ㄴ   ③ ㄱ, ㄴ
④ ㄴ, ㄷ   ⑤ ㄱ, ㄴ, ㄷ

> **Tip** 2주기 원소 중 옥텟 규칙을 만족하고, 분자를 형성할 때 비공유 전자쌍이 있는 원자는 F, O, [　　　]이다.   답 N

2019 3월 학평 9번 유사

4 그림은 화합물 ABC와 DB의 화학 결합 모형을 나타낸 것이다.

A   B   C   D   B

이에 대한 설명으로 옳은 것만을 |보기|에서 있는 대로 고른 것은? (단, A~D는 임의의 원소 기호이다.)

> **보기**
> ㄱ. $A_2B(aq)$는 전기 전도성이 있다.
> ㄴ. BC^-에서 B와 C는 공유 결합을 한다.
> ㄷ. A와 D는 2 : 1로 결합하여 이온 결합 화합물을 형성한다.

① ㄱ   ② ㄴ   ③ ㄱ, ㄴ
④ ㄴ, ㄷ   ⑤ ㄱ, ㄴ, ㄷ

> **Tip** A^+의 전자가 2개이므로 A는 ❶[　　　]이다. BC^-에서 C는 전자가 1개이므로 ❷[　　　]이다.   답 ❶ Li ❷ H

5 표는 2, 3주기 원소 X~Z로 이루어진 화합물 (가)~(다)에 대한 자료이다. 화합물에서 X~Z는 모두 옥텟 규칙을 만족하며, X~Z의 이온은 모두 Ne의 전자 배치를 갖는다.

	(가)	(나)	(다)
화합물	XZ_2	Y_2Z_2	XY
공유 전자쌍 수	—	a	—

이에 대한 설명으로 옳은 것만을 | 보기 |에서 있는 대로 고른 것은? (단, X, Y, Z는 임의의 원소 기호이다.)

> **보기**
> ㄱ. $a=3$이다.
> ㄴ. Z는 Cl이다.
> ㄷ. YZ_2는 액체 상태에서 전기 전도성이 있다.

① ㄱ ② ㄴ ③ ㄱ, ㄷ
④ ㄴ, ㄷ ⑤ ㄱ, ㄴ, ㄷ

> **Tip** 2, 3주기 원소 중에 옥텟 규칙을 만족하며 이온일 때 Ne의 전자 배치를 갖는 원소는 C, N, **❶** ▢, **❷** ▢, Na, Mg이다.
> 답 ❶ O ❷ F

6 그림은 화합물 ABC와 DE의 결합 모형을 각각 나타낸 것이다.

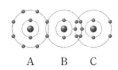

A B C D^{2+} E^{2-}

이에 대한 설명으로 옳은 것만을 | 보기 |에서 있는 대로 고른 것은? (단, A~E는 임의의 원소 기호이다.)

> **보기**
> ㄱ. EA_2는 이온 결합 물질이다.
> ㄴ. D와 E는 같은 주기 원소이다.
> ㄷ. ACE의 비공유 전자쌍 수는 C_2의 3배이다.

① ㄱ ② ㄷ ③ ㄱ, ㄴ
④ ㄴ, ㄷ ⑤ ㄱ, ㄴ, ㄷ

> **Tip** 금속 양이온과 비금속 음이온이 결합하면 **❶** ▢ 결합 물질이 되며, 비금속 원자와 비금속 원자가 결합하면 **❷** ▢ 결합 물질이 된다.
> 답 ❶ 이온 ❷ 공유

7 그림은 화합물 WXY_2와 ZY_2의 화학 결합을 모형으로 나타낸 것이다. W는 X보다 원자 번호가 작다.

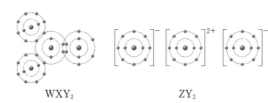

WXY_2 ZY_2

이에 대한 설명으로 옳은 것만을 | 보기 |에서 있는 대로 고른 것은? (단, W~Z는 임의의 원소 기호이다.)

> **보기**
> ㄱ. $ZY_2(s)$는 전기 전도성이 있다.
> ㄴ. W~Z는 모두 같은 주기 원소이다.
> ㄷ. X와 Z는 1 : 1로 결합하여 안정한 화합물을 형성한다.

① ㄱ ② ㄷ ③ ㄱ, ㄴ
④ ㄴ, ㄷ ⑤ ㄱ, ㄴ, ㄷ

> **Tip** 이온 결합 물질은 고체 상태에서는 전기 전도성이 없으나, **❶** ▢와 **❷** ▢ 상태에서는 전기 전도성이 있다.
> 답 ❶ 액체 ❷ 수용액

8 그림은 1, 2주기 원소 X~Z로 이루어진 분자 XY_4와 이온 ZY_4^+의 루이스 전자점식을 나타낸 것이다.

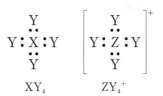

XY_4 ZY_4^+

이에 대한 설명으로 옳은 것만을 | 보기 |에서 있는 대로 고른 것은? (단, X~Z는 임의의 원소 기호이다.)

> **보기**
> ㄱ. Z의 원자가 전자 수는 5이다.
> ㄴ. YXZ에는 이중 결합이 있다.
> ㄷ. ZY_4^+에서 Z와 Y는 이온 결합을 하고 있다.

① ㄱ ② ㄷ ③ ㄱ, ㄴ
④ ㄴ, ㄷ ⑤ ㄱ, ㄴ, ㄷ

> **Tip** 1, 2주기 원소 중에서 원자가 전자가 4개인 원소는 **❶** ▢이고, 원자가 전자가 5개인 원소는 **❷** ▢이다.
> 답 ❶ 탄소(C) ❷ 질소(N)

대표 기출 1 — 2022 9월 모평 3번 유사

그림은 3가지 분자 (가)~(다)의 구조식을 나타낸 것이다.

$$H-\underset{\underset{H}{|}}{\overset{\overset{H}{|}}{C}}-H \qquad H-O-H \qquad H-C\equiv N$$

(가)   (나)   (다)

(가)~(다)에 대한 설명으로 옳은 것만을 |보기|에서 있는 대로 고른 것은?

> **보기**
> ㄱ. 무극성 분자는 1가지이다.
> ㄴ. (나)의 분자 모양은 직선형이다.
> ㄷ. 결합각은 (다)>(나)>(가)이다.

① ㄱ   ② ㄴ   ③ ㄱ, ㄷ
④ ㄴ, ㄷ   ⑤ ㄱ, ㄴ, ㄷ

Tip 중심 원자의 공유 전자쌍의 수와 비공유 전자쌍의 수에 따라 분자의 구조가 달라진다.

풀이 ㄱ. 중심 원자 C에 4개의 H 원자 결합 ➡ 정사면체, 무극성
ㄴ. (나) H_2O은 비공유 전자쌍이 2개이므로 굽은 형이다.
ㄷ. 결합각이 (가)는 109.5°, (나)는 104.5°, (다)는 180°이므로, (다)>(가)>(나)이다. **답 ①**

대표 기출 2 — 2022 6월 모평 4번 유사

그림은 3가지 분자의 구조식을 나타낸 것이다.

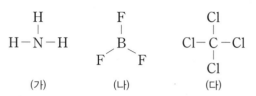

(가)   (나)   (다)

(가)~(다)에 대한 설명으로 옳은 것만을 |보기|에서 있는 대로 고른 것은?

> **보기**
> ㄱ. 극성 분자는 2가지이다.
> ㄴ. 결합각은 (다)>(가)이다.
> ㄷ. (나)의 분자 모양은 평면 삼각형이다.

① ㄱ   ② ㄴ   ③ ㄱ, ㄷ
④ ㄴ, ㄷ   ⑤ ㄱ, ㄴ, ㄷ

Tip 중심 원자에 비공유 전자쌍 없이 결합 방향이 셋이면 분자 모양은 평면 삼각형이며, 결합각은 120°이다.

풀이 ㄱ. (가)는 극성 분자이고, (나)와 (다)는 무극성 분자이다.
ㄴ. NH_3는 N에 비공유 전자쌍이 1개 있으므로 삼각뿔형이며, 결합각은 107°이다. CCl_4는 정사면체 구조이고, 결합각이 109.5°이다.
ㄷ. BF_3는 B에 비공유 전자쌍 없이 결합 방향이 셋이므로 평면 삼각형 구조이고, 결합각이 120°이다. **답 ④**

확인 1-1 — 2021 3월 학평 2번 유사

그림은 분자 (가)~(다)의 구조식을 나타낸 것이다.

$$F-O-F \qquad H-C\equiv N \qquad H-C\equiv C-H$$

(가)   (나)   (다)

(가)~(다)에 대한 설명으로 옳은 것을 |보기|에서 모두 고르시오.

> **보기**
> ㄱ. 극성 분자는 2가지이다.
> ㄴ. 분자 모양이 직선형인 분자는 3가지이다.
> ㄷ. 중심 원자에 비공유 전자쌍이 존재하는 분자는 1가지이다.

확인 2-1 — 2020 4월 학평 4번

그림은 BCl_3, NH_3의 결합각을 기준으로 분류한 영역 Ⅰ~Ⅲ을 나타낸 것이다. α, β는 각각 BCl_3, NH_3의 결합각 중 하나이다.

H_2O과 CH_4의 결합각이 속하는 영역을 각각 고르시오.

대표 기출 3
2020 10월 학평 11번 유사

다음은 분자 (가)~(다)에 대한 자료이다. (가)~(다)는 각각 H_2O, NH_3, BF_3 중 하나이다.

- 구성 원자 수는 (나)>(다)이다.
- 중심 원자의 원자 번호는 (가)>(나)이다.

이에 대한 설명으로 옳은 것만을 |보기|에서 있는 대로 고른 것은?

| 보기 |
ㄱ. (나)는 BF_3이다.
ㄴ. 결합각은 (나)>(가)>(다)이다.
ㄷ. 분자의 쌍극자 모멘트는 (나)>(다)이다.

① ㄱ   ② ㄴ   ③ ㄷ
④ ㄱ, ㄴ   ⑤ ㄴ, ㄷ

Tip 구성 원자 수는 H_2O이 3개이고, NH_3와 BF_3가 4개이다. 원자 번호는 N가 B보다 크다.

풀이 ㄱ. (다)는 H_2O이고, 중심 원자의 원자 번호는 N가 B보다 크므로, (나)는 BF_3이고, (가)는 NH_3이다.
ㄴ. (가) NH_3의 결합각은 107°이고, (나) BF_3의 결합각은 120°이며, (다) H_2O의 결합각은 104.5°이다.
ㄷ. BF_3는 평면 삼각형 구조로 대칭성을 가져 무극성 분자이므로 쌍극자 모멘트가 0이다.   답 ④

확인 3-1

다음은 분자 (가)~(다)에 대한 자료이다. (가)~(다)는 각각 OF_2, CO_2, NF_3 중 하나이다.

- 결합선 수는 (가)>(나)이다.
- 중심 원자의 원자 번호는 (다)>(나)이다.

이에 대한 설명으로 옳은 것을 |보기|에서 모두 고르시오.

| 보기 |
ㄱ. (가)는 공유 전자쌍과 비공유 전자쌍의 수가 같다.
ㄴ. 결합각은 (가)>(나)이다.
ㄷ. 분자의 쌍극자 모멘트는 (다)>(가)이다.

대표 기출 4
2021 3월 학평 12번 유사

표는 2주기 원소 W~Z로 이루어진 분자 (가)~(다)에 대한 자료이다. (가)~(다)에서 모든 원자는 분자 내에서 옥텟 규칙을 만족한다.

분자	(가)	(나)	(다)
구조식	X=W=X	Y−W≡Z	Y−Z=X

이에 대한 설명으로 옳은 것만을 |보기|에서 있는 대로 고른 것은? (단, W~Z는 임의의 원소 기호이다.)

| 보기 |
ㄱ. 전기 음성도는 X가 Z보다 크다.
ㄴ. (나)와 (다)의 분자 모양은 같다.
ㄷ. (가) 분자의 쌍극자 모멘트는 0이다.

① ㄱ   ② ㄷ   ③ ㄱ, ㄷ
④ ㄴ, ㄷ   ⑤ ㄱ, ㄴ, ㄷ

Tip 2주기 원소 중 옥텟 규칙을 만족하며 공유 결합을 하는 비금속 원소는 C, N, O, F이다.

풀이 구조식에서 W는 공유 결합을 4개 하므로 C이며, 공유 결합을 2개 하는 X는 O이고, 공유 결합을 1개 하는 Y는 F, 공유 결합을 3개 하는 Z는 N이다.
ㄱ. 전기 음성도 크기는 C<N<O<F이다.
ㄴ. (나)는 FCN이고, 중심 원자에 비공유 전자쌍이 없으므로 분자 모양은 직선형이다. (다)는 FNO이고, 중심 원자에 비공유 전자쌍이 있으므로 분자 모양은 굽은 형이다.
ㄷ. (가)는 CO_2이고, 무극성 분자이므로 쌍극자 모멘트가 0이다.   답 ③

확인 4-1

표는 2주기 비금속 원소로 이루어진 3원자 분자에 대한 자료이다. 모든 원자는 분자 내에서 옥텟 규칙을 만족한다.

분자	(가)	(나)	(다)
중심 원자	탄소	질소	탄소
구성 원소의 종류	3	3	2
공유 전자쌍 수	4	3	4
분자 구조	직선형	굽은 형	직선형

이에 대한 설명으로 옳은 것을 |보기|에서 모두 고르시오.

| 보기 |
ㄱ. (가)에는 3중 결합이 있다.
ㄴ. (나)의 비공유 전자쌍 수는 1이다.
ㄷ. (다)는 무극성 공유 결합을 가진다.

대표 기출 5

2020 7월 학평 6번 유사

그림은 분자 X_2Y_2와 Z_2Y_2를 화학 결합 모형으로 나타낸 것이다.

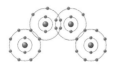 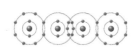

X_2Y_2 Z_2Y_2

이에 대한 설명으로 옳은 것만을 |보기|에서 있는 대로 고른 것은? (단, X~Z는 임의의 원소 기호이다.)

| 보기 |
ㄱ. Z_2Y_4는 평면 구조이다.
ㄴ. YZX에는 다중 결합이 있다.
ㄷ. X_2Y_2와 Z_2Y_2는 모두 극성 공유 결합만 한다.

① ㄱ   ② ㄷ   ③ ㄱ, ㄴ
④ ㄴ, ㄷ   ⑤ ㄱ, ㄴ, ㄷ

Tip X_2Y_2와 Z_2Y_2의 결합 모형에서 원자가 전자가 7개인 원자가 양쪽에 있고, 분자식에 Y가 모두 있으므로, Y는 F이다. Y가 F면, X는 N이고 Z는 C이다. 동일한 원자가 결합하면 전기 음성도가 같으므로 무극성 공유 결합을 한다.

풀이 ㄱ.

$$\overset{\cdot\cdot}{\underset{\cdot\cdot}{F}}\,C=C\,\overset{\cdot\cdot}{\underset{\cdot\cdot}{F}}$$

C_2F_4는 평면 구조이다.

ㄴ. YZX는 F−C≡N으로 3중 결합이 있다.
ㄷ. X_2Y_2(F−N=N−F)에서 N−F 결합과 Z_2Y_2 (F−C≡C−F)에서 C−F 결합은 극성 공유 결합이다. **답** ③

확인 5-1

2020 3월 학평 6번 유사

그림은 주기율표의 일부를 나타낸 것이다.

주기\족	1	2	13	14	15	16	17	18
2	A			B		C		
3							D	

이에 대한 설명으로 옳은 것을 |보기|에서 모두 고르시오. (단, A~D는 임의의 원소 기호이다.)

| 보기 |
ㄱ. BD_4는 무극성 분자이다.
ㄴ. D_2C_2에는 무극성 공유 결합이 있다.
ㄷ. 전기 음성도는 A>B>C>D이다.

대표 기출 6

2021 7월 학평 16번 유사

표는 2주기 원소 W~Z로 이루어진 분자에 대한 자료이다. 모든 원자는 분자 내에서 옥텟 규칙을 만족한다.

분자	(가)	(나)	(다)	(라)
분자식	WX_2	WXZ_2	XZ_2	ZWY
비공유 전자쌍 수 (상댓값)	1	a	2	b

이에 대한 설명으로 옳은 것만을 |보기|에서 있는 대로 고른 것은? (단, W~Z는 임의의 원소 기호이다.)

| 보기 |
ㄱ. $a+b=12$이다.
ㄴ. 전기 음성도는 X>Y>W이다.
ㄷ. (가)~(라) 중 입체 구조인 분자는 2가지이다.

① ㄱ   ② ㄴ   ③ ㄱ, ㄷ
④ ㄴ, ㄷ   ⑤ ㄱ, ㄴ, ㄷ

Tip 2주기이면서 옥텟 규칙을 만족하는 원소는 C, N, O, F이다. C, N, O, F이 1 : 2의 비율로 결합하여 형성할 수 있는 분자는 CO_2와 OF_2이다. 이 둘의 비공유 전자쌍 수는 각각 4, 8이므로, W=C, X=O, Z=F이다. 남은 Y는 N이다.

풀이 (가) CO_2, (나) COF_2, (다) OF_2, (라) FCN이다.
ㄱ. COF_2의 비공유 전자쌍은 8개, FCN은 4개이다. 상댓값이므로 $a=2$, $b=1$이다. 따라서 $a+b=3$이다.
ㄴ. 전기 음성도는 O>N>C이다.
ㄷ. CO_2와 FCN은 직선형, COF_2는 평면 삼각형, OF_2는 굽은 형이다. 따라서 (가)~(라) 중 입체 구조인 분자는 없다. **답** ②

확인 6-1

2018 10월 학평 12번 유사

표는 원소 W~Z로 이루어진 분자 (가)와 (나)에 대한 자료이다. W~Z는 각각 C, N, O, F 중 하나이고, 분자 내에서 옥텟 규칙을 만족한다. (단, 다중 결합은 구분하여 표시하지 않았다.)

분자	(가)	(나)
구조식	W−X−X−W	Y−Z−W
비공유 전자쌍 수	6	6
공유 전자쌍 수	5	3

이에 대한 설명으로 옳은 것을 |보기|에서 모두 고르시오.

| 보기 |
ㄱ. (가)는 무극성 분자이다.
ㄴ. (나)는 굽은 형이다.
ㄷ. 전기 음성도는 Y>Z이다.

대표 기출 7

다음은 원자 W~Z와 수소(H)로 이루어진 분자 H_aW, H_bX, H_cY, H_dZ에 대한 자료이다. W~Z는 각각 O, F, S, Cl 중 하나이고, 분자 내에서 옥텟 규칙을 만족한다. W, Y는 같은 주기 원소이다.

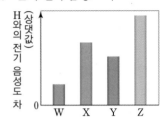

- H와 W~Z의 전기 음성도 차

- H_aW, H_bX, H_cY, H_dZ에서 H는 부분적인 양전하(δ^+)를 띤다.

이에 대한 설명으로 옳은 것만을 │보기│에서 있는 대로 고른 것은?

│보기│
ㄱ. $a+c=b+d$이다.
ㄴ. 원자 번호는 Y > X이다.
ㄷ. XZ_2에서 Z는 부분적인 음전하(δ^-)를 띤다.

① ㄱ ② ㄴ ③ ㄱ, ㄷ
④ ㄴ, ㄷ ⑤ ㄱ, ㄴ, ㄷ

Tip 전기 음성도는 F가 4.0으로 가장 크다.

풀이 ㄱ. O의 전기 음성도는 3.5이고, Cl의 전기 음성도는 3.0이므로, X=O, Y=Cl, W=S이다. 따라서 $H_2S=H_aW$, $H_2O=H_bX$, $HCl=H_cY$, $HF=H_dZ$이다. a와 b는 2이고, c와 d는 1이므로, $a+c=b+d$이다.
ㄴ. X=O, Y=Cl이므로, 원자 번호는 Y > X이다.
ㄷ. XZ_2에서 전기 음성도는 Z가 크므로 Z가 부분적인 음전하(δ^-)를 띤다. **답** ⑤

확인 7-1

그림은 2, 3주기 원자 W~Z의 전기 음성도를 나타낸 것이다. W와 X는 14족, Y와 Z는 17족 원소이다.

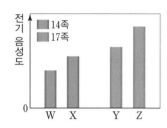

이에 대한 설명으로 옳은 것만을 │보기│에서 모두 고르시오. (단, W~Z는 임의의 원소 기호이다.)

│보기│
ㄱ. 원자 번호는 Y > W이다.
ㄴ. X와 Y는 같은 주기 원소이다.
ㄷ. XZ_2Y_2는 무극성 공유 결합을 한다.

확인 7-2

그림은 임의의 원소 A~D의 전기 음성도를 상댓값으로 나타낸 것이다. A~D는 각각 O, F, Na, Mg 중 하나이다.

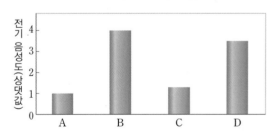

이에 대한 설명으로 옳은 것을 │보기│에서 모두 고르시오.

│보기│
ㄱ. A와 B가 결합한 화합물의 화학식은 AB이다.
ㄴ. C와 D가 결합한 화합물은 공유 결합 화합물이다.
ㄷ. D_2 분자에는 2개의 비공유 전자쌍이 있다.

6강_ 분자의 구조와 성질

2022 6월 모평 14번 유사

1 다음은 원자 W~Z에 대한 자료이다. W~Z는 각각 C, O, F, Cl 중 하나이고, 분자 내에서 옥텟 규칙을 만족한다.

- Y와 Z는 같은 족 원소이다.
- 전기 음성도는 X > Y > W이다.

이에 대한 설명으로 옳은 것만을 │보기│에서 있는 대로 고른 것은? (단, W~Z는 임의의 원소 기호이다.)

│보기│
ㄱ. Y는 염소(Cl)이다.
ㄴ. XY_2는 무극성 분자이다.
ㄷ. WZ_4에서 Z는 부분적인 음전하(δ^-)를 띤다.

① ㄱ　　　② ㄴ　　　③ ㄷ
④ ㄱ, ㄷ　　　⑤ ㄴ, ㄷ

Tip 전기 음성도는 F가 ❶[　　]으로 가장 크고, 2주기에서 전기 음성도는 원자 번호가 작아질수록 약 ❷[　　]씩 감소한다.　　**답** ❶ 4.0 ❷ 0.5

2021 4월 학평 15번 유사

2 표는 분자 (가)~(다)에 대한 자료이다. (가)~(다)의 모든 원자는 분자 내에서 옥텟 규칙을 만족하고, 분자당 구성 원자 수는 4 이하이다.

분자	(가)	(나)	(다)
구성 원소	N, F	N, F	O, F
구성 원자 수	a		
비공유 전자쌍 수	$2a$	b	b

이에 대한 설명으로 옳은 것만을 │보기│에서 있는 대로 고른 것은?

│보기│
ㄱ. $b=10$이다.
ㄴ. (다)에는 다중 결합이 있다.
ㄷ. (가)에는 무극성 공유 결합이 있다.

① ㄱ　　　② ㄷ　　　③ ㄱ, ㄷ
④ ㄴ, ㄷ　　　⑤ ㄱ, ㄴ, ㄷ

Tip 옥텟 규칙을 만족하면서 구성 원자 수가 4 이하인 분자는 구성 원소가 N, F일 때 ❶[　　]와 NF_3이다.　**답** ❶ N_2F_2

2020 3월 학평 14번 유사

3 표는 분자 (가)~(라)에 대한 자료이다. W~Z는 2주기 원소이고, (가)~(라)의 중심 원자는 옥텟 규칙을 만족한다.

분자	(가)	(나)	(다)	(라)
구성 원소	H, X, Y	H, Y	H, Z	H, W
전체 원자 수	3	4	3	2
H 원자 수	1	3	2	1

(가)~(라)에 대한 설명으로 옳은 것만을 │보기│에서 있는 대로 고른 것은? (단, X~Z는 임의의 원소 기호이다.)

│보기│
ㄱ. 무극성 분자는 1가지이다.
ㄴ. $\dfrac{공유\ 전자쌍\ 수}{비공유\ 전자쌍\ 수} < 2$인 것은 2가지이다.
ㄷ. 분자를 구성하는 모든 원자가 동일 평면에 존재하는 것은 2가지이다.

① ㄱ　　　② ㄴ　　　③ ㄱ, ㄷ
④ ㄴ, ㄷ　　　⑤ ㄱ, ㄴ, ㄷ

Tip 2주기 원소 중 H 원자 3개와 공유 결합하여 옥텟 규칙을 만족하는 것은 ❶[　　]이고, H 원자 2개와 공유 결합하여 옥텟 규칙을 만족하는 것은 ❷[　　]이다.　**답** ❶ N ❷ O

4 표는 분자 (가)~(라)에 대한 자료이다. W, X는 2, 3주기 17족이고, Y, Z는 2, 3주기 16족 원소이다. (가)~(라)의 모든 원자는 분자 내에서 옥텟 규칙을 만족한다.

분자	(가)	(나)	(다)	(라)
원소의 종류	X	X, W	W, Z	Y, W
분자 1몰에 들어 있는 전자의 양(몰)	b	a	a	b

이에 대한 설명으로 옳은 것만을 │보기│에서 있는 대로 고른 것은?

│보기│
ㄱ. $a=26$이다.　　　ㄴ. 전기 음성도는 Z > X이다.
ㄷ. (라)에서 W는 부분적인 음전하(δ^-)를 띤다.

① ㄱ　　　② ㄷ　　　③ ㄱ, ㄴ
④ ㄴ, ㄷ　　　⑤ ㄱ, ㄴ, ㄷ

Tip 원자 1몰에 들어 있는 전자의 양(몰)은 ❶[　　] 및 ❷[　　]와 동일하다.　**답** ❶ 원자핵 전하량 ❷ 원자 번호

2020 7월 학평 14번 유사

5 표는 원소 $X \sim Z$로 이루어진 분자 (가)~(마)에 대한 자료이다. $X \sim Z$는 각각 C, O, F 중 하나이며, 분자당 구성 원자 수는 4 이하이다. (가)~(마)의 모든 원자는 분자 내에서 옥텟 규칙을 만족한다.

분자	구성 원소	비공유 전자쌍 수 / 공유 전자쌍 수	분자의 쌍극자 모멘트
(가)	X, Y	$\dfrac{6}{5}$	0
(나)	X, Z	$\dfrac{10}{3}$	—
(다)	Y, Z	1	0
(라)	X, Y, Z	2	—
(마)	X, Z	4	—

(가)~(마)에 대한 설명으로 옳은 것만을 | 보기 |에서 있는 대로 고른 것은?

┌─ 보기 ┐
ㄱ. 입체 구조인 분자는 2가지이다.
ㄴ. 무극성 공유 결합이 있는 분자는 2가지이다.
ㄷ. 분자당 구성 원자 수가 3인 분자는 2가지이다.
└─────┘

① ㄱ ② ㄷ ③ ㄱ, ㄴ
④ ㄴ, ㄷ ⑤ ㄱ, ㄴ, ㄷ

> **Tip** C, O, F를 4개 이하의 원자로 조합하여 만들 수 있는 무극성 분자는 ❶ [____]와 ❷ [____]이다.
> 답 ❶ O=C=O ❷ F−C≡C−F

6 표는 분자 (가)~(라)에 대한 자료이다. (가)~(라)의 모든 원자는 분자 내에서 옥텟 규칙을 만족하고, 분자당 구성 원자 수는 4 이하이다.

분자	(가)	(나)	(다)	(라)
구성 원소	N, F	O, F	N, O, F	N, C, F
비공유 전자쌍 수 / 공유 전자쌍 수	a	a	$2b$	b

이에 대한 설명으로 옳은 것만을 | 보기 |에서 있는 대로 고른 것은?

┌─ 보기 ┐
ㄱ. $3a = 5b$이다.
ㄴ. 다중 결합을 가진 분자는 2가지이다.
ㄷ. 무극성 공유 결합을 가진 분자는 2가지이다.
└─────┘

① ㄱ ② ㄴ ③ ㄱ, ㄴ
④ ㄱ, ㄷ ⑤ ㄴ, ㄷ

> **Tip** N, O, F를 4개 이하로 조합하여 만들 수 있는 분자는 ❶ [____]이며, N, C, F를 4개 이하로 조합하여 만들 수 있는 분자는 ❷ [____]이다. 답 ❶ F−N=O ❷ F−C≡N

7 표는 2주기 원소 $X \sim Z$로 이루어진 분자 (가)~(다)에 대한 자료이다. (가)~(다)의 모든 원자는 분자 내에서 옥텟 규칙을 만족한다.

분자	(가)	(나)	(다)
구성 원소	X, Y, Z	X, Y	X, Z
구성 원자 수	3	4	a
비공유 전자쌍 수	a	b	$2a$
분자 구조		직선형	

(가)~(다)에 대한 설명으로 옳은 것만을 | 보기 |에서 있는 대로 고른 것은? (단, $X \sim Z$는 임의의 원소 기호이다.)

┌─ 보기 ┐
ㄱ. $a = 4$이다.
ㄴ. $b = 6$이다.
ㄷ. 다중 결합이 있는 것은 2가지이다.
└─────┘

① ㄱ ② ㄴ ③ ㄱ, ㄴ
④ ㄱ, ㄷ ⑤ ㄴ, ㄷ

> **Tip** 2주기의 서로 다른 세 원소가 각각 한 개씩 결합하여 옥텟 규칙을 만족하는 분자는 ❶ [____]와 ❷ [____]이다.
> 답 ❶ FNO ❷ FCN

누구나 합격 전략

5강_ 화학 결합

01 다음은 바닥상태 원자 A∼D의 전자 배치이다. (단, A∼D는 임의의 원소 기호이다.)

> A: $1s^2 2s^2 2p^4$
> B: $1s^2 2s^2 2p^5$
> C: $1s^2 2s^2 2p^6 3s^1$
> D: $1s^2 2s^2 2p^6 3s^2 3p^5$

이에 대한 설명으로 옳은 것만을 |보기|에서 있는 대로 고른 것은? (단, A∼D는 임의의 원소 기호이다.)

> 보기
> ㄱ. CD는 공유 결합 물질이다.
> ㄴ. B와 D는 같은 족 원소이다.
> ㄷ. A와 C는 2 : 1로 결합하여 안정한 화합물을 형성한다.

① ㄱ   ② ㄴ   ③ ㄱ, ㄷ
④ ㄴ, ㄷ   ⑤ ㄱ, ㄴ, ㄷ

02 그림은 나트륨의 결합 모형과 다이아몬드의 구조 모형을 나타낸 것이다.

나트륨   다이아몬드

이에 대한 설명으로 옳은 것만을 |보기|에서 있는 대로 고른 것은?

> 보기
> ㄱ. ㉠은 금속 양이온이다.
> ㄴ. 다이아몬드는 공유 결합을 한다.
> ㄷ. 두 물질은 모두 고체 상태에서 전기 전도성을 가진다.

① ㄱ   ② ㄴ   ③ ㄱ, ㄴ
④ ㄴ, ㄷ   ⑤ ㄱ, ㄴ, ㄷ

03 그림은 2주기 원자 A∼D의 루이스 전자점식을 나타낸 것이다.

$$A\cdot \quad \cdot \overset{\cdot\cdot}{\underset{\cdot}{B}}\cdot \quad :\overset{\cdot\cdot}{C}\cdot \quad :\overset{\cdot\cdot}{D}\cdot$$

이에 대한 설명으로 옳은 것만을 |보기|에서 있는 대로 고른 것은? (단, A∼D는 임의의 원소 기호이다.)

> 보기
> ㄱ. A(s)는 외부에서 힘을 가하면 넓게 펴진다.
> ㄴ. AD는 외부에서 힘을 가하면 쉽게 부서진다.
> ㄷ. B_2와 C_2는 액체 상태에서 전기 전도성이 있다.

① ㄱ   ② ㄷ   ③ ㄱ, ㄴ
④ ㄴ, ㄷ   ⑤ ㄱ, ㄴ, ㄷ

04 그림은 2, 3주기 원소 X∼Z로 이루어진 3가지 물질의 루이스 전자점식을 나타낸 것이다(원자 번호는 X>Y>Z이다).

$$X^{a+}\left[:\overset{\cdot\cdot}{\underset{\cdot\cdot}{Y}}:\right]^{a-} \quad :\overset{\cdot\cdot}{Y}::\overset{\cdot\cdot}{Y}: \quad :\overset{\cdot\cdot}{Y}::Z::\overset{\cdot\cdot}{Y}:$$

이에 대한 설명으로 옳은 것만을 |보기|에서 있는 대로 고른 것은? (단, X∼Z는 임의의 원소 기호이다.)

> 보기
> ㄱ. X는 마그네슘이다.
> ㄴ. 3가지 물질 중 이온 결합 물질은 2가지이다.
> ㄷ. 원자가 전자 수는 Z>Y>X이다.

① ㄱ   ② ㄴ   ③ ㄱ, ㄷ
④ ㄴ, ㄷ   ⑤ ㄱ, ㄴ, ㄷ

05 물질 (가)∼(다)는 각각 구리(Cu), 설탕($C_{12}H_{22}O_{11}$), 염화 칼슘($CaCl_2$) 중 하나라고 할 때, 표의 전기 전도성을 보고 (가)∼(다)를 찾으시오.

물질	전기 전도성	
	고체 상태	액체 상태
(가)	없음	없음
(나)	없음	있음
(다)	있음	있음

6강_ 분자의 구조와 성질

06 그림은 분자 (가)~(다)의 구조식을 나타낸 것이다.

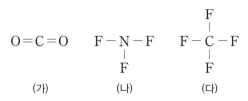

이에 대한 설명으로 옳은 것만을 | 보기 |에서 있는 대로 고른 것은?

┌ 보기 ┌
ㄱ. 무극성 분자는 2가지이다.
ㄴ. 결합각은 (가) > (나) > (다)이다.
ㄷ. 비공유 전자쌍을 가지고 있는 분자는 1가지 이다.

① ㄱ   ② ㄴ   ③ ㄱ, ㄷ
④ ㄴ, ㄷ   ⑤ ㄱ, ㄴ, ㄷ

07 다음은 물질 AB와 CDA가 반응하여 CB와 A_2D를 생성하는 반응에서 생성물을 화학 결합 모형으로 나타낸 화학 반응식이다.

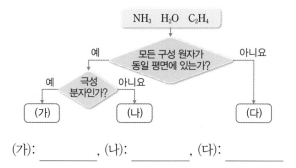

이에 대한 설명으로 옳은 것만을 | 보기 |에서 있는 대로 고른 것은? (단, A~D는 임의의 원소 기호이다.)

┌ 보기 ┌
ㄱ. CDA는 수산화 나트륨이다.
ㄴ. DB_2의 쌍극자 모멘트는 0이다.
ㄷ. AB 분자에서 B는 부분적인 음전하(δ^-)를 띤다.

① ㄱ   ② ㄴ   ③ ㄱ, ㄷ
④ ㄴ, ㄷ   ⑤ ㄱ, ㄴ, ㄷ

08 그림은 분자 (가)~(라)의 루이스 전자점식에서 공유 전자쌍 수와 비공유 전자쌍 수를 나타낸 것이다. (가)~(라)는 각각 N_2, HCl, CO_2, CH_2O 중 하나이고, C, N, O, Cl는 분자 내에서 옥텟 규칙을 만족한다. 이에 대한 설명으로 옳은 것만을 | 보기 |에서 있는 대로 고른 것은?

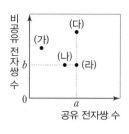

┌ 보기 ┌
ㄱ. $\dfrac{b}{a}=2$이다.
ㄴ. (가)는 직선형 구조이다.
ㄷ. (나)와 (다)는 무극성 공유 결합을 한다.

① ㄱ   ② ㄴ   ③ ㄱ, ㄷ
④ ㄴ, ㄷ   ⑤ ㄱ, ㄴ, ㄷ

09 그림은 폼산(HCOOH)의 구조식을 나타낸 것이다.

$$\begin{matrix} & O & \\ & \| & \\ H-&C&-O-H \end{matrix}$$

폼산(HCOOH)의 $\dfrac{\text{비공유 전자쌍 수}}{\text{공유 전자쌍 수}}$ 는?

① $\dfrac{4}{5}$ ② $\dfrac{5}{4}$ ③ $\dfrac{2}{5}$
④ $\dfrac{8}{5}$ ⑤ 1

10 그림은 3가지 분자에 대한 분류이다. (가)~(다)는 각각 어떤 분자인가?

```
        ┌─────────────────┐
        │  NH₃  H₂O  C₂H₄  │
        └─────────────────┘
              │
      예 ┌────────────────┐ 아니요
    ┌────│ 모든 구성 원자가 │────┐
    │    │ 동일 평면에 있는가? │    │
    │    └────────────────┘    │
  예 ┌──────┐ 아니요             │
 ┌──│ 극성  │──┐               │
 │  │분자인가?│  │               │
 │  └──────┘  │               │
┌───┐      ┌───┐          ┌───┐
│(가)│      │(나)│          │(다)│
└───┘      └───┘          └───┘
```

(가): _____ , (나): _____ , (다): _____

창의·융합·코딩 전략

5강_ 화학 결합

01 2021 11월 학평 4번 유사

다음은 이온 결합 물질과 관련하여 학생 A가 세운 가설과 이를 검증하기 위해 수행한 탐구 활동이다.

> | 가설 |
> • Na과 할로젠 원소(X)로 구성된 이온 결합 물질(NaX)은 ⬚⬚⬚⬚ ㉠ ⬚⬚⬚⬚
>
> | 탐구 과정 |
> • 4가지 고체 NaF, NaCl, NaBr, NaI의 이온 사이의 거리와 1 기압에서의 녹는점을 조사하고 비교한다.
>
> | 탐구 결과 |
>
> | 이온 결합 물질 | NaF | NaCl | NaBr | NaI |
> |---|---|---|---|---|
> | 이온 사이의 거리(pm) | 231 | 282 | 299 | 324 |
> | 녹는점(℃) | 996 | 802 | 747 | 661 |
>
> | 결론 |
> • 가설은 옳다.

학생 A의 결론이 타당할 때, 이에 대한 설명으로 옳은 것만을 | 보기 |에서 있는 대로 고른 것은?

> ┌ 보기 ┐
> ㄱ. 4가지 고체의 양이온과 음이온 수 비는 1 : 1이다.
> ㄴ. '이온 간 거리가 가까울수록 녹는점이 높다.'는 ㉠으로 적절하다.
> ㄷ. 4가지 물질 중 이온 사이의 정전기적 인력이 가장 작은 물질은 NaF이다.

① ㄱ   ② ㄷ   ③ ㄱ, ㄴ
④ ㄴ, ㄷ   ⑤ ㄱ, ㄴ, ㄷ

> **Tip** 이온 결합 물질의 녹는점과 끓는점에 영향을 미치는 요인은 **❶**⬚⬚⬚ 와 **❷**⬚⬚⬚ 이다.
> 🔒 ❶ 이온 사이의 거리 ❷ 이온의 전하량

02 2020 7월 학평 7번 유사

다음은 어떤 학생이 작성한 보고서의 일부이다.

> | 실험 과정 |
> • 소량의 황산 나트륨(Na_2SO_4)을 녹인 물을 넣고 전기 분해한다.

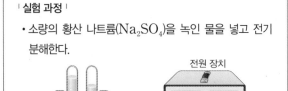

전원 장치

물+황산 나트륨

> | 실험 결과 및 해석 |
> • 각 전극에서 생성된 물질과 ㉠ 비
>
> | 생성된 물질 | | ㉠ 비 |
> |---|---|---|
> | (+)극 | (−)극 | $O_2(g) : H_2(g)$ |
> | ㉡ | ㉢ | 1 : 2 |
>
> • 물의 전기 분해 실험으로 물 분자를 이루는 수소와 산소 사이의 화학 결합에 ㉣ 가 관여함을 알 수 있다.

이에 대한 설명으로 옳은 것만을 | 보기 |에서 있는 대로 고른 것은?

> ┌ 보기 ┐
> ㄱ. ㉠은 질량이다.
> ㄴ. ㉡은 $O_2(g)$이다.
> ㄷ. ㉣은 전자이다.

① ㄱ   ② ㄷ   ③ ㄱ, ㄴ
④ ㄴ, ㄷ   ⑤ ㄱ, ㄴ, ㄷ

> **Tip** 물을 전기 분해하면 (+)극에서는 **❶**⬚⬚⬚ 가 발생하고, (−)극에서는 **❷**⬚⬚⬚ 가 발생한다.
> 🔒 ❶ 산소 기체 ❷ 수소 기체

2020 7월 학평 11번 유사

03 다음은 원소 A~E로 이루어진 물질에 대한 자료이다.

물질	AD_2, DE_2	B, C	BD, CE
화학 결합의 종류	㉠	금속 결합	㉡

• A~E의 원자 번호는 각각 6, 8, 9, 11, 12 중 하나이다.
• ㉠과 ㉡은 각각 공유 결합과 이온 결합 중 하나이다.

이에 대한 설명으로 옳은 것만을 |보기|에서 있는 대로 고른 것은? (단, A~E는 임의의 원소 기호이다.)

┌─ 보기 ┌
ㄱ. 전기 음성도는 D > A이다.
ㄴ. B와 C는 자유 전자가 있어 열을 잘 전달하고 전성과 연성이 있다.
ㄷ. 고체 상태의 BD와 CE는 외부에서 힘을 가하면 쉽게 부서진다.
└─────┘

① ㄱ   ② ㄴ   ③ ㄱ, ㄷ
④ ㄴ, ㄷ   ⑤ ㄱ, ㄴ, ㄷ

> **Tip** 공유 결합 물질은 ❶[　　] 원소 간의 결합이고, 이온 결합은 금속 원소와 비금속 원소 간의 결합이며, 금속 결합은 금속 원소와 ❷[　　] 간의 결합이다.
> 답 ❶ 비금속 ❷ 자유 전자

2016 4월 학평 4번 유사

04 그림은 Ca, O_2, CaO을 2가지 기준에 따라 분류한 것이다.

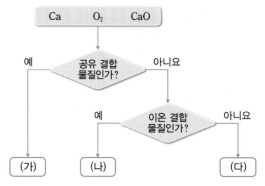

(가)~(다)에 대한 설명으로 옳은 것만을 |보기|에서 있는 대로 고른 것은?

┌─ 보기 ┌
ㄱ. (가)는 비금속 원소 사이의 결합으로 이루어진 분자이다.
ㄴ. 고체 상태에서 전기 전도성이 있는 물질은 1가지이다.
ㄷ. (나)는 (가)보다 녹는점과 끓는점이 낮다.
└─────┘

① ㄱ   ② ㄷ   ③ ㄱ, ㄴ
④ ㄴ, ㄷ   ⑤ ㄱ, ㄴ, ㄷ

> **Tip** 이온 결합 물질은 고체 상태에서는 전기 전도성이 없고 용융액이나 ❶[　　] 상태에서는 전기 전도성이 있으며, 공유 결합 물질은 ❷[　　]나 액체 상태에서 전기 전도성이 없다(단, 흑연 제외).
> 답 ❶ 수용액 ❷ 고체

6강_ 분자의 구조와 성질

2018 9월 모평 5번 유사

05 다음은 주기율표의 일부와 A∼C 원자가 극성 공유 결합한 분자를 모형으로 나타낸 것이다.

족 주기	1	2	13	14	15	16	17	18
1	A							
2							B	
3							C	

• AB, AC, CB에서 δ^+와 δ^-를 표시한 그림

이에 대한 설명으로 옳은 것만을 | 보기 |에서 있는 대로 고른 것은? (단, A∼C는 임의의 원소 기호이며, 각 원소의 원자량은 1, 19, 35.5이다.)

┌ 보기 ┐
ㄱ. 크기가 더 큰 원자는 모두 부분적인 (−)전하를 띤다.
ㄴ. 전기 음성도가 가장 큰 원자는 B이다.
ㄷ. 원자 간 원자량 차이가 커지면 전기 음성도 차이도 커진다.
└────┘

① ㄱ   ② ㄴ   ③ ㄱ, ㄷ
④ ㄴ, ㄷ   ⑤ ㄱ, ㄴ, ㄷ

Tip 전기 음성도 차이가 있는 원자가 결합하면 전기 음성도가 더 큰 원자는 부분적인 (−)전하를 띠고, 전기 음성도가 더 ❶□□ 원자는 부분적인 (＋)전하를 띠면서 ❷□□ 공유 결합을 한다. ❶ 작은 ❷ 극성

2015 6월 모평 13번 유사

06 다음은 화합물 AB, AC, BC에 대한 자료이다. A∼C는 각각 H, F, Cl 중 하나이다.

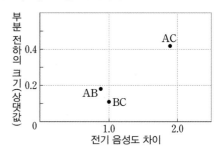

화합물	결합 길이(pm)
AB	128
AC	93
BC	163

이에 대한 설명으로 옳은 것만을 | 보기 |에서 있는 대로 고른 것은? (단, A∼C는 임의의 원소 기호이며, 쌍극자 모멘트의 크기는 부분 전하의 크기와 두 전하 사이의 거리 (결합 길이)의 곱과 같다.)

┌ 보기 ┐
ㄱ. AC는 이온 결합 물질이다.
ㄴ. 쌍극자 모멘트는 AC > AB이다.
ㄷ. 전기 음성도는 C > B > A이다.
└────┘

① ㄱ   ② ㄴ   ③ ㄱ, ㄷ
④ ㄴ, ㄷ   ⑤ ㄱ, ㄴ, ㄷ

Tip 주기율표상에서 같은 주기에서는 ❶□□쪽으로 갈수록 전기 음성도가 커지고, 같은 족에서는 ❷□□쪽으로 갈수록 전기 음성도가 커지는 경향이 있다. ❶ 오른 ❷ 위

2022 수능 7번 유사

07 그림은 3가지 분자를 기준 (가)와 (나)에 따라 분류한 것이다.

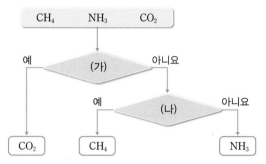

다음 중 (가)와 (나)에 적절한 것을 | 보기 |에서 모두 골라 옳게 짝 지은 것은?

┌ 보기 ┐
ㄱ. 무극성 분자인가?
ㄴ. 공유 전자쌍 수가 3인가?
ㄷ. 공유 전자쌍 수가 4인가?
ㄹ. 분자 모양이 직선형인가?
ㅁ. 다중 결합이 존재하는가?
ㅂ. 비공유 전자쌍 수가 4인가?
ㅅ. 분자 모양이 정사면체인가?

	(가)	(나)
①	ㄹ, ㅂ	ㄱ, ㄷ
②	ㄱ, ㄴ, ㄷ	ㅁ, ㅂ, ㅅ
③	ㄱ, ㄷ, ㅅ	ㄹ, ㅁ, ㅂ
④	ㄹ, ㅁ, ㅂ	ㄱ, ㄴ, ㄷ
⑤	ㄹ, ㅁ, ㅂ	ㄱ, ㄷ, ㅅ

Tip CO_2와 CH_4는 ❶〔　　〕 분자이고, NH_3는 ❷〔　　〕 분자이다.　　답 ❶ 무극성 ❷ 극성

2021 7월 학평 6번 유사

08 다음은 학생 A가 수행한 탐구 활동이다.

┌─────────────────────────────────┐
│ | 가설 |
│ • 중심 원자의 공유 전자쌍 수가 많을수록 분자의 결합각이 작아진다.
│
│ | 탐구 과정 |
│ • 중심 원자가 Be, B, C, N, O인 분자 (가)~(마)의 자료를 조사하고, 중심 원자의 공유 전자쌍 수에 따른 분자의 결합각 크기를 비교한다.
│
│ | 자료 및 결과 |

분자	(가)	(나)	(다)	(라)	(마)
분자식	BeF_2	BCl_3	CH_4	NH_3	H_2O
중심 원자의 공유 전자쌍 수	2	3	4	3	2
결합각	180°	120°	109.5°	107°	104.5°
└─────────────────────────────────┘

(가)~(마)에서 학생 A의 가설을 뒷받침하는 분자 3가지와 가설을 반증하는 분자 3가지를 각각 고르시오.

가설을 증명하는 분자: ＿＿＿＿＿＿＿＿＿

가설에 반대되는 분자: ＿＿＿＿＿＿＿＿＿

Tip 분자의 결합각은 중심 원자의 ❶〔　　〕와 ❷〔　　〕에 영향을 받는다.
답 ❶ 공유 전자쌍 수 ❷ 비공유 전자쌍 수

2 Ⅳ 역동적인 화학 반응

7강_ 동적 평형과 산 염기 반응

8강_ 산화 환원 반응과 화학 반응에서 열의 출입

개념 돌파 전략 ①

7강_ 동적 평형과 산 염기 반응

개념 1 가역 반응과 동적 평형

1 **가역 반응** 반응 조건에 따라 정반응과 역반응이 모두 일어날 수 있는 반응(⇄로 나타냄)

2 **동적 평형** 가역 반응에서 정반응과 ❶□□□의 속도가 같아서 겉으로는 변화가 없는 것처럼 보이는 상태

3 **닫힌 용기에서의 동적 평형**
• 증발과 ❷□□□이 모두 계속 일어남

• 증발 속도와 ❷□□□ 속도가 같아 겉보기에 증발하지 않는 것처럼 보임

답 ❶ 역반응 ❷ 응축

확인 Q 1

닫힌 용기에서 물의 양이 조금씩 줄다가 일정하게 유지될 때 (증발, 응축, 증발과 응축)이 일어난다.

개념 2 상평형

1 **상평형** 물질의 세 가지 상태 중 두 가지 이상의 상태가 ❶□□□을 유지하는 것

2 **닫힌 용기에서의 물의 증발과 응축**

• 증발 속도 ≫ 응축 속도
• 증발 속도 > 응축 속도
• 증발 속도 = 응축 속도

t 시간 이후
• 증발 속도 = 응축 속도
• 수면의 높이 ❷□□□
➡ 상평형

답 ❶ 동적 평형 ❷ 일정

확인 Q 2

닫힌 용기에서 시간이 지날수록 증발 속도는 (   )하고 응축 속도는 (   )진다.

개념 3 용해 평형

1 **용해 평형** 용질이 용매에 용해될 때 용질의 용해 속도와 석출 속도가 같아서 겉보기에는 변화가 일어나지 않는 것처럼 보이는 ❶□□□ 상태

2 **설탕의 용해와 석출**

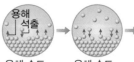

용해 속도
≫석출 속도

용해 속도
>석출 속도

용해 속도
=석출 속도

3 **포화 용액** ❷□□□ 상태의 용액

답 ❶ 동적 평형 ❷ 용해 평형

확인 Q 3

용해 평형에서는 용질이 더 이상 녹지 않는 것처럼 보이지만 (   )와 (   )이 계속 일어나고 있다.

개념 4 물의 자동 이온화와 이온화 상수

1 **물의 자동 이온화** 매우 적은 양의 물 분자끼리 수소 이온(H^+)을 주고받아 이온화하는 현상

$$H_2O(l) + H_2O(l) \rightleftharpoons H_3O^+(aq) + OH^-(aq)$$

2 **물의 이온화 상수(K_w)**

$$K_w = [H_3O^+][OH^-]$$

• K_w는 온도에 의해서만 영향을 받는다.
  : 25 °C에서의 K_w는 ❶□□□으로 일정하다.
• 순수한 물에는 H_3O^+과 OH^-만 존재하며, 전체적으로 전기적인 중성을 띠므로 H_3O^+과 OH^-이 같은 수로 존재한다.
  : 25 °C에서의 순수한 물에서
$$[H_3O^+] = [OH^-] = ❷□□□$$

답 ❶ 1.0×10^{-14} ❷ 1.0×10^{-7}

확인 Q 4

25 °C에서 순수한 물의 $[H_3O^+] = ($ $)$이다.

개념 **5** 용액의 pH와 pOH

1 수소 이온 농도 지수(pH)

$$pH = \log \frac{1}{[H_3O^+]} = -\log [H_3O^+]$$

- H_3O^+의 농도가 커지면 pH 값이 **❶** 진다.
  ➡ pH 값이 작을수록 산성이 강하다.
- 수용액의 pH가 1씩 작아질수록 수용액 속의 $[H_3O^+]$는 **❷** 배씩 커진다.

2 수산화 이온 농도 지수(pOH)

$$pOH = \log \frac{1}{[OH^-]} = -\log [OH^-]$$

3 pH와 pOH의 관계 $pH + pOH = 14$ (25 ℃)

답 ❶ 작아 ❷ 10

확인 Q 5

pH가 2.0인 수용액은 pH가 4.0인 수용액에 비해 $[H_3O^+]$가
(   )배 더 크다.

개념 **6** 산과 염기의 정의

1 아레니우스 정의
- 산: 수용액에서 수소 이온(H^+)을 내놓는 물질
- 염기: 수용액에서 **❶** 을 내놓는 물질

2 브뢴스테드·로리 정의
- 산: 다른 물질에게 양성자(H^+)를 내놓는 물질
- 염기: 다른 물질로부터 양성자(H^+)를 받는 물질

3 양쪽성 물질 조건에 따라 산으로도 작용할 수 있고 염기로도 작용할 수 있는 물질

$$\overset{\overset{H^+}{\frown}}{NH_3(g) + H_2O(l)} \longrightarrow NH_4^+(aq) + OH^-(aq)$$
$$\underset{\text{염기}}{} \quad \underset{\text{산}}{}$$

$$\overset{\overset{H^+}{\frown}}{HCl(g) + H_2O(l)} \longrightarrow H_3O^+(aq) + Cl^-(aq)$$
$$\underset{\text{산}}{} \quad \underset{\text{염기}}{}$$

4 짝산–짝염기 양성자(H^+)의 이동으로 산과 염기가 되는 한 쌍의 물질

$$\underset{\text{산 1}}{HF} + \underset{\text{염기 2}}{H_2O} \rightleftharpoons \underset{\text{염기 1}}{F^-} + \boxed{❷}$$
$$\overset{\text{짝산—짝염기}}{} \qquad \overset{\text{산 2}}{}$$
$$\underset{\text{짝염기—짝산}}{}$$

답 ❶ 수산화 이온(OH^-) ❷ H_3O^+

확인 Q 6

$HCl(g) + NH_3(g) \longrightarrow NH_4Cl(s)$ 반응에서 브뢴스테드 · 로리 산은 (   )이다.

개념 **7** 산 염기의 중화 반응

1 중화 반응 산과 염기가 반응하여 **❶** 과 염이 생성되는 반응

- 중화 반응의 알짜 이온 반응식:
  $$H^+(aq) + OH^-(aq) \longrightarrow H_2O(l)$$

2 중화 반응의 양적 관계 산의 H^+와 염기의 OH^-이 개수비 **❶** 로 반응한다.

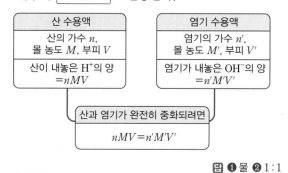

산 수용액	염기 수용액
산의 가수 n, 몰 농도 M, 부피 V	염기의 가수 n', 몰 농도 M', 부피 V'
산이 내놓은 H^+의 양 $= nMV$	염기가 내놓은 OH^-의 양 $= n'M'V'$

산과 염기가 완전히 중화되려면

$$nMV = n'M'V'$$

답 ❶ 물 ❷ 1 : 1

확인 Q 7

1 M $H_2SO_4(aq)$ 1 L가 내놓는 H^+의 양은 (   )몰이다.

개념 **8** 중화 적정

1 중화 적정 중화 반응의 양적 관계를 이용하여 농도를 모르는 산 또는 염기의 농도를 알아내는 방법

2 중화점 산이 내놓은 H^+의 양과 염기가 내놓은 OH^-의 양이 같아져 완전히 중화되는 지점

3 중화점의 확인
- 지시약의 **❶** 변화
- 혼합 용액의 온도 변화(온도가 가장 높은 지점)

4 중화 적정에 필요한 실험 기구

- 뷰렛: 가해지는 **❷** 용액의 부피 측정
- 피펫: 액체의 부피를 정확히 취하여 옮길 때 사용
- 부피 플라스크: 정확한 몰 농도의 표준 용액 제조

(뷰렛 / 표준 용액 / 농도를 모르는 산이나 염기 수용액)

답 ❶ 색 ❷ 표준

확인 Q 8

중화 적정에서 가해지는 표준 용액의 부피를 측정할 때 사용하는 실험 기구는 (   )이다.

개념 돌파 전략 ①

개념 1 산화 환원 반응

1 산화 환원 반응의 정의

	산소의 이동에 의한 정의	전자의 이동에 의한 정의
산화	산소를 얻는 반응	전자를 잃는 반응
환원	산소를 잃는 반응	전자를 얻는 반응

$$\cdot \; \overset{\text{❶}}{\overbrace{\text{Fe}_2\text{O}_3(s) + 3\,\text{CO}(g)}} \longrightarrow 2\,\text{Fe}(s) + 3\,\text{CO}_2(g)$$

❷

$$\cdot \; \underset{\text{환원}}{\overset{\text{산화}}{2\,\text{Na}(s) + \text{Cl}_2(g) \longrightarrow 2\,\text{NaCl}(2\,\text{Na}^+ + 2\,\text{Cl}^-)(s)}}$$

2 산화제 자신은 환원되면서 다른 물질을 산화시키는 물질

3 환원제 자신은 산화되면서 다른 물질을 환원시키는 물질

🔲 ❶ 산화 ❷ 환원

확인 Q 1

은 이온(Ag^+)이 전자를 얻어 은(Ag)으로 석출되는 것은 (산화 , 환원) 반응이다.

개념 2 산화수

1 산화수 어떤 물질에서 각 원자가 산화된 정도를 나타내는 가상적인 전하

2 이온 결합에서의 산화수 각 이온의 ❶□□□와 같음
ⓔ MgO ➡ Mg의 산화수: $+2$, O의 산화수: -2

3 공유 결합에서의 산화수 ❷□□□가 큰 원자가 공유 전자쌍을 모두 차지하는 것으로 가정할 때, 각 원자가 가지게 되는 전하

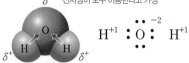

전기 음성도가 큰 O 쪽으로 공유
δ^- 전자쌍이 모두 이동한다고 가정

$$\text{H}^{+1} \; \overset{\cdot\cdot}{\underset{\cdot\cdot}{:\text{O}:}}^{-2} \; \text{H}^{+1}$$

🔲 ❶ 전하 ❷ 전기 음성도

확인 Q 2

공유 결합 물질에서 산화수는 전기 음성도가 (   ) 원자가 공유 전자쌍을 모두 차지하는 것으로 가정할 때, 각 원자가 가지게 되는 전하이다.

개념 3 산화수에 따른 산화 환원 반응

1 산화수 결정 규칙

- 원소를 구성하는 원자의 산화수는 0
- 대부분의 화합물에서 수소의 산화수는 ❶□□ (단, 금속의 수소 화합물에서는 -1)
- 대부분의 화합물에서 산소의 산화수는 -2(단, 과산화물에서는 -1, 플루오린 화합물에서는 $+2$)
- 단원자 이온의 산화수=그 이온의 전하
- 다원자 이온에서 각 원자의 산화수 합=그 이온의 전하
- 화합물에서 각 원자의 산화수 총합은 0
- 화합물에서 F의 산화수는 -1, 1족 금속 원소의 산화수는 $+1$, 2족 금속 원소의 산화수는 $+2$

2 산화수 변화와 산화 환원 반응 산화수가 ❷□□ 하는 반응은 산화, 산화수가 감소하는 반응은 환원

🔲 ❶ $+1$ ❷ 증가

확인 Q 3

OF_2에서 O의 산화수는 (   )이고 F의 산화수는 (   )이다.

개념 4 산화 환원 반응의 양적 관계

▶ 산화수법으로 산화 환원 반응식 완성하기

ⓔ Fe^{2+}과 MnO_4^-의 산화 환원 반응
$$\text{Fe}^{2+} + \text{MnO}_4^- + \text{H}^+ \longrightarrow \text{Fe}^{3+} + \text{Mn}^{2+} + \text{H}_2\text{O}$$

[1단계] 각 원자의 ❶□□□와 그 변화를 조사한다.

[2단계] 증가한 산화수와 감소한 산화수가 같도록 ❷□□를 맞춘다.

$$5 \times (+1)$$
$$5\,\overset{+2}{\text{Fe}^{2+}} + 1\,\overset{+7}{\text{Mn}}\text{O}_4^- + \text{H}^+ \longrightarrow 5\,\overset{+3}{\text{Fe}^{3+}} + 1\,\overset{+2}{\text{Mn}^{2+}} + \text{H}_2\text{O}$$
$$1 \times (-5)$$

[3단계] 산화수 변화가 없는 원자들의 수가 같아지도록 계수를 맞춘다.

$$5\,\text{Fe}^{2+} + \text{MnO}_4^- + 8\,\text{H}^+ \longrightarrow 5\,\text{Fe}^{3+} + \text{Mn}^{2+} + 4\,\text{H}_2\text{O}$$

🔲 ❶ 산화수 ❷ 계수

확인 Q 4

산화 환원 반응 전후에 증가한 산화수와 감소한 산화수는 (   ).

개념 **5** 발열 반응과 흡열 반응

1 발열 반응 열을 **❶**☐하는 반응

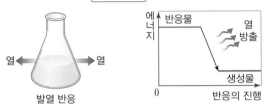

발열 반응

- 반응물의 에너지 합 > 생성물의 에너지 합
- 발열 반응이 일어날 때 주위의 온도가 높아진다.

2 흡열 반응 열을 흡수하는 반응

흡열 반응

- 반응물의 에너지 합 < 생성물의 에너지 합
- 흡열 반응이 일어날 때 주위의 온도가 **❷**☐.

🔲 ❶ 방출 ❷ 낮아진다

확인 Q 5

발열 반응에서는 반응물의 에너지 합이 생성물의 에너지 합보다 (크다 , 작다).

개념 **6** 발열 반응과 흡열 반응의 예

1 발열 반응의 예 연소, 산과 염기의 중화 반응, 상태 변화(기체 → 액체 → 고체) 등

2 흡열 반응의 예 열분해, 광합성, 상태 변화(고체 → 액체 → 기체) 등

3 화학 반응에서 열의 출입

아연과 묽은 염산의 반응	수산화 바륨과 염화 암모늄의 반응
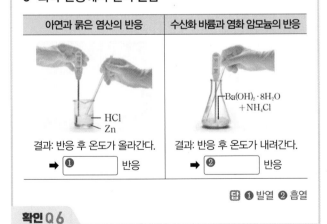	
HCl Zn	Ba(OH)₂·8H₂O + NH₄Cl
결과: 반응 후 온도가 올라간다.	결과: 반응 후 온도가 내려간다.
➡ **❶**☐ 반응	➡ **❷**☐ 반응

🔲 ❶ 발열 ❷ 흡열

확인 Q 6

휴대용 손난로는 ( ) 반응을 이용한 예이고, 냉각 팩은 ( ) 반응을 이용한 예이다.

개념 **7** 화학 반응에서 출입하는 열의 측정

1 비열과 열용량

- 비열(c): 물질 1 g의 온도를 1 ℃ 높이는 데 필요한 열량
- 열용량(C): 물질의 온도를 1 ℃ 높이는 데 필요한 열량

$$열량(Q) = 비열(c) \times 질량(m) \times 온도 변화(\Delta t)$$
$$= \boxed{❶} \times 온도 변화(\Delta t)$$

2 열량계 화학 반응에서 방출하거나 흡수하는 열량을 측정하는 장치

- 간이 열량계

- 화학 반응에서 발생한 열을 열량계가 모두 흡수한다고 가정한다.
- 발생한 열량(Q)
$$= c_{용액} \times m_{용액} \times \Delta t_{용액}$$
- 열 손실이 있어 정밀한 실험에는 사용할 수 없다.

- 통열량계

- 화학 반응에서 발생한 열을 통열량계 속의 물과 **❷**☐가 모두 흡수한다고 가정한다.
- 발생한 열량(Q)
  = 물이 흡수한 열량
  + 통열량계가 흡수한 열량
$$= (c_물 \times m_물 \times \Delta t_물) + (C_{열량계} \times \Delta t_{열량계})$$

🔲 ❶ 열용량 ❷ 통열량계

확인 Q 7

통열량계에서 측정된 열량은 물이 흡수한 열량과 ( )가 흡수한 열량을 더한 것이다.

WEEK 2 DAY 1 개념 돌파 전략 ②

7강_ 동적 평형과 산 염기 반응

1 그림은 밀폐된 용기에 $X(l)$를 넣은 후 $X(g)$의 응축 속도를 시간에 따라 나타낸 것이다. 온도는 일정하고 t_2에서 $X(l)$와 $X(g)$는 동적 평형을 이루고 있다. 이에 대한 설명으로 옳은 것만을 |보기|에서 있는 대로 고른 것은?

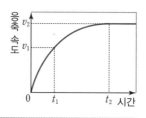

┌ 보기 ┐
ㄱ. t_2에서 $X(l)$의 증발 속도는 v_2와 같다.
ㄴ. t_1에서 $X(l)$의 증발은 이루어지지 않는다.
ㄷ. $X(l)$의 양(mol)은 t_1에서가 t_2에서보다 많다.
└─────

① ㄱ　　　　　　② ㄴ　　　　　　③ ㄱ, ㄷ
④ ㄴ, ㄷ　　　　⑤ ㄱ, ㄴ, ㄷ

문제 해결 전략

닫힌 용기에서 액체의 응축 속도는 시간이 지날수록 **❶**　, 증발 속도는 **❷**　. 동적 평형 상태에서는 증발 속도와 응축 속도가 같다.

🔒 ❶ 빨라지고 ❷ 일정하다

2 다음은 산 염기 반응 (가)~(다)의 화학 반응식이다.

┌─────
(가) $H_2CO_3 + H_2O \rightleftharpoons HCO_3^- + H_3O^+$
(나) $CH_3COO^- + H_2O \rightleftharpoons CH_3COOH + OH^-$
(다) $(CH_3)_2NH + H_2O \rightleftharpoons (CH_3)_2NH_2^+ + OH^-$
└─────

(가)~(다) 중 H_2O이 브뢴스테드·로리 산으로 작용하는 반응만을 있는 대로 고른 것은?

① (가)　　　　　② (나)　　　　　③ (가), (다)
④ (나), (다)　　　⑤ (가), (나), (다)

문제 해결 전략

브뢴스테드·로리 산 염기 정의에서 산은 다른 물질에게 양성자를 **❶**　 물질이고, 염기는 다른 물질로부터 양성자를 **❷**　 물질이다.

🔒 ❶ 내놓는 ❷ 받는

3 다음은 식초 속 아세트산의 몰 농도(M)를 구하는 실험이다.

┌─────
(가) 삼각 플라스크에 식초를 2 mL 담고 증류수를 넣어 20 mL 용액을 만든 후 페놀프탈레인 용액을 2~3방울 떨어뜨린다.
(나) ㉠에 0.2 M NaOH 표준 용액을 넣고 삼각 플라스크에 떨어뜨리다가 혼합 용액이 붉은색이 되는 순간 넣어 준 NaOH 표준 용액의 부피를 측정했더니 10 mL였다.
└─────

이에 대한 설명으로 옳은 것만을 |보기|에서 있는 대로 고른 것은?

┌ 보기 ┐
ㄱ. ㉠은 피펫이다.
ㄴ. (나)에서 NaOH 표준 용액을 떨어뜨리는 동안 혼합 용액의 pH는 증가한다.
ㄷ. 식초 속 아세트산의 몰 농도(M)는 0.1이다.
└─────

① ㄱ　　　　　　② ㄴ　　　　　　③ ㄱ, ㄷ
④ ㄴ, ㄷ　　　　⑤ ㄱ, ㄴ, ㄷ

문제 해결 전략

중화 적정은 중화 반응의 양적 관계를 이용하여 농도를 모르는 산 또는 염기의 농도를 알아내는 방법으로, 뷰렛은 가해지는 **❶**　의 부피를 측정할 때 사용한다.

🔒 ❶ 표준 용액

8강_ 산화 환원 반응과 화학 반응에서 열의 출입

4 다음은 2가지 산화 환원 반응의 화학 반응식이다.

> • $2 \underset{\textcircled{\scriptsize ㉠}}{C} + O_2 \longrightarrow 2 \underset{\textcircled{\scriptsize ㉡}}{CO}$
>
> • $2 \underset{\textcircled{\scriptsize ㉢}}{C_2H_2} + 5 O_2 \longrightarrow 4 \underset{\textcircled{\scriptsize ㉣}}{CO_2} + 2 H_2O$

㉠~㉣의 산화수 총합은?

① 1   ② 2   ③ 3

④ 4   ⑤ 5

문제 해결 전략

대부분의 화합물에서 수소의 산화수는 **❶** 이고, 산소의 산화수는 **❷** 이다.

답 ❶ +1 ❷ −2

5 다음은 항공기 동체와 제트 엔진, 인공 관절에 쓰이는 타이타늄(Ti) 금속의 제련 과정에서 일어나는 반응의 화학 반응식이다.

> (가) $TiO_2 + 2 Cl_2 + C \longrightarrow TiCl_4 + CO_2$
>
> (나) $TiCl_4 + 2 Mg \longrightarrow Ti + 2 MgCl_2$

이에 대한 설명으로 옳은 것만을 | 보기 |에서 있는 대로 고른 것은?

> ┌ 보기 ┌
> ㄱ. (가)에서 Cl_2는 산화된다.
> ㄴ. (가)에서 Ti의 산화수는 증가한다.
> ㄷ. (나)에서 Mg은 환원제이다.

① ㄱ   ② ㄷ   ③ ㄱ, ㄴ

④ ㄴ, ㄷ   ⑤ ㄱ, ㄴ

문제 해결 전략

산화수가 증가하면 산화되고, 산화수가 감소하면 환원된다. **❶** 는 자신은 환원되고 다른 물질을 산화시키고, **❷** 는 자신은 산화되고 다른 물질을 환원시킨다.

답 ❶ 산화제 ❷ 환원제

6 다음은 실생활에서 일어나는 3가지 현상이다.

> (가) 물이 증발하여 시원해진다.
> (나) 뷰테인을 연소시켜 물을 끓였다.
> (다) 철가루와 산소와 반응하여 손난로가 뜨거워진다.

(가)~(다) 중 발열 반응만을 있는 대로 고른 것은?

① (가)   ② (다)   ③ (가), (나)

④ (나), (다)   ⑤ (가), (나), (다)

문제 해결 전략

발열 반응은 화학 반응이 일어날 때 열을 방출하므로 주위의 온도가 **❶** .

흡열 반응은 화학 반응이 일어날 때 열을 흡수하므로 주위의 온도가 **❷** .

답 ❶ 높아진다 ❷ 낮아진다

대표 기출 ①

2021 6월 모평 16번 유사

표는 밀폐된 용기 안에 $H_2O(l)$을 넣은 후 시간에 따른 H_2O의 증발 속도와 응축 속도에 대한 자료이고, $a > b > 0$이다. 그림은 시간이 $2t$일 때 용기 안의 상태를 나타낸 것이다.

시간	t	$2t$	$4t$
증발 속도	a	a	a
응축 속도	b	a	x
$\dfrac{H_2O(g)의\ 몰\ 수(mol)}{H_2O(l)의\ 몰\ 수(mol)}$	1	y	

이에 대한 설명으로 옳은 것만을 |보기|에서 있는 대로 고른 것은? (단, 온도는 일정하다.)

보기

ㄱ. H_2O의 상변화는 가역 반응이다.

ㄴ. $x = a$이다.　　　　ㄷ. $y < 1$이다.

① ㄱ　　② ㄷ　　③ ㄱ, ㄴ

④ ㄴ, ㄷ　　⑤ ㄱ, ㄴ, ㄷ

Tip 동적 평형 상태에서는 증발 속도와 응축 속도가 같다.

풀이 ㄱ. 증발과 응축이 모두 일어나므로 가역 반응이다.

ㄴ. $2t$ 이후 동적 평형 상태이므로 $4t$에서의 응축 속도도 a이다.

ㄷ. $2t$일 때는 t일 때보다 증발이 더 많이 일어났으므로 $H_2O(l)$보다 $H_2O(g)$의 양(mol)이 많다. 따라서 $y > 1$이다.　**답** ③

확인 ①-1

2022 6월 모평 5번 유사

표는 밀폐된 진공 용기 안에 $H_2O(l)$을 넣은 후 시간에 따른 $H_2O(l)$과 $H_2O(g)$의 양에 대한 자료이다. $0 < t_1 < t_2 < t_3$이고, t_2일 때 $H_2O(l)$과 $H_2O(g)$는 동적 평형 상태에 도달하였다.

시간	t_1	t_2	t_3
$H_2O(l)$의 양(mol)	a	b	c
$H_2O(g)$의 양(mol)	d	e	

이에 대한 설명으로 옳은 것을 |보기|에서 모두 고르시오.

보기

ㄱ. t_1일 때 증발 속도 > 응축 속도이다.

ㄴ. $b = c$이다.

ㄷ. a는 b보다 크고, d는 e보다 작다.

대표 기출 ②

2022 9월 모평 13번 유사

표는 25 °C에서 수용액 (가)와 (나)에 대한 자료이다. (가)와 (나)의 액성은 각각 산성, 염기성 중 하나이며 pH는 (가)가 (나)보다 작다.

수용액	(가)	(나)
$|pH - pOH|$	6	4
부피(mL)	500	100

이에 대한 설명으로 옳은 것만을 |보기|에서 있는 대로 고른 것은? (단, 온도는 25 °C로 일정하며, 25 °C에서 물의 이온화 상수(K_W)는 1×10^{-14}이다.)

보기

ㄱ. (가)는 산성이다.

ㄴ. $\dfrac{(가)에서\ [H_3O^+]}{(나)에서\ [OH^-]} = \dfrac{1}{10}$이다.

ㄷ. $\dfrac{(나)에서\ H_3O^+의\ 양(mol)}{(가)에서\ OH^-의\ 양(mol)} = 2$이다.

① ㄱ　　② ㄴ　　③ ㄱ, ㄷ

④ ㄴ, ㄷ　　⑤ ㄱ, ㄴ, ㄷ

Tip $K_W = [H_3O^+][OH^-] = 1 \times 10^{-14}$이다.

풀이

	pH	$[H_3O^+]$	pOH	$[OH^-]$
(가)	4	1×10^{-4}	10	1×10^{-10}
(나)	9	1×10^{-9}	5	1×10^{-5}

답 ③

확인 ②-1

2021 3월 모평 16번 유사

표는 25 °C에서 수용액 (가)~(다)에 대한 자료이다.

수용액	(가)	(나)	(다)
pH	$x-1$	$x+1$	
pOH		$x+3$	$x-1$
부피(mL)	100	500	100

(가)~(다)에 대한 설명으로 옳은 것을 |보기|에서 모두 고르시오. (단, 25 °C에서 물의 이온화 상수(K_W)는 1×10^{-14}이다.)

보기

ㄱ. (가)~(다) 중 산성인 수용액은 1가지이다.

ㄴ. (가)와 (다)를 혼합한 용액의 액성은 중성이다.

ㄷ. H_3O^+의 양(mol)은 (가) : (나) = 20 : 1이다.

대표 기출 **3**

2021 수능 11번

다음은 아세트산 수용액($CH_3COOH(aq)$)의 중화 적정 실험이다.

실험 과정

(가) $CH_3COOH(aq)$을 준비한다.

(나) (가)의 수용액 x mL에 물을 넣어 50 mL 수용액을 만든다.

(다) (나)에서 만든 수용액 30 mL를 삼각 플라스크에 넣고 페놀프탈레인 용액을 2~3방울 떨어뜨린다.

(라) (다)의 삼각 플라스크에 0.1 M NaOH(aq)을 한 방울씩 떨어뜨리면서 삼각 플라스크를 흔들어 준다.

(마) (라)의 삼각 플라스크 속 수용액 전체가 붉은색으로 변하는 순간 적정을 멈추고 적정에 사용된 NaOH(aq)의 부피(V)를 측정한다.

실험 결과

· V: y mL

· (가)에서 $CH_3COOH(aq)$의 몰 농도: a M

---

a는? (단, 온도는 25 °C로 일정하다.)

① $\dfrac{y}{8x}$ 　　② $\dfrac{y}{6x}$ 　　③ $\dfrac{2y}{3x}$

④ $\dfrac{y}{x}$ 　　⑤ $\dfrac{5y}{3x}$

Tip 중화점에서는 $nMV = n'M'V'$이 성립한다.

풀이 (가)의 수용액 50 mL에 들어 있는 CH_3COOH의 몰수는 $0.001ax$몰이다. 그러므로 몰 농도는 $0.02ax$ M이다. $0.02ax$ M $CH_3COOH(aq)$ 30 mL를 완전히 중화시키는 데 사용된 0.1 M NaOH(aq)의 부피가 y mL이고, $0.02ax \times 30 = 0.1 \times y$가 성립하므로 $a = \dfrac{y}{6x}$이다. **답** ②

확인 **3**-1

다음은 25 °C에서 아세트산(CH_3COOH)의 퍼센트 농도를 구하는 실험이다.

실험 과정

(가) 삼각 플라스크에 아세트산 수용액($CH_3COOH(aq)$) 10 mL를 넣고 여기에 물을 넣어 50 mL가 되게 한 후 페놀프탈레인 2~3방울을 넣는다.

(나) 뷰렛에 0.1 M NaOH 표준 용액을 넣고 (가)의 삼각 플라스크에 조금씩 떨어뜨린다.

(다) 삼각 플라스크 속 혼합 용액을 잘 섞어 주면서 용액의 색이 전체적으로 변하는 순간 적정을 멈추고 적정에 사용된 NaOH(aq)의 부피를 측정한다.

실험 결과

· 적정에 사용된 NaOH(aq)의 부피: a mL

· 아세트산의 퍼센트 농도: x %

자료

· 아세트산의 분자량: 60

· 25 °C에서 $CH_3COOH(aq)$의 밀도: 1 g/mL

---

x는? (단, 온도는 25 °C로 일정하다.)

① $\dfrac{3}{10\,a}$ 　　② $\dfrac{2}{30\,a}$ 　　③ $\dfrac{5}{30}\,a$

④ $\dfrac{3}{50}\,a$ 　　⑤ $\dfrac{2}{100}\,a$

대표 기출 4 〔2022〕 6월 모평 10번 유사

다음은 산 염기 반응 (가)~(다)의 화학 반응식이다.

> (가) $HOCl(aq) + OBr^-(aq)$
> $\longrightarrow OCl^-(aq) + HOBr(aq)$
> (나) $HCO_3^-(aq) + HA(aq)$
> $\longrightarrow H_2CO_3(aq) + \boxed{\ ㉠\ }$
> (다) $HCO_3^-(aq) + B(aq)$
> $\longrightarrow CO_3^{2-}(aq) + HB^+(aq)$

이에 대한 설명으로 옳은 것만을 |보기|에서 있는 대로 고른 것은?

> ┌ 보기 ┐
> ㄱ. (가)에서 HOCl은 브뢴스테드·로리 염기이다.
> ㄴ. ㉠은 A^-이다.
> ㄷ. (나)와 (다)에서 HCO_3^-은 양쪽성 물질이다.

① ㄱ   ② ㄴ   ③ ㄷ
④ ㄱ, ㄷ   ⑤ ㄴ, ㄷ

Tip 브뢴스테드·로리 산은 다른 물질에 H^+를 주는 물질이고, 브뢴스테드·로리 염기는 다른 물질로부터 H^+를 받는 물질이다.

풀이 ㄱ. HOCl은 H^+를 OBr^-에게 준다.
ㄴ. (나)에서 HA는 H^+를 HCO_3^-에게 주고 A^-가 된다.
ㄷ. HCO_3^-은 (나)에서는 브뢴스테드·로리 염기로, (다)에서는 브뢴스테드·로리 산으로 작용하므로 양쪽성 물질이다. **답** ⑤

확인 4 -1

다음은 산 염기 반응의 화학 반응식이다.

> (가) $CH_3OH + HBr \longrightarrow CH_3OH_2^+ + Br^-$
> (나) $HS^- + H_2O \longrightarrow H_2S + OH^-$
> (다) $CH_3COOH + H_2O \longrightarrow CH_3COO^- + H_3O^+$

이에 대한 설명으로 옳은 것을 |보기|에서 모두 고르시오.

> ┌ 보기 ┐
> ㄱ. (가)에서 CH_3OH은 브뢴스테드·로리 염기로 작용한다.
> ㄴ. (나)에서 HS^-과 OH^-은 짝산과 짝염기 관계이다.
> ㄷ. (나)와 (다)에서 H_2O은 양쪽성 물질이다.

대표 기출 5 〔2021〕 수능 15번 유사

그림 (가)와 (나)는 수산화 나트륨 수용액과 염산을 각각 나타낸 것이다. (가)에서 $\dfrac{[OH^-]}{[H_3O^+]} = 1 \times 10^4$이다.

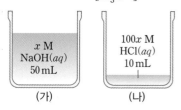

이에 대한 설명으로 옳은 것만을 |보기|에서 있는 대로 고른 것은? (단, 온도는 25 °C로 일정하며, 25 °C에서 물의 이온화 상수(K_w)는 1×10^{-14}이다.)

> ┌ 보기 ┐
> ㄱ. $x = 1 \times 10^{-6}$이다.
> ㄴ. $\dfrac{(가)의\ pH}{(나)의\ pH} = \dfrac{1}{3}$이다.
> ㄷ. (나)에 물을 넣어 100 mL로 만든 $HCl(aq)$에서 $\dfrac{[Cl^-]}{[OH^-]} = 1 \times 10^6$이다.

① ㄱ   ② ㄴ   ③ ㄷ
④ ㄱ, ㄴ   ⑤ ㄴ, ㄷ

Tip $[H_3O^+][OH^-] = 1 \times 10^{-14}$이다.

풀이 ㄱ. $x = 1 \times 10^{-5}$이다.
ㄴ.

	$[H_3O^+]$	$[OH^-]$	pH
(가)	1×10^{-9}	1×10^{-5}	9
(나)	1×10^{-3}	1×10^{-11}	3

ㄷ. 물을 넣어 100 mL로 만들면 $[H_3O^+] = [Cl^-] = 1 \times 10^{-4}$이고, $[OH^-] = 1 \times 10^{-10}$이다. **답** ③

확인 5 -1

표는 25 °C에서 3가지 수용액 (가)~(다)에 대한 자료이다.

수용액	(가)	(나)	(다)
$[H_3O^+]:[OH^-]$	$1:10^2$	$1:1$	$10^2:1$

이에 대한 설명으로 옳은 것을 |보기|에서 모두 고르시오. (단, 25 °C에서 물의 이온화 상수(K_w)는 1×10^{-14}이다.)

> ┌ 보기 ┐
> ㄱ. (가)는 염기성, (나)는 중성이다.
> ㄴ. (다)의 pH는 6.0이다.
> ㄷ. $[OH^-]$는 (가) : (다) $= 10^4 : 1$이다.

대표 기출 **6**

2021 6월 모평 20번

표는 0.2 M $H_2A(aq)$ x mL와 y M 수산화 나트륨 수용액($NaOH(aq)$)의 부피를 달리하여 혼합한 용액 (가)~(다)에 대한 자료이다.

용액	(가)	(나)	(다)
$H_2A(aq)$의 부피(mL)	x	x	x
$NaOH(aq)$의 부피(mL)	20	30	60
pH		1	
용액에 존재하는 모든 이온의 몰 농도(M) 비			

(다)에서 ㉠에 해당하는 이온의 몰 농도(M)는? (단, 혼합 용액의 부피는 혼합 전 각 용액의 부피의 합과 같고, 혼합 전과 후의 온도 변화는 없다. H_2A는 수용액에서 H^+과 A^{2-}으로 모두 이온화되고, 물의 자동 이온화는 무시한다.)

① $\dfrac{1}{35}$ ② $\dfrac{1}{30}$ ③ $\dfrac{1}{25}$ ④ $\dfrac{1}{20}$ ⑤ $\dfrac{1}{15}$

Tip 화학 반응 전후에 전하량의 변화가 없어야 하므로 음이온의 총 전하량은 양이온의 총 전하량과 같다.

풀이 (나)는 산성이고, (나)보다 $NaOH$이 적게 들어간 (가)도 산성이다. 그러므로 (가)에 존재하는 이온은 Na^+, H^+, A^{2-}이다. 음이온과 양이온의 총 전하량이 같아야 하므로 A^{2-}의 몰 농도 비는 $\dfrac{1}{3}$이다. (다)에서 OH^-이 있으면 이온의 몰비가 3 : 2 : 1이 되지 않는다. 따라서 (다)에는 H^+이 존재하고 A^{2-}의 몰 농도 비는 $\dfrac{1}{3}$이다. (다)에서는 H^+이 더 많은 OH^-와 중화 반응을 했으므로 (가)보다 몰 농도(M) 비가 줄어야 한다. 그러므로 (가)와 (다)에서 세 이온의 몰 농도 비는 표와 같고 ㉠는 A^{2-}이다. 이 조건을 만족하는 x는 20 mL이고 $NaOH$의 몰 농도는 0.1 M이다. (다)에서 A^{2-}의 몰 농도를 구하면 $\dfrac{1}{20}$ M이다.

(가)	(다)

답 ④

확인 **6**-1

2020 7월 모평 18번 유사

표는 $HCl(aq)$, $H_2SO_4(aq)$, $NaOH(aq)$의 부피를 달리하여 혼합한 용액 (가)~(다)에 존재하는 양이온 수의 비율을 이온의 종류에 관계없이 나타낸 것이다.

혼합 용액	(가)	(나)	(다)
$H_2SO_4(aq)$의 부피(mL)	10	40	y
$KOH(aq)$의 부피(mL)	10	20	30
$NaOH(aq)$의 부피(mL)	20	x	10
양이온 수의 비율			

이에 대한 설명으로 옳은 것을 |보기|에서 모두 고르시오. (단, 온도는 일정하고, 혼합 용액의 부피는 혼합 전 각 용액의 부피의 합과 같다.)

|보기|
ㄱ. $x : y = 1 : 3$이다.
ㄴ. 용액의 pH는 (나)가 (다)보다 작다.
ㄷ. (다)를 완전히 중화시키기 위해 필요한 $KOH(aq)$의 부피는 10 mL이다.

7강_ 동적 평형과 산 염기 반응

2022 9월 모평 5번 유사

1 그림은 밀폐된 진공 용기 안에 $H_2O(l)$을 넣은 후 시간에 따른 $\dfrac{H_2O(l)의\ 양(mol)}{H_2O(g)의\ 양(mol)}$ 을 나타낸 것이다. 시간이 t_2일 때 $H_2O(l)$과 $H_2O(g)$은 동적 평형 상태에 도달했다.

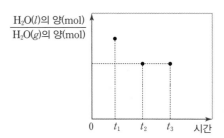

이에 대한 설명으로 옳은 것만을 │보기│에서 있는 대로 고른 것은? (단, 온도는 일정하다.)

┌─ 보기 ──────────────────────────┐
ㄱ. H_2O의 상 변화는 가역 반응이다.

ㄴ. $\dfrac{t_2일\ 때\ H_2O(g)의\ 양(mol)}{t_1일\ 때\ H_2O(g)의\ 양(mol)} > 1$이다.

ㄷ. t_3일 때 $\dfrac{H_2O(l)의\ 증발\ 속도}{H_2O(g)의\ 응축\ 속도} = 1$이다.
└──────────────────────────────┘

① ㄱ   ② ㄴ   ③ ㄱ, ㄷ

④ ㄴ, ㄷ   ⑤ ㄱ, ㄴ, ㄷ

Tip 동적 평형 상태에서 증발 속도와 응축 속도는 ❶ □□□, 동적 평형 상태 이후 물질의 양은 ❷ □□□□.

답 ❶ 같고 ❷ 일정하다

2021 4월 모평 19번 유사

2 표는 3 M $HCl(aq)$ 10 mL에 x M $Ba(OH)_2(aq)$의 부피를 달리하여 혼합한 용액 (가)~(다)에 대한 자료이다.

혼합 용액		(가)	(나)	(다)
혼합 전 용액의 부피(mL)	3 M $HCl(aq)$	10	10	10
	x M $Ba(OH)_2(aq)$	V	$3V$	$5V$
모든 이온의 수		$6n$	$9n$	
모든 이온의 몰 농도(M) 합			$\dfrac{9}{4}$	$\dfrac{5}{2}$

$\dfrac{x}{V}$ 는? (단, 혼합 용액의 부피는 혼합 전 각 용액의 부피의 합과 같고, 물의 자동 이온화는 무시한다. HCl과 $Ba(OH)_2$은 수용액에서 완전히 이온화하고, Cl^-, Ba^{2+}은 반응에 참여하지 않는다.)

① $\dfrac{1}{10}$ ② $\dfrac{1}{5}$ ③ $\dfrac{1}{3}$ ④ $\dfrac{2}{3}$ ⑤ $\dfrac{3}{4}$

Tip 혼합 용액의 액성이 산성인 경우 총 이온 수는 혼합 전 ❶ □□ 의 총 이온 수와 같고, 혼합 용액의 액성이 염기성인 경우 총 이온 수는 혼합 전 ❷ □□ 의 총 이온 수와 같다.

답 ❶ 산 ❷ 염기

3 표는 25 ℃에서 수용액 (가)~(다)에 대한 자료이다.

수용액	(가)	(나)	(다)
$\dfrac{pOH}{pH}$	$\dfrac{4}{3}$	1	6
부피(mL)	100	200	500

이에 대한 설명으로 옳은 것만을 │보기│에서 있는 대로 고른 것은? (단, 온도는 25 ℃로 일정하고, 25 ℃에서 물의 이온화 상수(K_W)는 1×10^{-14}이다.)

┌─ 보기 ──────────────────────────┐
ㄱ. (가)는 산성이다.

ㄴ. H_3O^+의 양(mol)은 (가)가 (나)의 5배이다.

ㄷ. (가)의 pH+(나)의 pOH < (다)의 pOH이다.
└──────────────────────────────┘

① ㄱ   ② ㄷ   ③ ㄱ, ㄴ

④ ㄴ, ㄷ   ⑤ ㄱ, ㄴ, ㄷ

Tip pH+pOH= □□ 이다. 답 14

2022 6월 모평 20번

4 다음은 중화 반응에 대한 실험이다.

> | 자료 |
> - 수용액 A와 B는 각각 0.4 M YOH(aq)과 a M Z(OH)$_2$(aq) 중 하나이다.
> - 수용액에서 H$_2$X는 H$^+$과 X^{2-}으로, YOH는 Y$^+$과 OH$^-$으로, Z(OH$_2$)는 Z^{2+}과 OH$^-$으로 모두 이온화 된다.
>
> | 실험 과정 |
> (가) 0.3 M H$_2$X(aq) V mL가 담긴 비커에 수용액 A 5 mL를 첨가하여 혼합 용액 I을 만든다.
> (나) I에 수용액 B 15 mL를 첨가하여 혼합 용액 II를 만든다.
> (다) II에 수용액 B x mL를 첨가하여 혼합 용액 III을 만든다.
>
>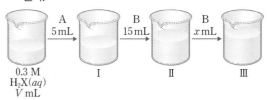
>
> | 실험 결과 |
> - III은 중성이다.
> - I과 II에 대한 자료

혼합 용액	I	II
혼합 용액에 존재하는 모든 이온의 몰 농도의 합(상댓값)	8	5
혼합 용액에서 $\dfrac{음이온 수}{양이온 수}$	$\dfrac{3}{5}$	$\dfrac{3}{5}$

$\dfrac{x}{V} \times a$는? (단, 혼합 용액의 부피는 혼합 전 각 용액의 부피의 합과 같고, 물의 자동 이온화는 무시하며, X^{2-}, Y$^+$, Z^{2+}은 반응하지 않는다.)

① $\dfrac{1}{4}$ ② $\dfrac{1}{5}$ ③ $\dfrac{3}{20}$

④ $\dfrac{1}{10}$ ⑤ $\dfrac{1}{20}$

> **Tip** 혼합 용액 III이 중성이므로 혼합 용액 I과 II에는 ❶[_____]이 존재한다. 혼합 용액 I과 II에서 $\dfrac{음이온 수}{양이온 수}$ 가 변하지 않았으므로 B 용액은 ❷[_____]이다.
> 답 ❶ 수소 이온(H$^+$) ❷ YOH

2022 9월 모평 19번 유사

5 다음은 중화 반응에 대한 실험이다.

> | 자료 |
> - 수용액 A와 B는 각각 0.2 M HY(aq)과 0.5 M H$_2$Z(aq) 중 하나이다.
> - 수용액에서 X(OH)$_2$는 X^{2+}과 OH$^-$으로, HY는 H$^+$ 과 Y$^-$으로, H$_2$Z는 H$^+$과 Z^{2-}으로 모두 이온화된다.
>
> | 실험 과정 |
> (가) a M X(OH)$_2$(aq) 20 mL에 수용액 A V mL를 첨가하여 혼합 용액 I을 만든다.
> (나) I에 수용액 B $3V$ mL를 첨가하여 혼합 용액 II를 만든다.
> (다) a M X(OH)$_2$(aq) 20 mL에 A $3V$ mL와 수용액 B V mL를 첨가하여 혼합 용액 III을 만든다.
>
> | 실험 결과 |
> - II에 존재하는 모든 이온의 몰 비는 5 : 6 : 8이다.
> - $\dfrac{\text{I에 존재하는 모든 양이온의 몰 농도의 합}}{\text{III에 존재하는 모든 양이온의 몰 농도의 합}} = \dfrac{2}{3}$이다.

$a \times V$는? (단, 혼합 용액의 부피는 혼합 전 각 용액의 부피의 합과 같고, 물의 자동 이온화는 무시하며, X^{2+}, Y$^-$, Z^{2-}은 반응하지 않는다.)

① 3 ② 4 ③ 5

④ 6 ⑤ 7

> **Tip** 혼합 용액 II에서 존재하는 모든 이온의 몰비가 5 : 6 : 8이 되기 위해서는 용액의 액성이 ❶[_____]이어야 한다. 또한 이온의 몰비가 5 : 6 : 8이 되기 위해서는 용액 A는 ❷[_____]여야 한다.
> 답 ❶ 중성 ❷ H$_2$Z

대표 기출 1

2018 3월 모평 14번 유사

다음은 염소(Cl_2)와 관련된 3가지 화학 반응식이다.

> (가) $2Na + Cl_2 \longrightarrow 2NaCl$
> (나) $Cl_2 + H_2O \longrightarrow HCl + HClO$
> (다) $2NaBr + Cl_2 \longrightarrow 2NaCl + Br_2$

이에 대한 설명으로 옳은 것만을 | 보기 |에서 있는 대로 고른 것은?

┌ 보기 ┐
ㄱ. (가)에서 Na은 산화된다.
ㄴ. HClO에서 Cl의 산화수는 +1이다.
ㄷ. (다)에서 Cl_2는 산화제이다.
└────┘

① ㄱ
② ㄴ
③ ㄱ, ㄷ
④ ㄴ, ㄷ
⑤ ㄱ, ㄴ, ㄷ

Tip 산화수가 증가하면 산화, 산화수가 감소하면 환원이다. 일반적으로 수소의 산화수는 +1, 산소의 산화수는 -2이다.

풀이 ㄱ. (가)에서 Na은 산화수가 0 → +1로 증가하므로 산화된다.
ㄴ. HClO에서 Cl의 산화수는 +1이다.
ㄷ. (다)에서 Cl_2는 자신은 환원되고 다른 물질을 산화시키므로 산화제이다.

답 ⑤

확인 ①-1

다음은 질소와 관련된 3가지 화학 반응식이다.

> (가) $N_2 + O_2 \longrightarrow 2NO$
> (나) $2NO + O_2 \longrightarrow 2NO_2$
> (다) $aNO_2 + bH_2O \longrightarrow cHNO_3 + dNO$
> (a~d는 반응 계수)

이에 대한 설명으로 옳은 것을 | 보기 |에서 모두 고르시오.

┌ 보기 ┐
ㄱ. (가)에서 O_2는 환원제이다.
ㄴ. 제시된 물질 중 N의 산화수가 가장 큰 물질은 HNO_3이다.
ㄷ. $\dfrac{b+d}{a+c} = \dfrac{2}{5}$이다.
└────┘

대표 기출 2

2019 7월 모평 2번 유사

그림은 염소(Cl_2)와 관련된 반응 (가)와 (나)를 모식적으로 나타낸 것이다.

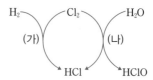

이에 대한 설명으로 옳은 것만을 | 보기 |에서 있는 대로 고른 것은?

┌ 보기 ┐
ㄱ. (가)에서 H_2는 산화된다.
ㄴ. (나)에서 H_2O은 환원제이다.
ㄷ. HClO에서 Cl의 산화수는 +1이다.
└────┘

① ㄱ
② ㄴ
③ ㄱ, ㄷ
④ ㄴ, ㄷ
⑤ ㄱ, ㄴ, ㄷ

Tip 산화수가 변하지 않으면 그 물질은 산화 환원 반응에 참여하지 않은 것이다.

풀이 ㄱ. H_2는 HCl로 산화된다.
ㄴ. H_2O은 산화수가 변하지 않았으므로 산화제도 환원제도 아니다.
ㄷ. HClO에서 Cl의 산화수는 +1이다.

답 ③

확인 ②-1

2019 6월 모평 2번 유사

그림은 구리(Cu)와 관련된 반응 (가)와 (나)를 모식적으로 나타낸 것이다.

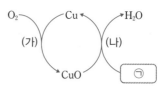

이에 대한 설명으로 옳은 것을 | 보기 |에서 모두 고르시오.

┌ 보기 ┐
ㄱ. (가)에서 O_2는 환원제이다.
ㄴ. (나)에서 ㉠은 H_2이다.
ㄷ. CuO에서 Cu의 산화수는 +2이다.
└────┘

대표 기출 3

2018 4월 모평 7번

그림은 에탄올(C_2H_5OH)의 구조식을 나타낸 것이다. 에탄올의 구성 원소 중 전기 음성도는 수소(H)가 가장 작다.

$$\begin{array}{ccc} H & H & \\ | & | & \\ H-C-C-O-H \\ | & | & \\ H & H & \end{array}$$

다음 중 에탄올에서 구성 원자의 산화수에 포함되지 않는 것은?

① -3 ② -2 ③ -1

④ 0 ⑤ $+1$

Tip 공유 결합에서의 산화수는 전기 음성도가 큰 원자가 공유 전자쌍을 모두 차지하는 것으로 가정할 때 각 원자가 가지게 되는 전하이다.

풀이

$$\begin{array}{ccc} \overset{+1}{H} & \overset{+1}{H} & \\ | & | & \\ \overset{+1}{H}-\overset{-3}{C}-\overset{-1}{C}-O-\overset{+1}{H} \\ | & | & {}^{-2} \\ \overset{+1}{H} & \overset{+1}{H} & \end{array}$$

답 ④

대표 기출 4

다음은 산화 환원 반응의 화학 반응식이다. C_2H_5OH에서 C의 산화수는 각각 -3, -1이다.

$$C_2H_5OH + a\,Cr_2O_7{}^{2-} + b\,H^+$$
$$\longrightarrow 2CO_2 + c\,Cr^{3+} + d\,H_2O$$
$$(a \sim d \text{는 반응 계수})$$

이에 대한 설명으로 옳은 것만을 |보기|에서 있는 대로 고른 것은?

보기
ㄱ. Cr의 산화수는 $+6$에서 $+3$으로 감소한다.
ㄴ. $a+b < c+d$이다.
ㄷ. $Cr_2O_7{}^{2-}$은 환원제로 작용한다.

① ㄱ ② ㄴ ③ ㄱ, ㄷ

④ ㄴ, ㄷ ⑤ ㄱ, ㄴ, ㄷ

Tip 산화 환원 반응식에서 증가한 산화수의 합과 감소한 산화수의 합은 같아야 한다. 화학 반응에서는 화학 반응 전후에 원자의 종류와 개수가 변하지 않아야 한다.

풀이 ㄱ. Cr은 산화수가 $+6$에서 $+3$으로 감소하는 환원 반응을 한다.
ㄴ. $a=2$, $b=16$, $c=4$, $d=11$이다.
ㄷ. $Cr_2O_7{}^{2-}$은 다른 물질을 산화시키므로 산화제이다.

답 ①

확인 3-1

2019 6월 모평 6번 유사

그림은 2주기 원소 $X \sim Z$로 이루어진 3가지 분자의 구조식을 나타낸 것이고, ㉠~㉢은 밑줄 친 각 원자의 산화수이다.

$$Y = \underset{㉠}{X} - Z \qquad Z - \underset{㉡}{X} - X - Z$$
$$\begin{array}{c} Z \quad Z \\ | \quad | \end{array}$$

$$Z - \underset{㉢}{Y} - Z$$

전기 음성도가 $X < Y < Z$일 때, ㉠+㉡+㉢은? (단, $X \sim Z$는 임의의 원소 기호이며, 분자 내에서 옥텟 규칙을 만족한다.)

확인 4-1

다음은 은이 진한 질산과 반응할 때의 화학 반응식이다.

$$Ag(s) + a\,NO_3{}^-(aq) + b\,H^+(aq)$$
$$\longrightarrow Ag^+(aq) + c\,NO_2(g) + d\,H_2O(l)$$
$$(a \sim d \text{는 반응 계수})$$

이에 대한 설명으로 옳은 것을 |보기|에서 모두 고르시오. (단, 전기 음성도는 $O > N > C > H$이다.)

보기
ㄱ. Ag은 산화된다.
ㄴ. $NO_3{}^-$은 산화제로 작용한다.
ㄷ. $a+b+c+d = 5$이다.

대표 기출 **5**

다음은 산화 환원 반응의 화학 반응식이다.

$$I_2 + aBr_2 + bH_2O \longrightarrow cIO_3^- + dBr^- + eH^+$$
(a~e는 반응 계수)

이에 대한 설명으로 옳은 것만을 | 보기 |에서 있는 대로 고른 것은?

┌ 보기 ┐
ㄱ. I_2는 산화된다.
ㄴ. I_2 1 mol이 반응할 때 이동한 전자의 양은 10 mol이다.
ㄷ. $a+c+d < b+e$이다.

① ㄱ   ② ㄴ   ③ ㄱ, ㄷ
④ ㄴ, ㄷ   ⑤ ㄱ, ㄴ, ㄷ

Tip 산화 환원 반응식에서 증가하거나 감소한 산화수만큼 전자가 이동한다.

풀이 ㄱ. I_2는 산화수가 0에서 +5가 되므로 산화된다.
ㄴ. I_2의 산화수가 0에서 +5로 증가하므로 I_2 1 mol이 반응할 때 이동한 전자의 양은 10 mol이다.
ㄷ. $a=5$, $b=6$, $c=2$, $d=10$, $e=12$이다.   답 ⑤

확인 **5**-1

2021 9월 모평 15번 유사

다음은 산화 환원 반응의 화학 반응식이다.

$$aCuS + bNO_3^- + cH^+$$
$$\longrightarrow 3Cu^{2+} + aSO_4^{2-} + bNO + dH_2O$$
(a~d는 반응 계수)

이에 대한 설명으로 옳은 것을 | 보기 |에서 모두 고르시오.

┌ 보기 ┐
ㄱ. NO_3^-은 산화제이다.
ㄴ. $\dfrac{b+c}{a+d} > 2$이다.
ㄷ. CuS 1 mol이 반응할 때 이동한 전자의 양은 8 mol이다.

대표 기출 **6**

2021 9월 모평 3번

다음은 염화 칼슘($CaCl_2$)이 물에 용해되는 반응에 대한 실험과 이에 대한 세 학생의 대화이다.

┌ 실험 과정 ┐
(가) 그림과 같이 25 ℃의 물 100 g이 담긴 열량계를 준비한다.
(나) (가)의 열량계에 25 ℃의 $CaCl_2(s)$ w g을 넣어 녹인 후 수용액의 최고 온도를 측정한다.

온도계 / 젓개 / 물 / ⊙스타이로폼 컵

┌ 실험 결과 ┐
• 수용액의 최고 온도: 30 ℃

학생 A: 열량계 내부의 온도 변화로 반응에서의 열의 출입을 알 수 있어.
학생 B: $CaCl_2(s)$이 물에 용해되는 반응은 흡열 반응이야.
학생 C: ⊙은 열량계 내부와 외부 사이의 열 출입을 막기 위해 사용해.

제시한 내용이 옳은 학생만을 있는 대로 고른 것은? (단, 열량계의 외부 온도는 25 ℃로 일정하다.)
① A   ② B   ③ A, C
④ B, C   ⑤ A, B, C

Tip 화학 반응에서 발생한 열을 간이 열량계 속의 용액이 모두 흡수한다고 가정하여 측정한다.

풀이 수용액의 온도가 상승하였으므로 발열 반응이다.   답 ③

확인 **6**-1

2022 수능 1번

다음은 열의 출입과 관련된 현상에 대한 설명이다.

숯이 연소될 때 열이 발생하는 것처럼, 화학 반응이 일어날 때 주위로 열을 방출하는 반응을 (가) 반응이라고 한다.

(가)로 가장 적절한 것은?
① 가역   ② 발열   ③ 분해
④ 환원   ⑤ 흡열

대표 기출 **7**

2021 7월 모평 10번 유사

다음은 스타이로폼 컵 열량계를 이용하여 열의 출입을 측정하는 실험이다.

| 실험 Ⅰ |

(가) 열량계에 물 48 g을 넣고 온도(t_1)를 측정한다.

온도계
젓개
뚜껑
물
스타이로폼 컵

(나) (가)에 A(s) 2 g을 넣고 젓개로 저어 완전히 녹인 후 수용액의 최고 온도(t_2)를 측정한다.

(다) 실험에서 출입한 열량을 계산한다.

| 실험 Ⅱ |

• 물의 질량을 98 g으로 바꾼 후 (가)~(다)를 수행한다.

| 실험 결과 |

실험	물의 질량	t_1	t_2	출입한 열량
Ⅰ	48 g	22 ℃	x ℃	a J
Ⅱ	98 g	22 ℃	27 ℃	a J

• 실험 Ⅰ과 Ⅱ에서 수용액의 비열은 같다.

이에 대한 설명으로 옳은 것만을 │보기│에서 있는 대로 고른 것은? (단, 용해 반응 이외의 반응은 일어나지 않으며, 반응에서 출입하는 열은 열량계 속 수용액의 온도만을 변화시킨다.)

┌ 보기 ┐

ㄱ. A(s)가 용해되는 반응은 흡열 반응이다.

ㄴ. $x < 27$이다.

ㄷ. 실험 Ⅱ에서 수용액의 비열(J/g · ℃)은 $\dfrac{a}{500}$이다.

① ㄱ   ② ㄷ   ③ ㄱ, ㄴ

④ ㄴ, ㄷ   ⑤ ㄱ, ㄴ, ㄷ

Tip 간이 열량계에서 화학 반응에서의 출입하는 열량(Q)은 비열(c) × 질량(m) × 온도 변화($\triangle t$)이다.

풀이 ㄱ. 외부 온도가 상승하였으므로 발열 반응이다.

ㄴ. 실험 Ⅰ은 실험 Ⅱ와 발생하는 열량은 같은데 물의 질량이 작으므로, 최종 온도는 실험 Ⅱ의 27 ℃보다 높다.

ㄷ. a J = 비열(c) × 100 g × 5 ℃이므로 비열(c) = $\dfrac{a}{500}$이다.

🖐 ②

확인 **7**-1

다음은 화학 반응에서 출입하는 열을 측정하는 실험이다. 모든 수용액의 비열은 4.2 J/(g · ℃)이다.

| 실험 Ⅰ |

(가) 간이 열량계에 물 100 g을 넣고 온도(t_1)를 측정한다.

(나) 열량계에 물질 A(s) 5 g을 넣어 녹이고 최고 온도(t_2)를 측정한다.

| 실험 Ⅱ |

(가) 간이 열량계에 물 100 g을 넣고 온도(t_3)를 측정한다.

(나) 열량계에 물질 B(s) 5 g을 넣어 녹이고 최저 온도(t_4)를 측정한다.

| 실험 결과 |

[실험 Ⅰ]		[실험 Ⅱ]	
t_1	t_2	t_3	t_4
25 ℃	28 ℃	25 ℃	20 ℃

이에 대한 설명으로 옳은 것을 │보기│에서 모두 고르시오. (단, 용해 반응 이외의 반응은 일어나지 않으며, 열량계와 외부 사이에 열의 출입은 없다.)

┌ 보기 ┐

ㄱ. A(s)의 용해 과정은 발열 반응이다.

ㄴ. 물질 B(s) 5 g을 녹였을 때 출입하는 열량(J)은 $4.2 \times 100 \times 5$이다.

ㄷ. A 10 g으로 실험 Ⅰ의 과정을 수행하면 최고 온도는 28 ℃보다 높아진다.

8강_ 산화 환원 반응과 화학 반응에서 열의 출입

2021 6월 모평 11번 유사

1 다음은 산화 환원 반응 (가)~(다)의 화학 반응식이다.

> (가) $2H_2S + 3O_2 \longrightarrow 2SO_2 + 2H_2O$
> (나) $Mg + 2HCl \longrightarrow MgCl_2 + H_2$
> (다) $Cu + aNO_3^- + bH_3O^+$
> $\longrightarrow Cu^{2+} + cNO_2 + dH_2O$
> ($a \sim d$는 반응 계수)

이에 대한 설명으로 옳은 것만을 |보기|에서 있는 대로 고른 것은?

> **보기**
> ㄱ. (가)에서 H_2S은 산화된다.
> ㄴ. (나)에서 HCl은 산화제이다.
> ㄷ. (다)에서 $a+b+c+d=14$이다.

① ㄱ　　② ㄴ　　③ ㄱ, ㄷ
④ ㄴ, ㄷ　　⑤ ㄱ, ㄴ, ㄷ

> **Tip** 산화제는 다른 물질을 [❶ 　　] 시키는 물질이다. (다)에서 Cu는 산화수가 2 증가하고 N는 1 [❷ 　　]한다.
> 답 ❶ 산화 ❷ 감소

2 다음은 2가지 산화 환원 반응의 화학 반응식이다.

> (가) $aCo^{3+} + 2H_2O \longrightarrow aCo^{2+} + O_2 + 4H^+$
> (나) $bH_2O_2 + cI^- + dH^+ \longrightarrow eI_2 + fH_2O$
> ($a \sim f$는 반응 계수)

이에 대한 설명으로 옳은 것만을 |보기|에서 있는 대로 고른 것은?

> **보기**
> ㄱ. (가)에서 H_2O은 산화된다.
> ㄴ. (나)에서 H_2O_2는 산화제이다.
> ㄷ. $\dfrac{d+e+f}{a+b+c} = 1$이다.

① ㄱ　　② ㄷ　　③ ㄱ, ㄴ
④ ㄴ, ㄷ　　⑤ ㄱ, ㄴ, ㄷ

> **Tip** (나)에서 O는 산화수가 1 감소하고 I^-은 1 증가하므로 H_2O_2와 I^-의 계수비는 [❶ 　　]이다. 답 ❶ 1:2

3 다음은 철과 관련된 3가지 화학 반응식이다.

> (가) $Fe_2O_3 + 3CO \longrightarrow 2Fe + 3CO_2$
> (나) $Fe_2O_3 + 2Al \longrightarrow 2Fe + Al_2O_3$
> (다) $aFe^{2+} + MnO_4^- + 8H^+$
> $\longrightarrow aFe^{3+} + Mn^{2+} + 4H_2O$ (a는 반응 계수)

이에 대한 설명으로 옳은 것만을 |보기|에서 있는 대로 고른 것은?

> **보기**
> ㄱ. (가)에서 CO는 환원제이다.
> ㄴ. (나)에서 Fe_2O_3 1몰이 반응할 때 이동한 전자의 양은 6몰이다.
> ㄷ. (다)에서 $a=5$이다.

① ㄱ　　② ㄷ　　③ ㄱ, ㄴ
④ ㄴ, ㄷ　　⑤ ㄱ, ㄴ, ㄷ

> **Tip** (다)에서 Mn의 산화수는 [❶ 　　]에서 [❷ 　　]로 감소한다.　　답 ❶ +7 ❷ +2

4 (가)는 폼알데하이드(CH_2O)와 관련된 산화 환원 반응의 화학 반응식이고, (나)는 폼알데하이드의 구조식이다.

$$CH_2O + O_2 \longrightarrow CO_2 + H_2O$$

(가)　　　　　　　(나)

반응 (가)에 대한 설명으로 옳은 것만을 |보기|에서 있는 대로 고른 것은? (단, 전기 음성도는 $O > C > H$이다.)

> **보기**
> ㄱ. O_2는 산화제이다.
> ㄴ. C의 산화수는 0에서 +4로 증가한다.
> ㄷ. CH_2O 1몰이 반응할 때 전자가 4몰 이동한다.

① ㄱ　　② ㄴ　　③ ㄱ, ㄷ
④ ㄴ, ㄷ　　⑤ ㄱ, ㄴ, ㄷ

> **Tip** CH_2O에서 탄소의 산화수는 [❶ 　　]이다. CH_2O 1몰이 반응할 때 C의 산화수가 4만큼 증가하므로 이동한 전자의 양은 [❷ 　　]몰이다.　　답 ❶ 0 ❷ 4

5 다음은 포도당 산화 효소가 존재할 때 포도당($C_6H_{12}O_6$)이 산화되어 글루코노락톤($C_6H_{10}O_6$)이 생성되는 반응의 화학 반응식과 글루코노락톤의 구조식을 나타낸 것이다.

$$C_6H_{12}O_6 + O_2 \longrightarrow C_6H_{10}O_6 + \boxed{(가)}$$

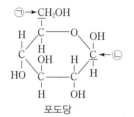
포도당

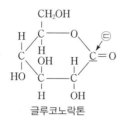
글루코노락톤

이에 대한 설명으로 옳은 것만을 │보기│에서 있는 대로 고른 것은? (단, 전기 음성도는 C가 H보다 크다.)

┌─ 보기 ┐
ㄱ. 포도당은 환원제로 작용한다.
ㄴ. (가)에서 산소(O)의 산화수는 -2이다.
ㄷ. 탄소(C) ㉠~㉢의 산화수의 총합은 $+3$이다.
└─────┘

① ㄱ ② ㄴ ③ ㄱ, ㄷ
④ ㄴ, ㄷ ⑤ ㄱ, ㄴ, ㄷ

Tip (가)는 **①** 이다. 탄소 중 ㉠의 산화수는 -1이고, ㉡의 산화수는 $+1$, ㉢의 산화수는 **②** 이다.

답 **①** H_2O_2 **②** $+3$

2020 10월 모평 5번 유사

6 다음은 물질 A의 용해와 관련된 실험이다.

│실험 과정│
(가) 열량계에 20 °C의 물 100 g을 넣는다.
(나) (가)의 열량계에 물질 A(s) w g을 넣고 모두 용해시킨다.
(다) 수용액의 최저 온도를 측정한다.
(라) 20 °C의 물 200 g을 이용하여 (가)~(다)를 수행한다.

20°C 온도계
젓개

│실험 결과│
• (다)에서 측정한 수용액의 최저 온도: 18 °C
• (라)에서 측정한 수용액의 최저 온도: t °C

이에 대한 설명으로 옳은 것만을 │보기│에서 있는 대로 고른 것은? (단, 모든 수용액의 비열은 4.2 J/g·°C이다.)

┌─ 보기 ┐
ㄱ. A(s)의 용해 반응은 흡열 반응이다.
ㄴ. (나)에서 물질 A(s) w g을 녹였을 때 출입하는 열량(J)은 $4.2 \times (100+w) \times 2$이다.
ㄷ. $t > 18$이다.
└─────┘

① ㄱ ② ㄷ ③ ㄱ, ㄴ
④ ㄴ, ㄷ ⑤ ㄱ, ㄴ, ㄷ

Tip 물질 A(s)의 용해 반응은 주위의 온도가 감소하였으므로 **①** 반응이다. 화학 반응에서 발생하는 열량(Q)은 비열(c) × 질량(m) × 온도 변화($\triangle t$)이므로, 발생한 열량이 같을 때 질량이 많으면 온도 변화는 **②** 한다.

답 **①** 흡열 **②** 감소

7 표는 간이 열량계에 물 96 g을 넣고 고체 A, B를 각각 녹인 수용액에 대한 자료와 온도 변화를 나타낸 것이다. $t > 0$이다.

수용액	용질		온도 변화(°C)
	화학식량	질량(g)	
A(aq)	20	4	$+2t$
B(aq)	80	4	$-t$

이에 대한 설명으로 옳은 것만을 │보기│에서 있는 대로 고른 것은? (단, 용해 반응 이외의 반응은 일어나지 않으며, 간이 열량계의 열손실은 없다. 물과 수용액의 비열은 4.2 J/g·°C이다.)

┌─ 보기 ┐
ㄱ. B(s)의 용해 과정은 흡열 반응이다.
ㄴ. 물 96 g에 A(s) 4 g을 녹였을 때 출입하는 열량(J)은 $4.2 \times 96 \times 2t$이다.
ㄷ. 물 92 g에 B(s) 8 g을 녹였을 때 출입하는 열량과 물 96 g에 A(s) 4 g을 녹였을 때 출입하는 열량은 같다.
└─────┘

① ㄱ ② ㄴ ③ ㄱ, ㄷ
④ ㄴ, ㄷ ⑤ ㄱ, ㄴ, ㄷ

Tip 물질 A가 용해되는 반응은 **①** 반응이고, 물질 B가 용해되는 반응은 **②** 반응이다.

답 **①** 발열 **②** 흡열

7강_ 동적 평형과 산 염기 반응

01 그림은 t °C에서 $H_2O(l)$이 들어 있는 밀폐 용기에 $NaCl(s)$을 녹인 후 충분한 시간이 지난 상태를 나타낸 것이다.

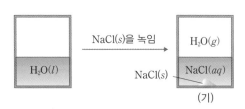

(가)에 대한 설명으로 옳은 것만을 |보기|에서 있는 대로 고른 것은? (단, 온도는 일정하다.)

┌─ 보기 ──────────────────────────
ㄱ. $H_2O(g)$ 분자 수는 일정하다.
ㄴ. $NaCl$의 용해 속도와 석출 속도는 같다.
ㄷ. 석출은 더 이상 일어나지 않는다.
└─────────────────────────────

① ㄱ　　　　② ㄷ　　　　③ ㄱ, ㄴ
④ ㄴ, ㄷ　　　⑤ ㄱ, ㄴ, ㄷ

02 표는 25 °C에서 3가지 수용액에 대한 자료이다.

수용액	(가)	(나)	(다)
pH	4	5	8
부피(mL)	100	500	500

(가)~(다)에 대한 설명으로 옳은 것만을 |보기|에서 있는 대로 고른 것은? (단, 25 °C에서 H_2O의 이온화 상수(K_W)는 1.0×10^{-14}이다.)

┌─ 보기 ──────────────────────────
ㄱ. 산성 수용액은 2가지이다.
ㄴ. 수용액 속 H_3O^+의 양(mol)은 (가)가 (나)의 2배이다.
ㄷ. (다)에서 $\dfrac{[OH^-]}{[H_3O^+]} = 1000$이다.
└─────────────────────────────

① ㄱ　　　　② ㄷ　　　　③ ㄱ, ㄴ
④ ㄴ, ㄷ　　　⑤ ㄱ, ㄴ, ㄷ

03 다음은 산 염기 반응 (가)~(다)의 화학 반응식이다.

┌──────────────────────────────────┐
(가) $H_2CO_3 + H_2O \rightleftharpoons HCO_3^- + H_3O^+$
(나) $HS^- + H_2O \rightleftharpoons H_2S + OH^-$
(다) $(CH_3)_3N + H_2O \rightleftharpoons (CH_3)_3NH^+ + OH^-$
└──────────────────────────────────┘

(가)~(다) 중 H_2O이 브뢴스테드·로리 산으로 작용하는 반응은?

04 다음은 $CH_3COOH(aq)$의 몰 농도(M)를 알아보기 위한 중화 적정 실험이다.

┌─ 실험 과정 ──────────────────────────
(가) x M $CH_3COOH(aq)$ 50 mL를 삼각 플라스크에 넣고 페놀프탈레인 용액을 2~3방울 떨어뜨린다.
(나) 0.5 M $NaOH(aq)$을 ⊙ 에 넣은 후, 콕을 열어 (가)의 삼각 플라스크에 조금씩 떨어뜨리면서 섞는다.
(다) (나)의 삼각 플라스크 속 용액이 붉은색으로 변한 후 색이 사라지지 않는 순간까지 넣어 준 $NaOH(aq)$의 부피를 측정한다.

┌─ 실험 결과 ──────────────────────────
• 중화점까지 넣어 준 $NaOH(aq)$의 부피: 10 mL
└─────────────────────────────────

다음 중 x와 ⊙으로 가장 적절한 것은? (단, 온도는 일정하다.)

	x	⊙		x	⊙
①	0.1	뷰렛	②	0.1	시험관
③	0.2	뷰렛	④	0.2	시험관
⑤	0.3	뷰렛			

8강_ 산화 환원 반응과 화학 반응에서 열의 출입

05 다음은 산화 환원 반응의 화학 반응식이다.

$$a\,Fe^{2+} + b\,H_2O_2 + c\,H^+ \longrightarrow a\,Fe^{3+} + d\,H_2O$$
$$(a \sim d\text{는 반응 계수})$$

이 반응에 대한 설명으로 옳은 것만을 │보기│에서 있는 대로 고른 것은?

│ 보기 │
ㄱ. O의 산화수는 변하지 않는다.
ㄴ. Fe^{2+}은 환원제이다.
ㄷ. $\dfrac{b+c}{a+d} = 1$이다.

① ㄴ
② ㄷ
③ ㄱ, ㄴ
④ ㄴ, ㄷ
⑤ ㄱ, ㄴ, ㄷ

06 그림은 수소(H)와 2주기 원소 X~Z로 이루어진 분자의 구조식을 나타낸 것이다. 이 분자에서 X~Z는 모두 음(−)의 산화수를 갖는다.

$$
\begin{array}{c}
H \\
| \\
H - X - Y - Z - H \\
| \qquad\quad | \\
H \qquad\quad H
\end{array}
$$

이 분자에서 X~Z의 산화수로 옳은 것은? (단, X~Z는 임의의 원소 기호이다.)

	X의 산화수	Y의 산화수	Z의 산화수
①	−2	−1	−2
②	−2	−2	−1
③	−2	−2	−2
④	−3	−1	−1
⑤	−3	−2	−2

07 다음은 산소(O)를 포함하는 분자 (가)~(다)에 대한 자료이다. (가)~(다)에서 산소 원자는 모두 옥텟 규칙을 만족한다. (다)에서 양성자수의 합은 18이다.

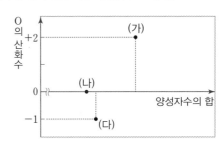

분자 (가)~(다)에 해당하는 화학식은?
(가): (   ) (나): (   ) (다): (   )

08 다음은 2가지 반응에서 열의 출입을 알아보기 위한 실험이다.

실험	실험 과정 및 결과
(가)	물이 담긴 비커에 질산 암모늄(NH_4NO_3)을 넣고 녹였더니 수용액의 온도가 내려갔다.
(나)	물이 담긴 비커에 수산화 나트륨($NaOH$)을 넣고 녹였더니 수용액의 온도가 올라갔다.

이에 대한 설명으로 옳은 것만을 │보기│에서 있는 대로 고른 것은?

│ 보기 │
ㄱ. (가)에서 반응이 일어날 때 열이 방출된다.
ㄴ. (나)에서 일어나는 반응은 흡열 반응이다.
ㄷ. (나)에서 일어나는 반응과 열의 출입 방향이 같은 반응을 이용하여 휴대용 손난로를 만들 수 있다.

① ㄱ
② ㄷ
③ ㄱ, ㄴ
④ ㄴ, ㄷ
⑤ ㄱ, ㄴ, ㄷ

창의·융합·코딩 전략

7강_ 동적 평형과 산 염기 반응

`2021` 9월 모평 11번 유사

01 다음은 설탕의 용해에 대한 실험이다.

| 실험 과정 |

(가) 25 °C의 물이 담긴 비커에 충분한 양의 설탕을 넣고 유리 막대로 저어 준다.

(나) 시간에 따른 비커 속 고체 설탕의 양을 관찰하고 설탕 수용액의 몰 농도(M)를 측정한다.

| 실험 결과 |

시간	t	$4t$	$8t$
관찰 결과			
설탕 수용액의 몰 농도(M)	x	a	

• $4t$일 때 설탕 수용액은 용해 평형에 도달하였다.

이에 대한 설명으로 옳은 것만을 | 보기 |에서 있는 대로 고른 것은? (단, 온도는 25 °C로 일정하고, 물의 증발은 무시한다.)

┌ 보기 ┐
ㄱ. x는 a보다 작다.
ㄴ. $4t$일 때 용해 속도 < 석출 속도이다.
ㄷ. 녹지 않고 남아 있는 설탕의 질량은 $4t$일 때와 $8t$일 때가 같다.

① ㄱ   ② ㄴ   ③ ㄱ, ㄷ
④ ㄴ, ㄷ   ⑤ ㄱ, ㄴ, ㄷ

Tip 동적 평형 상태에서는 겉보기에는 변화가 없지만 ❶ [   ]이 계속 일어나고 있다.   답 ❶ 용해와 석출

02 다음은 산 염기 반응의 화학 반응식과 이에 대한 학생들과 선생님의 대화이다.

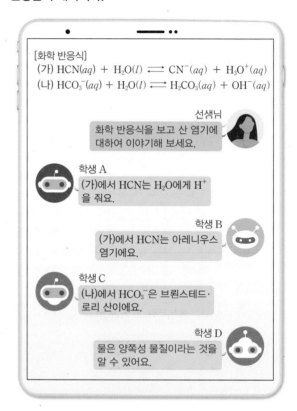

[화학 반응식]
(가) $HCN(aq) + H_2O(l) \rightleftharpoons CN^-(aq) + H_3O^+(aq)$
(나) $HCO_3^-(aq) + H_2O(l) \rightleftharpoons H_2CO_3(aq) + OH^-(aq)$

선생님
화학 반응식을 보고 산 염기에 대하여 이야기해 보세요.

학생 A
(가)에서 HCN는 H_2O에게 H^+을 줘요.

학생 B
(가)에서 HCN는 아레니우스 염기에요.

학생 C
(나)에서 HCO_3^-은 브뢴스테드·로리 산이에요.

학생 D
물은 양쪽성 물질이라는 것을 알 수 있어요.

제시한 내용이 옳은 학생만을 있는 대로 고른 것은?
① A, C   ② A, D   ③ B, D
④ C, D   ⑤ B, C, D

Tip 아레니우스 정의에 따르면 수용액에서 수소 이온을 내놓는 물질이 ❶ [   ]이고, ❷ [   ] 이온을 내놓는 물질이 염기이다.   답 ❶ 산 ❷ 수산화

2021 4월 모평 9번 유사

03 다음은 3가지 실험 기구 A~C와 황산(H_2SO_4) 수용액의 중화 적정 실험이다. ㉠은 A~C 중 하나이다.

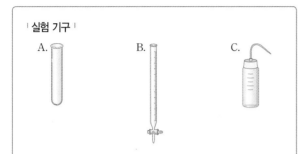

| 실험 기구 |

A.   B.   C.

| 실험 과정 |

(가) 삼각 플라스크에 x M $H_2SO_4(aq)$ 50 mL를 넣고 페놀프탈레인 2~3방울 떨어뜨린다.

(나) ㉠ 에 들어 있는 0.5 M $NaOH(aq)$을 (가)의 삼각 플라스크에 한 방울씩 떨어뜨리면서 섞는다.

(다) (나)의 삼각 플라스크 속 용액 전체가 붉은색으로 변하는 순간까지 넣어 준 $NaOH(aq)$의 부피를 측정한다.

| 실험 결과 |

• 중화점까지 넣어 준 $NaOH(aq)$의 부피: V mL

이에 대한 설명으로 옳은 것만을 | 보기 |에서 있는 대로 고른 것은? (단, 온도는 일정하고, H_2SO_4은 H^+과 SO_4^{2-}으로 모두 이온화된다.)

┌ 보기 ┐

ㄱ. ㉠은 A이다.

ㄴ. 중화점까지 넣어 준 $NaOH$의 양(mol)은 $0.1 \times x$ 이다.

ㄷ. $x = \dfrac{V}{200}$이다.

① ㄱ   ② ㄴ   ③ ㄱ, ㄷ

④ ㄴ, ㄷ   ⑤ ㄱ, ㄴ, ㄷ

Tip 적정에 사용된 표준 용액의 부피를 알기 위해 사용하는 실험 기구는 [❶   ]이다. 중화점까지 들어간 산 또는 염기의 양(mol)은 [❷   ] 식으로 구할 수 있다.

답 ❶ 뷰렛 ❷ 산의 가수(n)×농도(M)×부피(L)

2022 수능 20번

04 다음은 x M $H_2X(aq)$, 0.2 M $YOH(aq)$, 0.3 M $Z(OH)_2(aq)$의 부피를 달리하여 혼합한 용액 Ⅰ~Ⅲ에 대한 자료이다.

• 수용액에서 H_2X는 H^+과 X^{2-}으로, YOH는 Y^+과 OH^-으로, $Z(OH)_2$는 Z^{2+}과 OH^-으로 모두 이온화된다.

혼합 용액	혼합 전 수용액의 부피(mL)			모든 음이온의 몰 농도(M) 합 (상댓값)
	x M $H_2X(aq)$	0.2 M $YOH(aq)$	0.3 M $Z(OH)_2(aq)$	
Ⅰ	V	20	0	5
Ⅱ	$2V$	$4a$	$2a$	4
Ⅲ	$2V$	a	$5a$	b

• Ⅰ은 산성이다.

• Ⅱ에서 $\dfrac{\text{모든 양이온의 양(mol)}}{\text{모든 음이온의 양(mol)}} = \dfrac{3}{2}$이다.

• Ⅱ와 Ⅲ의 부피는 각각 100 mL이다.

$x \times b$는? (단, 혼합 용액의 부피는 혼합 전 각 용액의 부피의 합과 같고, 물의 자동 이온화는 무시하며, X^{2-}, Y^+, Z^{2+}은 반응하지 않는다.)

① 1   ② 2   ③ 3

④ 4   ⑤ 5

Tip 적정에 사용된 표준 용액의 부피를 알기 위해 사용하는 실험 도구는 [❶   ]이다. 중화점까지 들어간 산 또는 염기의 양(mol)은 [❷   ]이다.

답 ❶ 뷰렛 ❷ 산의 가수(n)×농도(M)×부피(L)

8강_ 산화 환원 반응과 화학 반응에서 열의 출입

2019 수능 7번 유사

05 다음은 마그네슘과 관련된 산화 환원 실험이다.

(가) 마그네슘 리본에 불을 붙였더니 밝은 빛과 고체 연소 생성물이 보였다.

(나) 불이 붙은 마그네슘 리본을 드라이아이스로 만든 통 속에 넣고 드라이아이스로 만든 뚜껑으로 덮는다.

(다) 불이 꺼진 후 뚜껑을 열어 보니 검은색 가루가 보였다.

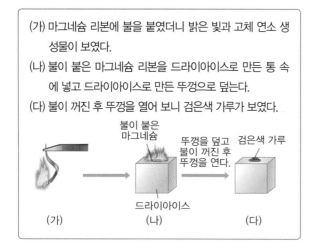

이에 대한 설명으로 옳은 것만을 | 보기 | 에서 있는 대로 고른 것은?

보기

ㄱ. (가)의 반응식은 $2\,Mg(s) + O_2(g) \longrightarrow 2\,MgO(s)$이다.

ㄴ. (나)의 반응에서 드라이아이스는 산화제로 작용한다.

ㄷ. (다)의 검은색 가루 물질은 마그네슘이다.

① ㄱ   ② ㄴ   ③ ㄱ, ㄴ

④ ㄴ, ㄷ   ⑤ ㄱ, ㄴ, ㄷ

Tip 드라이아이스는 마그네슘을 산화시키므로 **❶** 이다. (나)에 해당하는 화학 반응식은

$2Mg(s) + CO_2(g) \longrightarrow 2MgO(s) +$ **❷** 이다.

답 ❶ 산화제 ❷ C(s)

06 다음은 3가지 화합물의 화학식과 이에 대한 학생들과 선생님의 대화이다.

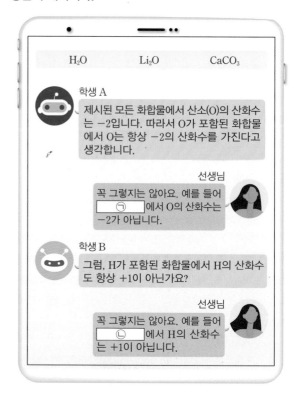

㉠과 ㉡에 들어갈 화합물로 가장 적절한 것은?

	㉠	㉡
①	CaO	H_2O
②	O_2F_2	H_2O_2
③	H_2O_2	NaH
④	OF_2	H_2CO_3
⑤	CO_2	NaH

Tip 원소를 구성하는 원자의 산화수는 **❶** 이고, 대부분의 화합물에서 산소의 산화수는 **❷** 이고, 수소의 산화수는 +1이다.

답 ❶ 0 ❷ −2

2022 9월 모평 1번 유사

07 다음은 열 출입 현상과 이에 대한 학생들의 대화이다.

> • 진한 황산을 물에 용해시켰더니 용액의 온도가 높아졌다. ㉠
>
> • 염화 암모늄을 물에 용해시켰더니 수용액의 온도가 낮아졌다. ㉡

㉠은 발열 반응이야. | ㉡은 흡열 반응이야. | 흡열 반응은 화학 반응이 일어날 때 열을 흡수하는 반응이야.

학생 A   학생 B   학생 C

제시한 내용이 옳은 학생만을 있는 대로 고른 것은?

① A   ② C   ③ A, B

④ B, C   ⑤ A, B, C

> **Tip** 염화 암모늄을 물에 용해시키는 반응은 ❶[   ] 반응이고, 진한 황산을 물에 용해시키는 반응은 ❷[   ] 반응이다.
> 🔑 ❶ 흡열 ❷ 발열

2022 6월 모평 3번 유사

08 다음은 학생 A가 가설을 세우고 수행한 탐구 활동이다.

> **| 가설 |**
>
> • [㉠   ]
>
> **| 탐구 과정 및 결과 |**
>
> • 25 ℃의 물 100 g이 담긴 열량계에 25 ℃의 염화 암모늄 4 g을 녹인 후 수용액의 최저 온도를 측정하였다.
>
> • 수용액의 최저 온도 : 19 ℃
>
> **| 실험 결과 |**
>
> • 가설은 옳다.

학생 A의 결론이 타당할 때 다음 중 ㉠으로 가장 적절한 것은? (단, 열량계의 외부 온도는 25 ℃로 일정하다.)

① 염화 암모늄이 물에 녹는 반응은 가역 반응이다.

② 염화 암모늄이 물에 녹는 반응은 가열 반응이다.

③ 염화 암모늄이 물에 녹는 반응은 흡열 반응이다.

④ 염화 암모늄 수용액은 전기 전도성이 있다.

⑤ 염화 암모늄이 물에 녹는 반응은 산화 환원 반응이다.

> **Tip** 염화 암모늄이 물에 녹으면 온도가 감소하므로 이 반응은 ❶[   ] 반응이다.
> 🔑 ❶ 흡열

마무리 전략

5강_ 화학 결합, 6강_ 분자의 구조와 성질

전기 분해

$$2NaCl(l) \Rightarrow 2Na(l) + Cl_2(g)$$

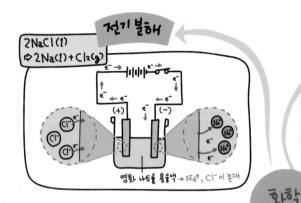

염화 나트륨 용융액 → Na^+, Cl^- 이 존재

이온 결합(금속 양이온 + 비금속 음이온)

- 녹는점, 끓는점이 높다.
- 물에 잘 녹으며 용융액 및 수용액은 **①** 이 있다.
- 깨짐과 쪼개짐이 있다.

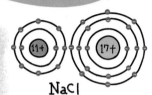

NaCl

이온 결합으로 화합물 형성

화학 결합

금속 결합(금속 양이온 + 자유 전자)

- 녹는점과 끓는점이 높고, 전기 전도성이 있다.
- 물에 녹지 않고, 연성, 전성이 있다.

자유 전자

공유 결합(비금속 원소끼리)

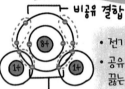

비공유 결합

- 전기 전도성이 **②** .
- 공유 결합 물질은 대부분 녹는점과 끓는점이 낮다.

공유 결합

화학 결합과 분자의 세계

분자의 구조와 성질

전기 음성도

수소보다 플루오린이 공유 전자 쌍을 더 세게 끌어당긴다.
→ 전기 음성도: 플루오린 > 수소

- 같은 주기에서 원자 번호가 커질수록 전기 음성도는 대체로 증가
- 같은 족에서 원자 번호가 커질수록 전기 음성도는 대체로 **③**

분자의 구조

④

직선형   평면 삼각형   정사면체형

180°   120°   109.5°

평면 구조   입체 구조

결합의 극성

무극성 공유 결합

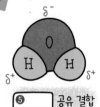

⑤ 공유 결합

분자의 극성

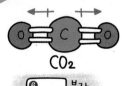

CO_2

⑥ 분자

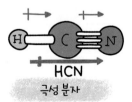

HCN

극성 분자

답 **①** 전기 전도성 **②** 없다 **③** 감소 **④** 정사면체 **⑤** 극성 **⑥** 무극성

7강_ 동적 평형과 산 염기 반응, 8강_ 산화 환원 반응과 화학 반응에서 열의 출입

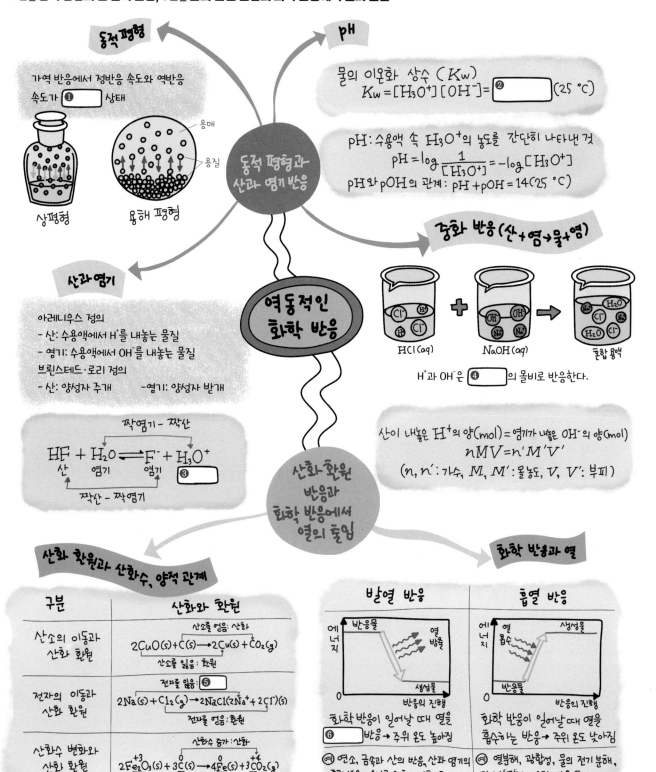

동적 평형

가역 반응에서 정반응 속도와 역반응 속도가 ❶ 〔   〕 상태

상평형   용해 평형

용매
용질

산과 염기

아레니우스 정의
- 산: 수용액에서 H^+를 내놓는 물질
- 염기: 수용액에서 OH^-를 내놓는 물질
브뢴스테드·로리 정의
- 산: 양성자 주개   -염기: 양성자 받개

짝염기 - 짝산

$$HF + H_2O \rightleftharpoons F^- + H_3O^+$$
산   염기   염기   ❸〔   〕

짝산 - 짝염기

pH

물의 이온화 상수 (K_w)
$$K_w = [H_3O^+][OH^-] = ❷〔   〕 (25 °C)$$

pH : 수용액 속 H_3O^+의 농도를 간단히 나타낸 것
$$pH = \log \frac{1}{[H_3O^+]} = -\log[H_3O^+]$$
pH와 pOH의 관계 : $pH + pOH = 14(25 °C)$

중화 반응 (산 + 염기 → 물 + 염)

$HCl(aq)$ $NaOH(aq)$ 혼합 용액

H^+과 OH^-은 ❹〔   〕의 몰비로 반응한다.

산이 내놓은 H^+의 양(mol) = 염기가 내놓은 OH^-의 양(mol)
$$nMV = n'M'V'$$
(n, n' : 가수, M, M' : 몰농도, V, V' : 부피)

역동적인 화학 반응

산화-환원 반응과 화학 반응에서 열의 출입

산화 환원과 산화수, 양적 관계

구분	산화와 환원
산소의 이동과 산화 환원	산소를 얻음 : 산화 $2CuO(s) + C(s) \longrightarrow 2Cu(s) + CO_2(g)$ 산소를 잃음 : 환원
전자의 이동과 산화 환원	전자를 잃음 : ❺〔 〕 $2Na(s) + Cl_2(g) \longrightarrow 2NaCl(2Na^+ + 2Cl^-)(s)$ 전자를 얻음 : 환원
산화수 변화와 산화 환원	산화수 증가 : 산화 $2Fe_2^{+3}O_3(s) + 3\overset{0}{C}(s) \longrightarrow 4\overset{0}{Fe}(s) + 3\overset{+4}{C}O_2(g)$ 산화수 감소 : 환원

화학 반응과 열

발열 반응   흡열 반응

에너지 / 반응물 → 열 방출 → 생성물 / 반응의 진행
에너지 / 열 흡수 / 생성물 / 반응물 / 반응의 진행

화학 반응이 일어날 때 열을 ❻〔   〕 반응 → 주위 온도 높아짐

화학 반응이 일어날 때 열을 흡수하는 반응 → 주위 온도 낮아짐

예 연소, 금속과 산의 반응, 산과 염기의 중화 반응, 손난로 속 철의 산화 등

예 열분해, 광합성, 물의 전기 분해, 질산 암모늄의 용해 반응 등

답 ❶ 같은 ❷ 1.0×10^{-14} ❸ 산 ❹ 1 : 1 ❺ 산화 ❻ 방출하는

01 이온 결합 물질

2022 9월 모평 9번 유사

그림은 같은 주기의 원소 A와 B로 이루어진 이온 결합 물질 $X(aq)$를 물에 녹였을 때, $X(aq)$의 단위 부피당 이온 모형을 나타낸 것이다. A^{2+}과 B^{n-}은 각각 Ne 또는 Ar과 같은 전자 배치를 갖는다.

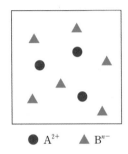

● A^{2+} ▲ B^{n-}

이에 대한 설명으로 옳은 것만을 | 보기 | 에서 있는 대로 고른 것은? (단, A와 B는 임의의 원소 기호이다.)

┌─ 보기 ┐
ㄱ. $n=1$이다.
ㄴ. A는 Ar과 같은 전자 배치를 갖는다.
ㄷ. 원자 번호는 B>A이다.
└────────┘

① ㄱ   ② ㄴ   ③ ㄱ, ㄷ
④ ㄴ, ㄷ   ⑤ ㄱ, ㄴ, ㄷ

Tip 양이온은 전자를 잃고 **①** [   ] 주기의 비활성 기체의 전자 배치를 갖고, 음이온은 전자를 얻어 **②** [   ] 주기의 비활성 기체의 전자 배치를 갖는다. 답 ❶ 이전 ❷ 동일

02 공유 결합 물질의 성질

2021 7월 학평 12번 유사

다음은 6가지 분자를 규칙에 맞게 배치하는 탐구 활동이다.

┌────────────────────────────────┐
• 6가지 분자: N_2, O_2, H_2O, HCN, NH_3, CH_4

│ 규칙 │
• 분자의 공유 전자쌍 수는 그 분자가 들어갈 위치에 연결된 선의 개수와 같다.
• 분자의 쌍극자 모멘트가 0인 분자는 같은 가로줄에 배치한다.

│ 분자의 배치도 │

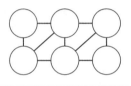
└────────────────────────────────┘

이에 대한 설명으로 옳은 것만을 | 보기 | 에서 있는 대로 고른 것은?

┌─ 보기 ┐
ㄱ. O_2와 H_2O은 같은 세로줄에 위치한다.
ㄴ. CH_4과 NH_3는 대각선으로 연결되어 있다.
ㄷ. 직선형 구조인 분자는 같은 가로줄에 위치한다.
└────────┘

① ㄱ   ② ㄴ   ③ ㄱ, ㄷ
④ ㄴ, ㄷ   ⑤ ㄱ, ㄴ, ㄷ

Tip 분자의 쌍극자 모멘트가 0이면 **①** [   ] 분자이다. 답 ❶ 무극성

03 중화 반응의 양적 관계

2021 수능 19번 유사

다음은 중화 반응에 대한 실험이다.

| 자료 |

• 수용액에서 HA는 H^+과 A^-으로, H_2B는 H^+과 B^{2-}으로 모두 이온화된다.

| 실험 과정 |

(가) x M NaOH(aq), y M HA(aq), y M H_2B(aq)을 각각 준비한다.

(나) 3개의 비커에 각각 NaOH(aq) 10 mL를 넣는다.

(다) (나)의 3개의 비커에 각각 HA(aq) V mL, H_2B(aq) V mL, H_2B(aq) 20 mL를 첨가하여 혼합 용액 I ~ III을 만든다.

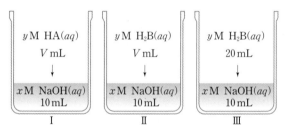

| 실험 결과 |

• 혼합 용액 I ~ III에 존재하는 이온의 종류와 이온의 몰 농도(M)

이온의 종류		W	X	Y	Z
이온의 몰 농도(M)	I	0	$3a$	$5a$	0
	II	a	0	$5a$	$3a$
	III	$9.5a$	0	$2.5a$	0.6

$\dfrac{x+y}{V}$ 는? (단, 혼합 용액의 부피는 혼합 전 각 용액의 부피의 합과 같고, 물의 자동 이온화는 무시한다.)

① $\dfrac{21}{100}$　② $\dfrac{25}{100}$　③ $\dfrac{33}{100}$

④ $\dfrac{35}{100}$　⑤ $\dfrac{45}{100}$

> **Tip** 용질의 몰수가 일정할 때 용액의 부피가 2배가 되면 몰 농도는 **❶**▢▢▢ 이 된다. 산성 용액에는 **❷**▢▢▢ 이 존재한다.
>
> 답 ❶ $\dfrac{1}{2}$ ❷ H^+

04 산화수

다음은 산화수에 대한 학습 활동이다.

| 활동 |

(가) A, B 두 팀이 ❶~❹번의 번호와 분자식이 적혀 있는 카드를 4장씩 나누어 가진다.

(나) 진행자가 제시하는 질문 카드 ⓐ번에 적혀 있는 내용에 각 팀의 ❶번 카드의 분자가 해당하면 점수 1점을 획득한다.

(다) 질문 카드 ⓑ~ⓓ번에 대해서도 같은 방법으로 활동을 진행한다.

| 질문 카드 |

질문 카드
ⓐ S의 산화수가 0보다 큰가?
ⓑ H의 산화수가 ＋1인가?
ⓒ 산화수가 ＋4보다 큰 원소가 있는가?
ⓓ N의 산화수가 양수인가?

| 두 팀의 분자식과 점수표 |

A팀의 분자 카드	점수	B팀의 분자 카드	점수
❶ H_2S		❶ Al_2S_3	
❷ LiOH		❷ H_2O_2	
❸ $KClO_3$		❸ HNO_3	
❹ NO_2		❹ NH_3	
총 점수	x	총 점수	y

$\dfrac{x}{y}$ 는?

① $\dfrac{1}{3}$　② $\dfrac{1}{2}$　③ 1

④ $\dfrac{3}{2}$　⑤ 2

> **Tip** 대부분의 화합물에서 수소의 산화수는 **❶**▢▢▢ 이고, 산소의 산화수는 **❶**▢▢▢ 이다.
>
> 답 ❶ ＋1 ❷ －2

05 이온 결합 물질

그림은 화합물 ABC와 B_2D_2의 화학 결합 모형을 나타낸 것이다.

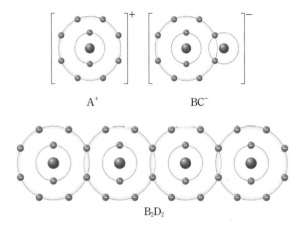

A^+　　　　　　BC^-

B_2D_2

이에 대한 설명으로 옳은 것만을 | 보기 |에서 있는 대로 고른 것은? (단, A~D는 임의의 원소 기호이다.)

> **보기**
> ㄱ. A와 C는 같은 족 원소이다.
> ㄴ. B_2D_2에는 무극성 공유 결합이 있다.
> ㄷ. B_2D_2에서 B는 부분적인 음전하(δ^-)를 띤다.

① ㄱ　　　　　② ㄷ　　　　　③ ㄱ, ㄴ
④ ㄴ, ㄷ　　　　⑤ ㄱ, ㄴ, ㄷ

> **Tip** 양이온은 |이온의 전하량|과 전자의 수를 ❶〔　　〕 값이 원자 번호이고, 음이온은 전자의 수에서 |이온의 전하량|을 ❷〔　　〕 값이 원자 번호이다.　　답 ❶ 더한 ❷ 뺀

06 분자의 루이스 전자점식

다음은 루이스 전자점식과 관련하여 학생 A가 세운 가설과 이를 검증하기 위해 수행한 탐구 활동이다.

> **| 가설 |**
> · O_2, F_2, OF_2의 루이스 전자점식에서 각 분자의 구성 원자 수(a), 분자를 구성하는 원자들의 원자가 전자 수 합(b), 공유 전자쌍 수(c) 사이에는 관계식 〔　(가)　〕 가 성립한다.
>
> **| 탐구 과정 |**
> · O_2, F_2, OF_2의 a, b, c를 각각 조사한다.
> · 각 분자의 a, b, c 사이에 관계식 〔　(가)　〕 가 성립하는지 확인한다.
>
> **| 탐구 결과 |**
>
> | 분자 | 구성 원자 수 (a) | 원자가 전자 수 합(b) | 공유 전자쌍 수(c) |
> |---|---|---|---|
> | O_2 | | | 2 |
> | F_2 | | 14 | |
> | OF_2 | 3 | | |
>
> **| 결론 |**
> · 가설은 옳다.

학생 A의 결론이 타당할 때, 다음 중 (가)로 가장 적절한 것은?

① $8a = b - c$　　　　② $8a = b - 2c$
③ $8a = 2b - c$　　　　④ $8a = b + 2c$
⑤ $8a = 2b + c$

> **Tip** O_2의 구성 원자 수는 ❶〔　　〕이고, 원자가 전자 수의 합은 ❷〔　　〕이다.　　답 ❶ 2 ❷ 12

07 중화 적정 실험

2022 9월 모평 8번 유사

다음은 중화 적정 실험이다.

┌─ 실험 과정 ─

(가) 물에 x M $H_2SO_4(aq)$ 10 mL를 천천히 넣어 100 mL 수용액을 만든다.

(나) 삼각 플라스크에 (가)에서 만든 수용액 20 mL를 넣고, 페놀프탈레인 용액을 2~3 방울 떨어뜨린다.

(다) 0.4 M $NaOH(aq)$을 뷰렛에 넣고, (나)의 삼각 플라스크에 한 방울씩 떨어뜨리면서 삼각 플라스크를 흔들어 준다.

(라) (다)의 삼각 플라스크 속 수용액 전체가 붉게 변하는 순간 적정을 멈추고, 적정에 사용된 $NaOH(aq)$의 부피(V_1)를 측정한다.

(마) 0.4 M $NaOH(aq)$ 대신 y M $NaOH(aq)$을 사용해서 과정 (나)~(라)를 반복하여 적정에 사용된 $NaOH(aq)$의 부피(V_2)를 측정한다.

┌─ 실험 결과 ─

· V_1: 40 mL
· V_2: 16 mL

$x+y$는? (단, 온도는 25 °C로 일정하다.)

① 3 　　　　② 4 　　　　③ 5
④ 6 　　　　⑤ 7

Tip 중화 반응에서 산의 H^+과 염기의 OH^-은 ❶ [____]의 몰비로 반응한다. 산의 가수를 n_1, 산의 몰 농도를 M_1, 산의 부피를 V_1이라고 하고, 염기의 가수를 n_2, 염기의 몰 농도를 M_2, 염기의 부피를 V_2라고 할 때 ❷ [____] 식이 성립한다.

답 ❶ 1:1 ❷ $n_1M_1V_1=n_2M_2V_2$

08 화학 반응에서 출입하는 열의 측정

그림은 25 °C의 물 100 g이 들어 있는 간이 열량계를 나타낸 것이고, 표는 이 열량계에 25 °C의 염화 암모늄의 질량을 달리하여 용해시킨 수용액 (가)~(다)에 대한 자료이다.

간이 열량계

수용액	용해된 염화 암모늄의 질량(g)	최종 온도(°C)
(가)	10	t_1
(나)	20	21
(다)	30	t_2

이에 대한 설명으로 옳은 것만을 | 보기 |에서 있는 대로 고른 것은? (단, 열량계의 열 흡수 및 열량계와 외부 사이의 열 출입은 없고, 열량계 내 모든 수용액의 비열은 a J/(g · °C)이다.)

┌─ 보기 ─

ㄱ. 염화 암모늄이 물에 용해되는 반응은 흡열 반응이다.

ㄴ. $t_1 < t_2$이다.

ㄷ. (다)에서 염화 암모늄을 녹였을 때 출입하는 열량(J)은 $100 \times (25-t_2) \times a$이다.

① ㄱ 　　　　② ㄴ 　　　　③ ㄱ, ㄷ
④ ㄴ, ㄷ 　　　　⑤ ㄱ, ㄴ, ㄷ

Tip ❶ [____] 반응이 일어나면 주위의 온도가 낮아진다. 어떤 물질이 방출하거나 흡수하는 열량(Q)은 ❷ [____]로 구할 수 있다.

답 ❶ 흡열 ❷ 비열(c) × 질량(m) × 온도 변화($\triangle t$)

5강_ 화학 결합

`2019` 6월 모평 8번 유사

01 그림은 어떤 반응의 화학 반응식을 화학 결합 모형으로
● 나타낸 것이다.

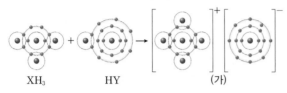

$$XH_3 \qquad HY \qquad (가)$$

이에 대한 설명으로 옳은 것만을 ㅣ보기ㅣ에서 있는 대
로 고른 것은? (단, X, Y는 임의의 원소 기호이다.)

> ┌ 보기 ┌
> ㄱ. (가)는 NH_4Cl이다.
> ㄴ. NaY는 이온 결합 화합물이다.
> ㄷ. X_2Y_2에는 이중 결합이 있다.

① ㄱ   ② ㄴ   ③ ㄱ, ㄷ
④ ㄴ, ㄷ   ⑤ ㄱ, ㄴ, ㄷ

`2019` 9월 모평 8번 유사

02 그림은 화합물 XY와 Z_2Y_2를 화학 결합 모형으로 나
● 타낸 것이다.

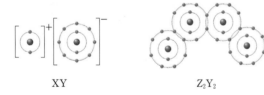

$$XY \qquad\qquad Z_2Y_2$$

이에 대한 설명으로 옳은 것만을 ㅣ보기ㅣ에서 있는 대
로 고른 것은? (단, X~Z는 임의의 원소 기호이며, 분
자 내에서 X와 Z는 옥텟 규칙을 만족한다.)

> ┌ 보기 ┌
> ㄱ. Z_2Y_2에는 다중 결합이 있다.
> ㄴ. X_2Z는 이온 결합 화합물이다.
> ㄷ. Z_2와 Y_2의 $\dfrac{비공유\ 전자쌍\ 수}{공유\ 전자쌍\ 수}$ 비는 1 : 3이다.

① ㄱ   ② ㄴ   ③ ㄱ, ㄷ
④ ㄴ, ㄷ   ⑤ ㄱ, ㄴ, ㄷ

`2021` 10월 학평 10번 유사

03 다음은 2, 3주기 원소 X~Z로 이루어진 화합물과 관련
● 된 자료이다. 화합물에서 X~Z는 모두 옥텟 규칙을 만
족한다.

> • X~Z의 이온은 모두 18족 원소의 전자 배치를 갖는다.
> • 이온의 전자 수
>
> | 이온 | X 이온 | Y 이온 | Z 이온 |
> |---|---|---|---|
> | 전자 수 | n | n | $n+8$ |
>
> • 액체 상태에서의 전기 전도성
>
> | 화합물 | XY | XZ_2 | YZ_2 |
> |---|---|---|---|
> | 액체 상태에서의 전기 전도성 | 있음 | ㉠ | 없음 |

이에 대한 설명으로 옳은 것만을 ㅣ보기ㅣ에서 있는 대
로 고른 것은? (단, X ~ Z는 임의의 원소 기호이다.)

> ┌ 보기 ┌
> ㄱ. X는 3주기 원소이다.
> ㄴ. '있음'은 ㉠으로 적절하다.
> ㄷ. 원자가 전자 수는 Z > Y이다.

① ㄱ   ② ㄴ   ③ ㄱ, ㄷ
④ ㄴ, ㄷ   ⑤ ㄱ, ㄴ, ㄷ

6강_ 분자의 구조와 성질

04 다음은 이온 결합 물질과 관련하여 학생 A가 세운 가설과 이를 검증하기 위해 수행한 탐구 활동이다.

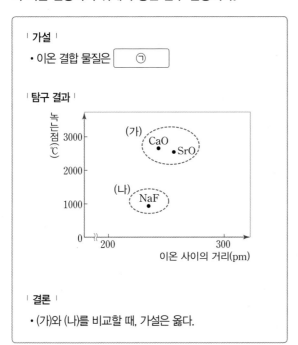

| 가설 |
• 이온 결합 물질은 ⃝㉠

| 탐구 결과 |

| 결론 |
• (가)와 (나)를 비교할 때, 가설은 옳다.

학생 A의 결론이 타당할 때, ㉠으로 가장 적절한 것은?

① 실온에서 모두 고체 상태이다.
② 결합을 형성할 때 전자가 관여한다.
③ 결합하는 이온의 전하량이 클수록 녹는점이 높다.
④ 결합하는 이온 사이의 거리가 가까울수록 녹는점이 높다.
⑤ 양이온과 음이온의 정전기적 인력으로 결합하여 생성된다.

2021 10월 학평 9번 유사

05 표는 2주기 원소 X~Z로 이루어진 분자 (가)~(다)에 대한 자료이다. (가)~(다)에서 X~Z는 모두 옥텟 규칙을 만족한다.

분자	분자식	공유 전자쌍 수
(가)	X_2	a
(나)	YX_2	$2a$
(다)	Y_2Z_4	$2a+2$

이에 대한 설명으로 옳은 것만을 | 보기 |에서 있는 대로 고른 것은? (단, X ~ Z는 임의의 원소 기호이다.)

| 보기 |
ㄱ. $a=2$이다.
ㄴ. (나)는 극성 분자이다.
ㄷ. 비공유 전자쌍 수는 (다)가 (가)의 3배이다.

① ㄱ ② ㄴ ③ ㄱ, ㄷ
④ ㄴ, ㄷ ⑤ ㄱ, ㄴ, ㄷ

2019 7월 학평 14번 유사

06 표는 원소 W~Z로 이루어진 분자 (가)~(다)에 대한 자료이다. W~Z는 각각 C, N, O, F 중 하나이고, (가)~(다)를 구성하는 모든 원자는 옥텟 규칙을 만족한다.

분자	구조식	비공유 전자쌍 수 / 공유 전자쌍 수
(가)	W−X−X−W	$\dfrac{6}{5}$
(나)	Y−Z−W	2
(다)	W−Y−Y−W	$\dfrac{10}{3}$

이에 대한 설명으로 옳은 것만을 | 보기 |에서 있는 대로 고른 것은? (단, 구조식에서 비공유 전자쌍과 다중 결합은 표시하지 않았다.)

| 보기 |
ㄱ. (나)는 직선형 구조이다.
ㄴ. 결합각은 (가) > (다)이다.
ㄷ. 공유 전자쌍 수는 (나)와 (다)가 같다.

① ㄱ ② ㄴ ③ ㄱ, ㄷ
④ ㄴ, ㄷ ⑤ ㄱ, ㄴ, ㄷ

07 2019 4월 학평 3번 유사

그림은 원자 X~Z의 전자 배치 모형을 나타낸 것이고, 표는 X~Z로 이루어진 분자 (가)와 (나)에 대한 자료이다. (가)와 (나)에서 Y, Z는 옥텟 규칙을 만족한다.

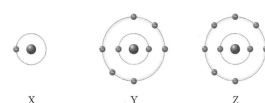

분자	(가)	(나)
구성 원소	X, Y	X, Z
공유 전자쌍의 수	3	1

이에 대한 설명으로 옳은 것만을 | 보기 |에서 있는 대로 고른 것은? (단, X~Z는 임의의 원소 기호이다.)

> **보기**
> ㄱ. 전기 음성도는 Z > Y이다.
> ㄴ. (가)와 (나)는 모두 직선형 구조이다.
> ㄷ. (가)에는 무극성 공유 결합이 존재한다.

① ㄱ   ② ㄴ   ③ ㄱ, ㄷ
④ ㄴ, ㄷ   ⑤ ㄱ, ㄴ, ㄷ

08 2022 수능 10번 유사

표는 원소 A~E에 대한 자료이다.

족 주기	1	2	13	14	15	16	17
1	A						
2				B		C	D
3						E	

이에 대한 설명으로 옳은 것만을 | 보기 |에서 있는 대로 고른 것은? (단, A~E는 임의의 원소 기호이다.)

> **보기**
> ㄱ. 전기 음성도는 D > C > E이다.
> ㄴ. CD_2에는 극성 공유 결합이 있다.
> ㄷ. BA_4에서 A는 부분적인 양전하(δ^+)를 띤다.

① ㄱ   ② ㄴ   ③ ㄱ, ㄴ
④ ㄴ, ㄷ   ⑤ ㄱ, ㄴ, ㄷ

09 2018 7월 학평 8번 유사

그림은 2주기 원소 W~Z로 이루어진 2가지 분자의 구조식을 나타낸 것이다.

$$W-X{\overset{\underset{\displaystyle W}{|}}{\underset{\displaystyle Y}{|}}}X{\overset{\underset{\displaystyle W}{|}}{\underset{\displaystyle W}{|}}}X{\overset{\beta}{\underset{\alpha}{}}}W \qquad W{\overset{\gamma}{\underset{}{}}}Z-W$$
(가)   (나)

이에 대한 설명으로 옳은 것만을 | 보기 |에서 있는 대로 고른 것은? (단, W~Z는 임의의 원소 기호이고, 분자 내에서 옥텟 규칙을 만족한다.)

> **보기**
> ㄱ. 결합각은 $\alpha > \gamma > \beta$이다.
> ㄴ. X_2W_4는 입체 구조를 가진다.
> ㄷ. $\dfrac{\text{비공유 전자쌍 수}}{\text{공유 전자쌍 수}}$는 Z_2W_2가 ZW_3보다 작다.

① ㄱ   ② ㄷ   ③ ㄱ, ㄴ
④ ㄴ, ㄷ   ⑤ ㄱ, ㄴ, ㄷ

⁂ 1등급 킬러 2018 7월 학평 16번 유사

10 표는 2주기 비금속 원소로 이루어진 3원자 분자 (가), (나)에 대한 자료이다.

분자	(가)	(나)
중심 원자	탄소(C)	질소(N)
구성 원소의 종류	3	3
공유 전자쌍의 수	4	3
분자 구조	직선형	굽은 형

이에 대한 설명으로 옳은 것만을 | 보기 |에서 있는 대로 고른 것은? (단, (가)와 (나)를 구성하는 모든 원자는 분자 내에서 옥텟 규칙을 만족한다.)

> **보기**
> ㄱ. (가)는 무극성 분자이다.
> ㄴ. (가)와 (나)의 중심 원자는 모두 부분적인 (+)전하(δ^+)를 띤다.
> ㄷ. $\dfrac{\text{비공유 전자쌍 수}}{\text{공유 전자쌍 수}}$의 비는 (가) : (나) = 1 : 2이다.

① ㄱ   ② ㄴ   ③ ㄱ, ㄷ
④ ㄴ, ㄷ   ⑤ ㄱ, ㄴ, ㄷ

2022 수능 8번 유사

11
표는 원자 W~Z의 원자가 전자 수를 나타낸 것이고, 그림은 원자 W~Z로 이루어진 분자 (가)와 (나)를 루이스 전자점식으로 나타낸 것이다. W~Z는 각각 C, N, O, F 중 하나이다.

원자	W	X	Y	Z
원자가 전자 수	a	b	$a+2$	$b+2$

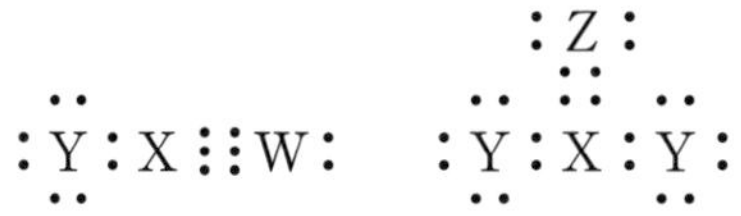

$$: \ddot{Y} : X :: W :$$
$$(가)$$

$$: \ddot{Z} :$$
$$: \ddot{Y} : X : \ddot{Y} :$$
$$(나)$$

이에 대한 설명으로 옳은 것만을 | 보기 |에서 있는 대로 고른 것은? (단, W~Z는 임의의 원소 기호이다.)

┌─ 보기 ┐
ㄱ. $a+b=9$이다.
ㄴ. XY_4는 정사면체 구조이다.
ㄷ. $\dfrac{비공유 \ 전자쌍 \ 수}{공유 \ 전자쌍 \ 수}$는 (나)가 (가)의 $\dfrac{1}{2}$배이다.
└────────┘

① ㄱ   ② ㄷ   ③ ㄱ, ㄴ
④ ㄴ, ㄷ   ⑤ ㄱ, ㄴ, ㄷ

** 1등급 킬러   2018 10월 학평 17번 유사

12
표는 분자 (가)~(다)를 구성하는 각 원자의 비공유 전자쌍 수(a)와 각 원자에 결합된 원자 수(b)에 대한 자료이다. (가)~(다)는 각각 CO_2, OF_2, FCN 중 하나이다.

분자	(가)	(나)	(다)
$a+b=4$인 원자 수	1	3	0
$a+b=3$인 원자 수	0	0	x
$a+b=2$인 원자 수	2	0	y

이에 대한 설명으로 옳은 것만을 | 보기 |에서 있는 대로 고른 것은?

┌─ 보기 ┐
ㄱ. $2x=y$이다.
ㄴ. 극성 분자는 2가지이다.
ㄷ. 다중 결합을 가진 분자는 1가지이다.
└────────┘

① ㄱ   ② ㄴ   ③ ㄱ, ㄷ
④ ㄴ, ㄷ   ⑤ ㄱ, ㄴ, ㄷ

2018 4월 학평 11번 유사

13
표는 2주기 원소로 구성된 분자 (가)~(다)에 대한 자료이다. (가)~(다)에서 모든 원자는 분자 내에서 옥텟 규칙을 만족한다.

분자	(가)	(나)	(다)
구성 원자의 수	5	3	3
중심 원자와 결합한 원자의 종류와 수	F 4개	N 1개, F 1개	O 1개, F 1개

(가)~(다)에 대한 설명으로 옳은 것만을 | 보기 |에서 있는 대로 고른 것은?

┌─ 보기 ┐
ㄱ. 직선형 분자는 1가지이다.
ㄴ. 중심 원자가 탄소(C)인 분자는 2가지이다.
ㄷ. 분자의 결합선 수는 (다)가 (나)보다 크다.
└────────┘

① ㄱ   ② ㄷ   ③ ㄱ, ㄴ
④ ㄴ, ㄷ   ⑤ ㄱ, ㄴ, ㄷ

7강_ 동적 평형과 산 염기 반응

2021 6월 모평 16번 유사

01 표는 밀폐된 용기 안에 $H_2O(l)$을 넣은 후 시간에 따른 H_2O의 증발 속도와 응축 속도를 나타낸 자료이고, $a>b>c$이다. 그림은 시간이 x일 때 용기 안의 상태를 나타낸 것이다.

시간	x	y	z
증발 속도		a	
응축 속도	a	c	b

$H_2O(g)$

$H_2O(l)$

이에 대한 설명으로 옳은 것만을 |보기|에서 있는 대로 고른 것은? (단, 온도는 일정하다.)

|보기|
ㄱ. $x>y>z$이다.
ㄴ. x에서 $\dfrac{증발\ 속도}{응축\ 속도}=1$이다.
ㄷ. 용기 내 $H_2O(g)$의 양은 x와 y가 같다.

① ㄴ   ② ㄷ   ③ ㄱ, ㄴ
④ ㄱ, ㄷ   ⑤ ㄴ, ㄷ

2022 수능 6번 유사

02 표는 밀폐된 진공 용기 안에 $H_2O(l)$을 넣은 후 시간에 따른 $H_2O(g)$의 양(mol)을 나타낸 것이다. $0<t_1<t_2<t_3$이고, t_2일 때 $H_2O(l)$과 $H_2O(g)$는 동적 평형 상태에 도달하였다.

시간	t_1	t_2	t_3
$H_2O(g)$의 양(mol)	a	b	

이에 대한 설명으로 옳은 것만을 |보기|에서 있는 대로 고른 것은? (단, 온도는 일정하다.)

|보기|
ㄱ. $b>a$이다.
ㄴ. $\dfrac{응축\ 속도}{증발\ 속도}$는 t_1일 때가 가장 크다.
ㄷ. 증발 속도는 t_2일 때와 t_3일 때가 같다.

① ㄱ   ② ㄷ   ③ ㄱ, ㄷ
④ ㄴ, ㄷ   ⑤ ㄱ, ㄴ, ㄷ

2022 6월 모평 13번 유사

03 표는 25 ℃에서 수용액 (가)~(다)에 대한 자료이다.

수용액	pH	$[H_3O^+]$(M)	$[OH^-]$(M)
(가)	x	$100a$	
(나)			b
(다)	$2x$	b	a

이에 대한 설명으로 옳은 것만을 |보기|에서 있는 대로 고른 것은? (단, 온도는 25 ℃로 일정하고, 25 ℃에서 물의 이온화 상수(K_W)는 1×10^{-14}이다.)

|보기|
ㄱ. $x=4$이다.
ㄴ. $\dfrac{a}{b}=100$이다.
ㄷ. pH는 (다)>(나)이다.

① ㄱ   ② ㄴ   ③ ㄱ, ㄷ
④ ㄴ, ㄷ   ⑤ ㄱ, ㄴ, ㄷ

2021 3월 모평 16번 유사

04 표는 25 ℃ 수용액 (가)~(다)에 대한 자료이다.

수용액	(가)	(나)	(다)
pH	x		
pOH		y	6
$\dfrac{[OH^-]}{[H_3O^+]}$	1×10^4	1×10^{-4}	z
부피(mL)	200	500	100

이에 대한 설명으로 옳은 것만을 |보기|에서 있는 대로 고른 것은? (단, 25 ℃에서 물의 이온화 상수(K_W)는 1×10^{-14}이다.)

|보기|
ㄱ. 산성인 용액은 2가지이다.
ㄴ. $x\times y<z$이다.
ㄷ. H_3O^+의 양(mol)은 (가)가 (다)의 $\dfrac{1}{5}$배이다.

① ㄴ   ② ㄷ   ③ ㄱ, ㄴ
④ ㄱ, ㄷ   ⑤ ㄴ, ㄷ

05 다음은 중화 반응에 대한 실험이다.

| 자료 |
- ㉠과 ㉡은 $x\,\mathrm{M}\ \mathrm{H_2A}(aq)$과 $y\,\mathrm{M}\ \mathrm{HB}(aq)$ 중 하나이다.
- 수용액에서 $\mathrm{H_2A}$는 $\mathrm{H^+}$과 $\mathrm{A^{2-}}$으로, HB는 $\mathrm{H^+}$과 $\mathrm{B^-}$으로 모두 이온화된다.

| 실험 과정 |
(가) $\mathrm{NaOH}(aq)$, $\mathrm{H_2A}(aq)$, $\mathrm{HB}(aq)$을 각각 준비한다.
(나) $\mathrm{NaOH}(aq)\ V\,\mathrm{mL}$에 ㉠ 10 mL를 조금씩 첨가한다.
(다) (나)의 혼합 용액에 ㉡ 20 mL를 조금씩 첨가한다.

| 실험 결과 |
- 첨가한 용액의 부피(mL)에 따른 혼합 용액에 존재하는 모든 이온의 몰 농도(M)의 합

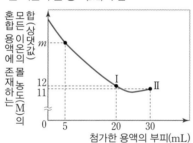

- 혼합 용액 Ⅰ과 Ⅱ에 존재하는 모든 음이온 수의 비

혼합 용액	Ⅰ	Ⅱ
음이온 수의 비	1 : 1 : 2	1 : 4

$\dfrac{m}{V}$는? (단, 혼합 용액의 부피는 혼합 전 각 용액의 부피의 합과 같으며, 물의 자동 이온화는 무시한다.)

① $\dfrac{19}{15}$ ② $\dfrac{38}{21}$ ③ $\dfrac{57}{28}$

④ $\dfrac{76}{30}$ ⑤ $\dfrac{95}{40}$

06 다음은 중화 반응에 대한 실험이다.

| 자료 |
- ㉠과 ㉡은 각각 $\mathrm{HA}(aq)$과 $\mathrm{H_2B}(aq)$ 중 하나이다.
- 수용액에서 HA는 $\mathrm{H^+}$과 $\mathrm{A^-}$으로, $\mathrm{H_2B}$는 $\mathrm{H^+}$과 $\mathrm{B^{2-}}$으로 모두 이온화된다.

| 실험 과정 |
(가) $\mathrm{NaOH}(aq)$, $\mathrm{HA}(aq)$, $\mathrm{H_2B}(aq)$를 각각 준비한다.
(나) $\mathrm{NaOH}(aq)$ 10 mL에 $x\,\mathrm{M}$ ㉠을 조금씩 첨가한다.
(다) $\mathrm{NaOH}(aq)$ 10 mL에 $x\,\mathrm{M}$ ㉡을 조금씩 첨가한다.

| 실험 결과 |
- (나)와 (다)에서 첨가한 산 수용액의 부피에 따른 혼합 용액에 대한 자료

첨가한 산 수용액의 부피(mL)		0	V	$2V$	$3V$
혼합 용액에 존재하는 모든 이온의 몰 농도(M)의 합	(나)	1.4	$\dfrac{16}{35}$		$\dfrac{3}{5}$
	(다)	1.4	$\dfrac{3}{5}$	a	y

- $a < \dfrac{3}{5}$이다.

y는? (단, 혼합 용액의 부피는 혼합 전 용액의 부피의 합과 같고, 물의 자동 이온화는 무시한다.)

① $\dfrac{1}{5}$ ② $\dfrac{2}{5}$ ③ $\dfrac{3}{5}$

④ $\dfrac{4}{5}$ ⑤ 1

8강_ 산화 환원 반응과 화학 반응에서 전자의 이동

07 ✦ 1등급 킬러 2016 7월 학평 18번 유사

다음은 $HCl(aq)$, $NaOH(aq)$, $KOH(aq)$을 혼합한 용액에 대한 자료이다. 단위 부피당 이온 수는 $NaOH(aq)$이 $KOH(aq)$보다 크다.

> (가) $HCl(aq)$ 20 mL, $NaOH(aq)$ 20 mL, $KOH(aq)$ 10 mL를 혼합한 용액에 존재하는 비율이다.
> (나) (가)에서 사용된 HCl, $NaOH$, KOH 중 ⊙ 10 mL를 더 첨가한 후, 용액에 존재하는 이온 수의 비율이다.
>
>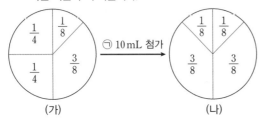
>
>   (가)   ⊙ 10 mL 첨가   (나)

이에 대한 설명으로 옳은 것만을 │보기│에서 있는 대로 고른 것은?

> ┌ 보기 ┐
> ㄱ. ⊙은 $NaOH$이다.
> ㄴ. (나)에서 혼합 용액의 액성은 염기성이다.
> ㄷ. 혼합 전 단위 부피당 이온 수는 Na^+이 K^+의 1.5배이다.

① ㄱ   ② ㄷ   ③ ㄱ, ㄴ
④ ㄴ, ㄷ   ⑤ ㄱ, ㄴ, ㄷ

08 2021 7월 모평 15번 유사

다음은 산화 환원 반응의 화학 반응식이다.

$$a\,Cl_2O_7(g) + b\,H_2O_2(aq) + c\,OH^-(aq)$$
$$\longrightarrow c\,ClO_2^-(aq) + b\,O_2(g) + d\,H_2O(l)$$
$$(a{\sim}d\text{는 반응 계수})$$

이에 대한 설명으로 옳은 것만을 │보기│에서 있는 대로 고른 것은?

> ┌ 보기 ┐
> ㄱ. H_2O_2는 산화제이다.
> ㄴ. Cl_2O_7 1몰이 반응할 때 이동한 전자의 양은 4몰이다.
> ㄷ. $\dfrac{c+d}{a+b} > 1$이다.

① ㄱ   ② ㄷ   ③ ㄱ, ㄴ
④ ㄴ, ㄷ   ⑤ ㄱ, ㄴ, ㄷ

09 2022 수능 16번 유사

다음은 산화 환원 반응 (가)~(다)의 화학 반응식이다.

> (가) $CO + 2H_2 \longrightarrow CH_3OH$
> (나) $CO + H_2O \longrightarrow CO_2 + H_2$
> (다) $a\,MnO_4^- + b\,SO_3^{2-} + H_2O$
> $\longrightarrow a\,MnO_2 + b\,SO_4^{2-} + c\,OH^-$
>   ($a{\sim}c$는 반응 계수)

이에 대한 설명으로 옳은 것만을 │보기│에서 있는 대로 고른 것은?

> ┌ 보기 ┐
> ㄱ. (가)에서 C의 산화수는 반응물과 생성물에서 같다.
> ㄴ. (나)에서 CO는 환원제이다.
> ㄷ. (다)에서 $a+b+c=4$이다.

① ㄱ   ② ㄴ   ③ ㄱ, ㄷ
④ ㄴ, ㄷ   ⑤ ㄱ, ㄴ, ㄷ

2021 9월 모평 15번 유사

10 다음은 산화 환원 반응의 화학 반응식이다.

$$a\,CuS + b\,NO_3^- + c\,H^+$$
$$\longrightarrow 3\,Cu^{2+} + a\,SO_4^{2-} + b\,NO + d\,H_2O$$
$$(a \sim d \text{는 반응 계수})$$

이에 대한 설명으로 옳은 것만을 |보기|에서 있는 대로 고른 것은?

┌ 보기 ┐
ㄱ. NO_3^-은 산화제이다.

ㄴ. $\dfrac{b+d}{a+c} < 1$이다.

ㄷ. CuS 1 mol이 반응하면 NO $\dfrac{8}{3}$ mol이 생성된다.
└────┘

① ㄱ   ② ㄴ   ③ ㄱ, ㄷ

④ ㄴ, ㄷ   ⑤ ㄱ, ㄴ, ㄷ

2020 7월 학평 19번

11 표는 간이 열량계에 물 100 g을 넣고 고체 A, B를 각각 녹인 수용액에 대한 자료와 온도 변화를 나타낸 것이다. (단, $t > 0$이다.)

수용액	용질		온도 변화(℃)
	화학식량	질량(g)	
A(aq)	40	4	$+3.4\,t$
B(aq)	80	4	$-t$

이에 대한 설명으로 옳은 것만을 |보기|에서 있는 대로 고른 것은? (단, 용해 반응 이외의 반응은 일어나지 않으며, 간이 열량계의 열손실은 없다. 물과 수용액의 비열은 4.2 J/g·℃이다.)

┌ 보기 ┐
ㄱ. A의 용해 과정은 발열 반응이다.

ㄴ. 물 100 g에 B(s) 10 g을 녹였을 때 출입하는 열량(J)은 $4.2 \times 110 \times t$이다.

ㄷ. 고체 1몰을 각각 녹였을 때 출입하는 열량은 A가 B보다 크다.
└────┘

① ㄴ   ② ㄷ   ③ ㄱ, ㄴ

④ ㄱ, ㄷ   ⑤ ㄱ, ㄴ, ㄷ

2020 10월 학평 5번 유사

12 다음은 질산 암모늄(NH_4NO_3)과 관련된 실험과 실생활에서 일어나는 3가지 현상에 대한 자료이다.

┌──────────┐
| 실험 과정 |

(가) 열량계에 20 ℃ 물 100 g을 넣는다.

(나) (가)의 열량계에 NH_4NO_3 w g을 넣고 모두 용해시킨다.

(다) 수용액의 최저 온도를 측정한다.

(라) 20 ℃ 물 200 g을 이용하여 (가)~(다)를 수행한다.

| 실험 결과 |

• (다)에서 측정한 수용액의 최저 온도: 18 ℃

• (라)에서 측정한 수용액의 최저 온도: t ℃

| 자료 |

㉠ 뷰테인을 연소시켜 물을 끓였다.   ㉡ 수산화 바륨과 염화 암모늄을 플라스크에 넣고 잘 섞었더니 용액의 온도가 낮아졌다.
└──────────┘

이에 대한 설명으로 옳은 것만을 |보기|에서 있는 대로 고른 것은?

┌ 보기 ┐
ㄱ. NH_4NO_3의 용해 반응은 흡열 반응이다.

ㄴ. $t > 18$이다.

ㄷ. NH_4NO_3의 용해 반응은 ㉡과 에너지 출입이 같다.
└────┘

① ㄱ   ② ㄷ   ③ ㄱ, ㄴ

④ ㄴ, ㄷ   ⑤ ㄱ, ㄴ, ㄷ

memo

뻐근한 손목을 가볍게!
손목 스트레칭

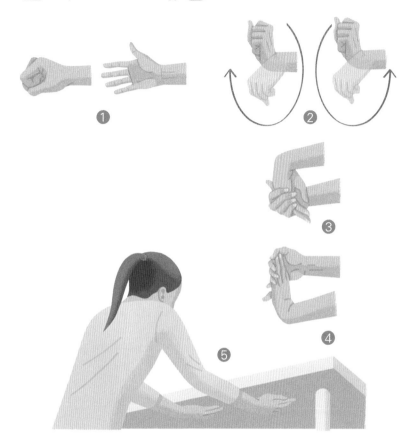

컴퓨터나 스마트폰, 반복적 움직임 등으로 인해 손목에 부담이 가면 때때로 손목이
아파지곤 합니다. 처음에는 잠시 저렸다 가 나아지곤 하지만, 심해지면 손가락도
쉽게 움직일 수 없을 만큼의 통증으로 일상생활이 불편할 정도라고 해요. 오늘 하루
고생한 손목을 스트레칭으로 충분히 풀어주세요.

❶ 엄지손가락이 바깥으로 나오게 주먹을 쥔 다음, 주먹을 폈다 쥐기를 5~10회 반복하세요.

❷ 손목을 시계 방향, 반 시계 방향으로 천천히 돌려주세요. 양손 각 10회씩 반복합니다.

❸ 팔을 쭉 뻗어 손바닥을 몸쪽으로 꺾어주세요.
　한 번에 10초씩 유지해 주시고, 5번 반복해 주세요.

❹ 4.3번과 반대로, 손등을 몸쪽으로 당겨주세요.
　이 동작도 한 번에 10초씩, 5번 반복해 주세요.

❺ 앉은 자세에서 손바닥과 손목으로 책상을 들어 올리듯 힘을 주어 5초간 유지해 주세요

book.chunjae.co.kr

교재 내용 문의 ·························· 교재 홈페이지 ▶ 고등 ▶ 교재상담
교재 내용 외 문의 ····················· 교재 홈페이지 ▶ 고객센터 ▶ 1:1문의
발간 후 발견되는 오류 ·············· 교재 홈페이지 ▶ 고등 ▶ 학습지원 ▶ 학습자료실

수능공략 필승학습!
단기간에 끝장내자!

BOOK 3
정답과 해설

실전에강한
수능전략

과탐영역 화학 I

천재교육

수능전략

과·학·탐·구·영·역

화학Ⅰ

BOOK 3

정답과 해설

DAY 1 개념 돌파 전략 ① 확인 Q 08~09쪽

[1강] **1** 나일론 **2** 메테인(CH_4) **3** 알코올 **4** 탄소
5 44 **6** 36 g **7** 16 g **8** 56

1 나일론은 매우 질기고 잘 구겨지지 않는 합성 섬유이다.

2 탄소와 수소로만 이루어진 화합물을 탄화수소라고 한다. 메테인(CH_4)은 탄소 원자 1개와 수소 원자 4개가 결합한 화합물로 모양은 정사면체의 입체 구조이다.

3 탄화수소에서 수소 원자 대신 하이드록시기($-OH$)가 탄소 원자에 결합되어 있는 탄소 화합물을 알코올이라고 한다.

4 우리 생활에서 다양하게 이용되는 탄소 화합물에는 플라스틱, 의약품, 비누, 합성 세제, 합성 섬유, 탄소 섬유 복합 재료 등이 있다.

5 C의 원자량이 12, O의 원자량이 16이므로 CO_2의 분자량은 $12+(16\times2)=44$이다.

6 물질의 질량=물질의 양(mol)×화학식량이므로 분자량이 18인 H_2O 2몰의 질량은 $2\times18=36$ g이다.

7 0 ℃, 1기압에서 기체의 양(mol)=$\dfrac{\text{기체의 부피(L)}}{22.4\ \text{L/mol}}$이므로 산소($O_2$) 기체 11.2 L의 양(mol)은 $\dfrac{11.2\ \text{L}}{22.4\ \text{L/mol}}=\dfrac{1}{2}$ mol이다. 질량=몰(mol)×몰 질량(g/mol)이므로 산소(O_2) 기체 $\dfrac{1}{2}$ mol의 질량은 $\dfrac{1}{2}$ mol×32 g/mol=16 g이다.

8 0 ℃ 1기압에서 기체의 밀도=$\dfrac{\text{분자량}}{22.4}$(g/L)이므로 밀도가 2.5 g/L인 기체의 분자량은 2.5 g/L×22.4 L=56이다.

DAY 1 개념 돌파 전략 ① 확인 Q 10~11쪽

[1강] **1** 개수 **2** 원자 수 **3** 11.2 L **4** 기체
5 10 **6** 0.25 **7** 밀도 **8** 밀도

1 화학 반응식을 만들 때에는 반응 전후 원자의 종류와 개수가 같도록 계수를 맞추어야 한다.

2 화학 반응이 일어나도 반응물과 생성물의 원자의 종류와 개수는 변하지 않으므로 화학 반응식에서 반응물과 생성물의 원자 수를 같게 맞추어야 한다.

3 메테인의 연소 반응의 화학 반응식은 $CH_4(g)+2O_2(g)\longrightarrow CO_2(g)+2H_2O(l)$이므로 CH_4와 CO_2의 몰비는 $1:1$이다. CH_4의 분자량이 $12+(4\times1)=16$이고, CH_4 8 g의 양(mol)이 $\dfrac{8}{16}=0.5$ mol이므로 생성되는 CO_2의 양(mol)은 0.5 mol이다. 0 ℃, 1기압에서 CO_2 0.5 mol의 부피는 $0.5\times22.4=11.2$ L이다.

4 모든 기체는 온도와 압력이 같을 때, 같은 부피 속에 같은 수의 분자가 들어 있다.

5 용질의 질량은 질량 퍼센트 농도(%)×용액의 질량(g)이다. 따라서 5 % 포도당 수용액 200 g에 들어 있는 포도당의 질량은 0.05×200 g=10 g이다.

6 포도당 90 g을 물에 녹여 만든 2 L 용액의 몰 농도는 $\dfrac{\dfrac{90}{180}}{2}=\dfrac{0.5}{2}=0.25$ M이다.

7 퍼센트 농도를 몰 농도로 환산할 때 용액의 부피를 구하기 위해서 용액의 질량과 용액의 밀도를 사용한다.

8 몰 농도를 퍼센트 농도로 환산하기 위해서는 용질의 분자량과 용액의 밀도가 필요하다.

DAY 1 개념 돌파 전략 ② 12~13쪽

1 ⑤ **2** ① **3** ⑤ **4** ⑤ **5** ⑤ **6** ④

1 우리 생활과 화학

자료 분석 + 우리 생활과 화학

학생 A. 20세기 초 화학자들은 질소 비료의 원료인 암모니아를 합성하는 방법을 개발하였고, 이를 통해 생산된 질소 비료에 의해 농업 생산량은 비약적으로 증가하였다.

학생 B. 천연 섬유는 생산량이 일정하지 않으며 대량 생산이 어렵다는 문제가 있다. 합성 섬유는 이와 같은 단점을 보완한 것으로 대량 생산이 가능하다.

학생 C. 철 이외에 사용되는 건축 자재에는 콘크리트, 단열재, 페인트 등이 있다.

2 원자량과 아보가드로수

자료 분석 + 원자량과 아보가드로수

원자	원자 1개의 질량(g)	원자량
X	㉠	12
Y	w	16
Z	$1.5w$	㉡

· 원자 1개의 질량비는 원자량 비와 같다.

선택지 분석

㉠ 아보가드로수는 $\dfrac{16}{w}$ 이다.

✗ ㉠×㉡=21w이다. → $18w$

✗ 화합물 ZY 20 g에 포함된 Z 원자 수는 0.25몰이다. → 0.5 몰

X : Y의 원자량 비가 $12 : 16 = 3 : 4$이므로 X : Y의 원자 1개의 질량비는 ㉠ : $w = 3 : 4$이다. 따라서, ㉠은 $\dfrac{3w}{4}$이다.

Y : Z의 원자 1개의 질량비는 $w : 1.5w$이므로 Y : Z의 원자량 비는 $16 : ㉡ = w : 1.5w$이다. 따라서, ㉡은 $\dfrac{16 \times 1.5w}{w} = 24$이다.

ㄱ. 아보가드로수$(N_A) = \dfrac{\text{원자량}}{\text{원자 1개의 질량}}$이므로 Y 원자에서 아보가드로수$(N_A) = \dfrac{16}{w}$이다.

👁 바로 보기 ㄴ. ㉠×㉡은 $\dfrac{3w}{4} \times 24 = 18w$이다.

ㄷ. 화합물 ZY 20 g의 양(mol)은 $\dfrac{20}{24+16} = \dfrac{1}{2}$ mol이다.

3 몰의 질량과 부피

자료 분석 + 1몰의 부피와 질량

기체	분자식	질량(g)	부피(L)
(가)	AB	30	x
(나)	AB_2	23	$12 \leftarrow \dfrac{12}{24} = 0.5$ mol
(다)	A_2B_3	19	$6 \leftarrow \dfrac{6}{24} = 0.25$ mol

· 물질 1몰의 질량은 그 물질의 화학식량에 g/mol을 붙인 값과 같다.
· 0 ℃, 1기압에서 기체 분자 1몰, 즉 6.02×10^{23}개의 분자가 차지하는 부피는 기체의 종류와 관계없이 일정하다.(문제에서는 24 L)

t ℃, 1기압에서 기체 1몰의 부피가 24 L이므로 (나)와 (다)의 양(mol)은 $\dfrac{12}{24} = 0.5$ mol, $\dfrac{6}{24} = 0.25$ mol이다.

(나)와 (다)의 분자량은 $\dfrac{23}{0.5} = 46$, $\dfrac{19}{0.25} = 76$이다. A의 원자량을 a, B의 원자량을 b로 가정하면 (나)의 분자량은 $a + 2b = 46$이고, (다)의 분자량은 $2a + 3b = 76$이다. 따라서, $a = 14$, $b = 16$이다. (가)의 분자량은 $a + b = 14 + 16 = 30$이고, 질량이 30 g이므로 (가)의 양(mol)은 $\dfrac{30}{30} = 1$ mol이다. 따라서 기체 (가)의 부피(x)는 24 L이다.

4 화학 반응식 만들기

자료 분석 + 화학 반응식 만들기

(가) $\overbrace{\underbrace{CH_4 + aO_2 \longrightarrow CO_2 + bH_2O}_{2aO = 2O + bO}}^{4H = 2bH}$

(나) $\overbrace{\underbrace{Na_2CO_3 + cHCl \longrightarrow 2\,㉠ + CO_2 + H_2O}_{2Na + cCl = 2NaCl}}^{cH = 2H}$

· (가)에서 반응물의 수소 원자가 4개 있으므로 생성물에서 수소 원자가 4개 있어야 한다. 따라서 $b = 2$이다. $b = 2$라면 생성물에서 산소 원자가 4개 있으므로 반응물에서 산소 원자가 4개 있어야 한다. 따라서 $a = 2$이다.
· (나)에서 생성물의 수소 원자가 2개 있으므로 반응물에서 수소 원자가 2개 있어야 한다. 따라서 $c = 2$이다. 또한 반응물과 생성물의 원자의 종류와 개수를 맞추면 ㉠은 NaCl이다.

선택지 분석

㉠ $\dfrac{b}{a+c} = \dfrac{1}{2}$

㉡ ㉠은 NaCl이다.

㉢ (가)에서 CH_4 0.25 mol이 반응할 때 생성되는 H_2O의 질량은 9 g이다.

ㄱ. $a = 2$, $b = 2$, $c = 3$이므로 $\dfrac{b}{a+c} = \dfrac{2}{2+2} = \dfrac{1}{2}$이다.

ㄴ. ㉠은 NaCl이다.

ㄷ. (가)에서 CH_4 : H_2O의 몰비 $= 1 : 2$이므로 CH_4 0.25 mol이 반응할 때 생성되는 H_2O의 몰수는 0.5 mol이고, 이에 대한 질량은 $0.5 \times 18 = 9$ g이다.

5 화학 반응에서의 양적 관계

자료 분석 + 화학 반응에서의 양적 관계

$$MO(s) + H_2(g) \longrightarrow M(s) + H_2O(l)$$

· $MO(s)$와 $H_2O(l)$의 반응 몰비는 1 : 1이고, $MO(s)$와 $M(s)$의 반응 몰비는 1 : 1이다.

$H_2O(l)$의 질량은 1.8 g이므로 H_2O의 양(mol)은 $\dfrac{물질의 질량}{분자량}=\dfrac{1.8}{2+16}=0.1$ mol이다. 화학 반응식에서 MO와 H_2O의 계수비는 $1:1$이므로, MO의 양(mol)은 0.1 mol이다. 금속 M의 원자량을 X라고 가정하고, 금속 산화물 MO의 질량이 8 g일 때 MO의 분자량은 $X+16$이므로 금속 산화물 MO의 양(mol)은 $\dfrac{물질의 질량}{분자량}=\dfrac{8}{X+16}$ $=0.1$이다. 따라서, 금속 M의 원자량$(X)=64$이다.

6 용액의 농도

용액의 농도

> $\xrightarrow{\ 0.5\,M \times 0.01\,L = 0.005\,mol\ }$
>
> (가) 0.5 M $X(aq)$ 40 mL 중 10 mL를 플라스크에 넣고 물을 가하여 부피가 100 mL인 수용액 Ⅰ을 만든다.
> (나) (가)에서 남은 $X(aq)$에 $X(s)$ 0.6 g 넣은 뒤 물을 가하여 부피가 200 mL인 수용액 Ⅱ를 만든다. $\quad \dfrac{0.6}{60}$ mol
> $\xrightarrow{\ 0.5\,M \times 0.03\,L = 0.015\,mol\ }$

(가)에서 만든 수용액 Ⅰ의 용질의 양(mol)은 0.5 M $\times 0.01$ L $=0.005$ mol이고, 용액의 부피(L)는 0.1 L이다. 따라서 수용액 Ⅰ의 몰 농도$=\dfrac{용질의 양(mol)}{용액의 부피(L)}=\dfrac{0.005}{0.1}=0.05$ M이다. (나)에서 만든 수용액 Ⅱ의 용질의 양(mol)은 $(0.5$ M $\times 0.03$ L$)+\dfrac{0.6}{60}=0.015+0.01=0.025$ mol이고, 용액의 부피는 0.2 L이다. 따라서 수용액 Ⅱ의 몰 농도 $=\dfrac{용질의 양(mol)}{용액의 부피(L)}=\dfrac{0.025}{0.2}=0.125$ M이다.

따라서, $\dfrac{수용액\ Ⅰ의\ 몰\ 농도}{수용액\ Ⅱ의\ 몰\ 농도}=\dfrac{0.05}{0.125}=\dfrac{2}{5}$이다.

DAY 2 필수 체크 전략 ①
14~17쪽

❶-1 ④   ❷-1 ㄱ, ㄴ, ㄷ   ❸-1 ㄴ, ㄷ   ❹-1 ㄱ, ㄴ

❺-1 ⑤   ❺-2 ③   ❻-1 ③   ❻-2 ③

❶-1 실생활에 도움을 주는 물질

질소와 수소를 고온, 고압에서 반응시키면 질소 비료의 합성에 중요한 암모니아를 생산할 수 있다. 메테인(CH_4)은 LNG의 주성분으로 성분 원소는 탄소와 수소이다. 암모니아는 질소 원자 1개와 수소 원자 3개로, 메테인은 탄소 원자 1개와 수소 원자 4개로 이루어져 있다.

❷-1 탄소 화합물

액화 석유가스(LPG)의 주성분은 프로페인과 뷰테인이고, 에탄올은 살균 효과가 있어 소독약이나 손 소독제로 이용된다. 폼산의 구성 원소는 C, H, O로 3가지이다.

❸-1 탄소 화합물의 특징

아세톤과 폼알데하이드

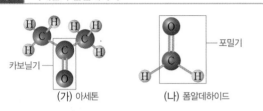

카보닐기 — (가) 아세톤   (나) 폼알데하이드 — 포밀기

선택지 분석

✗ 수용액의 액성이 산성이다. → 중성
ㄴ 완전 연소 생성물의 종류는 2가지이다. → CO_2, H_2O
ㄷ $\dfrac{H\ 원자\ 수}{C\ 원자\ 수}=2$이다.

ㄴ. (가) 아세톤과 (나) 폼알데하이드를 구성하는 성분 원소는 C, H, O 3가지로 같으므로, 이들의 완전 연소 생성물은 CO_2, H_2O이다.

ㄷ. (가) 아세톤에서 $\dfrac{H\ 원자\ 수}{C\ 원자\ 수}=\dfrac{6}{3}=2$이고, (나) 폼알데하이드에서 $\dfrac{H\ 원자\ 수}{C\ 원자\ 수}=\dfrac{2}{1}=2$이다.

👀 바로 보기   ㄱ. (가) 아세톤과 (나) 폼알데하이드는 모두 수용액의 액성이 중성이다.

❹-1 몰, 부피, 질량, 원자 수

몰, 부피, 질량, 원자 수

기체	종류와 질량	부피(L) (t ℃, 1기압)
(가)	$C_2H_6(g)$ 15 g	12
(나)	$C_2H_6(g)$ 15 g, $CH_4(g)$ 4 g	x

• C_2H_6 15 g의 양(mol)은 $\dfrac{15}{2\times12+6\times1}=0.5$ mol이고, CH_4 4 g의 양(mol)은 $\dfrac{4}{12+4\times1}=0.25$ mol이다.
• (가) 기체의 양은 0.5 mol이고, (나) 기체의 양은 0.5 mol$+0.25$ mol$=0.75$ mol이다.
• C_2H_6 15 g에 들어 있는 H 원자 수는 0.5 mol$\times6=3$ mol이고, CH_4 4 g에 들어 있는 H 원자 수는 0.25 mol$\times4=1$ mol이다.

선택지 분석

ㄱ t ℃, 1기압에서 1몰의 부피는 24 L이다.
ㄴ $x=18$이다.
✗ (나)에 들어 있는 H 원자 수는 $\dfrac{3}{4}$ mol이다. → 4 mol

ㄱ. (가)에서 기체의 양이 0.5 mol일 때 기체의 부피가 12 L (t ℃, 1기압)이므로 1 mol의 부피는 24 L임을 알 수 있다.

ㄴ. (나)에서 기체의 양은 0.75 mol이므로 기체의 부피는 $0.75 \times 24 = 18$ L이다.

👁 **바로 보기**   ㄷ. (나)에 들어 있는 H 원자 수는 3 mol + 1 mol = 4 mol이다.

⑤-1 원자량, 분자량, 몰과 부피

원자 A와 B의 원자량을 a, b라고 가정한다. (가)의 분자량은 $a+b=15$이고, (나)의 분자량은 $2a+b=23$이다. 따라서 $a=8$, $b=7$이다.

ㄱ. A의 원자량(8) > B의 원자량(7)이다.

ㄴ. (다)의 분자량은 $2a+3b=2\times 8 + 3 \times 7 = 37$이다.

ㄷ. 기체의 부피는 물질의 양(mol)에 비례하고 기체 1 g의 물질의 양(mol)은 분자량에 반비례하므로 기체 1 g의 부피는 분자량이 더 작은 (가)가 (나)보다 크다.

⑤-2 분자당 구성 원자 수와 분자량, 원자 수비

분자	구성 원자 수	분자량
(가)	3	18
(나)	4	17
(다)	5	16

• 분자에 포함된 전체 원자의 몰수는 분자의 몰수 × 분자 1개를 구성하는 원자 수이다.

선택지 분석

ⓖ (나) 8.5 g에 있는 분자 수는 $\frac{1}{2} \times N_\text{A}$이다.

✗ (다) 4 g에 들어 있는 전체 원자수는 $\frac{5}{2}$ mol이다. → $\frac{5}{4}$ mol

ⓒ 1 g에 들어 있는 전체 원자 수비는 (가) : (다) = 8 : 15이다.

ㄱ. (나) 8.5 g의 몰수 = $\frac{8.5}{17} = \frac{1}{2}$ mol이므로, 분자 수는 $\frac{1}{2} \times N_\text{A}$이다.

ㄴ. (다) 4 g의 몰수 = $\frac{4}{16} = \frac{1}{4}$ mol이고, (다) 1분자의 구성 원자 수가 5개이므로 (다) 4 g의 전체 원자 수는 $\frac{1}{4} \times 5 = \frac{5}{4}$ mol이다.

ㄷ. 1 g에 들어 있는 분자 수비는 (가) : (다) = $\frac{1}{18} : \frac{1}{16}$이고 1분자의 구성 원자 수비는 (가) : (다) = 3 : 5이므로 1 g에 들어 있는 원자 수비는 (가) : (다) = $\frac{1}{18} \times 3 : \frac{1}{16} \times 5$ 8 : 15이다.

⑥-1 기체의 몰과 부피, 전체 원자 수

질량	부피	1 g에 들어 있는 전체 원자 수
1 g	4 L	N

• 표는 $AB_2(g)$에 대한 자료이고, AB_2의 분자량은 M이다.

• $AB_2(g)$의 양(mol)은 $\frac{질량}{분자량} = \frac{1}{M}$ mol이고, 이때 기체의 부피는 4 L이다. 따라서, $AB_2(g)$ 1 mol의 부피는 $4M$ L이다.

• $AB_2(g)$에서 분자당 원자 수는 3이고, 1 g에 들어 있는 전체 원자 수는 N이므로, $AB_2(g)$ 1 g에 들어 있는 A 원자 수는 $\frac{N}{3}$이고, 1 g에 들어 있는 B 원자 수는 $\frac{2N}{3}$이다.

선택지 분석

ⓖ 1 g에 들어 있는 B 원자 수는 $\frac{2N}{3}$이다.

ⓒ 1몰의 부피는 $4M$ L이다.

✗ 1몰에 해당하는 분자 수는 MN이다. → $\frac{MN}{3}$

ㄱ. $AB_2(g)$에서 분자당 원자 수는 3이고, 1 g에 들어 있는 전체 원자 수는 N이므로, $AB_2(g)$ 1 g에 들어 있는 B 원자 수는 $\frac{2N}{3}$이다.

ㄴ. $AB_2(g)$ 1 g의 몰수는 $\frac{1}{M}$몰이고, $AB_2(g)$ $\frac{1}{M}$몰의 부피는 4 L이므로 $AB_2(g)$ 1몰의 부피는 $4M$ L이다.

👁 **바로 보기**   ㄷ. $AB_2(g)$ $\frac{1}{M}$몰에 들어 있는 전체 원자 수는 N이므로 전체 분자 수는 $\frac{N}{3}$이다. 따라서 $AB_2(g)$ 1몰에 해당하는 분자 수는 $\frac{MN}{3}$이다.

⑥-2 기체의 몰과 부피, 질량, 전체 원자 수

기체	(가)	(나)
분자식	X_2Y_4 ← 구성 원자 수 6개	X_3Y_8 ← 구성 원자 수 11개
분자량	28	y
부피(L)	x	16
질량(g)	7	22

• 기체 (가)의 분자량은 28 g, 질량은 7 g이므로 기체 (가)의 양(mol)은 $\frac{7}{28} = \frac{1}{4}$ mol이다. 기체 1 mol의 부피가 24 L이므로 $\frac{1}{4}$ mol의 부피(x)는 6 L이다.

• 기체 1 mol의 부피는 24 L이고, 기체 (나)의 부피가 16 L이므로 기체 (가)의 양(mol)은 $\frac{16}{24} = \frac{22}{y}$이다. 따라서 $y=33$이고, 기체 (나)의 양은 $\frac{2}{3}$ mol이다.

㉠ $\frac{y}{x} = \frac{11}{2}$이다.

✗ 전체 원자 수비는 (가) : (나)=6 : 11이다. → 9 : 44

㉢ t ℃, 1기압에서 $X_2Y_4(g)$ 3 L의 질량은 3.5 g이다.

ㄱ. $x=6$이고, $y=33$이므로 $\frac{y}{x}=\frac{33}{6}=\frac{11}{2}$이다.

ㄷ. 기체 (가) 6 L의 질량이 7 g이므로 기체 (가) 3 L의 질량은 3.5 g이다.

바로 보기 ㄴ. 분자당 구성 원자 수는 기체 (가)가 6, 기체 (나)가 11이다. 전체 원자 수=분자당 구성 원자 수×물질의 양(mol)이므로 전체 원자 수비는 (가) : (나)=$(6 \times \frac{1}{4})$: $(11 \times \frac{2}{3})$=9 : 44이다.

DAY 2 필수 체크 전략 ②
18~19쪽

[최다 오답 문제]

1 ④ **2** ④ **3** ④ **4** ③ **5** ③ **6** ②

1 탄소 화합물

A는 에탄올(C_2H_5OH)이고, B는 아세트산(CH_3COOH)이며, C는 메테인(CH_4)이다.

(가)는 물에 녹아 산성을 나타내는 물질인 아세트산(B)이다.

(나)는 천연가스의 주성분인 메테인(C)이다.

(다)는 소독제 등으로 이용하는 물질인 에탄올(A)이다.

2 몰, 질량, 부피

자료 분석 + 몰, 질량, 부피

기체	분자식	질량(g)	부피(L)	전체 원자 수 (상댓값)
(가)	AB_2	16	6	1 → 분자 수 $\frac{1}{3}$
(나)	AB_3	30	9	x → 분자 수 $\frac{x}{4}$
(다)	CB_2	23	y	2 → 분자 수 $\frac{2}{3}$

• 분자당 구성 원자 수는 (가)가 3, (나)가 4, (다)가 3이다. 따라서, 기체의 양(mol)(상댓값)은 (가)가 $\frac{1}{3}$, (나)가 $\frac{x}{4}$, (다)가 $\frac{2}{3}$이다.

• 온도와 압력이 같을 때 기체의 부피는 기체의 몰수에 비례하므로 (가)와 (나)에서 기체의 부피와 몰수의 관계는 6 : 9=$\frac{1}{3}$: $\frac{x}{4}$이다. 따라서, $x=2$이다.

• (나)와 (다)에서 기체의 부피와 몰수의 관계는 9 : $y=\frac{2}{4}$: $\frac{2}{3}$이다. 따라서 $y=12$이다. 따라서, $x+y=14$이다.

• (가)~(다)의 부피가 모두 36 L라고 가정하면 (가)~(다)의 질량은 96, 120, 69이다. A~C의 원자량을 a, b, c라고 한다. 기체의 온도, 압력, 부피가 같을 때 분자량 비는 기체의 질량비와 같으므로 $(a+2b)$: $(a+3b)$: $(c+2b)$=96 : 120 : 69이다. 따라서 $a : b : c=16 : 8 : 7$이므로 원자량은 A>B이다.

㉠ $x+y=14$이다.

㉡ 원자량은 A>B이다.

✗ 1 g에 들어 있는 B 원자 수는 (나)>(다)이다. → (나)<(다)

바로 보기 ㄷ. 분자량 비는 (나) : (다)=120 : 69이고, 분자당 B 원자 수는 (나)에서 4, (다)에서 3이므로 1 g에 들어 있는 B 원자 수비는 (나) : (다)=$\frac{1}{120} \times 4$: $\frac{1}{69} \times 3$이다. 따라서 1 g에 들어 있는 B 원자 수비는 (나)가 (다)보다 작다.

3 원자량, 분자량, 성분 원소의 질량비

자료 분석 + 원자량, 분자량, 성분 원소의 질량비

분자	분자당 구성 원자 수	성분 원소의 질량비(X : Y)	분자량
(가)	3	7 : 16 → (가):(나)	$23a$
(나)	3	7 : 4 =4 : 1	$22a$
(다)	5	㉠	$38a$

• (가), (나)는 분자당 구성 원자 수가 3개이므로, (가)와 (나)의 분자식은 X_2Y나 XY_2 중 하나이다. (가)와 (나)에서 원자 X에 결합한 원자 Y의 질량비가 (가) : (나)=4 : 1이므로 (가)는 XY_2이고, (나)는 X_2Y이다.

• X의 원자량을 x, Y의 원자량을 y라고 가정하면 (가)의 분자량은 $x+2y=23a$이고, (나)의 분자량은 $2x+y=22a$이다. 따라서, $x=7a$, $y=8a$이다.

• (다)는 분자당 구성 원자 수가 5개이므로, (다)의 분자식은 XY_4, X_2Y_3, X_3Y_2, X_4Y 중 하나이다. 이 중 분자량이 $38a$가 되는 경우는 X_2Y_3이다. 따라서 X_2Y_3의 성분 원소의 질량비는 X : Y=$2 \times 7a$: $3 \times 8a$=7 : 12이다.

㉠ (가)의 분자식은 XY_2이다.

✗ 원자량은 X>Y이다. → X<Y

㉢ ㉠은 7 : 12이다.

바로 보기 ㄴ. X의 원자량은 $7a$, Y의 원자량은 $8a$이므로 X의 원자량이 Y의 원자량보다 작다.

4 혼합 기체의 부피, 몰, 분자량 비

자료 분석 + 혼합 기체의 부피, 몰, 분자량 비

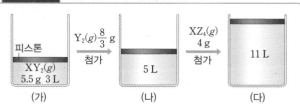

• (가)에서 XY_2 5.5 g의 부피는 3 L이므로, (가)에서 XY_2의 양은 $\frac{3}{24}=\frac{1}{8}$ mol이다.

- (나)는 (가) 3 L에 Y_2 $\frac{8}{3}$ g을 첨가했을 때 부피가 5 L이므로 Y_2의 부피는 2 L이다. 따라서, (나)에서 Y_2의 양은 $\frac{2}{24}=\frac{1}{12}$ mol이다.

- (다)는 (나) 5 L에 XZ_4 4 g을 첨가했을 때 부피가 11 L이므로 XZ_4의 부피는 6 L이다. 따라서, (다)에서 XZ_4의 양은 $\frac{6}{24}=\frac{1}{4}$ mol이다.

- X의 원자량을 x, Y의 원자량을 y, Z의 원자량을 z라고 가정하면, $\frac{물질의 질량}{분자량}=$물질의 양(mol)이므로 (가)~(다)의 몰비는

(가) : (나) : (다)$=\frac{1}{8}:\frac{1}{12}:\frac{1}{4}=\frac{5.5}{x+2y}:\frac{\frac{8}{3}}{2y}:\frac{4}{x+4z}$이다. 따라서, $x=12$, $y=16$, $z=1$이다.

선택지 분석

ㄱ 분자량의 비는 $XY_2:XZ_4=11:4$이다.

✗ (다)에서 $\frac{Y \text{ 원자 수}}{X \text{ 원자 수}}=\frac{5}{9}$이다.

ㄷ 25 ℃, 1기압에서 $X_3Z_4(g)$ 6 L의 질량은 10 g이다.

ㄱ. 분자량의 비는 $XY_2:XZ_4=$
$(12+2\times16):(12+4\times1)=44:16=11:4$이다.

ㄷ. 25 ℃, 1기압에서 $X_3Z_4(g)$ 6 L의 몰수는 $\frac{6}{24}=\frac{1}{4}$ mol 이고, X_3Z_4의 분자량은 $3\times12+4\times1=40$이다. 따라서, X_3Z_4 6 L의 질량은 $\frac{1}{4}\times40=10$ g이다.

바로 보기 ㄴ. (다)에는 XY_2 3 L$(=\frac{1}{8}$ mol),
Y_2 2 L$(=\frac{1}{12}$ mol), XZ_4 6 L$(=\frac{1}{4}$ mol)가 들어 있다.

따라서 (다)에서 $\frac{Y \text{ 원자 수}}{X \text{ 원자 수}}=\frac{\frac{2}{8}+\frac{2}{12}}{\frac{1}{8}+\frac{1}{4}}=\frac{10}{9}$이다.

5 기체의 부피, 몰, 원자량

자료 분석 + 기체의 부피, 몰, 원자량

기체	분자식	부피(L)
(가)	XY_4	22
(나)	XZ_2	8
(다)	Z_2	11

- 기체의 온도와 압력이 같을 때 기체의 몰수는 기체의 부피에 비례하고 질량이 같을 때 기체의 몰수$\propto\frac{1}{분자량}$이다.
- 질량이 같은 기체 (가)~(다)의 부피비(=몰비)가 (가) : (나) : (다)=22 : 8 : 11이므로 분자량 비는 (가) : (나) : (다)$=\frac{1}{22}:\frac{1}{8}:\frac{1}{11}=8:22:16=4:11:8$이다.

선택지 분석

ㄱ 분자량은 $Z_2>XY_4$이다.

ㄴ 1 g에 들어 있는 원자 수는 (가)가 (다)의 5배이다.

✗ 원자량은 X>Z이다. ▸ X<Z

ㄱ. 질량이 같을 때 분자량은 물질의 양(mol)에 반비례한다. 질량이 같은 기체 (가)~(다)의 부피비(=몰비)가 (가) : (나) : (다)=22 : 8 : 11이므로 물질의 양(mol)은 $XY_4>Z_2$이다. 따라서 분자량은 $Z_2>XY_4$이다.

ㄴ. 질량이 같은 (가)와 (다)에서 부피비가 (가) : (다)=2 : 1 이므로 기체의 분자 수는 (가)가 (다)의 2배이다. 따라서 1 g에 들어 있는 분자 수는 (가)가 (다)의 2배이다. 따라서 분자당 원자 수가 (가)가 5개, (다)가 2개이므로 1 g에 들어 있는 원자 수는 (가) : (다)$=2\times5:1\times2=5:1$이다.

바로 보기 ㄷ. X, Z의 원자량을 X, Z로 가정하면 분자량 비가 (나) : (다)$=11:8=(X+2Z):2Z$이므로 X=3, Z=4이다. 따라서 원자량비는 X : Z=3 : 4이다.

6 보일 법칙, 기체의 성질

자료 분석 + 보일 법칙, 기체의 성질

기체	분자식	부피(L)	질량(g)	압력(기압)
(가)	A_2	$0.25V$	$4w$	2
(나)	AB_2	$2V$	$4.5w$	0.5

- 온도가 일정할 때 기체의 압력과 부피는 서로 반비례하고, 압력이나 부피가 바뀌어도 물질의 질량은 변하지 않는다.
- 기체 (가)는 2기압에서 부피가 $0.25V$이므로, 1기압에서 $0.5V$이고, 기체 (나)는 0.5기압에서 부피가 $2V$이므로 1기압에서 V이다. 따라서, 기체 (가)의 양(mol)은 0.5 mol이고, 기체 (나)의 양(mol)은 1 mol 이다.

선택지 분석

✗ $\frac{(\text{나})\text{에서 B의 원자 수}}{(\text{가})\text{에서 A의 원자 수}}=\frac{1}{2}$이다. ▸ 2

ㄴ 원자량 비는 A : B=16 : 1이다.

✗ t ℃, 1기압에서 B_2 $2V$ L의 질량은 w g이다. ▸ $0.5w$

ㄴ. 분자량$=\frac{물질의 질량}{물질의 양}$이고, 기체 (가)의 양은 0.5 mol 이고, 기체 (나)의 양(mol)은 1 mol이다. A의 원자량을 a, B의 원자량을 b라고 가정하면, 기체 (가)와 (나)의 분자량 비는 (가) : (나)$=(2a):(a+2b)=\frac{4w}{0.5}:\frac{4.5w}{1}$이다. 따라서, $a=4w$, $b=0.25w$이다. 원자량 비는 A : B=16 : 1 이다.

바로 보기 ㄱ. 기체 (가)와 (나)의 분자 수비가 0.5 : 1=1 : 2이고, (가)에서 분자당 A 원자 수가 2개, (나)에서 분자당 B 원자 수가 2개이므로 $\frac{(\text{나})\text{에서 B의 원자 수}}{(\text{가})\text{에서 A의 원자 수}}=\frac{2\times2}{1\times2}=2$ 이다.

ㄷ. t ℃, 1기압에서 B_2 $2V$의 물질의 양은 2 mol이므로 B_2 $2V$의 질량은 $2\text{ mol}\times0.25w=0.5w$이다.

| ❶-1 ㄱ, ㄴ | ❷-1 ㄱ, ㄴ | ❸-1 17 | ❸-2 ㄱ, ㄴ |
| ❹-1 $\dfrac{3}{200}$ | ❺-1 500 | ❻-1 ③ | |

❶-1 화학 반응식

자료 분석 + 화학 반응식

• $CaCO_3(s) \longrightarrow$ ⊙ $(s) + CO_2(g)$ → CaO
• $a\,NaHCO_3(s) \longrightarrow Na_2CO_3(s) + b\,H_2O(l) + CO_2(g)$
→ 2, → 1

👁 바로 보기 ㄷ. 첫 번째 화학 반응식에서 $CaCO_3$와 CO_2의 몰비는 1 : 1이고, 두 번째 화학 반응식에서 $NaHCO_3$와 CO_2의 몰비는 2 : 1이다. 따라서 1 mol의 $CaCO_3$와 $NaHCO_3$가 분해될 때 생성되는 CO_2의 몰비는 1 : 0.5=2 : 1이다.

❷-1 염소산 칼륨 분해 반응에 대한 화학 반응식

자료 분석 + 화학 반응식

$a\,KClO_3(s) \longrightarrow 2KCl(s) + b\,O_2(g)$
→ 2, → 3

ㄱ. $a=2$, $b=3$이므로 $3a$와 $2b$는 같다.

ㄴ. 화학 반응식에서 $KClO_3$과 KCl의 몰비는 1 : 1이므로 1 mol의 $KClO_3$가 분해되면 1 mol의 KCl이 생성된다.

👁 바로 보기 ㄷ. 화학 반응식에서 $KClO_3$과 O_2의 몰비는 2 : 3이므로 0.5 mol의 $KClO_3$이 분해되면 0.75 mol의 O_2가 생성된다. O_2의 분자량은 32이므로 0.75 mol의 O_2의 질량은 $0.75 \times 32 = 24$ g이다.

❸-1 화학 반응에서 양적 관계

자료 분석 + 화학 반응에서 양적 관계

$A + 3B \longrightarrow cC$ (단, c는 반응 계수)

A의 양 (mol)	B의 양 (mol)	전체 물질의 몰수 C의 몰수	반응 후 남은 기체
1	m	3.5	B
2	m	1.5	B
3	m	x	A

• 주어진 화학 반응식에서 몰비는 A : B : C=1 : 3 : c이다.

• A가 1몰일 때 한계 반응물은 A이므로 양적 관계는 아래와 같다.

	A	+	3B	⟶	cC
반응 전(mol)	1		m		
반응(mol)	-1		-3		$+c$
반응 후(mol)	0		$m-3$		c

따라서 $\dfrac{\text{전체 물질의 몰수}}{\text{C의 몰수}} = \dfrac{m-3+c}{c} = 3.5$이다.

• A가 2몰일 때 한계 반응물은 A이므로 양적 관계는 아래와 같다.

	A	+	3B	⟶	cC
반응 전(mol)	2		m		
반응(mol)	-2		-6		$+2c$
반응 후(mol)	0		$m-6$		$2c$

따라서 $\dfrac{\text{전체 물질의 몰수}}{\text{C의 몰수}} = \dfrac{m-6+2c}{2c} = 1.5$이므로 $m=8$, $c=2$이다.

• A가 3몰일 때 한계 반응물은 B이므로 양적 관계는 아래와 같다.

	A	+	3B	⟶	2C
반응 전(mol)	3		8		
반응(mol)	$-\dfrac{8}{3}$		-8		$+\dfrac{16}{3}$
반응 후(mol)	$\dfrac{1}{3}$		0		$\dfrac{16}{3}$

따라서 $\dfrac{\text{전체 물질의 몰수}}{\text{C의 몰수}} = \dfrac{\dfrac{1}{3}+\dfrac{16}{3}}{\dfrac{16}{3}} = x$이므로 $x=\dfrac{17}{16}$이다.

$m=8$, $c=2$, $x=\dfrac{17}{16}$이므로 $x \times m \times c = 17$이다.

❸-2 화학 반응식에서의 계수의 의미

자료 분석 + 화학 반응식에서 계수의 의미

$a\,A(g) + B(g) \longrightarrow 2C$
→ 2

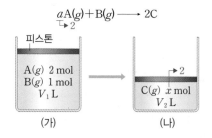

피스톤
A(g) 2 mol
B(g) 1 mol
V_1 L
(가)

→ 2
C(g) x mol
V_2 L
(나)

• (가)에 들어 있는 A(g) 2 mol이 B(g) 1 mol은 완전히 반응하여 (나)에서 C(g) x mol이 생성되므로, 이 반응의 몰비는 A : B : C=2 : 1 : x이고, 화학 반응식에서 계수비가 A : B : C=a : 1 : 2이다.

• 기체 사이의 반응에서 몰비=계수비이므로 A : B : C=2 : 1 : $x=a$: 1 : 2이다. 따라서, $x=2$, $a=2$이다.

선택지 분석

ㄱ (나)에는 반응물이 남아 있지 않다.

ㄴ $a \times x = 4$이다.

✗ $\dfrac{V_1}{V_2} = \dfrac{2}{3}$이다. → $\dfrac{3}{2}$

ㄱ. (나)에는 C(g)만 들어 있으므로 남은 반응물이 없다.

ㄴ. $a=2$, $x=2$이므로 $a \times x = 4$이다.

바로 보기 ㄷ. (가)에는 A(g) 2 mol과 B(g) 1 mol이, (나)에는 C(g) 2 mol이 들어 있으므로, 부피비는 V_1 : V_2＝3 : 2이다. 따라서 $\dfrac{V_1}{V_2}=\dfrac{3}{2}$이다.

❹-1 혼합 용액의 농도

자료 분석 + 혼합 용액의 농도

> (가) NaOH(s) 8 g을 물에 녹여 0.5 M NaOH(aq) x mL을 만든다.
> (나) (가)에서 만든 NaOH(aq) 100 mL에 NaOH(s) y g을 모두 녹이고, 물을 넣어 0.4 M NaOH(aq) 500 mL을 만든다.

· NaOH의 화학식량은 40이고, (가)에서 NaOH(s) 8 g($=\dfrac{8}{40}=0.2$ mol)을 이용하여 0.5 M의 NaOH(aq) x mL를 만들었으므로 $\dfrac{0.2}{\frac{x}{1000}}=0.5$ M이다. 따라서 넣어 준 물의 부피(x)는 400 mL이다.

· (나)에서 NaOH의 양은 0.5 M NaOH(aq) 100 mL에 포함된 NaOH의 양과 추가한 NaOH(s) y g의 합이고, 이 값은 물을 넣어 만든 0.4 M NaOH(aq) 500 mL에 들어 있는 NaOH의 양과 같으므로 $(0.5\times0.1)+\dfrac{y}{40}$ mol＝0.4×0.5이다. 따라서 y＝6이다.

x＝400, y＝6이므로 $\dfrac{y}{x}=\dfrac{6}{400}=\dfrac{3}{200}$이다.

❺-1 용액의 농도

자료 분석 + 용액의 농도

> (가) 1.5 M A(aq) 200 mL에 물을 넣어 x M A(aq) 300 mL를 만든다.
> (나) 1.5 M A(aq) 100 mL에 A(aq) 15 g과 물을 넣어 0.8 M A(aq) y mL를 만든다.

· (가)에서 1.5 M A(aq) 200 mL와 이를 희석하여 만든 x M A(aq) 300 mL에 들어 있는 A의 양(mol)은 같으므로 $1.5\times0.2=x\times0.3$이다. 따라서, x＝1이다.

· (나)에서 A의 양은 $1.5\times0.1+\dfrac{15}{60}=0.8\times\dfrac{y}{1000}$이므로 y＝500이다.

x＝1, y＝500이므로, $x\times y$＝500이다.

❻-1 희석 용액의 농도

ㄱ. 수용액 I에서 몰 농도가 0.2 M이므로 $x\times0.2=0.2\times0.5$이다. 따라서, x＝0.5이다.

ㄷ. 수용액 I에서 A의 양은 $0.5\times0.2=0.1$ mol이고, 수용액 II에서 A의 양은 $0.5\times0.05=0.025$ mol이다. 따라서, $\dfrac{\text{I에서 A의 양(mol)}}{\text{II에서 A의 양(mol)}}=\dfrac{0.1}{0.025}=4$이다.

바로 보기 ㄴ. 수용액 II에서 A의 양은 0.5×0.05이므로 수용액 II의 몰 농도(y)는 $\dfrac{0.025}{0.1}=0.25$ M이다.

[최다 오답 문제]

1 ③　　**2** ②　　**3** ②　　**4** ③　　**5** ①

1 화학 반응의 양적 관계

자료 분석 + 화학 반응의 양적 관계

실험	반응 전		반응 후		
	A의 질량(g)	B의 질량(g)	A 또는 B의 질량(g)	C의 밀도 (상댓값)	전체 기체의 부피(상댓값)
I	1	w	$\dfrac{4}{5}$	17	6
II	3	w	1	17	12
III	4	$w+2$		x	17

· I과 II에서 반응 후 전체 기체의 부피(상댓값)가 I : II＝1 : 2이고, C의 밀도가 같으므로 생성된 C의 질량은 I : II＝1 : 2임을 알 수 있다.

· I과 II에서 B의 질량은 같고, A의 질량은 I : II＝1 : 3이므로 I에서는 A가 모두 반응하였고, II에서는 B가 모두 반응한 것임을 알 수 있다. 따라서, I에서 반응 후 남은 반응물은 B(g) $\dfrac{4}{5}$ g이고, II에서 반응 후 남은 반응물은 A(g) 1 g이다.

· I에서 반응한 B의 질량을 w_B라고 가정하면 양적 관계는 다음과 같다.

	aA	＋	B	⟶	cC
반응 전(질량)	1		w		
반응(질량)	-1		$-w_B$		$1+w_B$
반응 후(질량)	0		$w-w_B(=\dfrac{4}{5})$		$1+w_B$

· II에서 양적 관계는 다음과 같다.

	aA	＋	B	⟶	cC
반응 전(질량)	3		w		
반응(질량)	-2		$-w$		$2+w$
반응 후(질량)	1		0		$2+w$

· $w-w_B=\dfrac{4}{5}$이고, $2(1+w_B)=2+w$이므로 w_B＝0.8이고, w＝1.6이다. 따라서 반응 질량비는 A : B : C＝1 : 0.8 : 1.8이므로 실험 III에서의 양적 관계는 다음과 같다.

	aA	＋	B	⟶	cC
반응 전(질량)	4		3.6		
반응(질량)	-4		-3.2		$+7.2$
반응 후(질량)	0		0.4		7.2

· A~C의 분자량을 M_A, M_B, M_C라고 가정하면 반응 후 전체 기체의 부피는 I : II＝$(\dfrac{0.8}{M_B}+\dfrac{1.8}{M_C})$: $(\dfrac{1}{M_A}+\dfrac{3.6}{M_C})$＝1 : 2이고, I : III＝$(\dfrac{0.8}{M_B}+\dfrac{1.8}{M_C})$: $(\dfrac{0.4}{M_B}+\dfrac{7.2}{M_C})$＝6 : 17이므로 분자량비는 M_A : M_B : M_C＝5 : 8 : 9이다. 반응 질량비가 A : B : C＝1 : 0.8 : 1.8＝5 : 4 : 9이므로 반응 몰비는 A : B : C＝$\dfrac{5}{5}$: $\dfrac{4}{8}$: $\dfrac{9}{9}$＝2 : 1 : 2이다. 따라서 a＝2, c＝2이다. 반응 후 C의 밀도는 I : III＝$\dfrac{1.8}{6}$: $\dfrac{7.2}{17}$＝17 : x이므로 x＝24이다.

바로 보기 ㄴ. x＝24, c＝2이므로 $\dfrac{x}{c}=12$이다.

2 화학 반응식과 기체의 밀도

자료 분석 + 화학 반응식과 기체의 밀도

$$aA(g) + B(g) \longrightarrow aC(g)$$

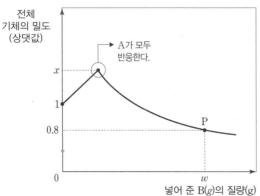

- 화학 반응식에서 A와 C의 반응 계수가 a로 같으므로 반응한 A의 양(mol)=생성된 C의 양(mol)이다. 따라서, A(g) V L 가 들어 있는 실린더에 B(g)를 넣어 반응시킬 때 A가 모두 반응할 때까지 전체 기체의 부피는 V L로 일정하다.
- 전체 기체의 부피가 일정하지만 전체 기체의 질량이 증가하여 전체 기체의 밀도는 증가하며 A가 모두 반응한 후 전체 기체의 밀도는 감소하므로 전체 기체의 밀도(상대값)가 x일 때 A와 B는 모두 반응하였음을 알 수 있다.
- 실린더에 들어 있던 A(g) V L의 질량을 y g이라고 가정하면 $\frac{y}{V}$: $\frac{w+y}{2.5\,V}$=1 : 0.8이므로 $y=w$이다.
- 분자량은 A가 B의 2배이므로 A의 분자량을 $2M$, B의 분자량을 M이라고 할 때 A(g) w g과 B(g) w g의 양은 각각 $\frac{w}{2M}$ mol, $\frac{w}{M}$ mol이다. B(g) w g을 넣었을 때까지의 반응을 양적 관계로 나타내면 다음과 같다.

	$aA(g)$ +	$B(g)$ $\longrightarrow$	$aC(g)$
반응 전(mol)	$\frac{w}{2M}$	$\frac{w}{M}$	0
반응(mol)	$-\frac{w}{2M}$	$-\frac{w}{2aM}$	$+\frac{w}{2M}$
반응 후(mol)	0	$\frac{w}{M}-\frac{w}{2aM}$	$+\frac{w}{2M}$

- 기체의 온도와 압력이 일정할 때 기체의 부피는 기체의 양(mol)에 비례하므로 B(g)의 질량이 0일 때와 w g일 때(반응 전후)의 몰비는 $\frac{w}{2M}$: $\left(\frac{w}{M}-\frac{w}{2aM}+\frac{w}{2M}\right)=V$: 2.5V, $a=2$이다.
- 또한 전체 기체의 밀도(상대값)가 x일 때 반응한 B(g)의 양은 $\frac{w}{4M}$ mol이므로 반응한 A와 B의 질량은 각각 w g, $\frac{w}{4}$ g이고 생성된 C의 질량은 $\frac{5w}{4}$ g이다. 따라서 반응이 완결될 때까지 기체의 부피는 일정하므로 밀도비는 전체 기체의 질량비와 같고 w : $\frac{5w}{4}$=1 : x이므로 $x=\frac{5}{4}$이다.

$a=2$, $x=\frac{5}{4}$이므로 $a \times x=\frac{5}{2}$이다.

3 화학 반응식, 기체의 양과 밀도

자료 분석 + 화학 반응의 양적 관계

$$A(s) + bB(g) \longrightarrow C(g) \ (b: \text{반응 계수})$$

실험	넣어 준 물질의 양(mol)		실린더 속 기체의 밀도(상댓값)	
	A(s)	B(g)	반응 전	반응 후
I	2	7	1	7
II	3	8	1	x

- 일정한 온도와 압력에서 기체의 부피비=몰비이고, 기체의 몰비는 기체의 밀도비에 반비례한다.
- I 에서 B가 한계 반응물이라면 반응 전에는 기체가 B(g)만 존재하고, 반응 후에는 C(g)만 존재해야 한다. 일정한 온도와 압력에서 밀도비는 분자량 비이고 $\frac{\text{B의 분자량}}{\text{C의 분자량}}=\frac{1}{16}$이므로, 이 경우 실린더 속 기체의 밀도비는 반응 전 : 반응 후=1 : 16이어야 한다. 하지만, 표에 주어진 실린더 속 기체의 밀도비는 반응 전 : 반응 후=1 : 7이므로 한계 반응물은 A임을 알 수 있다.
- I 에서 양적 관계는 다음과 같다.

	A(s) +	$bB(g)$ $\longrightarrow$	C(g)
반응 전(mol)	2	7	0
반응(mol)	-2	$-2b$	$+2$
반응 후(mol)	0	$7-2b$	2

- B의 분자량을 M, C의 분자량을 $16M$으로 가정하면 실린더 속 기체의 밀도(상댓값)는 반응 전 : 반응 후=1 : 7=$\frac{7M}{7}$: $\frac{(7-2b)M+2\times16M}{9-2b}$ 이다. 따라서, M=1, $b=2$이다.
- II 에서 양적 관계는 다음과 같다.

	A(s) +	$2B(g)$ $\longrightarrow$	C(g)
반응 전(mol)	3	8	0
반응(mol)	-3	-6	$+3$
반응 후(mol)	0	2	3

- 실린더 속 기체의 밀도(상댓값)는 반응 전 : 반응 후=1 : $x=\frac{8\times1}{8}$: $\frac{2\times1+3\times16}{5}$이다. 따라서, $x=10$이다.

$b=2$, $x=10$이므로 $b \times x=20$이다.

4 용액의 농도

자료 분석 + 용액의 농도

수용액	A(aq)	B(aq)	C(aq)
용질의 화학식량	40	y	$3y$
수용액의 몰 농도(M)	x	0.1	0.2
수용액의 부피(L)	0.4	$2x$	$4x$
용질의 질량(g)	1.6	1.2	z

- A(aq)에서 몰 농도(x)=$\frac{\frac{1.6}{40}}{0.4}$=0.1 M이다.
- B(aq)에서 몰 농도는 $\frac{\frac{1.2}{y}}{2x(=2\times0.1)}$=0.1이므로 $y=60$이다.

- $C(aq)$에서 몰 농도는 $\dfrac{\frac{z}{3y(=3\times60)}}{4x(=4\times0.1)}=0.2$이므로 $z=14.4$이다.

$x=0.1$, $y=60$, $z=14.4$이므로 $\dfrac{z}{xy}=\dfrac{14.4}{0.1\times60}=2.4$ 이다.

5 용액의 제조

ㄱ. 정확한 몰 농도의 용액을 만드는 데 사용하는 실험 기구는 부피 플라스크이다.

👁 **바로 보기** ㄴ. 0.1 M 포도당 수용액 250 mL에 들어 있는 포도당의 양은 0.1 M×0.25 L=0.025 mol이다. 따라서 포도당의 질량(x)은 0.025 mol×180 g/mol=4.5 g 이다.

ㄷ. (마) 과정에서 만든 포도당 수용액의 몰 농도는 0.1 M이므로 포도당 수용액 100 mL에 들어 있는 포도당의 양은 0.1×0.1=0.01 mol이다.

누구나 합격 전략 | 26~27쪽

01 ③	02 ③	03 ④	04 ②
05 ②	06 ④	07 ③	08 ③
09 ④			

---

01 암모니아의 합성

자료 분석 + 하버-보슈법에 의한 암모니아의 합성

$$N_2(g)+3H_2(g)\xrightarrow[\text{고온, 고압}]{\text{철 촉매}}2NH_3(g)$$

- 20세기 초 독일의 화학자 하버가 공기 중에 존재하는 질소 기체와 수소 기체를 이용하여 암모니아를 대량으로 합성하는 새로운 제조 공정을 고안하였는데, 이 방법을 하버-보슈법이라고 한다.
- 이 방법을 통해 생성된 암모니아를 질산, 황산과 반응시켜 질산 암모늄이나 황산 암모늄을 제조하였고, 이를 비료로 사용하여 급격한 인구 증가에 따른 식량 부족 문제를 해결하는 데 기여하였다.

선택지 분석

ㄱ 암모니아의 구성 원소는 질소와 수소이다.
✗ 전체 기체의 몰수는 반응 후가 반응 전보다 크다. → 작다.
ㄷ 위 반응을 이용하여 질소 비료의 대량 생산이 가능하게 되었다.

👁 **바로 보기** ㄴ. 반응 물질의 총 몰수는 4몰이고, 생성 물질의 총 몰수는 2몰이다.

02 탄소 화합물

메테인(CH_4)은 천연가스의 주성분이고, 에탄올(C_2H_5OH)은 구성 원소가 C, H, O 3가지이며, 아세트산(CH_3COOH) 수용액은 산성이다.

👁 **바로 보기** C. 아세트산은 수용액 상태에서 H^+ 이온을 내놓으므로 산성이다.

03 물질의 양, 원자량, 분자량, 질량의 관계

자료 분석 + 물질의 양, 원자량, 분자량, 질량의 관계

물질	X_2	X_2Y
전체 원자 수	$2N_A$	$6N_A$
질량(g)	28	88

- 몰수는 $\dfrac{\text{질량}}{\text{분자량}}$이고, 물질의 전체 원자 수를 구성 원자 수로 나누면 물질의 분자 수를 구할 수 있다.
- N_A는 아보가드로수이므로, X_2에서 전체 원자 수가 2 mol($=2N_A$)이다. 따라서 X_2에서 분자 수는 $\dfrac{\text{전체 원자 수}}{\text{구성 원자 수}}=\dfrac{2\text{ mol}}{2}=1$ mol이고, X_2Y에서 전체 원자 수가 6 mol($=6N_A$)이므로 X_2Y에서 분자 수는 $\dfrac{\text{전체 원자 수}}{\text{구성 원자 수}}=\dfrac{6\text{ mol}}{3}=2$ mol이다.
- X_2 1 mol과 X_2Y 2 mol의 질량이 각각 28 g, 88 g이므로, X_2와 X_2Y의 분자량은 각각 28, 44이다. 따라서 분자량의 비는 X_2 : $X_2Y=7$: 11이다. 분자량은 성분 원소의 원자량의 합이므로 $2x=28$, $2x+y=44$이다. 따라서 $x=14$, $y=16$이다.

선택지 분석

✗ X_2의 양은 2 mol이다. → 1 mol
ㄴ 분자량의 비는 X_2 : $X_2Y=7$: 11이다.
ㄷ 원자량은 Y > X이다.

👁 **바로 보기** ㄱ. X_2의 양은 1 mol이다.

04 기체의 부피와 질량의 관계

자료 분석 + 기체의 부피와 질량의 관계

- 같은 온도와 압력에서 기체의 몰수와 부피는 비례한다.
- 기체 A와 B의 부피 비가 2 : 4이므로 몰비는 1 : 2이다. A의 분자량을 a, B의 분자량을 b라고 가정하면, A의 몰수는 $\dfrac{w}{a}$, B의 몰수는 $\dfrac{w}{b}$이고, $\dfrac{w}{a}:\dfrac{w}{b}=\dfrac{1}{a}:\dfrac{1}{b}=1:2$이므로 $\dfrac{\text{B의 분자량}}{\text{A의 분자량}}$은 $\dfrac{1}{2}$이다.

05 화학 반응식에서 계수의 의미

H_2O 1 mol이 생성되었을 때 반응한 O_2의 양은 0.5 mol이므로 O의 질량은 0.5×16×2=16 g이다.

06 화학 반응식 완성하기, 계수의 의미

화학 반응식 완성하기

$$
\text{(가)} \; a\text{NaHCO}_3 \xrightarrow{\quad\overset{2}{}\quad} \boxed{\;\bigcirc\;} \overset{\text{Na}_2\text{CO}_3}{+}\text{CO}_2+\text{H}_2\text{O}
$$
$$
\text{(나)} \; \text{CaCO}_3 \longrightarrow \text{CaO}+b\text{CO}_2 \;{\underset{2}{\;}}
$$

바로 보기 ㄷ. 화학 반응식에서 계수비는 몰수비와 같으므로 (가)에서 $NaHCO_3$와 CO_2의 계수비는 2 : 1이고, (나)에서 $CaCO_3$와 CO_2의 계수비는 1 : 1이므로 각 반응에서 반응물 1몰을 반응시켰을 때 생성되는 CO_2의 몰수는 (가)는 0.5몰, (나)는 1몰이다.

07 화학 반응식 완성하기, 계수의 의미

화학 반응식 완성하기

$$
2\text{C}_2\text{H}_2+5\text{O}_2 \xrightarrow{\quad\overset{4}{}\quad} a\text{CO}_2+2\text{H}_2\text{O} \;\; (a\text{는 반응 계수})
$$

- 반응 전후 원자의 종류와 개수는 같으므로 $a=4$이다. 따라서 아세틸렌 연소 반응의 화학 반응식은 $2\text{C}_2\text{H}_2+5\text{O}_2 \longrightarrow 4\text{CO}_2+2\text{H}_2\text{O}$이다.
- 반응 몰비는 반응 계수비와 같으므로, C_2H_2 1 mol이 반응하면 CO_2 2 mol이 생성되므로 $x=2$이다.

$a=4$, $x=2$이므로 $a+x=4+2=6$이다.

08 용액의 농도

$NaOH(aq)$의 몰 농도는 $2a=\dfrac{\frac{2w}{40}}{\frac{V}{1000}}$이므로 $V=\dfrac{25w}{a}$이다.

09 용액의 농도

용액의 농도

0.25 M
$CuSO_4(aq)$
500 mL
(가)

0.8 M
$A(aq)$
1 L
(나)

- (가)에는 0.25 M 황산 구리 수용액이 0.5 L가 들어 있으므로 황산 구리가 $0.25\times0.5=0.125$ mol이 들어 있다. 따라서 이 수용액에 포함된 황산 구리의 질량은 $0.125\times160=20$ g이다.
- (나) 수용액에도 같은 질량의 A가 녹아 있으므로 A의 질량은 20 g이다. A 용액 1 L에 들어 있는 A의 몰수는 0.8 mol이므로, A의 화학식량은 $\dfrac{20}{0.8}=25$이다.

선택지 분석

✗ (가)에 녹아 있는 $CuSO_4$의 질량은 24 g이다. → 20 g
◯ (나)에 녹아 있는 A의 몰수는 0.8몰이다.
◯ A의 화학식량은 25이다.

---

01 탄소 화합물의 이용

(가)는 합성 섬유, (나)는 건축 자재(시멘트)이다.

02 탄소 화합물의 분류

㉠은 메테인, ㉡은 에탄올이다.

ㄷ. 에탄올은 살균 효과가 있어 소독용 의약품이나 소독제 등으로 사용한다.

바로 보기 ㄱ. 카복실기가 있는 아세트산이 아니요 쪽에 위치하므로 '카복실기($-COOH$)가 있는가'는 (가)로 적절하지 않다. '탄화수소인가'가 (가)로 적절하다.

ㄴ. ㉠은 메테인으로 일상생활에서 기체 상태로 존재한다.

03 분자 모형, 분자의 개수비, 몰수비, 원자량

분자 모형, 분자의 개수비, 원자량

기체	(가)	(나)	(다)
기체 모형			㉠
질량(상댓값)	14	16	23
분자식	X_2	Y_2	

- 같은 온도와 압력에서 같은 부피의 기체는 같은 수의 분자 수가 존재하므로, (가)~(다)의 기체 모형에서 분자 수는 2개로 같다.
- (가)에서 분자 2개의 질량(상댓값)이 14이므로 원자 1개의 질량(상댓값)은 $\dfrac{14}{4}=\dfrac{7}{2}$이고, (나)에서 분자 2개의 질량(상댓값)이 16이므로 원자 1개의 질량(상댓값)은 $\dfrac{16}{4}=4$이다.

㉠은 분자 수가 2이고, 질량(상댓값)이 $(\dfrac{7}{2}\times2)+(4\times4)=23$이므로 조건과 일치한다.

바로 보기 ①, ④, ⑤는 분자 수가 2개가 아니므로 조건에 맞지 않는다. ②는 질량(상댓값)이 $(\dfrac{7}{2}\times4)+(4\times2)=22$이므로 조건에 맞지 않는다.

04 몰수를 구하는 과정

액체의 부피를 정확히 측정할 때 눈금 실린더를 사용한다. t ℃, 1기압에서 물의 밀도가 1 g/mL이므로 18 mL 물의 질량은 18 g이다. 물의 화학식량은 $(1\times2)+16=18$이다.

따라서 물의 몰수는 $\dfrac{질량}{분자량}=\dfrac{18}{18}=1$ mol이다.

바로 보기 학생 B. 제시된 자료에서 밀도가 나타나 있으므로 질량을 측정할 필요가 없다.

05 화학 반응식과 기체의 부피

ㄴ. 물질의 분자량에 g을 붙인 값은 1몰의 질량이므로 ㉠에 적절하다.

ㄷ. 기체 반응 법칙에 따라 반응 물질과 생성 물질의 부피비는 몰비에 비례하므로 ㉡은 이산화 탄소의 몰수가 적절하다.

바로 보기 ㄱ. 화학 반응식을 완성하면 $a=2$, $b=5$, $c=4$이므로, $a+b>c+2$이다.

06 화학 반응식과 기체의 몰수

자료 분석 + 화학 반응식과 기체의 몰수

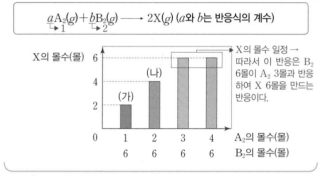

$$\underset{1}{a\mathrm{A}_2(g)}+\underset{2}{b\mathrm{B}_2(g)} \longrightarrow 2\mathrm{X}(g) \ (a와 \ b는 \ 반응식의 \ 계수)$$

ㄱ. 화학 반응식은 $\mathrm{A}_2+2\mathrm{B}_2 \longrightarrow 2\mathrm{X}$이므로, $a=1$, $b=2$이다. 따라서 $a+b=3$이다.

ㄴ. $\mathrm{X}=\mathrm{AB}_2$이므로 X는 3원자 분자이다.

ㄷ. A_2와 B_2가 반응하여 X를 생성하는 몰비는 A : B : C=1 : 2 : 2이므로 (가)에서는 반응 후 B_2 4몰, X_2 2몰이 남고, (나)에서는 B_2 2몰, X_2 4몰이 남는다.

07 용액의 농도

ㄱ. 포도당의 분자량이 180이므로 0.4 mol이 되기 위해서는 포도당 72 g이 필요하다.

ㄴ. 포도당 x g을 넣은 뒤 증류수를 넣어 부피를 맞춰 정량하는 실험이므로, ㉠에 알맞은 실험 도구는 부피 플라스크이다.

ㄷ. 전체 수용액의 몰 농도는 0.4 M이므로 용액 1 L 속에 포도당이 0.4 mol이 들어 있다. 따라서 250 mL 수용액 속에 녹아 있는 포도당의 몰수는 $0.4 \times \dfrac{1}{4}=0.1$ mol이다.

08 용액의 농도

몰 농도는 용액 1 L 속에 녹아 있는 용질의 양(mol)이므로 0.1 M 500 mL 포도당 수용액에는 포도당 0.05 mol이 녹아 있다. 용질의 양은 $\dfrac{질량(g)}{분자량(g/mol)}$이므로 녹아 있는 포도당의 질량은 9 g이다. 따라서 ㉡는 9이다. 부피 플라스크는 ㉢으로 적절하다.

Book 1

WEEK

2

II 원자의 세계

DAY 1 개념 돌파 전략 ① 확인 Q | 34~35쪽

[3강] **1** 질량 **2** 양성자, 중성자 **3** 양성자 **4** 방출
5 파동성 **6** p **7** $3p$ **8** 홀전자

1 음극선 실험 결과, 음극선은 (-)전하를 띠고 질량을 가진 입자의 흐름이라는 것이 밝혀졌다. 또한 음극선은 원자로부터 나왔기 때문에 원자 내부에 (-)전하를 띠고 질량을 가진 입자, 즉 전자가 존재함을 알 수 있다.

2 원자의 구성 입자 중 양성자와 중성자는 질량이 거의 같고, 전자는 그에 비해 매우 가볍다. 따라서 원자의 질량은 양성자와 중성자 질량의 합, 즉 원자핵의 질량과 거의 같다.

3 같은 원소의 원자는 양성자수가 같다. 그러나 양성자수가 같은 원자라도 원자핵 속의 중성자수가 다른 것도 있다. 이와 같이 양성자수는 같지만 중성자수가 다른 원소를 동위 원소라고 한다.

4 전자가 에너지 준위가 다른 전자 껍질로 전이할 때는 전자 껍질의 에너지 준위 차이만큼 에너지를 흡수하거나 방출하는데, 이 에너지의 형태는 전자기파(빛)이다.

5 모든 물질은 입자성과 파동성을 가진다는 이론이 제시되면서, 전자를 파동으로 취급할 수 있게 되었다. 일상생활에서는 물질의 파동성을 잘 느낄 수 없지만, 전자와 같이 작은 입자에 대해서는 파동성이 크게 나타난다.

6 s 오비탈은 구형으로 전자가 존재할 확률은 방향과 관계없이 원자핵으로부터의 거리에 따라서만 달라지고, p 오비탈은 아령 모양으로 원자핵으로부터의 방향에 따라 전자의 존재 확률이 다르다.

7 주 양자수(n)는 오비탈의 크기와 에너지 준위를 결정하고, 방위 양자수(l)는 오비탈의 모양(종류)을 결정한다. $n=3$, $l=1$인 오비탈은 $3p$이다.

8 한 오비탈에 전자 1개가 있을 때, 이 전자를 홀전자라고 한다.

> [4강] **1** 원자량 **2** 화학적 성질 **3** 양이온 **4** 5
> **5** 인력, 반발력 **6** 감소 **7** 1, 18 **8** 반대

1 1869년에 멘델레예프는 당시까지 발견된 63종의 원소를 원자량 순으로 나열하여 성질이 비슷한 원소가 주기적으로 나타나는 것을 발견하였다.

2 같은 족 원소(동족 원소)는 원자가 전자 수가 같아서 화학적 성질이 비슷하다. 단, 수소(H)는 1족에 위치하고 있지만 비금속 원소로, 1족에 속한 나머지 원소들과 화학적 성질이 다르다.

3 금속 원소는 전자를 잃어 양이온이 되기 쉽고, 비금속 원소는 전자를 얻어 음이온이 되기 쉽다.

4 1족 원소의 가장 바깥 전자 껍질의 전자 배치는 ns^1이므로 가장 바깥 s 오비탈에 전자 1개가 들어가고, 17족 원소의 가장 바깥 전자 껍질의 전자 배치는 ns^2np^5이므로 가장 바깥 p 오비탈에 전자 5개가 들어간다.

5 원자 내의 전자들은 원자핵에 의해 끌리는 인력을 받고 있으며, 다전자 원자들은 원자핵과의 인력뿐 아니라 원자 내부 전자들 사이의 반발력을 동시에 받는다.

6 등전자 이온은 전자 껍질 수와 전자 수가 같으므로 가려막기 효과의 크기가 같다. 따라서 등전자 이온은 양성자수에 의한 핵전하가 클수록, 즉 원자 번호가 커질수록 유효 핵전하가 증가하므로 이온 반지름이 작아진다.

7 이온화 에너지는 같은 주기에서는 원자 번호가 커질수록 대체로 증가하고, 같은 족에서는 원자 번호가 커질수록 대체로 감소한다.

8 원자핵과 전자 사이의 인력이 강할수록 이온화 에너지가 증가하므로, 이온화 에너지와 원자 반지름의 주기성은 서로 반대 경향으로 나타난다.

> **1** ④   **2** ③   **3** ①   **4** ⑤   **5** ①   **6** ④

1 전자의 발견

톰슨은 음극선 실험으로 음극선이 질량을 가진 (−)전하를 띤 입자의 흐름이라는 것을 알아냈고, 그 입자를 전자라고 하였다. 음극선이 (+)극으로 휘는 것으로 (−)전하를 띤다는 것을, 바람개비가 돌아가는 것으로 질량을 가진 입자라는 것을 알 수 있다.

바로 보기 ④ 이 실험으로 원자핵 주변에 전자가 어떻게 분포하는지는 알 수 없다.

2 원자를 구성하는 입자

ㄱ, ㄷ. $^3_1H^+$은 원자 번호가 1, 질량수가 3이므로 (가)는 양성자, (나)는 전자, (다)는 중성자이다. 질량수는 A가 7이고, B도 7이다. A는 양성자가 3개, 전자가 2개이므로 +1가의 양이온이다.

바로 보기 ㄴ. B는 양성자가 4개, 전자가 2개이므로 +2가의 양이온이다.

3 양자수

ㄱ. A는 $l=0$이므로 s 오비탈이다.

바로 보기 ㄴ, ㄷ. A와 B는 모양이 다른 오비탈이고, B는 $n=2$이므로 b는 1이다. 따라서 B는 p 오비탈이 된다. a는 1 이상이므로 b보다 작지 않다.

4 주기율표

A는 H이며 1족이지만 비금속 원소이다. B는 Li으로 전자를 잃고 양이온이 되기 쉽다. C는 F이고, E는 Cl로 둘 다 17족 원소이며 원자가 전자 수는 7로 동일하다. D는 Mg이며 Cl와 동일한 3주기 원소로, 바닥상태에서 전자 껍질 수가 3개로 동일하다.

바로 보기 ⑤ B는 $1s$ 오비탈에 1개의 전자가 있고 E는 $3p$ 오비탈에 5개의 전자가 있으므로, B와 E는 홀전자 수가 같다.

> **암기 Tip** 주기율표의 주기성
>
> IE돌 우상(이온화 에너지는 오른쪽 위로 갈수록 증가)→↑
> 절친도 우상(전자 친화도도 오른쪽 위로 갈수록 증가)
> ↓←R좌아(원자 반지름은 좌측 아래로 갈수록 증가)
> 우아핵(유효 핵전하는 오른쪽 아래로 갈수록 증가)

5 원자 반지름

> **자료 분석 +** 원자 반지름과 이온 반지름

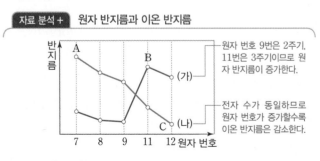

원자 번호 9번은 2주기, 11번은 3주기이므로 원자 반지름이 증가한다.

전자 수가 동일하므로 원자 번호가 증가할수록 이온 반지름은 감소한다.

• 안정한 이온은 전자 배치가 18족 원소와 같은 것을 의미한다. 양이온이 되면 반지름이 감소하고, 음이온이 되면 반지름은 증가한다. 전자 수가 동일한 경우 양성자수가 많을수록 유효 핵전하의 증가로 반지름이 감소한다.

• 같은 주기에서 원자 반지름은 원자 번호가 증가할수록 감소한다. 같은 족에서는 전자 껍질 수의 증가로 반지름은 증가한다. 따라서 반지름이 갑자기 증가하는 구간은 주기가 바뀌는 구간이다.

선택지 분석

◯ (가)는 원자 반지름, (나)는 이온 반지름이다.

✕ A는 C보다 전자 수가 더 많다. → A와 C는 전자 수가 같다.

✕ B는 양이온이다. → 원자

ㄱ. 같은 주기에서 원자 번호가 증가할수록 원자 반지름은 감소한다. 따라서 원자 번호 9번과 11번은 주기가 다르기 때문에 증가하는 것이므로 (가)는 원자 반지름이다. (나)는 이온 반지름으로 전자 수 동일한 경우 원자 번호(양성자수)가 증가하면 반지름은 감소한다.

[바로 보기] ㄴ, ㄷ. A는 N^{3-}, B는 Na, C는 Mg^{2+}이다.

6 순차 이온화 에너지

ㄱ, ㄷ. 원자가 전자를 모두 떼어내고 안쪽 껍질에 있는 전자를 떼어낼 때 이온화 에너지는 급격하게 증가한다. E_5에 비해 E_6가 급격하게 증가하므로 A의 원자가 전자 수는 5이다. 따라서 A는 3주기 15족 원소인 P이다. 전자 배치는 $1s^2 2s^2 2p^6 3s^2 3p^3$으로, $3p$ 오비탈에 3개의 전자가 있으므로 홀전자 수는 3이다.

[바로 보기] ㄴ. 주기율표의 오른쪽에 위치한 P은 3주기 15족으로 비금속 원소이다.

DAY 2 필수 체크 전략 ①
40~43쪽

❶-1 ㄴ, ㄷ   ❷-1 $\frac{3}{2}$ ❸-1 ㄱ, ㄴ   ❹-1 ㄴ

❺-1 ㄴ   ❻-1 ㄴ   ❼-1 ㄴ, ㄷ

❶-1 동위 원소

ㄴ, ㄷ. 동위 원소의 원자의 상대적 질량은 질량수가 클수록 크므로 원자 1개의 질량은 ^{24}Mg이 가장 작다. 질량이 같을 경우 원자량이 작은 원자의 개수가 더 많으므로 ^{26}Mg이 ^{25}Mg보다 원자의 개수가 더 적다.

[바로 보기] ㄱ. ^{24}Mg의 존재 비율이 78.99%이므로 평균 원자량은 24에 가깝다. 마그네슘의 평균 원자량은 $(26 \times 0.1101 + 25 \times 0.1000 + 24 \times 0.7899)$로 구해 보면 24.3202이다.

❷-1 원자의 표시

용기 속에 He이 1몰, CH_4이 4몰 들어 있으므로 He 원자 1몰, C 원자 4몰, H 원자 16몰이 존재한다. ^{12}C와 ^{13}C의 원자 수 비가 1 : 1이므로 ^{12}C와 ^{13}C이 각각 2몰씩 포함된 것을 알 수 있다. 따라서 양성자수는 He이 2몰, H가 $1 \times 4 \times 4$몰, C가 6×4몰이므로 총 42몰이고, 중성자수는 He이 2몰, C가 6×2몰$+7 \times 2$몰이므로 총 28몰이다.

$$\frac{전체\ 양성자수}{전체\ 중성자수} = \frac{42}{28} = \frac{3}{2}이다.$$

❸-1 원자를 구성하는 입자

ㄱ, ㄴ. ●는 원자 모형의 바깥에 원 궤도에 있으므로 전자이다. ●의 개수가 ●와 동일하므로 ●는 양성자이고, ○는 중성자이다. A와 B는 양성자(●)수가 동일하므로 동위 원소이다. 질량수는 양성자(●)수+중성자(○)수이므로 B와 C는 3으로 같다.

[바로 보기] ㄷ. C는 양성자가 2개이고 중성자가 1개이므로 원자 번호와 질량수를 표시하면 ^3_2C이다.

❹-1 오비탈

오비탈의 모양으로 (가)는 s 오비탈, (나)는 p_y 오비탈인 것을 알 수 있고, 에너지 준위가 (가)가 (나)보다 크므로 (가)는 $3s$ 오비탈, (나)는 $2p_y$ 오비탈이다. 나트륨의 바닥상태 전자 배치는 $1s^2 2s^2 2p^6 3s^1$이다

ㄴ. $3s$ 오비탈에는 1개의 전자가, $2p_y$ 오비탈에는 2개의 전자가 들어 있다. 따라서 오비탈에 들어 있는 전자 수는 (나)가 (가)의 2배이다.

[바로 보기] ㄱ, ㄷ. (가)는 $3s$ 오비탈, (나)는 $2p_y$ 오비탈이므로 주 양자수(n)는 (가)가 3, (나)가 2이다. p 오비탈의 방위 양자수(l)는 1이므로 (나)에 들어 있는 전자의 방위 양자수(l)는 1이다.

❺-1 원소의 전자 배치

ㄴ. (나)는 $2p$ 오비탈 하나에 스핀 방향이 같은 전자가 2개 있으므로 파울리 배타 원리에 어긋난다. 한 개의 오비탈에 있는 두 전자는 스핀 방향이 반대여야 한다.

[바로 보기] ㄱ. $2p$ 오비탈의 에너지 준위는 모두 같고 $2p$ 오비탈에 가능한 한 많은 홀전자가 배치되어 있으므로 (가)는 바닥상태의 전자 배치이다.

ㄷ. (다)는 전자 3개를 잃고 양이온이 된 Al^{3+}의 전자 배치이므로, 바닥 상태의 원자 Al은 $1s^2 2s^2 2p^6 3s^2 3p^1$의 전자 배치를 가지므로 전자가 들어 있는 오비탈의 수는 7이다.

⑥-1 양자수

수소 원자의 오비탈 에너지 준위는

$1s<2s=2p<3s=3p=3d\cdots$이다.

ㄴ. 방위(부) 양자수(l)는 s 오비탈이 0, p 오비탈이 1이다. 따라서 (가)와 (다)는 모두 s 오비탈이므로 방위(부) 양자수(l)는 0으로 같다.

👁 바로 보기 ㄱ. (가)는 $2s$ 오비탈, (나)는 $2p_z$ 오비탈이므로 주 양자수(n)는 2로 같다.

ㄷ. 수소 원자의 바닥상태 전자 배치에서 에너지 준위는 $1s<2s=2p$이므로 에너지 준위는 (나)>(다)이다.

암기 Tip 오비탈의 종류(에너지 순서) 암기

오! 비탈에서는 스피드 조심
오비탈 $s\ p\ d$

⑦-1 평균 원자량

자료 분석 + 구성 동위 원소와 분자량

B_2 구성 동위 원소	분자량	AB 구성 동위 원소	분자량	존재 비율(%)
$^{16}B+^{16}B$	32	$^{12}A+^{16}B$	28	99.76a
$^{16}B+^{17}B$	33	$^{12}A+^{17}B$	29	0.04a
$^{16}B+^{18}B$	34	$^{12}A+^{18}B$	30	0.20a
$^{17}B+^{17}B$	34	$^{13}A+^{16}B$	29	99.76b
$^{17}B+^{18}B$	35	$^{13}A+^{17}B$	30	0.04b
$^{18}B+^{18}B$	36	$^{13}A+^{18}B$	31	0.20b

• 서로 다른 동위 원소로 이루어진 경우, 조합 가능한 경우의 수를 곱해 주어야 한다. AB의 조합은 A가 2종류, B가 3종류이므로 AB 분자의 종류는 $2\times3=6$으로 6가지이다. B_2의 조합이 6가지이고 A가 2종류이므로, AB_2 분자의 종류는 $6\times2=12$로 12가지이다.

• 평균 원자량은 동위 원소의 존재 비율을 고려한 원자량이다.

A의 평균 원자량 $12.01=\dfrac{12\times a+13\times b}{100}$

B의 평균 원자량 $c=\dfrac{16\times99.76+17\times0.04+18\times0.20}{100}$

선택지 분석

✗ $\dfrac{\text{분자량이 28인 AB의 존재 비율(\%)}}{\text{분자량이 31인 AB의 존재 비율(\%)}}=\dfrac{28\times99.76a}{31\times0.2b}$이다.

Ⓛ $c=\dfrac{16\times99.76+17\times0.04+18\times0.20}{100}$이다.

Ⓒ A, B의 동위 원소로 만들 수 있는 AB_2 분자의 종류는 12가지이다.

ㄴ. B의 평균 원자량은 동위 원소의 존재 비율을 고려해야 하므로 $\dfrac{16\times99.76+17\times0.04+18\times0.20}{100}$이다.

ㄷ. A가 2종류, B_2의 조합이 6가지이므로 A, B의 동위 원소로 만들 수 있는 AB_2 분자의 종류는 12가지이다.

👁 바로 보기 ㄱ. 분자량 28의 존재 비율은 $99.76\times a(\%)$이고, 분자량 31의 존재 비율은 $0.20\times b(\%)$이다.

DAY 2 필수 체크 전략 ② | 44~45쪽

[최다 오답 문제]
1 ② **2** ② **3** ⑤ **4** ② **5** ③ **6** ⑤ **7** ③ **8** ④

1 양자수와 주기율

자료 분석 + 양자수와 주기율

1~3주기 바닥상태 원자들에서 모든 전자의 주 양자수(n)의 합

1	2	2	2	2	2	2	2
4	6	8	10	12	14	16	18
21	24	27	30	33	36	39	42

• 모든 전자의 주 양자수(n)의 합은 원자 번호가 증가할 때 1주기에서는 1씩 증가하고, 2주기 원소는 2씩 증가하며, 3주기 원소는 3씩 증가한다.

원자	X	Y	Z
모든 전자의 주 양자수(n)의 합	a	$a+4$	$a+9$

• Y는 X보다 원자 번호가 2 크다. Z는 Y보다 원자 번호가 2 크다. 여기서 Z는 Y보다 모든 전자의 주 양자수(n)의 합이 5가 크므로 Z와 Y 사이에 있는 원소는 2주기 끝에 있는 Ne이다. 따라서 X와 Y는 2주기 원소로 각각 N와 F이고, Z는 3주기 원소로 Na이다.

선택지 분석

✗ 3주기 원소는 2가지이다. ▸ 1가지

✗ 전자가 들어 있는 오비탈 수는 X>Y이다. ▸ X=Y

Ⓒ 모든 전자의 방위(부) 양자수(l)의 합은 Z가 X의 2배이다.

ㄷ. 모든 전자가 s와 p 오비탈에 있으므로 방위(부) 양자수(l)는 0과 1이다. 따라서 모든 전자의 방위(부) 양자수(l)의 합은 p 오비탈에 들어 있는 전자 수와 같다. X(N)는 전자 배치가 $1s^2 2s^2 2p^3$이고, Z(Na)의 전자 배치가 $1s^2 2s^2 2p^6 3s^1$이므로 모든 전자의 방위(부) 양자수(l)의 합은 X(N)가 3이고, Z(Na)는 6이다. 따라서 모든 전자의 방위(부) 양자수(l)의 합은 Z가 X의 2배이다.

ㄱ. X와 Y는 2주기 원소이다. Z는 모든 전자의 주 양자수(n)의 합이 X보다 9가 크므로 3주기 원소이다. 따라서 3주기 원소는 1가지이다.

ㄴ. Y(F)의 전자 배치가 $1s^2 2s^2 2p^5$이므로 전자가 들어 있는 오비탈 수는 5개, X(N)는 전자 배치가 $1s^2 2s^2 2p^3$이므로 전자가 들어 있는 오비탈 수는 5개이다. 따라서 전자가 들어 있는 오비탈의 수는 X＝Y이다.

2 수소 원자 모형과 오비탈

자료 분석 + 수소 원자 모형과 오비탈

$n+l$	1	2	3	4
가능한 오비탈	$1s$	$2s$	$3s, 2p$	$4s, 3p$
오비탈	(가)	(나)	(다)	(라)

- 주 양자수(n)는 (가)＜(나)＜(다)＝(라)이므로 (가)~(라)는 각각 $1s$, $2s$, $3s$, $3p$ 오비탈이다.
- 수소 원자의 에너지 준위는 주 양자수(n)가 같으면 방위(부) 양자수(l)가 달라도 동일하다.

선택지 분석

✘ (가)의 m_l은 1이다. → 0
✘ l은 (나)＝(라)이다. → (나)＜(라)
Ⓒ (다)는 $3s$ 오비탈이다.

ㄷ. (다)는 $3s$나 $2p$ 오비탈이다. 그런데 주양자 수(n)가 (나)＜(다)이므로 (다)는 $3s$ 오비탈이다.

바로 보기 ㄱ. (가)는 $1s$로 m_l은 0이다.

ㄴ. (나)는 $2s$로 $l＝0$이고, (라)는 $3p$로 $l＝1$이다. 따라서 l은 (나)＜(라)이다.

3 현대 원자 모형과 오비탈

자료 분석 + 오비탈의 종류

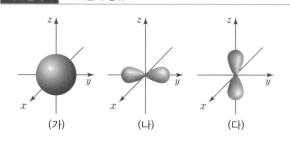

(가)　　　(나)　　　(다)

- 오비탈 모양으로 보아 (가)는 s 오비탈, (나)는 p 오비탈이다. $n+l$이 같으려면 l은 1 이상이어야 하므로 n은 2 이상이다. Na이 3주기 원소이므로 n은 3 이하이다. 따라서 $n+l$은 3이고, $3s$ 오비탈 1개와 $2p$ 오비탈 2개이다.
- 에너지 준위가 가장 높은 오비탈은 (가)~(다) 중 (가)이다.

선택지 분석

ㄱ 주 양자수(n)는 (가)＞(나)이다.
ㄴ (나)에 들어 있는 전자 수는 2이다.
ㄷ 에너지 준위는 (나)와 (다)가 같다.

ㄱ. $n+l$이 같으므로 (가)는 $3s$ 오비탈, (나)는 $2p$ 오비탈이다. 주 양자수(n)는 (가)＝3이 (나)＝2보다 크다.

ㄴ. Na의 바닥상태 전자 배치는 $1s^2 2s^2 2p^6 3s^1$이므로 (나)의 $2p_y$ 오비탈에 들어 있는 전자 수는 2이다.

ㄷ. (나)와 (다)는 모두 $2p$ 오비탈이므로 에너지 준위가 같다.

4 양자수와 오비탈

자료 분석 + 양자수와 오비탈

	$n+l$	$n+m_l$	$l+m_l$
(가)	2	2	a
(나)	3	2	b
(다)	4	c	2

- 원자 $_{16}$S의 바닥상태 전자 배치는 $1s^2 2s^2 2p^6 3s^2 3p^4$이다. 이 전자 배치에서 $n+l$의 값에 따라 가능한 양자수는 아래와 같다.

$n+l$	2	3	4
가능한 양자수 (n, l, m_l)	(2, 0, 0)	(3, 0, 0) (2, 1, 0) (2, 1, 1) (2, 1, -1)	(3, 1, 0) (3, 1, 1) (3, 1, -1)

- $n+l$의 값이 2인 오비탈 (가)의 양자수는 (2, 0, 0) 한 가지이고, 이 경우에 $n+m_l＝2$를 만족한다.
- $n+l$의 값이 3인 오비탈 (나)의 양자수가 (2, 1, 0)인 경우에 $n+m_l＝2$를 만족한다.
- $n+l$의 값이 4인 오비탈 (다)의 양자수가 (3, 1, 1)인 경우에 $l+m_l＝2$를 만족한다.
- (가)는 $2s$, (나)는 $2p$, (다)는 $3p$ 오비탈이다.

선택지 분석

① 4　　②5　　③ 6　　④ 7　　⑤ 8

② 오비탈 (가)의 양자수(n, l, m_l)는 (2, 0, 0)이므로 $a(l+m_l)$는 0이다. 오비탈 (나)의 양자수(n, l, m_l)는 (2, 1, 0)이므로 $b(l+m_l)$는 1이다. 오비탈 (다)의 양자수(n, l, m_l)는 (3, 1, 1)이므로 $c(n+m_l)$는 4이다.
따라서 $a+b+c＝0+1+4＝5$이다.

5 원자를 구성하는 입자

자료 분석 + 원자를 구성하는 입자

원자	A	B	C
중성자수	6	7	8
$\dfrac{전자\ 수}{질량수}$	$\dfrac{1}{2}$	$\dfrac{1}{2}$	$\dfrac{3}{7}$

- 원자는 양성자수와 전자 수가 같고, 질량수는 양성자수＋중성자수이다.
- 원자 A~B의 전자 수: 질량수＝1 : 2이고, 원자 C의 전자 수: 질량수＝3 : 7이다.

중성자수＝질량수－전자 수이므로, A의 경우 $6=2x-x$, $x=6$이 된다. 따라서 A는 질량수 12, 양성자수 6인 $^{12}_{6}C$ 원자이다. B는 $7=2x-x$, $x=7$이므로, 질량수 14, 양성자수 7인 $^{14}_{7}N$이다. $8=7x-3x$, $x=2$이므로 C는 질량수 14, 양성자수 6인 $^{14}_{6}C$이다.

선택지 분석

㉠ A는 $^{12}_{6}C$이다.
✘ B와 C는 동위 원소이다.
㉢ 질량수는 C＞A이다.

ㄱ. A는 질량수가 전자 수의 2배이므로 양성자수는 6이고 질량수는 12인 $^{12}_{6}C$이다.

ㄷ. A는 $^{12}_{6}C$이고 C는 $^{14}_{6}C$이므로 A와 C는 동위 원소이고, 질량수가 C가 A보다 더 크다.

👁 바로 보기 ㄴ. B는 $^{14}_{7}N$이고 C는 $^{14}_{6}C$이므로 질량수가 같지만 동위 원소는 아니다.

6 평균 원자량

자료 분석 + 평균 원자량

원자	(가)	(나)	(다)
원자량	63	64	65
중성자수	a	a	b

• 동위 원소는 양성자수는 같지만 중성자수가 달라 질량수가 다른 원소이므로 ^{m}X와 ^{n}X의 중성자수는 달라야 한다. 원자량이 $^{m}X＞^{n}X$이므로 (다)는 ^{m}X이며, ^{n}X는 (가)와 (나) 중 하나이다.
• 만약 ^{n}X의 원자량이 64라면 평균 원자량이 64보다 커야 한다. 따라서 주어진 조건에 맞지 않으므로 (가)가 ^{n}X이고, (나)가 ^{l}Y이다.

선택지 분석

㉠ (가)는 ^{n}X이다.
㉡ (나)는 (가)보다 원자 번호가 더 크다.
㉢ X의 동위 원소 중 ^{n}X의 비율은 70%이다.

ㄱ. ^{m}X와 ^{n}X는 동위 원소이므로 중성자수가 다르다. X의 평균 원자량은 63.6이고 원자량이 $^{m}X＞^{n}X$이므로 (가)는 ^{n}X이다.

ㄴ. 질량수＝양성자수＋중성자수이며, 양성자수＝원자 번호이다. 여기서 (가)는 ^{n}X이고, (나)는 ^{l}Y이다. (가)와 (나)는 중성자수가 같지만 원자량이 (나)가 1이 더 크므로 양성자수가 다른 원소이다. 따라서 양성자수가 더 큰 (나)가 (가)보다 원자 번호가 더 크다.

ㄷ. 평균 원자량은 각 동위 원소의 원자량과 존재 비율을 곱한 값을 더하여 구한다. ^{n}X의 존재 비율(%)을 x라고 하면 ^{m}X의 존재 비율(%)은 $100-x$이고 X의 평균 원자량은 $63\times\dfrac{x}{100}+65\times\dfrac{100-x}{100}=63.6$이므로 $x=70$이다. 따라서 X의 동위 원소 중 ^{n}X의 존재 비율(%)은 70%이다.

7 평균 원자량

자료 분석 + 원자량과 동위 원소 존재 비율

동위 원소	^{a}X	^{a+2}X
원자량	a	$a+2$
존재 비율(%)	b	$100-b$

• X의 동위 원소는 ^{a}X, ^{a+2}X 2가지이므로 분자량이 서로 다른 X_2는 $(^{a}X+^{a}X)$, $(^{a}X+^{a+2}X)$, $(^{a+2}X+^{a+2}X)$의 3가지이다.
• 분자량이 다른 X_2의 존재 비율이 $^{a}X^{a}X:^{a+2}X^{a+2}X=9:1$이므로 ^{a}X와 ^{a+2}X의 존재 비율은 $^{a}X:^{a+2}X=3:1$이다.

선택지 분석

㉠ 분자량이 서로 다른 X_2는 3가지이다.
✘ $b＜50$이다.
㉢ X의 평균 원자량은 $a+\dfrac{1}{2}$이다.

ㄱ. 서로 다른 X_2는 $(^{a}X+^{a}X)$, $(^{a}X+^{a+2}X)$, $(^{a+2}X+^{a+2}X)$로 존재할 수 있으므로 분자량이 서로 다른 X_2는 3가지이다.

ㄷ. X의 평균 원자량은 $a\times\dfrac{3}{4}+(a+2)\times\dfrac{1}{4}=a+\dfrac{1}{2}$이다.

👁 바로 보기 ㄴ. X_2의 존재 비율이 $^{a}X^{a}X:$ $^{a+2}X^{a+2}X=9:1$이므로 ^{a}X와 ^{a+2}X의 존재 비율은 $^{a}X:$ $^{a+2}X=3:1$이다. $^{a}X:^{a+2}X=75\%:25\%$가 되므로 $b=75$이다. 따라서 $b＞50$이다.

8 원자를 구성하는 입자

자료 분석 + 원자를 구성하는 입자

원자	(가)	(나)	(다)
$^{23}_{11}Na$	a	a	—
$^{18}_{8}O^{2-}$	b	—	b
$^{x}_{16}X^{2-}$	—	c	c

• 각 원자 이온의 구성 입자 수는 원소의 표기 방법에 따라 살펴보면 다음 표와 같다.

원자	양성자	중성자	전자
$^{23}_{11}Na$	$11(a)$	12	$11(a)$
$^{18}_{8}O^{2-}$	8	$10(b)$	$10(b)$
$^{x}_{16}X^{2-}$	$16(c)$	$x-16(c)$	18

따라서 $a=11$, $b=10$이므로 (가)는 전자, (나)는 양성자, (다)는 중성자이다.

선택지 분석

✘ (가)는 양성자이다. ▶ 전자
㉡ $x=32$이다.
㉢ $a+b+c=37$이다.

ㄴ. $^x_{16}\text{X}^{2-}$의 중성자수가 16이므로 $x-16=16$을 이용하면 $x=32$이다.

ㄷ. $^{23}_{11}\text{Na}$은 양성자수 11, 전자 수 11, 중성자수 12이고, $^{18}_{8}\text{O}^{2-}$은 양성자수 8, 중성자수 10, 전자 수 10이다. 따라서 $a=11$, $b=10$이다. (가)가 전자이므로 (나)는 양성자, (다)는 중성자이므로 $c=16$이 된다. 그러므로 $a+b+c=37$이다.

👁 바로 보기   ㄱ. $^{23}_{11}\text{Na}$의 전자 수는 11이고, $^{18}_{8}\text{O}^{2-}$은 2가의 음이온이므로 전자 수는 10이지만, 원자의 전자 수는 8이다. 따라서 $a=11$, $b=10$이므로 (가)는 전자이다.

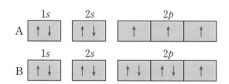

DAY 3 필수 체크 전략 ①
46~49쪽

❶-1 ㄴ, ㄷ   ❷-1 ㄷ   ❸-1 ㄴ   ❹-1 ③
❺-1 ㄱ   ❺-2 ㄴ, ㄷ   ❻-1 ㄱ, ㄷ   ❻-2 ㄷ

❶-1 주기율표

ㄴ. 유효 핵전하는 같은 주기에서 원자 번호가 클수록 증가하므로 원자가 전자가 느끼는 유효 핵전하는 D가 C보다 크다.

ㄷ. B는 산소(O)이며 $1s^2 2s^2 2p^4$의 전자 배치를 가진다. 따라서 O^{2-}의 전자 배치는 $1s^2 2s^2 2p^6$이다. 이것은 18족 원소 Ne의 전자 배치와 같다.

👁 바로 보기   ㄱ. A는 수소(H)이며 $1s^1$의 전자 배치를, C는 나트륨 Na이며 $1s^2 2s^2 2p^6 3s^1$의 전자 배치를 갖는다. 따라서 A와 C의 홀전자 수는 1로 같다.

❷-1 바닥상태와 들뜬상태

A와 B의 바닥상태 전자 배치는 다음과 같다.

	$1s$	$2s$	$2p$		
A	↑↓	↑↓	↑	↑	↑

	$1s$	$2s$	$2p$		
B	↑↓	↑↓	↑↓	↑	↑

ㄷ. 바닥상태에서 A의 홀전자 수는 3이고 B의 홀전자 수는 1이므로, 바닥상태에서 홀전자 수는 A가 B의 3배이다.

👁 바로 보기   ㄱ. A는 $2s$ 오비탈에 전자가 1개 들어 있으므로 들뜬상태이다.

ㄴ. A는 질소(N)이고 B는 플루오린(F)이다. 제1 이온화 에너지는 같은 주기에서 원자 번호가 클수록 증가하므로 B가 A보다 크다.

❸-1 전자 배치

Y는 원래 바닥상태의 전자 배치이며, X와 Z의 바닥상태 전자 배치는 다음과 같다.

	$1s$	$2s$	$2p$		
X	↑↓	↑↓	↑		

	$1s$	$2s$	$2p$		
Z	↑↓	↑↓	↑	↑	↑

ㄴ. Y는 바닥상태이므로 훈트 규칙을 만족한다.

👁 바로 보기   ㄱ. X는 전자 배치가 $1s^2 2s^1 2p^2$로 들뜬상태이다.

ㄷ. Z는 바닥상태의 전자 배치가 $1s^2 2s^2 2p^3$이므로 홀전자 수가 3이다.

암기 Tip   훈트 규칙

버스에 혼자 앉고 싶어요
흘어져[흐터져] 앉고 싶은 맘

❹-1 주기성

X는 2주기 원소이므로 s 오비탈에 들어 있는 전자 수는 3, 4 중 하나인데 $\dfrac{s \text{ 오비탈에 들어 있는 전자 수}}{\text{홀전자 수}}=4$이므로, X는 전자 배치가 $1s^2 2s^2 2p^1$인 $_5\text{B}$이다. 따라서 X의 원자가 전자 수(㉠)는 3이다.

Y는 3주기 원소이므로 s 오비탈에 들어 있는 전자 수는 5, 6 중 하나인데 $\dfrac{s \text{ 오비탈에 들어 있는 전자 수}}{\text{홀전자 수}}=2$이므로, Y는 전자 배치가 $1s^2 2s^2 2p^6 3s^2 3p^3$인 $_{15}\text{P}$이다. 따라서 Y의 원자가 전자 수(㉡)는 5이다.

Z는 3주기 원소이므로 s 오비탈에 들어 있는 전자 수는 5, 6 중 하나인데 $\dfrac{s \text{ 오비탈에 들어 있는 전자 수}}{\text{홀전자 수}}=6$이므로, Z는 전자 배치가 $1s^2 2s^2 2p^6 3s^2 3p^1$인 $_{13}\text{Al}$이다. 따라서 Z의 원자가 전자 수(㉢)는 3이다.

따라서 ㉠+㉡+㉢$=3+5+3=11$이다.

❺-1 주기성

ㄱ. 이온 반지름이 $\text{B}^{3+} > \text{A}^{2+}$이므로 A는 2주기 2족, B는 3주기 13족 원소이다. $\text{C}^{2-} < \text{D}^-$이므로 C는 2주기 16족 원소이고, D는 3주기 17족 원소이다.

👁 바로 보기   ㄴ. 이온 반지름이 $\text{C}^{2-} < \text{D}^-$이므로 C는 2주기 16족 원소, 즉 원자 번호 8인 O이고, D는 3주기 17족 원

소, 즉 원자 번호 17인 Cl이다. 원자 번호는 D가 C보다 더 크다.

ㄷ. B는 Al이고 D는 Cl이므로, 원자 반지름은 B가 D보다 더 크다.

❺-2 주기성

원자 번호 8, 9, 11, 12인 원소 A~D는 O, F, Na, Mg 중 하나이다. A~D 이온은 모두 Ne의 전자 배치를 가지므로 등전자 이온이다. 등전자 이온은 양성자수에 의한 핵전하가 클수록, 즉 원자 번호가 커질수록 유효 핵전하가 증가하여 이온 반지름이 작아진다. 따라서 A는 Mg^{2+}, B는 Na^+, C는 F^-, D는 O^{2-}이다.

ㄱ. 전기 음성도가 가장 큰 원소는 C(F)이다.

ㄴ. 원자가 전자가 느끼는 유효 핵전하는 $A(Mg^{2+})>B(Na^+)>C(F^-)>D(O^{2-})$이다.

ㄷ. B 이온은 Na^+, C의 이온은 F^-이므로 B와 C는 1 : 1로 결합한다.

❻-1 주기성

자료 분석 + 순차 이온화 에너지

• 2주기에서 제1 이온화 에너지는 Li<B<Be<C<O<N<F<Ne이고, 제2 이온화 에너지는 Be<C<B<N<F<O<Ne<Li이다.

선택지 분석

ㄱ X는 B이다.

✗ Y와 Z의 원자 번호 차는 3이다.

ㄷ $\dfrac{\text{제2 이온화 에너지}}{\text{제1 이온화 에너지}}$ 는 X>Y이다.

ㄱ. 제1 이온화 에너지는 B<Be<C이고 제2 이온화 에너지는 Be<C<B이므로 X는 B이다.

ㄷ. $\dfrac{\text{제2 이온화 에너지}}{\text{제1 이온화 에너지}}$ 는 X(B)가 Y(Be)보다 크다.

바로 보기 ㄴ. 2주기에서 제1 이온화 에너지는 Li<B<Be<C<O<N<F<Ne이고, 제2 이온화 에너지는 1족 원소인 Li이 가장 크므로 X~Z는 각각 B, Be, O이다. Y는 원자 번호 4인 Be이고, Z는 원자 번호 8인 O이다. 따라서 Y와 Z의 원자 번호 차는 4이다.

암기 Tip 이온화 에너지의 주기성의 예외

이~삼은 오!~육(2×3은 oh! 6) → 2×3=6
이온화 에너지 주기성의 예외는 2족과 13족에서, 15족과 16족 사이에 일어난다. 2, 3주기에서 2번째와 3번째 그리고 5번째와 6번째 원소에서 역전이 일어남

❻-2 주기성

원자 번호 9~13의 원소는 F, Ne, Na, Mg, Al이고, 제2 이온화 에너지의 크기는 Na>Ne>F>Al>Mg이다. 따라서 V는 Mg, W는 Al, X는 F, Y는 Ne, Z는 Na이다.

ㄷ. 같은 주기에서 원자가 전자가 느끼는 유효 핵전하는 원자 번호가 클수록 크다. 따라서 W와 V가 각각 Al과 Mg이므로 W가 V보다 크다.

바로 보기 ㄱ. Z는 Na이므로 1족 원소이다.

ㄴ. X와 Y는 각각 F와 Ne이므로 모두 2주기 원소이다.

DAY 3 필수 체크 전략 ② | 50~51쪽

[최다 오답 문제]

1 ⑤ **2** ⑤ **3** ③ **4** ⑤
5 ① **6** ② **7** ①

1 바닥상태 전자 배치

자료 분석 + 오비탈과 전자 배치

원자	A	B	C	D
$n+l=3$인 전자 수	6	㉠8	㉡2	㉢8
$\dfrac{s \text{ 오비탈의 전자 수}}{p \text{ 오비탈의 전자 수}}$	$\dfrac{2}{3}$	$\dfrac{1}{2}$	㉡2	$\dfrac{3}{5}$
s 오비탈의 전자 수	4	6	4	6
p 오비탈의 전자 수	6	12	2	10

• $n+l=3$인 경우는 3s 오비탈($n=3$, $l=0$)이거나 2p 오비탈($n=2$, $l=1$)이다.

• $n+l=3$에 전자가 들어가려면 s 오비탈에 전자가 4개 이상 들어간 후에 2p 오비탈에 전자가 들어간다. 따라서 A는 $1s^2 2s^2 2p^6$의 전자 배치를 갖는 Ne이고, B는 s 오비탈의 전자 수가 4인 경우 2p 오비탈에 전자가 8개가 될 수 없으므로 전자 배치가 $1s^2 2s^2 2p^6 3s^2 3p^6$인 Ar이다. C는 $\left(\dfrac{s \text{ 오비탈의 전자 수}}{p \text{ 오비탈의 전자 수}}\right)=(n+l=3$인 전자 수$)$이므로 ㉡은 정수여야 하므로 전자 배치가 $1s^2 2s^2 2p^2$인 C이다. D는 s 오비탈의 전자 수가 6인 경우이므로 바닥상태 전자 배치가 $1s^2 2s^2 2p^6 3s^2 3p^4$인 S이다.

선택지 분석

㉠ ㉠은 8이다.

㉡ ㉡×㉢=16이다.

㉢ A와 B는 같은 족 원소이다.

ㄱ. $\dfrac{s\ 오비탈의\ 전자\ 수}{p\ 오비탈의\ 전자\ 수}=\dfrac{1}{2}$의 경우는 $1s^2 2s^2 2p^6 3s^2 3p^6$의 전자 배치가 가능하다. 따라서 전자가 $2p$ 오비탈에 6개, $3s$ 오비탈에 2개이므로 ㉠은 8이다.

ㄴ. $\left(\dfrac{s\ 오비탈의\ 전자\ 수}{p\ 오비탈의\ 전자\ 수}\right)=(n+l=3인\ 전자\ 수)$이므로 ㉡은 정수여야 한다.

㉡ $=1$이면 $2p$ 오비탈에 전자가 1개이므로 $\dfrac{s\ 오비탈의\ 전자\ 수}{p\ 오비탈의\ 전자\ 수}$는 2가 아니다.

㉡ $=2$이면 전자 배치가 $1s^2 2s^2 2p^2$인 C이다.

㉡ $=3$이면 $\dfrac{s\ 오비탈의\ 전자\ 수}{p\ 오비탈의\ 전자\ 수}$는 3이 될 수 없다. 따라서 ㉡ $=2$이다.

$\dfrac{s\ 오비탈의\ 전자\ 수}{p\ 오비탈의\ 전자\ 수}=\dfrac{3}{5}$의 경우는 $1s^2 2s^2 2p^6 3s^2 3p^4$의 전자 배치가 가능하므로 ㉢은 8이다.

그러므로 ㉡ $\times$ ㉢ $=2 \times 8=16$이다.

ㄷ. A는 $1s^2 2s^2 2p^6$의 전자 배치를 가지는 Ne이고, B는 전자 배치가 $1s^2 2s^2 2p^6 3s^2 3p^6$인 Ar이다. 따라서 A와 B는 같은 18족 원소이다.

2 이온 반지름과 주기성

자료 분석 + 원자 반지름의 주기성

- $\dfrac{이온\ 반지름}{|이온의\ 전하|}$ 은 $A>B>C$이다.
- 원자 반지름은 $B>A$이다.

- 원자 반지름은 $Mg>O>F$이고 이온 반지름은 $O^{2-}>F^->Mg^{2+}$이다. 원자 반지름이 $B>A$이므로 B는 Mg이나 O이고, A는 O나 F이다.
- Mg^{2+}은 전하가 $+2$이므로 $\dfrac{이온\ 반지름}{|이온의\ 전하|}$ 이 가장 작으므로 C는 Mg이다. 따라서 B는 O이고, A는 F이다.

선택지 분석

✗ B는 Mg이다.
ㄴ 제1 이온화 에너지는 $B>C$이다.
ㄷ 홀전자 수는 $B>A$이다.

ㄴ. 제1 이온화 에너지는 $F>O>Mg$이므로 $A>B>C$가 된다. 따라서 제1 이온화 에너지는 $B>C$이다.

ㄷ. 바닥상태 원자의 전자 배치를 살펴보면 B(O)는 $1s^2 2s^2 2p^4$이므로 홀전자 수가 2이다. A(F)는 $1s^2 2s^2 2p^5$이므로 홀전자 수가 1이다. 따라서 홀전자 수는 $B>A$이다.

바로 보기 ㄱ. $\dfrac{이온\ 반지름}{|이온의\ 전하|}$ 은 C가 가장 작으므로 C는 Mg이다. 원자 반지름이 $B>A$이므로 B는 O이다.

3 원소의 주기적 성질

자료 분석 + 전자 배치와 주기적 성질

- 원자 반지름은 같은 주기에서 원자 번호가 클수록 감소한다. 원자가 양이온이 되면 반지름이 감소하고, 음이온이 되면 증가한다. 원자 반지름은 $K>Ca>Cl$이고 이온 반지름은 $Cl^->K^+>Ca^{2+}$이다.

$\dfrac{이온\ 반지름}{원자\ 반지름}$ 은 Cl이 가장 크므로 B는 Cl이다.

원자	전자 배치	$\dfrac{p\ 오비탈의\ 전자\ 수}{s\ 오비탈의\ 전자\ 수}$
Cl	$1s^2 2s^2 2p^6 3s^2 3p^5$	$\dfrac{11}{6}$
K	$1s^2 2s^2 2p^6 3s^2 3p^6 4s^1$	$\dfrac{12}{7}$
Ca	$1s^2 2s^2 2p^6 3s^2 3p^6 4s^2$	$\dfrac{12}{8}=\dfrac{3}{2}$

- $\dfrac{p\ 오비탈의\ 전자\ 수}{s\ 오비탈의\ 전자\ 수}$ 는 $Cl>K>Ca$이다. B가 Cl이므로 A는 K이고, C는 Ca이다.

선택지 분석

㉠ 원자 반지름은 A가 가장 크다.
✗ 원자가 전자 수는 B가 가장 작다. → 7로 가장 크다.
㉢ 원자가 전자가 느끼는 유효 핵전하는 $C>A$이다.

ㄱ. 원자 반지름은 $A(K)>C(Ca)>B(Cl)$이다. 따라서 원자 반지름은 A가 가장 크다.

ㄷ. 원자가 전자가 느끼는 유효 핵전하는 같은 주기에서 원자 번호가 증가할수록 커지므로 $C(Ca)>A(K)$이다. 따라서 원자가 전자가 느끼는 유효 핵전하는 $C>A$이다.

바로 보기 ㄴ. 원자가 전자 수는 A(K)가 1, B(Cl)가 7, C(Ca)가 2이다. 따라서 원자가 전자 수는 B가 가장 크다.

4 원소의 주기적 성질

자료 분석 + 원소의 주기적 성질

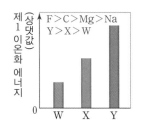
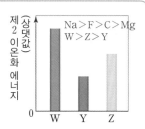

- 제1 이온화 에너지는 $F>C>Mg>Na$이고 주어진 자료는 $Y>X>W$ 순이다. 제2 이온화 에너지는 $Na>F>C>Mg$이고 주어진 자료는 $W>Z>Y$이다.
- W는 제1 이온화 에너지가 가장 작고, 제2 이온화 에너지가 가장 크다. 따라서 W는 Na이다.
- W가 Na이라면 Y는 제1 이온화 에너지 기준으로 F나 C이고, 제2 이온화 에너지 기준으로 C나 Mg이므로 Y는 C이다. X는 Mg이고, Z는 F이다.

ㄱ W는 Na이다.
ㄴ 원자 반지름은 X＞Z이다.
ㄷ 원자가 전자가 느끼는 유효 핵전하는 Z＞Y이다.

ㄱ. 제1 이온화 에너지는 F＞C＞Mg＞Na이고, 제2 이온화 에너지는 Na＞F＞C＞Mg이므로 W는 Na이다.

ㄴ. 원자 반지름은 같은 주기에서 원자 번호가 클수록 작아지고, 같은 족에서 원자 번호가 클수록 커진다. 따라서 Mg은 3주기 2족, F은 2주기 17족 원소이므로 원자 반지름은 X(Mg)＞Z(F)이다.

ㄷ. 같은 주기에서 원자가 전자가 느끼는 유효 핵전하는 원자 번호가 클수록 크다. Z(F)의 원자 번호가 Y(C)보다 크므로 원자가 전자가 느끼는 유효 핵전하는 Z＞Y이다.

5 이온화 에너지

원자가 전자 수와 이온화 에너지

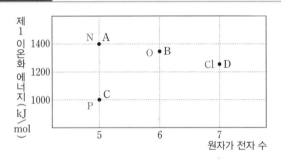

• 제1 이온화 에너지는 2주기에서 Li＜B＜Be＜C＜O＜N＜F이고, 3주기에서는 Na＜Al＜Mg＜Si＜S＜P＜Cl이다. 같은 족에서 이온화 에너지는 원자 번호가 클수록 감소한다.

• 원자가 전자 수는 2주기 원소에서 Li(1), Be(2), B(3), C(4), N(5), O(6), F(7)이다.

• 원자가 전자 수가 5, 6, 7인 원소들의 이온화 에너지의 크기는 2주기에서 O＜N＜F이고, 3주기에서 S＜P＜Cl이다. A는 2주기이면서 원자가 전자 수가 5이므로 N이고, C는 3주기 원소로 P이다. B는 A(N)보다 제1 이온화 에너지가 작고 C(P)보다 크며, 원자가 전자 수가 6이므로 O이다. D는 제1 이온화 에너지가 B(O)보다 작으므로 F가 아니다. 따라서 D는 Cl이다.

ㄱ A는 2주기 원소이다.
ㄴ 원자 반지름은 B＞A이다. → A(N)＞B(O)
ㄷ 원자가 전자가 느끼는 유효 핵전하는 C＞D이다. → D＞C

ㄱ. 같은 족에서 원자 번호가 클수록 이온화 에너지는 감소한다. 따라서 A는 2주기 원소이다.

바로 보기 ㄴ. 원자 반지름은 같은 주기에서 원자 번호가 클수록 감소한다. 원자 번호가 A(N)＜B(O)이므로 원자 반지름은 A＞B이다.

ㄷ. 원자가 전자가 느끼는 유효 핵전하는 같은 주기에서 원자 번호가 클수록 증가하므로 D(Cl)＞C(P)이다.

6 원자 반지름과 이온 반지름

원자 반지름과 이온 반지름

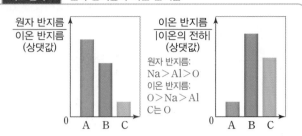

• 원자 반지름은 Na＞Al＞O이고, 이온 반지름은 O＞Na＞Al이므로 $\frac{원자 반지름}{이온 반지름}$ 은 O가 가장 작다. 따라서 C는 O이다.

$\frac{이온 반지름}{|이온의 전하|}$ 은 Na＞Al이고, C가 O이므로 A는 Al, B는 Na이다.

ㄱ 원자가 전자가 느끼는 유효 핵전하는 B＞A이다. → A＞B
ㄴ 이온 반지름은 C 이온이 B 이온보다 크다.
ㄷ |이온의 전하|는 C＞A이다. → A＞C

ㄴ. 이온의 전자 배치가 모두 Ne과 같으므로 핵전하량이 클수록 이온 반지름이 작다. 따라서 이온 반지름은 $O^{2-}＞Na^+＞Al^{3+}$이므로 C 이온(O^{2-})이 B 이온(Na^+)보다 크다.

바로 보기 ㄱ. 원자가 전자가 느끼는 유효 핵전하는 원자 번호가 클수록 증가하므로 A(Al)＞B(Na)이다. 따라서 원자가 전자가 느끼는 유효 핵전하는 A＞B이다.

ㄷ. C 이온(O^{2-})은 −2가이고, A 이온(Al^{3+})은 +3가이므로 |이온의 전하|는 |+3|＞|−2|이므로 A＞C이다.

7 순차 이온화 에너지

순차 이온화 에너지와 주기성

• 제시된 원소는 2주기 원소 Li, Be와 3주기 원소 Na, Mg, Al이다.

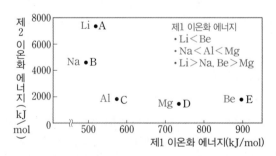

• 제1 이온화 에너지는 같은 주기에서는 Li＜Be, Na＜Al＜Mg이고, 같은 족에서는 Li＞Na, Be＞Mg이다. 제1 이온화 에너지가 큰 원소는 Be이므로 E는 Be이다.

• 제2 이온화 에너지가 제1 이온화 에너지에 비해 급격하게 증가하는 것은 1족 원소이다. Li의 제2 이온화 에너지 값이 Na보다 크다. 따라서 A는 Li, B는 Na이다. C와 D는 제1 이온화 에너지가 상대적으로 큰 D가 Mg이고, C가 Al이다.

선택지 분석

ㄱ. 원자 번호는 B>A이다.

✗ D와 E는 같은 주기 원소이다. → 같은 족

✗ 제3이온화 에너지/제2이온화 에너지 는 C>D이다. → D>C

ㄱ. B는 원자 번호 11인 Na이고, A는 원자 번호 3인 Li이다. 따라서 원자 번호는 B>A이다.

바로 보기 ㄴ. D(Mg)는 3주기 2족 원소이고 E(Be)는 2주기 2족 원소이므로, 두 원소는 같은 족 원소이다.

ㄷ. 원자가 전자를 다 떼어내고 안쪽 전자 껍질에서 전자를 떼어낼 때 이온화 에너지는 급격히 증가한다.

$\dfrac{\text{제3이온화 에너지}}{\text{제2이온화 에너지}}$ 가 큰 원소는 2족 원소이므로 D(Mg)가 C(Al)보다 크다.

따라서 $\dfrac{\text{제3이온화 에너지}}{\text{제2이온화 에너지}}$ 는 D>C이다.

누구나 합격 전략

52~53쪽

01 ③	**02** $1s^2 2s^1$	**03** ③	**04** ④
05 ①	**06** ⑤	**07** ⑤	
08 A : C, B : N, C : O		**09** ②	**10** ⑤

01 원자를 구성하는 입자

자료 분석 + 원자를 구성하는 입자와 원소의 표시

	a의 수	b의 수	c의 수
X 이온	10	11	12
Y 이온	10	8	10

• 원자를 구성하는 입자 중 b와 c가 원자핵을 구성하므로 a는 전자이다. 이온 상태이므로 c는 Y 이온에서 전자(a)와 수가 같으므로 양성자가 아니다. 따라서 b는 양성자, c는 중성자이다.

선택지 분석

ㄱ. b는 양성자이다.

✗ Y 이온은 $^{18}_{8}Y^{2+}$이다. → $^{18}_{8}Y^{2-}$

ㄷ. 이온 반지름은 X 이온이 Y 이온보다 작다.

ㄱ. b와 c가 원자핵을 구성하므로 Y 이온의 전자 수와 같은 c는 양성자가 아니므로 b가 양성자이다.

ㄷ. 전자 수가 같은 경우 양성자수가 더 큰 이온이 핵전하량이 더 커서 이온 반지름이 더 작다. X 이온은 양성자수가 11, Y 이온은 양성자수가 8이므로 이온 반지름은 X 이온이 Y 이온보다 작다.

바로 보기 ㄴ. Y 이온은 양성자수가 8, 전자 수가 10, 중성자수가 10이므로 −2가의 음이온으로 $^{18}_{8}Y^{2-}$ 이다.

02 오비탈과 전자 배치

(가)~(다) 오비탈에는 전자가 1개씩 들어 있으므로 원자 A의 전자 수는 3개이다. (가)~(다)는 각각 $2s$, $2p_y$, $2p_z$ 오비탈이다. 원자 A의 전자 배치는 $1s^0 2s^1 2p^2$로 들뜬상태이다. 따라서 바닥상태의 전자 배치는 $1s^2 2s^1$이다.

03 원자의 구성 입자

원자의 양성자수는 전자 수와 같다. 원자 (나)의 전자의 수는 8이고 ㉠은 7이므로 ㉠은 중성자이다. 따라서 a는 질량수−양성자수=15−7=8이다. b는 양성자수+중성자수이므로 8+7=15이다. c는 8+8=16이다.

따라서 $a+b+c=8+15+16=39$이다.

04 현대 원자 모형과 전자 배치

자료 분석 + 현대 원자 모형과 전자 배치

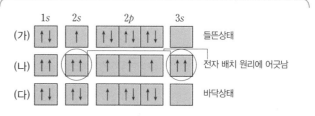

• 쌓음 원리는 바닥상태에서 에너지 준위가 낮은 오비탈부터 전자가 순서대로 채워진다는 것이다.

• 파울리 배타 원리는 한 원자 안에 있는 어떤 전자도 4가지 양자수가 모두 같을 수 없다는 것이다.

• 훈트 규칙은 에너지 준위가 같은 오비탈에 전자가 채워질 때는 가능하면 쌍을 이루지 않게 배치될 때 더 안정하다는 것이다.

선택지 분석

✗ (가)는 바닥상태의 전자 배치이다. → 들뜬 상태

ㄴ. (나)는 파울리 배타 원리에 어긋난다.

ㄷ. (다)는 훈트 규칙을 만족한다.

ㄴ. (나)는 스핀이 같은 전자 두 개가 같은 오비탈에 있으므로 파울리 배타 원리에 어긋난다.

ㄷ. 바닥상태의 전자 배치는 전자 배치 원리를 모두 만족한다. 같은 주 양자수를 갖는 p 오비탈은 에너지 준위가 동일하다.

바로 보기 ㄱ. (가)는 $2s$ 오비탈에 전자가 1개 있으므로 들뜬상태이다. 쌓음 원리에 어긋난다.

05 평균 원자량

ㄱ. X_2의 분자량이 70, 72, 74이므로 X는 질량수 35와 질량수 37인 2가지 동위 원소가 존재한다.

바로 보기 ㄴ, ㄷ. X_2 분자의 존재 비율이 ($^{35}X^{35}X$) :

$(^{35}X^{37}X) : (^{37}X^{37}X) = 9 : 6 : 1$이므로 X의 동위 원소 존재 비율은 $^{35}X : ^{37}X = 3 : 1$이다. 원자량이 작은 ^{35}X가 더 많이 존재한다. 평균 원자량은 $35 \times 0.75 + 37 \times 0.25 = 35.5$이다.

06 원소의 주기적 성질

A는 Li, B는 N, C는 O, D는 Na이다. 원자 반지름은 Na>Li>N>O, 이온 반지름은 $N^{3-} > O^{2-} > Na^+ > Li^+$이다.

ㄱ. 원자 반지름은 주기율표의 왼쪽 아래로 갈수록 증가한다. 따라서 원자 반지름이 가장 큰 원소는 D이다.

ㄴ. 안정한 이온은 18족 원소의 전자 배치를 의미한다. 금속 원소는 전자를 잃고 양이온이 되고, 비금속 원소는 전자를 얻어 음이온이 된다. 이때 양이온이 되면 원자일 때보다 반지름이 감소하고, 음이온이 되면 원자일 때보다 반지름이 증가한다. 안정한 이온이 되면 A는 He의 전자 배치를 가지고 B, C, D는 Ne의 전자 배치를 가지므로 A가 이온 반지름이 가장 작다.

ㄷ. 이온화 에너지는 O에서 p 오비탈에 있는 짝을 이루고 있는 전자를 떼어내야 하므로 N보다 O의 이온화 에너지가 작다.

07 순차 이온화 에너지

순차 이온화 에너지

원소	순차 이온화 에너지($\times 10^3$ kJ/몰)			
	E_1	E_2	E_3	E_4
3주기 X 2족	0.74	1.45	≪ 7.73	10.54
2주기 Y 13족	0.80	2.42	3.66	≪ 25.02

• X는 E_3에서 급격하게 증가하므로 2족 원소이고, Y는 E_4에서 급격하게 증가하므로 13족 원소이다. 같은 주기 원소라면 X의 E_1이 Y의 E_1보다 커야 한다. 그러나 E_1의 크기는 Y>X이므로 X는 3주기, Y는 2주기 원소이다. 따라서 X는 Mg이고 Y는 B이다.

선택지 분석

✗ X는 <u>13족 원소</u>이다. → 2족

ⓛ 원자 번호는 X가 Y보다 크다.

ⓒ 기체 상태에서 Y가 Y^{3+}이 되는 데 6.88×10^3 kJ/몰의 에너지가 필요하다.

ㄴ. X는 3주기, Y는 2주기이므로 원자 번호는 X가 Y보다 크다.

ㄷ. Y가 Y^{3+}이 되려면 전자 3개를 잃어야 하므로 필요한 에너지는 $E_1 + E_2 + E_3 = (0.80 + 2.42 + 3.66) \times 10^3$ kJ/몰 $= 6.88 \times 10^3$ kJ/몰이다.

👁 바로 보기 ㄱ. X는 E_3에서 급격하게 증가하므로 2족 원소이다.

08 이온화 에너지

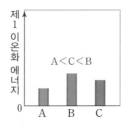 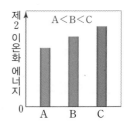

• 원자 번호 순으로 나열했을 때 제1 이온화 에너지는 A<C<B이므로 역전이 일어나는 구간이 존재한다. 따라서 A<C<B는 1족<13족<2족 또는 14족<16족 <15족이다. 제2 이온화 에너지는 A<B<C이므로 첫 번째 경우 2족<13족<1족이므로 조건에 맞지 않는다. 두 번째는 14족<15족<16족으로 조건을 만족한다. 따라서 A는 C, B는 N, C는 O이다.

09 유효 핵전하

원자 번호와 유효 핵전하

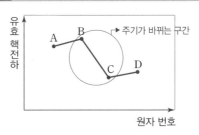

• 유효 핵전하는 같은 주기에서는 원자 번호가 클수록 증가한다.
• 유효 핵전하는 이온화 에너지와 달리 같은 주기에서 역전되는 구간이 나타나지 않는다. 급격하게 감소하는 것은 주기가 바뀌는 것이다.
• A는 F, B는 Ne, C는 Na, D는 Mg이다.

선택지 분석

✗ 3주기 원소는 <u>1가지</u>이다. → 2가지

ⓛ 이온화 에너지는 B>C이다.

✗ 원자 반지름은 <u>A>D</u>이다. → D>A

ㄴ. 이온화 에너지는 1족 원소가 가장 작고, 18족 원소가 가장 크다. 따라서 이온화 에너지는 B(Ne)>C(Na)이다.

👁 바로 보기 ㄱ. B와 C 사이에서 유효 핵전하가 감소하므로 주기가 바뀌는 구간이다. 따라서 A와 B는 2주기, C와 D는 3주기 원소이다. 따라서 3주기 원소는 2가지이다.

ㄷ. 원자 반지름은 주기율표에서 왼쪽 아래로 갈수록 증가하므로 D(Mg)가 A(F)보다 원자 반지름이 크다.

10 원자 반지름

$\dfrac{\text{제2 이온화 에너지}}{\text{제1 이온화 에너지}}$가 상대적으로 크다는 것은 제2 이온화 에너지가 크다는 것이므로 C는 1족 원소 Na이다. 제1 이온화 에너지는 O<F이고, 제2 이온화 에너지는 O>F이므로,

$\dfrac{\text{제2 이온화 에너지}}{\text{제1 이온화 에너지}}$ 는 O>F이다. 따라서 A는 F이고, B는 O이다.

원자 반지름은 Na(C)>O(B)>F(A)이므로 C>B>A이다.

창의·융합·코딩 전략 | 54~57쪽

01 ③	**02** ②	**03** ③	**04** ④
05 ③	**06** ③	**07** ③	**08** ③

01 동위 원소

ㄱ. 질량수＝양성자수＋중성자수이며, 동위 원소는 양성자수는 같지만 중성자수가 다른 원소이다. a와 b는 동위 원소 ^{12}C와 ^{13}C의 양성자수이므로 $a=b=6$이다. 중성자수는 질량수－양성자수이므로 $c=6$, $d=7$이다. 따라서 $d>a=b=c$이다.

ㄴ. 평균 원자량은 동위 원소의 존재 비율을 고려하여 평균값으로 나타낸 것이다. (^{12}C의 원자량×^{12}C의 존재 비율)＋(^{13}C의 원자량×^{13}C의 존재 비율)＝12.01이다. 따라서 ^{12}C의 존재 비율이 ^{13}C의 존재 비율보다 크다.

바로 보기 ㄷ. 질량이 같으면 가벼운 원자의 개수가 더 많다. ^{12}C 원자와 ^{13}C 원자의 양성자수는 같고 ^{12}C와 ^{13}C의 질량이 같으므로 양성자수는 ^{12}C가 더 크다.

02 원자의 구조

자료 분석＋ 원자의 구조

구분	A 수 (양성자)	B 수 (중성자)	C 수 (전자)
^{15}X	a	7	b
^{18}Y⁻	c	d	10

- C는 원자핵의 성분이 아니므로 전자이다. 원자핵의 구성 성분이면서 전하가 있는 A는 양성자이며, 전하가 없는 B는 중성자이다.
- ^{15}X의 중성자수가 7이므로 양성자수는 질량수－중성자수이므로 15－7＝8이다. 전자 수는 양성자수와 같은 8이다. 따라서 $a=b=8$이다.
- ^{18}Y⁻은 전자 수가 10이고 －1가의 음이온이므로, 양성자수는 9이다. 질량수가 18이므로 중성자수는 18－9＝9이다. 따라서 $c=d=9$이다.

선택지 분석

✗ A는 <del>중성자이다.</del> → 양성자

◯ X의 원자 번호는 8이다.

✗ $b+a=d+c$이다. → 8+8<9+9

ㄴ. ^{15}X의 중성자수가 7이므로 양성자수＝15－7＝8이다. 중성 원자에서 원자 번호는 양성자수와 같으므로 X의 원자 번호는 8이다.

바로 보기 ㄱ. 원자핵의 구성 성분이면서 전하가 있으므로 A는 양성자이다.

ㄷ. $a=b=8$, $c=d=9$이므로 $b+a(=8+8=16)<d+c(=9+9=18)$이다.

03 오비탈

바닥상태의 전자 배치는 A: $1s^1$, B: $1s^2 2s^2 2p^4$, C: $1s^2 2s^2 2p^6 3s^1$, D: $1s^2 2s^2 2p^6 3s^2 3p^1$이다. 따라서 A는 H, B는 O, C는 Na, D는 Al이다.

ㄱ. A는 수소이므로 비금속 원소이다.

ㄷ. C는 Na이므로 안정한 이온은 Na⁺이고 전자 배치는 $1s^2 2s^2 2p^6$으로 Ne의 전자 배치를 갖는다. D는 Al이므로 안정한 이온은 Al³⁺이고 전자 배치는 $1s^2 2s^2 2p^6$으로 Ne의 전자 배치를 갖는다. 따라서 C와 D의 안정한 이온의 전자 배치는 같다.

바로 보기 ㄴ. B는 $2p^4$의 전자 배치이므로 홀전자 수는 2이고, D는 $3p^1$의 전자 배치이므로 홀전자 수는 1이다. 따라서 B와 D의 홀전자 수는 다르다.

04 전자 배치

자료 분석＋ 오비탈과 전자 배치

- 1개의 오비탈에는 전자가 최대 2개까지 채워질 수 있으며, 이때 두 전자의 스핀 방향은 달라야 한다.
- 파울리 배타 원리는 한 원자 안에 있는 어떤 전자도 4가지 양자수가 모두 같을 수 없다는 것이다.

선택지 분석

① A　② C　③ A, B　④ B, C　⑤ A, B, C

B. (가)는 바닥상태 원소로 3주기 14족 원소 Si이다.

C. 파울리 배타 원리는 한 원자 안에 있는 어떤 전자도 4가지 양자수가 모두 같을 수 없다는 것이다. (다)의 3p 오비탈 1개에는 스핀이 같은 전자가 두 개 들어 있으므로 파울리 배타 원리에 어긋난다.

바로 보기 A. (나)는 3주기 16족 원소로 S이다.

05 주기적 성질

자료 분석 + 원소의 주기적 성질

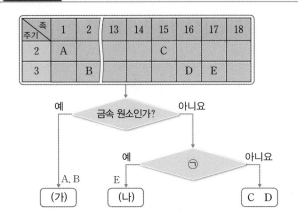

족 주기	1	2	13	14	15	16	17	18
2	A				C			
3		B					D	E

금속 원소인가?

예 → A, B
아니요 → ㉠

예 → E
아니요 → C, D

(가)   (나)   C, D

- A는 Li, B는 Mg, C는 N, D는 S, E는 Cl이다.
- 금속 원소는 A와 B이다. 따라서 (가)는 A, B이며 (나)는 남은 E이다. 따라서 ㉠에는 E(Cl)와 C(N), D(S)를 구분하는 질문이 필요하다. ㉠에 해당하는 질문은 여러 가지가 될 수 있다.

선택지 분석

㉠ (가)에 해당하는 원소는 2가지이다.
✕ ㉠에 '바닥상태 원자의 전자 배치에서 홀전자 수는 2인가?'를 적용할 수 있다.
㉢ (나)에 해당하는 원소는 음이온이 되기 쉽다.

ㄱ. A는 Li, B는 Mg이므로 둘 다 금속 원소이다. 따라서 (가)에 해당하는 원소는 2가지이다.

ㄷ. (나)에 해당하는 원소는 E(Cl)이며 Cl⁻ 이온이 되기 쉽다.

👁 바로 보기   ㄴ. E(Cl)의 전자 배치는 $1s^2 2s^2 2p^6 3s^2 3p^5$로 홀전자 수는 1이다. C(N)의 전자 배치는 $1s^2 2s^2 2p^3$이고 홀전자 수는 3이다. D(S)의 전자 배치는 $1s^2 2s^2 2p^6 3s^2 3p^4$로 홀전자 수는 2이다. 따라서 ㉠에 '바닥상태 원자의 전자 배치에서 홀전자 수는 2인가?'를 적용할 수 없다.

06 원자 반지름의 주기성

자료 분석 + 원자 반지름의 주기성

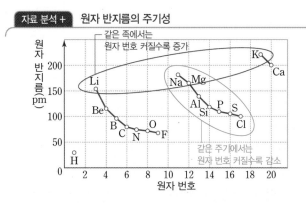

원자 반지름은 같은 족에서는 원자 번호가 클수록 크고, 같은 주기에서는 원자 번호가 작을수록 크다. 문제에 제시된 그림을 보면 3주기 원소인 B가 2주기 원소인 A보다 원자 반지름이 작다. 따라서 B는 비금속 원소이고, A는 금속 원소임을 알 수 있다.

선택지 분석

✕ 원자가 전자 수는 A가 B보다 크다. → 작다
✕ A 이온과 B 이온의 전자 배치는 같다. → 다르다
㉢ ㉠은 A 이온의 반지름이다.

ㄷ. A는 금속 원소이고, 금속 원소는 이온 반지름이 원자 반지름보다 작다. 따라서 ㉠은 A 이온의 반지름이다.

👁 바로 보기   ㄱ. 원자가 전자 수는 비금속 원소가 금속 원소보다 더 크므로 비금속 원소인 B의 원자가 전자 수가 금속 원소인 A의 원자가 전자 수보다 더 크다.

ㄴ. A는 2주기 금속 원소이므로 안정한 이온이 되면 전자를 잃고 He과 같은 전자 배치를 하고, B는 3주기 비금속 원소이므로 안정한 이온이 되면 전자를 얻어 Ar과 같은 전자 배치를 한다.

07 전기 음성도의 주기성

A는 전기 음성도가 4.0이므로 F이다. A~B는 같은 족 원소이므로 B는 3주기 17족 원소인 Cl이다. 화합물 BC가 이온 결합 물질이므로, C는 3주기 1족 원소인 Na이다.

ㄱ. A는 전기 음성도가 4.0이므로 F이다.

ㄴ. B는 17족 원소이고, C는 1족 원소이므로 원자가 전자 수는 B>C이다.

👁 바로 보기   ㄷ. 등전자 이온의 반지름은 핵전하가 클수록 핵과 전자 사이의 인력이 증가하므로 이온 반지름이 작아진다. A와 C가 이온이 되면 둘다 Ne과 같은 전자 배치를 갖지만 C가 A보다 핵전하가 크기 때문에 C 이온은 A 이온보다 이온 반지름이 작다.

08 순차 이온화 에너지

자료 분석 + 원소의 주기적 성질

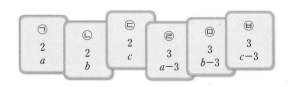

| ㉠
2
a | ㉡
2
b | ㉢
2
c | ㉣
3
$a-3$ | ㉤
3
$b-3$ | ㉥
3
$c-3$ |

- 18족 원소에 해당하는 원자의 카드가 없으므로 2주기에서 제1 이온화 에너지가 가장 큰 원소는 F이다. 따라서 18족을 제외하면 제1 이온화 에너지의 크기는 F>N>O이므로 ㉠은 F, ㉡은 N, ㉢은 O이다.
- 원자가 전자 수는 $a=7$, $b=5$, $c=6$이므로 ㉣의 원자가 전자 수는 $a-3=4$, ㉤은 $b-3=2$, ㉥은 $c-3=3$이다. 따라서 ㉣은 3주기 원소로 Si, ㉤은 Mg, ㉥은 Al이다.
- 제2 이온화 에너지 크기는 O>F>N이므로, 가장 큰 원소는 ㉢(O)이다.

선택지 분석

㉠ (가)는 ㉢이다.
✕ 원자가 전자가 느끼는 유효 핵전하는 ㉢>㉠이다. → ㉠>㉢이다.
㉢ Ne의 전자 배치를 갖는 이온 반지름은 ㉤>㉥이다.

ㄱ. (가)는 제2 이온화 에너지는 O>F>N이므로, 가장 큰 원소는 O이다. 따라서 (가)는 ⓒ이다.

ㄷ. 이온 반지름은 전자 수가 같으면 양성자수가 많을수록 감소하므로 Ne의 전자 배치를 갖는 이온 반지름은 ⓜ (Mg²⁺)>ⓗ(Al³⁺)이다. 따라서 Ne의 전자 배치를 갖는 이온 반지름은 ⓜ>ⓗ이다.

👁 **바로 보기** ㄴ. 유효 핵전하는 같은 주기에서 원자 번호가 클수록 증가한다. 따라서 ㉠(F)>ⓒ(O)>ⓛ(N)이므로 원자가 전자가 느끼는 유효 핵전하는 ㉠>ⓒ이다.

신유형·신경향 전략

60~63쪽

01 ② **02** ③ **03** ④ **04** ② **05** ③
06 ⑤ **07** ④ **08** ④

01 원유의 분리

ㄴ. 원유의 분별 증류 과정에서 생성되는 물질은 탄화수소인데, 탄화수소는 분자의 평균 탄소수가 많을수록 끓는점이 높으므로 분자의 평균 탄소수가 많은 성분은 아래쪽에서 얻을 수 있다. 따라서 C가 B보다 분자의 평균 탄소수가 적다.

👁 **바로 보기** ㄱ. 끓는점이 가장 낮은 A는 액화 석유 가스(LPG)이므로 주성분은 프로페인(C_3H_8)과 뷰테인(C_4H_{10})이다. 액화 천연가스(LNG)의 주성분은 메테인(CH_4)이다.

ㄷ. 끓는점이 높을수록 증류탑 아래쪽에서 분리되므로 끓는점은 C가 B보다 높다.

02 용액의 농도

자료 분석 + 용액의 농도

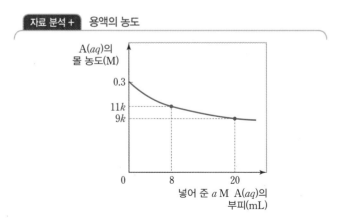

- 0.3 M $A(aq)$ 10 mL에 a M $A(aq)$ 8 mL를 넣으면 $11k$ M $A(aq)$ 18 mL가 생성된다.
- 0.3 M $A(aq)$ 10 mL에 a M $A(aq)$ 20 mL를 넣으면 $9k$ M $A(aq)$ 30 mL가 생성된다.

$A(s)$ x g을 녹여 10 mL의 0.3 M $A(aq)$을 만들었으므로 $\frac{x}{180}=0.003$에서 $x=0.54$이다. a M $A(aq)$을 각각 8 mL, 20 mL를 넣었을 때 몰 농도 비는 $\frac{0.003+0.008a}{0.018}$: $\frac{0.003+0.02a}{0.03}=11:9$이므로 $a=0.12$이다. 따라서, $\frac{x}{a}=\frac{9}{2}$이다.

03 전자 배치와 양자수

자료 분석 + 전자 배치와 양자수

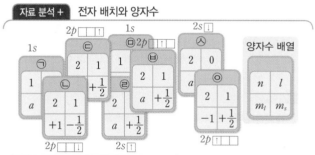

원자	전자 배치	필요한 카드
(가)	$1s$ $2s$ $2p$ ↑↓ ↑ ↑	㉠ ㉣ ⓜ ⓗ
(나)	↑↓ ↑ ↑ ↑↓	㉠ ㉡ ㉢ ㉣ ⓜ
(다)	↑↓ ↑↓ ↑↓ ↑ ↑	㉠ ㉢ ㉣ ⓜ ㉥ ⓞ

- (가)에서 ㉠과 ⓜ은 주 양자수(n)가 1이므로 $1s$ 오비탈에 들어 있는 전자 2개를 의미한다. ㉣은 $n=2$, $l=1$로 $2p$ 오비탈이므로 ㉣은 $2s$ 오비탈이다. 따라서 가려진 $l=0$이며 $a=m_l$이고 값은 0이다.
- (나)에서 ㉠과 ⓜ은 $1s^2$이고 ㉡과 ㉢은 $2p$ ↑↓를 의미한다. ㉣은 $2s$ 오비탈이다.
- (다)에서 ㉠과 ⓜ은 $1s^2$이고, ㉣과 ㉥은 $2s^2$이며, ㉢과 ⓞ은 $2p^2$ ↑ ↑를 의미한다.

선택지 분석

✗ $a=1$이다. → 0
ⓛ (나)에서 오비탈의 에너지 준위는 ㉢에 해당하는 전자가 ㉣에 해당하는 전자보다 높다.
ⓒ (다)는 바닥상태 전자 배치를 갖는다.

ㄴ. ㉣은 $2s$ 오비탈에 해당하는 전자가 들어 있고, ㉢은 $2p$ 오비탈에 해당하는 전자가 들어 있다. 따라서 에너지 준위는 ㉢>㉣이다.

ㄷ. (가)는 $1s^2 2s^1 2p^1$, (나)는 $1s^2 2s^1 2p^2$(☐☐☐), (다)는 $1s^2 2s^2 2p^2$(☐☐☐)의 전자 배치를 갖는다. 따라서 바닥상태의 전자 배치는 (다)뿐이다.

👁 **바로 보기** ㄱ. (가)에서 ㉠은 $1s$ 오비탈에 들어가는 전자이므로 $m_l=0$이다. 따라서 $a=0$이다.

04 양자수와 전자 배치

자료 분석 + 바닥상태와 들뜬상태 비교

원자	주 양자수(n)
X	2
Y	2
Z	3

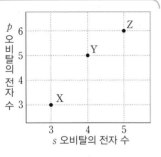

- X는 에너지 준위가 가장 높은 전자가 들어 있는 오비탈의 주 양자수(n)가 2이므로 $2p$ 오비탈에 3개의 전자를 가지고 있다. 따라서 $1s^2 2s^1 2p^3$나 $1s^1 2s^2 2p^3$의 전자 배치가 가능하다.
- Y는 에너지 준위가 가장 높은 전자가 들어 있는 오비탈의 주 양자수(n)가 2이므로 $2p$ 오비탈에 5개의 전자를 가지고 있다. 따라서 $1s^2 2s^2 2p^5$의 전자 배치가 가능하다.
- Z는 에너지 준위가 가장 높은 전자가 들어 있는 오비탈의 주 양자수(n)가 3이므로 $3s$ 오비탈에 1개의 전자를 가지고 있다. 바닥상태는 $1s^2 2s^2 2p^6 3s^1$이나 $3p$ 오비탈에도 전자가 6개 들어갈 수 있어 배치 상태를 알 수 없다.

선택지 분석

✗ X는 바닥상태의 전자 배치를 갖는다. ► 들뜬상태
ⓛ Y에서 $n=2$에 있는 전자 수는 7이다.
✗ 원자가 전자 수는 Y=Z이다.

ㄴ. Y의 전자 배치는 $1s^2 2s^2 2p^5$이므로 $n=2$ 껍질에 전자는 7개이므로, 주 양자수(n)가 2인 전자의 수는 7이다.

👁 바로 보기 ㄱ. X의 바닥상태 전자 배치는 $1s^2 2s^2 2p^2$이므로 p 오비탈에 3개의 전자를 가질 수 없다. 따라서 들뜬상태이다.

ㄷ. X는 C이고, Y는 F이고, Z는 Na이다. 따라서 각각의 원자가 전자 수는 4, 7, 1 이므로 원자가 전자 수는 Y와 Z가 다르다.

05 몰과 입자 수, 질량, 부피의 관계

자료 분석 + 순차 이온화 에너지와 주기성

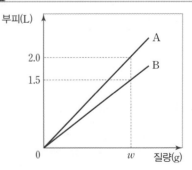

- 일정한 온도와 압력에서 기체의 부피는 기체의 몰수에 비례하므로 그림에서 질량 w g에 대한 A와 B의 부피비가 4 : 3이므로 A와 B의 몰비는 4 : 3이다. A와 B의 분자량을 M_A, M_B라고 가정하면 A와 B의 몰비는 $\dfrac{w}{M_A}$: $\dfrac{w}{M_B}=4 : 3$이므로 A와 B의 분자량 비는 $M_A : M_B = 3 : 4$

이다. A와 B는 분자량이 45보다 작은 탄화수소이므로 탄소 수가 3개보다 많을 수 없다. 탄소 수가 3개 이하이고 실험식과 분자식이 같은 조건을 만족하는 B 분자식은 CH_4, C_3H_4, C_3H_8이다. 이 중에서 A와 B의 분자량 비(=3 : 4)를 만족하는 분자식은 A가 C_2H_6이고, B가 C_3H_4이다.

선택지 분석

ㄱ B의 분자량은 40이다.
ⓛ 수소(H)의 질량 백분율(%)은 A : B=2 : 1이다.
✗ w g에 포함된 탄소 수는 B가 A의 1.5배이다. ► $\dfrac{9}{8}$배

ㄱ. A는 C_3H_4이므로 분자량은 40이다.

ㄴ. 수소의 질량 백분율은 A : B$=\dfrac{6}{30} : \dfrac{4}{40}=2 : 1$이므로 A가 B의 2배이다.

👁 바로 보기 ㄷ. 1몰에 포함된 탄소 수는 A는 2몰, B는 3몰이고 w g에 들어 있는 C_2H_6과 C_3H_4의 몰비가 $\dfrac{w}{M_A} : \dfrac{w}{M_B}$ $=4 : 3$이므로 탄소 수의 비는 A : B$=8 : 9$이다.

06 몰과 화학식량

자료 분석 + 몰과 화학식량

용기	기체	기체의 질량(g)	X의 원자 수 / Z의 원자 수	단위 질량당 Y 원자 수(상댓값)
(가)	XY_2, YZ_4	$55w$	$\dfrac{3}{16}$	23
(나)	XY_2, X_2Z_4	$23w$	$\dfrac{5}{8}$	11

- $\dfrac{X \text{ 원자 수}}{Z \text{ 원자 수}}$ 는 (가)와 (나)가 각각 $\dfrac{3}{16}$, $\dfrac{5}{8}$이므로 (가)에는 XY_2가 3 mol, YZ_4가 4 mol이 들어 있다면, (나)에는 XY_2가 k mol, X_2Z_4가 $2k$ mol이 들어 있다.
- 단위 질량당 Y 원자 수(상댓값)가 (가) : (나)=23 : 11$=\dfrac{6+4}{55w}$: $\dfrac{2k}{23w}$이다. 따라서, $k=1$이고, (나)에는 XY_2가 1 mol, X_2Z_4가 2 mol이 들어 있다.
- X의 원자량을 x, Y의 원자량을 y, Z의 원자량을 z라고 가정하면 (나)에서 $\dfrac{X \text{의 질량}}{Y \text{의 질량}}=\dfrac{5x}{2y}=\dfrac{15}{16}$이므로 $x : y=3 : 8$이다.

선택지 분석

✗ (가)에서 $\dfrac{X \text{의 질량}}{Y \text{의 질량}}=\dfrac{1}{2}$이다. ► $\dfrac{9}{80}$
ⓛ $\dfrac{\text{(나)에 들어 있는 전체 분자 수}}{\text{(가)에 들어 있는 전체 분자 수}}=\dfrac{3}{7}$이다.
ⓒ $\dfrac{X \text{의 원자량}}{Y \text{의 원자량}+Z \text{의 원자량}}=\dfrac{4}{17}$이다.

ㄴ. $\dfrac{\text{(나)에 들어 있는 전체 분자 수}}{\text{(가)에 들어 있는 전체 분자 수}}=\dfrac{1+2}{3+4}=\dfrac{3}{7}$이다.

ㄷ. 기체의 질량비는
(가) : (나)$=(3x+6y+4y+16z) : (x+2y+4x+8z)$ $=55 : 23$이고, $x=3k$, $y=8k$이므로 $z=\dfrac{19}{4}k$이다.

따라서, $\dfrac{X \text{의 원자량}}{Y \text{의 원자량}+Z \text{의 원자량}}=\dfrac{4}{17}$이다.

👁 바로 보기 ㄱ. (가)에서 $\dfrac{X의\ 질량}{Y의\ 질량} = \dfrac{3x}{10y} = \dfrac{9}{80}$이다.

07 순차 이온화 에너지

자료 분석 + 순차 에너지

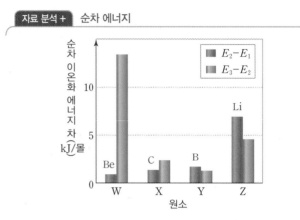

• 순차 이온화 에너지가 급격하게 증가하는 것은 원자가 전자와 관련이 있다. 원자가 전자은 Li은 1개, Be은 2개, B는 3개, C는 4개이다. E_2-E_1가 가장 큰 원소는 1족 원소이므로 Z는 Li이다. E_3-E_2가 가장 큰 원소는 2족이므로 W는 Be이다.
• X는 $E_3-E_2 > E_2-E_1$이다. C의 경우 $2p$에서 2개의 전자를 떼어내고 세 번째 전자는 안정한 $2s$에서 떼어내야 하므로 부껍질의 변화로 E_3가 증가한다. 따라서 X는 C이다.
• Y는 $E_3-E_2 < E_2-E_1$이다. B의 경우 $2p$에서 1개의 전자를 떼어내고 두 번째 전자는 안정한 $2s$에서 떼어내야 하므로 E_2가 상대적으로 많이 증가한다. 따라서 Y는 B이다.

선택지 분석

ㄱ Z는 1족 원소이다.
✘ E_2은 W>Y이다. ↱ Y>W
ㄷ 원자가 전자가 느끼는 유효 핵전하는 X>Y이다.

ㄱ. E_2-E_1가 가장 큰 원소는 1족 원소이므로 Z는 Li이다.
ㄷ. 유효 핵전하는 같은 주기에서 원자 번호가 클수록 증가한다. 따라서 X(C)>Y(B)이다.

👁 바로 보기 ㄴ. E_2는 Be<C<B<Li이므로 W(Be)<Y(B)이다.

08 주기성과 이온 반지름

자료 분석 + 이온 반지름의 주기성

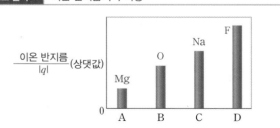

• A~D는 원자 번호가 8, 9, 11, 12이므로 O, F, Na, Mg 중 하나이다. Ne의 전자 배치를 가지므로 O^{2-}, F^-, Na^+, Mg^{2+}이다. 전자 수가 같을 때 이온의 반지름은 원자 번호가 클수록 감소하므로 $O^{2-} > F^- > Na^+ > Mg^{2+}$이다.

• $\dfrac{이온\ 반지름}{|q|}$의 상댓값은 +2 전하를 가진 Mg^{2+}이 가장 작으므로 A는 Mg이다. F^-은 이온 반지름이 가장 크고 −1 전하를 가지므로 $\dfrac{이온\ 반지름}{|q|}$의 상댓값이 가장 크다. 따라서 D는 F이다. 원자가 전자 수는 O가 6, Na이 1이므로 원자가 전자 수가 큰 B는 O이고, C는 Na이다.

선택지 분석

ㄱ B는 $\dfrac{원자\ 반지름}{이온\ 반지름} < 1$이다.
✘ 원자 반지름은 D>B이다. ↱ B>D
ㄷ 원자가 전자가 느끼는 유효 핵전하는 A>C이다.

ㄱ. B는 O이므로 O^{2-}이 되면 원자 반지름보다 이온 반지름이 증가한다. 따라서 $\dfrac{원자\ 반지름}{이온\ 반지름} < 1$이다.
ㄷ. 원자가 전자가 느끼는 유효 핵전하는 같은 주기에서 원자 번호가 클수록 증가하므로 원자 번호가 큰 Mg이 Na보다 유효 핵전하가 더 크다. 따라서 유효 핵전하는 A>C이다.

👁 바로 보기 ㄴ. 원자 반지름은 같은 주기에서 원자 번호가 클수록 유효 핵전하의 증가로 감소하므로 F가 O보다 반지름이 작다. 따라서 원자 반지름은 B>D이다.

1·2등급 확보 전략 1회

64~67쪽

01 ③	02 ④	03 ⑤	04 ③	05 ③
06 ④	07 ③	08 ①	09 ②	10 ③
11 ①				

01 일상생활에서 이용되고 있는 물질

자료 분석 + 몰과 입자 수, 질량, 부피의 관계

물질	이용 사례
아세트산(CH_3COOH)	식초의 성분이다.
에탄올(C_2H_5OH)	의료용 소독제로 이용된다.
암모니아(NH_3)	㉠

• 화학은 우리 생활 곳곳에서 사용되고 있으며 일상생활의 문제를 해결하는 데 크게 기여하였다.
• 간단한 카복실산인 아세트산은 식초에 들어 있으며, 합성수지, 의약품, 염료 등의 원료로 이용된다.
• 에탄올은 연료로 쓰이며, 소독제, 화학 약품이나 술의 원료로 이용된다.
• 암모니아는 수소와 질소로 구성된 물질로 질소 비료의 원료이다.

선택지 분석

ㄱ CH_3COOH을 물에 녹이면 산성 수용액이된다.
✘ C_2H_5OH는 탄화수소이다.
ㄷ '질소 비료의 원료로 이용된다.'는 ㉠으로 적절하다.

ㄱ. CH_3COOH을 물에 녹이면 수소 이온을 내놓으므로 $CH_3COOH(aq)$은 산성 수용액이다.

ㄷ. 질소 비료의 원료인 암모니아(NH_3)를 이용하여 질소 비료를 대량으로 생산할 수 있게 되었다.

👁 바로 보기 ㄴ. 에탄올(C_2H_5OH)은 탄소, 산소, 수소로 구성된 탄소 화합물이다. 탄화수소는 탄소와 산소로만 이루어진 물질이다.

02 분자량, 원자 수, 전체 원자 수

자료 분석 + 분자량, 원자 수, 전체 원자 수

$$
\begin{array}{c}
\text{O} \\
\parallel \\
\text{H}-\text{C}-\text{H}
\end{array}
\qquad
\begin{array}{c}
\text{H} \quad \text{O} \\
| \quad \parallel \\
\text{H}-\text{C}-\text{C}-\text{O}-\text{H} \\
| \\
\text{H}
\end{array}
$$

　　　(가)　　　　　　　　　　(나)

선택지 분석

ㄱ 분자량
✗ 1 g에 들어 있는 H 원자 수
ㄷ 1몰에 들어 있는 O 원자 수

ㄱ. (가)의 분자식은 CH_2O, (나)는 $C_2H_4O_2$이다. 따라서 분자량은 (가)가 $12+(1×2)+16=30$이고, (나)가 $(12×2)+(1×4)+(16×2)=60$이다. 따라서, 분자량은 (가) : (나)$=1:2$이다.

ㄷ. 분자 1몰에 들어 있는 O 원자 수는 (가)가 1몰, (나)가 2몰이므로 분자 1몰에 들어 있는 O 원자 수는 (가) : (나)$=1:2$이다.

👁 바로 보기 ㄴ. (가)와 (나)는 모두 실험식이 CH_2O이므로 1 g에 들어 있는 H 원자 수가 같다.

03 분자량, 원자 수, 전체 원자 수

자료 분석 + 분자량, 원자 수, 전체 원자 수

기체	분자식	분자량	1 g에 들어 있는 전체 원자 수	단위 부피당 질량(상댓값)
(가)	X_mH_n	32	$\dfrac{3}{16}N_A$	8
(나)	$X_nY_nH_n$	a	$\dfrac{1}{9}N_A$	27

선택지 분석

ㄱ $a=108$이다.
ㄴ $m=2$이다.
ㄷ $\dfrac{\text{X의 원자량}}{\text{Y의 원자량}}=\dfrac{7}{6}$

ㄱ. 온도, 압력이 일정할 때 분자량은 단위 부피당 질량에 비례하므로 $32:a=8:27$이므로 $a=108$이다.

ㄴ. 1 g에 들어 있는 전체 원자 수는 (가) : (나)$=\dfrac{3}{16}N_A:\dfrac{1}{9}N_A=\dfrac{m+n}{32}:\dfrac{3n}{108}$이므로 $m=2$, $n=4$이다.

ㄷ. X, Y의 원자량을 각각 x, y라고 하면 (가)에서 $2x+4=32$, (나)에서 $4x+4y+4=108$이므로 $x=14$, $y=12$이고, $\dfrac{\text{X의 원자량}}{\text{Y의 원자량}}=\dfrac{7}{6}$이다.

04 몰과 화학식량

자료 분석 + 몰과 화학식량

- $A(g)\sim C(g)$의 질량은 각각 x g이다.
- $B(g)$ 1 g에 들어 있는 X 원자 수와 $C(g)$ 1 g에 들어 있는 Z 원자 수는 같다.

기체	구성 원소	분자당 구성 원자 수	단위 질량당 전체 원자 수 (상댓값)	기체에 들어 있는 Y의 질량(g)
$A(g)$	X	2	11	
$B(g)$	X, Y	3	12	$2y$
$C(g)$	Y, Z	5	10	y

- 질량이 x g으로 같으므로 기체 A~C에서 몰수 $\propto\dfrac{1}{\text{분자량}}$이다.
- $B(g)$ 1 g에 들어 있는 X 원자 수와 $C(g)$ 1 g에 들어 있는 Z 원자 수가 같으므로 $B(g)$에서 X의 몰수$=C(g)$에서 Z의 몰수이다.
- $\dfrac{\text{전체 원자 수}}{\text{분자 당 구성 원자 수}}=$ 분자 수이므로, 기체 A~C의 단위 질량당 분자 수비(몰비)는 $A(g):B(g):C(g)=\dfrac{11}{2}:\dfrac{12}{3}:\dfrac{10}{5}=11:8:4$이다. 또한, 물질의 질량이 x로 같으므로 분자량 비는 $A(g):B(g):C(g)=\dfrac{1}{11}:\dfrac{1}{8}:\dfrac{1}{4}=8:11:22$이다.
- 분자 A는 분자당 구성 원자 수가 2개이므로 화학식은 X_2이다.
- 분자 B는 분자당 구성 원자 수가 3개이므로 화학식은 X_2Y나 XY_2이다.
- 분자 C는 분자당 구성 원자 수가 5개이다. 기체 B와 C에 들어 있는 Y의 질량이 $B:C=2y:y=2:1$이고 분자 수비가 $B:C=2:1$이므로 분자당 Y의 구성 원자 수가 같음을 알 수 있다. 따라서, 분자 B가 X_2Y라면 분자 C는 Z_4Y이고, B가 XY_2라면 C는 Z_3Y_2이다.
- 두 경우 중 분자 수비가 $B:C=2:1$이고 B에서 X의 몰수$=$C에서 Z의 몰수인 경우는 B가 X_2Y, C가 Z_4Y이다.

선택지 분석

ㄱ $A(g)$와 $C(g)$의 몰비는 11 : 4이다.
ㄴ $B(g)$ 1 mol에 들어 있는 Y 원자의 양은 1 mol이다.
✗ $\dfrac{x}{y}=\dfrac{11}{3}$이다. ▸ $\dfrac{22}{3}$

ㄱ. 분자 수비가 $A(g):B(g):C(g)=11:8:4$이므로 $A(g)$의 양(mol) : $C(g)$의 양(mol)$=11:4$이다.

ㄴ. $B(g)$의 화학식이 X_2Y이므로 $B(g)$ 1 mol에는 Y 원자 1 mol과 X 원자 2 mol이 들어 있다.

바로 보기 ㄷ. 분자 A와 B의 화학식이 X_2, X_2Y이고, 분자량 비가 A(g) : B(g)=8 : 11=(2X) : (2X+Y)이므로 X와 Y의 원자량의 비는 X : Y=4 : 3이다. 또한 분자 수비는 A(g) : B(g)=11 : 8이므로 A(g)에서 $x=11×8M$이고 B(g)에서 $2y=8×3M$이다. 따라서, $\dfrac{x}{y}=\dfrac{22}{3}$이다.

05 기체의 양, 밀도, 원자 수

자료 분석 + 기체의 양, 밀도, 원자 수

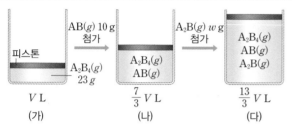

V L (가) $\dfrac{7}{3}V$ L (나) $\dfrac{13}{3}V$ L (다)

• (가)에 들어 있는 $A_2B_4(g)$ 23 g은 부피가 V L이고, (나)에 들어 있는 AB(g) 10 g은 부피가 $\dfrac{7}{3}V-V=\dfrac{4}{3}V$ L이며, (다)에 들어 있는 $A_2B(g)$ w g은 부피가 $\dfrac{13}{3}V-\dfrac{7}{3}V=2V$이므로, 밀도비는 $A_2B_4(g)$: AB(g) : $A_2B(g)=\dfrac{23}{V} : \dfrac{10}{\frac{4}{3}V} : \dfrac{w}{2V}=92 : 30 : 2w$이다.

• 온도와 압력이 일정할 때 밀도는 분자량에 비례하므로 밀도비는 분자량 비와 같다. A와 B의 원자량을 a, b라고 가정하면 분자량 비는 $(2a+4b) : (a+b) : (2a+b)=92 : 30 : 2w$이다. 따라서, $a=14$, $b=16$이고, $w=22$이다.

선택지 분석

㉠ (나)에서 $\dfrac{AB의 밀도}{A_2B_4의 밀도}=\dfrac{15}{46}$이다.

✗ $w=11$이다. ▶ 22

㉢ (다)에서 실린더 속 기체의 $\dfrac{B\ 원자\ 수}{전체\ 원자\ 수}=\dfrac{1}{2}$이다.

ㄱ. (나)에서 밀도비가 $A_2B_4(g)$: AB(g)=$\dfrac{23}{V} : \dfrac{10}{\frac{4}{3}V}$

$=92 : 30$이므로 $\dfrac{AB의 밀도}{A_2B_4의 밀도}=\dfrac{15}{46}$이다.

ㄷ. 온도와 압력이 일정할 때 기체의 부피(L)는 기체의 양(mol)에 비례하므로 몰비는

$A_2B_4(g)$: AB(g) : $A_2B(g)=V : \dfrac{4}{3}V : 2V=3 : 4 : 6$이다. 이 기체들은 (다)에 모두 들어 있다. 따라서 (다)에서 실린더 속 기체에 들어 있는 전체 원자 수는 $(3n×6)+(4n×2)+(6n×3)=44n$이고, B 원자 수는 $(3n×4)+(4n×1)+(6n×1)=22n$이므로 (다)에서 실린더 속 기체의 $\dfrac{B\ 원자\ 수}{전체\ 원자\ 수}=\dfrac{1}{2}$이다.

바로 보기 ㄴ. $a=14$, $b=16$일 때 $2a+b=2w$이므로 $w=22$이다.

06 화학 반응식과 양적 관계

자료 분석 + 화학 반응식과 양적 관계

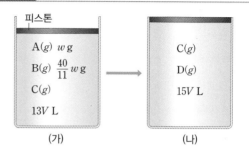

(가) (나)

• 온도와 압력이 같을 때 기체의 부피비와 몰비는 같다.
• 부피비가 (가) : (나)=13 : 15이므로 (가)와 (나) 전체 기체의 양(mol)을 13 mol, 15 mol 가정한다.
• (가)에서 $\dfrac{C의 양(mol)}{전체\ 기체의\ 양(mol)}=\dfrac{1}{13}$이므로 (가)에 있는 C의 양(mol)은 1 mol이고, 전체 기체의 양은 13 mol이다. C 1 mol은 반응에 참여하지 않으므로 전체 반응물은 12 mol이다.
• (나)에서 $\dfrac{C의 양(mol)}{전체\ 기체의\ 양(mol)}=\dfrac{7}{15}$이므로 (나)에 있는 C의 양은 7 mol이다. (가)에 들어 있던 C 1 mol은 반응에 참여하지 않았다. 따라서 반응에 의해 생성된 C의 양은 6 mol이고, 전체 생성물은 14 mol이므로 생성된 D의 양은 8 mol이다. 생성된 D의 양은 $4n=8$이므로 $n=2$이다. 생성된 C의 양은 $ny=6$이므로 $y=3$이다.
• (가)에서 반응에 참여한 전체 기체의 양(mol)은 $n+xn=12$ mol이고, $n=2$이므로, $x=5$이다.

선택지 분석

✗ $x+y=7$이다. ▶ 8

㉡ 분자량의 비는 A : B=11 : 8이다.

㉢ (가)에서 $\dfrac{C의 분자 수}{A의 분자 수}=\dfrac{1}{2}$이다.

ㄴ. (가)에서 질량비가 A : B=$w : \dfrac{40}{11}w=11 : 40$이고, 몰비는 A : B=2 : 10이다. 분자량=$\dfrac{물질의\ 질량}{물질의\ 양(mol)}$이므로 (가)에서 분자량비는 A : B=$\dfrac{11}{2} : \dfrac{40}{10}=11 : 8$이다.

ㄷ. (가)에서 A의 분자 수는 2 mol이고, C의 분자 수는 1 mol이므로 $\dfrac{C의 분자 수}{A의 분자 수}=\dfrac{1}{2}$이다.

바로 보기 ㄱ. $x=5$, $y=3$이므로 $x+y=8$이다.

07 화학 반응식과 양적 관계

자료 분석 + 화학 반응식과 양적 관계

$$aA(g)+B(g) \longrightarrow aC(g)\ (a는\ 반응\ 계수)$$

| 실험 | 반응 전 | | | 반응 후 |
	A(g)의 질량(g)	B(g)의 질량(g)	전체 기체의 밀도(상댓값)	전체 기체의 부피(상댓값)
Ⅰ	4	3	4	4
Ⅱ	4	4		5
Ⅲ	12	2	5	x

- 밀도$=\dfrac{질량}{부피}$이고, 온도와 압력이 일정할 때 기체의 부피비는 몰비와 같다.
- $Ⅰ$과 $Ⅲ$에서 반응 전 전체 기체의 질량이 각각 7 g, 14 g이고, 밀도의 상댓값이 각각 4, 5이므로 전체 기체의 부피비(=몰비)는 $Ⅰ:Ⅲ$ $=\dfrac{4+3}{4}:\dfrac{12+2}{5}=5:8$이다.
- A와 B의 분자량을 w_A, w_B라고 가정하면 $Ⅰ$과 $Ⅲ$에서 전체 기체의 몰비는 $Ⅰ:Ⅲ=(\dfrac{4}{w_A}+\dfrac{3}{w_B}):(\dfrac{12}{w_A}+\dfrac{2}{w_B})=5:8$이므로, $w_A:w_B=2:1$이다.

A와 B의 분자량을 2, 1로 가정하면 $Ⅰ$에서 A와 B의 양(mol)은 2 mol, 3 mol이고, $Ⅱ$에서 A와 B의 양(mol)은 2 mol, 4 mol이다. $Ⅰ$과 $Ⅱ$에서 기체의 양(mol)이 모두 B>A이고, 계수비가 A:B=a:1이므로($a \geq 1$) $Ⅰ$과 $Ⅱ$에서 한계 반응물은 A가 되고, 반응 후 B가 남는다. 또한 A와 C의 계수가 같으므로 반응한 A의 양(mol)과 생성된 C의 양(mol)이 같다.

< 실험 Ⅰ >

	aA(g)	+	B(g)	$\longrightarrow$	aC(g)
반응 전 양(mol)	2		3		0
반응 양(mol)	-2		$-\dfrac{2}{a}$		$+2$
반응 후 양(mol)	0		$3-\dfrac{2}{a}$		2

< 실험 Ⅱ >

	aA(g)	+	B(g)	$\longrightarrow$	aC(g)
반응 전 양(mol)	2		4		0
반응 양(mol)	-2		$-\dfrac{2}{a}$		$+2$
반응 후 양(mol)	0		$4-\dfrac{2}{a}$		2

$Ⅰ$과 $Ⅱ$에서 반응 후 전체 기체의 부피비(=몰비)가 4:5이므로 반응 후 전체 몰비가 $Ⅰ:Ⅱ=5-\dfrac{2}{a}:6-\dfrac{2}{a}=4:5$이다. 따라서 $a=2$이다.

$Ⅲ$에서 A와 B의 양(mol)은 6 mol, 2 mol이다.

< 실험 Ⅲ >

	2A(g)	+	B(g)	$\longrightarrow$	2C(g)
반응 전 양(mol)	6		2		0
반응 양(mol)	-4		-2		$+4$
반응 후 양(mol)	2		0		4

반응 후 전체 기체의 양(mol)(상댓값)은 6 mol이다. $Ⅰ$에서 반응 후 전체 기체가 4 mol일 때 전체 기체의 부피의 상댓값이 4였으므로, $Ⅲ$에서 반응 후 전체 기체의 부피(상댓값)(x)은 6이다. 따라서 $\dfrac{x}{a}=\dfrac{6}{2}=3$이다.

08 화학 반응에서 양적 관계

자료 분석+ 화학 반응에서 양적 관계

	반응 전	반응 후
기체의 종류	XY, Y_2	㉠, ㉡
전체 기체의 부피(L)	$4V$	$3V$

- ㉡은 X를 포함하는 3원자 분자인 기체이므로 XY_2와 X_2Y 중 하나이다. ㉡이 XY_2라면 화학 반응식은 $2XY(g)+Y_2(g) \longrightarrow 2XY_2(g)$이다. ㉡이 X_2Y라면 화학 반응식은 $aXY(g)+bY_2(g) \longrightarrow cX_2Y(g)$인데, 이를 만족하는 계수가 없으므로 화학 반응식이 성립하지 않는다. 따라서 ㉡은 XY_2이다.

그림에서 반응 전 실린더 속에 들어 있는 기체는 반응물로서 XY가 6개, Y_2가 2개 있고, 화학 반응식이 $2XY+Y_2 \longrightarrow 2XY_2$이다. 이 화학 반응식의 양적 관계를 나타내면 아래와 같다.

	$2XY(g)$	+	$Y_2(g)$	$\longrightarrow$	$2XY_2(g)$
반응 전 양(mol)	6		2		0
반응 양(mol)	-4		-2		4
반응 후 양(mol)	2		0		4

따라서 남는 물질(㉠)은 XY이고, 반응 전과 후의 몰비가 8:6=4:3이다. 이는 반응물과 생성물의 전체 부피비가 $4V:3V=4:3$과 같다.

09 화학 반응에서 양적 관계

자료 분석+ 화학 반응에서 양적 관계

A(g) y L에 B(g) $5w$ g을 넣었을 때 전체 기체의 부피가 최소이므로 이때, 반응이 완결되었음을 알 수 있다. 화학 반응식에서 계수비는 반응 몰비와 같으므로 B(g) $5w$ g을 넣었을 때 $A:B:C=\dfrac{y}{40}:\dfrac{5w}{x}:\dfrac{10w}{x}$ $=a:1:2$이다.

반응 완결 후 증가한 전체 기체의 부피는 추가로 넣어 준 B(g) $3w$ g의 부피와 같으므로 B(g) $8w$ g을 넣었을 때 전체 기체의 몰수는 $5w$ g을 넣었을 때 생성된 C의 몰수($=\dfrac{10w}{x}$ 몰)와 추가로 넣은 B의 몰수($=\dfrac{3w}{x}$ 몰)의 합이므로 $\dfrac{10w}{x}+\dfrac{3w}{x}=\dfrac{13w}{x}$ 몰이고, 전체 기체의 부피가 26 L이므로 $\dfrac{13w}{x}$ 몰$=\dfrac{26}{40}$ 몰이다. 따라서 $x=20w$이다.

B(g) $4w$ g을 넣었을 때 기체 반응의 양적 관계를 나타내면 다음과 같다.

	aA(g)	+	B(g)	$\longrightarrow$	$2C($g$)$
반응 전 몰수(몰)	$\dfrac{y}{40}$		$\dfrac{4w}{x}$		0
반응 몰수(몰)	$-\dfrac{4aw}{x}$		$-\dfrac{4w}{x}$		$+\dfrac{8w}{x}$
반응 후 몰수(몰)	$\dfrac{y}{40}-\dfrac{4aw}{x}$		0		$\dfrac{8w}{x}$

B(g) $4w$ g을 넣었을 때와 B(g) $8w$ g을 넣었을 때 전체 기체의 부피가 같으므로

$\dfrac{y}{40} - \dfrac{4aw}{x} + \dfrac{8w}{x} = \dfrac{13w}{x}$ 이 $x=20w$를 대입하면 $y=8a+100$이다.

또한 반응이 완결되었을 때, 반응 몰비는 $A:C = \dfrac{y}{40} : \dfrac{10w}{x} = a : 2$이고

여기에 $x=20w$를 대입하면 $y=10a$이다. 따라서 $a=5$이고 $y=50$이다.

$x=20w$, $y=50$이므로 $\dfrac{y}{x} = \dfrac{50}{20w} = \dfrac{5}{2w}$이다.

10 용액의 농도

$NaOH$ 4 g의 몰수는 $\dfrac{4}{40} = 0.1$ mol이므로, 500 mL 부피 플라스크에 넣고 물과 섞으면 최대 0.2 M $NaOH(aq)$을 만들 수 있다. 따라서 ㉠은 250 mL이다. 0.3 M $NaOH(aq)$ 250 mL를 만들 때 $NaOH(s)$ 3 g이 필요하므로 $w=3$이다. (나)에서 남아 있는 $NaOH(s)$ 1 g을 물에 녹여 $NaOH(aq)$ 500 mL를 만들면 수용액의 몰 농도는 0.05 M이다. 따라서 $a=0.05$이다.

11 용액의 농도

98 % H_2SO_4 10 mL의 질량은 10 mL $\times$ 1.8 g/mL $=18$ g이다. 18 g의 98 %는 H_2SO_4이므로 (18×0.98) g이 H_2SO_4의 질량이다. 용질의 몰수$(\text{mol}) = \dfrac{(18 \times 0.98)}{98}$ $=0.18$ mol이고, 이를 희석하여 1 L의 수용액을 만들었으므로 몰 농도는 0.18 M이다. 따라서 $x=0.18$이다.

1·2등급 확보 전략 2회 | 68~71쪽

01 ④	02 ②	03 ③	04 ⑤	05 ④
06 ③	07 ②	08 ②	09 ③	10 ③
11 ④	12 ③			

01 평균 원자량

자료 분석 + 평균 원자량과 동위 원소

- X의 동위 원소

동위 원소	원자량	존재 비율(%)
^{a}X	A	75
^{b}X	B	25

- $b > a$이다.
- 평균 원자량은 w이다.

- 동위 원소의 원자량은 질량수가 클수록 크다. 질량수 $b > a$이므로 원자량은 B > A이다.
- 평균 원자량(w)은 $\dfrac{(75 \times A) + (25 \times B)}{100}$이다.

선택지 분석

㉠ 중성자수는 ^{a}X $<$ ^{b}X이다.

㋲ $w = \dfrac{(0.75 \times A) + (0.25 \times B)}{2}$이다.

㉢ $\dfrac{1 \text{ g의 X에 들어 있는 }^b\text{X의 양성자수}}{1 \text{ g의 X에 들어 있는 }^a\text{X의 양성자수}} < 1$이다.

ㄱ. 질량수＝중성자수＋양성자수이다. 동위 원소는 양성자수는 동일하므로 중성자수가 크면 질량수가 크다. 따라서 $b > a$이므로 중성자수는 ^{a}X $<$ ^{b}X이다.

ㄷ. 1 g의 X에 들어 있는 ^{a}X와 ^{b}X는 각각 75 %와 25 %이므로 $\dfrac{1 \text{ g의 X에 들어 있는 }^b\text{X의 양성자수}}{1 \text{ g의 X에 들어 있는 }^a\text{X의 양성자수}} < 1$이다.

바로 보기 ㄴ. 평균 원자량(w)은 동위 원소의 존재 비율을 고려한 원자량이므로 $w = (0.75 \times A) + (0.25 \times B)$이다.

02 동위 원소와 평균 분자량

자료 분석 + 분자량과 자연계 존재 비율

- X_2는 분자량이 서로 다른 (가), (나), (다)로 존재한다.
- X_2의 분자량: (가) > (나) > (다)
- 자연계에서 $\dfrac{\text{(나)의 존재 비율(\%)}}{\text{(다)의 존재 비율(\%)}} = \dfrac{2}{3}$이다.

- X_2는 3가지의 분자량이 존재하므로 X의 동위 원소는 2가지가 존재하며, 각각의 원자량을 A, B라고 하고, 존재 비율을 a, b라고 하면, 원자량이 A > B이면 3가지 분자 (가), (나), (다)의 존재 비율(%)은 각각 a^2, $2ab$, b^2이고 분자량은 2A, A+B, 2B이다.
- $\dfrac{\text{(나)의 존재 비율(\%)}}{\text{(다)의 존재 비율(\%)}} = \dfrac{2ab}{b^2} = \dfrac{2}{3}$이고, $a+b=100$이다. 따라서 $a : b = 3 : 1$이므로 a는 25%, b는 75%이다.

선택지 분석

㋲ X의 원자량은 $\dfrac{\text{(가)의 분자량}}{2}$와 $\dfrac{\text{(다)의 분자량}}{6}$이다. → 2

㋲ X의 평균 원자량은 $\dfrac{\text{(나)의 분자량}}{2}$보다 크다. → 작다

㉢ 자연계에서 $\dfrac{\text{(나)의 존재 비율(\%)}}{\text{(가)의 존재 비율(\%)}} = 6$이다.

ㄷ. 자연계에서 $\dfrac{\text{(나)의 존재 비율(\%)}}{\text{(가)의 존재 비율(\%)}} = \dfrac{2ab}{a^2} = \dfrac{2b}{a}$ $= \dfrac{2 \times 75}{25} = 6$이다.

바로 보기 ㄱ. X의 원자량은 $\dfrac{\text{(가)의 분자량}}{2} = \dfrac{2A}{2} = A$ 와 $\dfrac{\text{(다)의 분자량}}{2} = \dfrac{2B}{2} = B$이다.

ㄴ. X의 평균 원자량은 $\dfrac{25A+75B}{100}=\dfrac{A+3B}{4}$이고

$\dfrac{(나)의\ 분자량}{2}=\dfrac{A+B}{2}$이다. 원자량은 A>B이므로

$\dfrac{A+B}{2}>\dfrac{A+3B}{4}$이다. 따라서 X의 평균 원자량이

$\dfrac{(나)의\ 분자량}{2}$보다 작다.

03 양자수와 오비탈

수소 원자의 오비탈

- (가)~(다)의 $n+l$은 각각 1, 2, 3 중 하나이다.
- n은 (가)=(나)>(다)이다.
- l은 (나)=(다)이다.

- $n+l=1$인 경우는 $1s$ 오비탈이고, $n+l=2$인 경우는 $2s$ 오비탈이며, $n+l=3$인 경우는 $2p$ 또는 $3s$ 오비탈이다. 주양자 수(n)가 (가)=(나)>(다)이므로 (다)는 $1s$ 오비탈, (나)는 $2s$ 오비탈, (가)는 $2p$ 오비탈이다.

선택지 분석

ㄱ (가)는 $2p$ 오비탈이다.

ㄴ (나)의 $m_l=0$이다.

✗ 에너지 준위는 (가)>(나)>(다)이다.

ㄱ. (가)와 (나)의 주양자 수(n)가 같다면 (가)는 $2p$ 오비탈이다.

ㄴ. (나)는 $2s$ 오비탈이므로 자기 양자수(m_l)는 0이다.

👁 바로 보기 ㄷ. 수소 원자 오비탈의 에너지 준위는 $1s<2s=2p<3s=3p=3d$이므로 에너지 준위는 (가)=(나)>(다)이다.

04 동위 원소

동위 원소의 존재 비율

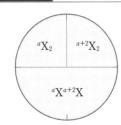

$^{a}X_2$와 $^{a+2}X_2$의 존재 비율은 각각 $\dfrac{1}{4}$이다.

$^{a}X^{a+2}X$의 존재 비율은 $\dfrac{1}{2}$이다.

선택지 분석

ㄱ ^{a}X와 ^{a+2}X의 존재 비율은 같다.

✗ $^{a+2}X_2$의 중성자수는 $^{a}X_2$의 중성자수보다 2개 더 많다. → 4개

ㄷ $^{a}X_2$와 $^{a+2}X_2$의 화학적 성질은 같다.

ㄱ. $^{a}X_2$와 $^{a+2}X_2$의 존재 비율이 같으므로 $^{a}X_2$와 $^{a+2}X_2$의 존재 비율은 같다. 존재 비율은 각각 $\dfrac{1}{2}$이다.

ㄷ. 동위 원소는 화학적 성질이 동일하므로, 동위 원소로 이루어진 서로 다른 분자의 화학적 성질도 동일하다.

👁 바로 보기 ㄴ. ^{a+2}X는 중성자수가 ^{a}X보다 2개 더 많으므로, $^{a+2}X_2$의 중성자수는 $^{a}X_2$보다 4개 더 많다.

05 원자를 구성하는 입자

원자를 구성하는 입자

- A는 B의 동위 원소이다.
- C와 D의 중성자수 − 전자 수=1이다.
- 질량수는 B>A>C>D
- A~D의 양성자수와 중성자수

원자	⊙ A	ⓛ C	ⓔ D	ⓓ B
(가)	9	8	7	9
(나)	9	9	8	11

- A~D는 2주기 원소이므로 양성자수는 3~10이다. 따라서 ⓓ의 (나)가 11이므로 (나)는 중성자수이다. 따라서 (가)는 양성자수이다.
- C와 D가 중성자수−전자 수가 1이므로 ⊙은 C나 D가 될 수 없다. 따라서 ⊙은 A나 B이다. ⓛ은 ⊙과 중성자수가 같으므로 동위 원소가 될 수 없다. 따라서 ⓛ은 A나 B가 될 수 없다. 따라서 남은 ⓔ이 A나 B이다. 질량수가 B>A이므로 A는 ⊙, B는 ⓔ이다.
- ⓛ과 ⓔ은 C와 D 중 하나이다. 질량수가 C>D이고 중성자수−전자 수=1이므로 ⓛ은 C, ⓔ은 D이다.

선택지 분석

✗ (가)는 중성자수이다. → 양성자

ㄴ B의 질량수는 20이다.

ㄷ D의 원자 번호는 7이다.

ㄴ. B(ⓔ)의 질량수는 9+11이므로 20이다.

ㄷ. ⓔ는 D이므로 ⓔ의 (가) 값은 7이다. 따라서 D의 원자 번호는 7이다.

👁 바로 보기 ㄱ. 2주기 원소는 양성자수가 11 이상일 수 없으므로 (나)는 중성자수이고, (가)는 양성자수이다.

06 전자 배치

바닥상태와 전자 배치

원자	X	Y	Z
전자가 들어 있는 전자 껍질 수	4	3	⊙ 2
원자가 전자 수	ⓛ 2	5	0
$\dfrac{p\ 오비탈에\ 들어\ 있는\ 전자\ 수}{s\ 오비탈에\ 들어\ 있는\ 전자\ 수}$	$\dfrac{3}{2}\ \dfrac{12}{8}$	ⓔ $\dfrac{9}{6}$	$\dfrac{3}{2}\ \dfrac{6}{4}$

- 홀전자 수와 s 오비탈의 전자 수는 다음 표와 같다.

2주기 원소	Li	Be	B	C	N	O	F	Ne
p/s 오비탈의 전자 수	0/3	0/4	1/4	2/4	3/4	4/4	5/4	6/4
3주기 원소	Na	Mg	Al	Si	P	S	Cl	Ar
p/s 오비탈의 전자 수	6/5	6/6	7/6	8/6	9/6	10/6	11/6	12/6
홀전자 수	1	0	1	2	3	2	1	0

- X는 Ca, Y는 P, Z는 Ne이다. 원자가 전자 수는 원소가 속한 족의 일의 자리 수이므로 Li~F까지 각각 1~7이다. 전자 껍질의 수는 주기를 의미한다.

선택지 분석

ㄱ ㄱ+ㄴ+ㄷ=$\frac{11}{2}$이다.

✗ 홀전자 수는 X>Y이다. → Y>X

ㄷ Z에서 전자가 들어 있는 오비탈의 수는 5이다.

ㄱ. ㄱ은 Ne의 주기이므로 2, ㄴ은 Ca의 원자가 전자 수이므로 2, ㄷ은 P의 $\frac{p \text{ 오비탈에 들어 있는 전자 수}}{s \text{ 오비탈에 들어 있는 전자 수}}$이므로 $\frac{3}{2}$이다. 따라서 ㄱ+ㄴ+ㄷ=$\frac{11}{2}$이다.

ㄷ. Z는 Ne이므로 전자 배치는 $1s^2 2s^2 2p^6$이다. 따라서 전자가 들어 있는 오비탈의 수는 5이다.

👁 바로 보기 ㄴ. X는 Ca이고 홀전자 수 0, Y는 P이고 홀전자 수는 3이므로, 홀전자 수는 Y>X이다.

07 들뜬 상태와 바닥 상태

자료 분석 + 오비탈과 홀전자 수

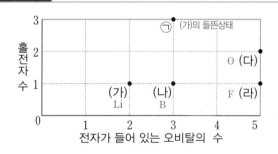

- (가)는 전자 배치가 $1s^2 2s^1$이므로 Li이다.
  (나)는 $1s^2 2s^2 2p_x{}^1$이므로 B이다.
  (다)는 $1s^2 2s^2 2p_x{}^2 2p_y{}^1 2p_z{}^1$이므로 O이다.
  (라)는 $1s^2 2s^2 2p_x{}^2 2p_y{}^2 2p_z{}^1$이므로 F이다.
- (가)~(라) 중 전자가 들어간 오비탈이 3개이고 홀전자가 3개일 수 있는 원자는 (가)이다.

선택지 분석

✗ 원자 번호는 (다)>(라)>(나)>(가)이다. → (라)>(다)>(나)>(가)

✗ ㄱ은 (나)의 들뜬상태이다. → (가)

ㄷ 원자가 전자 수가 가장 큰 것은 (라)이다.

ㄷ. 원자가 전자 수는 (가)는 1. (나)는 3, (다)는 6, (라)는 7이다.

👁 바로 보기 ㄱ. 원자 번호는 F>O>B>Li이므로 (라)>(다)>(나)>(가)이다.

ㄴ. 홀전자 수가 3개이고 전자가 들어 있는 오비탈이 3개로 들뜬상태(ㄱ)가 될 수 있는 원자는 (가)이다.

08 오비탈과 전자 배치

자료 분석 + 오비탈과 전자 배치

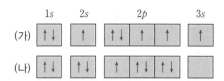

- (가)는 $_8$O이고 들뜬상태의 전자 배치이다. (나)는 $_9$F이고 바닥상태의 전자 배치이다.
- p 오비탈 3개는 모두 에너지 준위가 동일하다.
  (↑↑↑↓)=(↑↓↑↑)=(↑↑↑↓) 모두 바닥상태이다.

선택지 분석

✗ 원자가 전자 수는 (가)=(나)이다. → (나)>(가)

ㄴ A와 B는 같은 주기 원소이다.

✗ (나)의 전자 배치는 들뜬상태이다.

ㄴ. (가)와 (나)는 2주기 원소이다.

👁 바로 보기 ㄱ. (가)는 원자가 전자 수가 6인 O이고, (나)는 원자가 전자수가 7인 F이다. 따라서 원자가 전자 수는 (가)<(나)이다.

ㄷ. p_x, p_y, p_z의 에너지 준위는 동일하므로 (나)의 전자 배치는 바닥상태이다.

09 원소의 주기적 성질

자료 분석 + 홀전자 수와 원자 반지름

홀전자 수의 차	원자 반지름
$a-b=d$ $c-d=0$ $c=d$ $c-e=1$ $c \neq 1$	B<E C<D

- N, O, F, Al, Si의 홀전자 수는 각각 3, 2, 1, 1, 2이다. 원자 반지름은 Al>Si>N>O>F이다. $c=d$이고 $c-e=1$이므로 c는 1이 아니다. c가 2이면 e는 1이고 d는 2이다. 따라서 a는 3, b는 1이다.
- 원자 반지름이 B<E이므로 홀전자 수가 각각 1인 B는 F, E는 Al이다. 원자 반지름이 C<D이므로 홀전자 수가 각각 2인 C는 O, D는 Si이다. 따라서 A는 N이다.

선택지 분석

ㄱ $b+c=d+e$이다.

✗ 이온화 에너지는 C>A>B이다. → B>A>C

ㄷ 원자가 전자가 느끼는 유효 핵전하는 D>E이다.

ㄱ. $a=3$, $b=1$, $c=2$, $d=2$, $e=1$이다. 따라서 $b+c=d+e$이다.

ㄷ. 유효 핵전하는 같은 주기에서 원자 번호가 클수록 증가하므로 Si>Al이다. 따라서 원자가 전자가 느끼는 유효 핵전하는 D>E이다.

👁 바로 보기 ㄴ. 이온화 에너지는 F>N>O이므로 B>A>C이다.

10 원소의 주기적 성질

홀전자 수와 이온화 에너지

- 모든 원자는 바닥상태이다.
- 전자가 들어 있는 p 오비탈의 수는 3 이하이다.
- 홀전자 수와 제1 이온화 에너지

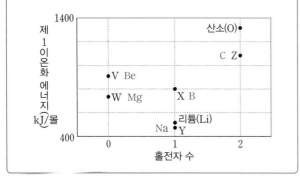

- 2, 3주기 원자 중 바닥 상태에서 전자가 들어 있는 p 오비탈 수가 3 이하인 원자는 3번 Li부터 12번 Mg까지이다. 이 중 O보다 이온화 에너지가 작은 원소는 Li, Be, B, C, Na, Mg이다. 홀전자 수가 0인 원소는 Be, Mg이고, 홀전자 수가 1인 원소는 Li, B, Na이며, 홀전자 수가 2인 원소는 C이다.
- 제1 이온화 에너지는 Be>Mg, B>Li>Na이므로 V=Be, W=Mg, X=B, Y=Na, Z=C이다.

선택지 분석

ㄱ X는 13족 원소이다.
✗ 원자 반지름은 W>X>V이다. → W>V>X
ㄷ 제2 이온화 에너지는 Y>X>Z이다.

ㄱ. X는 B이므로 2주기 13족 원소이다.

ㄷ. 제2 이온화 에너지는 2주기에서 Na>O>B>C>Be이다. 따라서 Na>B>C이므로 Y>X>Z이다.

바로 보기 ㄴ. 원자 반지름은 같은 주기에서는 원자 번호가 클수록 감소하고 같은 족에서는 증가한다. 원자 반지름이 Mg>Be>B이므로 W>V>X이다.

11 원소의 주기율

원소의 주기적 성질

- 2족 원소

원소	Be	Mg	Ca	Sr
유효 핵전하	1.9	3.3	4.4	6.1
전자 껍질 수	2	3	4	5
원자 반지름(pm)	113	160	197	215

- 2주기 원소

원소	C	N	O	F
유효 핵전하			4.5	⊙ >4.5
전자 껍질 수			2	
원자 반지름(pm)		ⓒ	<66	

- 유효 핵전하는 같은 주기에서는 원자 번호가 클수록 증가한다.
- 원자 반지름은 같은 주기에서는 원자 번호가 증가할수록 유효 핵전하가 증가하므로 감소한다. 같은 족에서는 원자 번호가 증가할수록 전자 껍질 수가 증가하므로 증가한다.

선택지 분석

✗ 4.5>⊙>1.9이다. → ⊙>4.5
ⓒ ⓒ>66 pm이다.
ⓒ ⓒ은 전자 껍질 수이다.

ㄴ. 원자 반지름은 같은 주기에서는 원자 번호가 클수록 감소한다. 따라서 ⓒ>66(pm)이다.

ㄷ. 원자 반지름은 전자 껍질 수의 증가로 같은 족에서 원자 번호가 클수록 증가한다.

바로 보기 ㄱ. 같은 주기에서 유효 핵전하는 원자 번호가 클수록 증가하므로 ⊙은 4.5보다 크다.

12 오비탈과 주기성

오비탈과 전자 수

원자	A	B	C
$\dfrac{p \text{ 오비탈의 전자 수}}{s \text{ 오비탈의 전자 수}}$	$\dfrac{3}{2}$	$\dfrac{3}{2}$	$\dfrac{5}{3}$
$n+l=3$인 전자 수	8	6	8
p 오비탈의 전자 수	9	6	10
s 오비탈의 전자 수	6	4	6

- $n+l=3$인 경우는 $3s$ 오비탈($n=3$, $l=0$)이거나 $2p$ 오비탈($n=2$, $l=1$)인 경우이다.
- $n+l=3$에 전자가 8개 들어가려면 $2p$ 오비탈에 6개가 들어간 다음 $3s$ 오비탈에 전자가 들어간다. 따라서 A는 $1s^2 2s^2 2p^6 3s^2 3p^3$의 전자 배치를 갖는 P이고, B는 $n+l=3$에 전자가 6개 들어가려면 $2p$ 오비탈에 전자가 6이 될 수밖에 없으므로 전자 배치가 $1s^2 2s^2 2p^6$인 Ne이다. C는 $n+l=3$에 전자가 8개 들어가려면 $2p$ 오비탈에 6개가 들어간 다음 $3s$ 오비탈에 전자가 들어간다. 따라서 전자 배치가 $1s^2 2s^2 2p^6 3s^2 3p^4$인 S이다.

선택지 분석

ㄱ A~C 중 3주기 원소는 2가지이다.
✗ B와 C는 같은 족 원소이다.
ㄷ 이온화 에너지는 A>C이다.

ㄱ. A, B, C는 각각 P, Ne, S이므로 3주기 원소는 A와 C 2가지이다.

ㄷ. 이온화 에너지는 주기율표에서 오른쪽 위로 갈수록 증가하는 경향이 있으나 2족과 13족, 15족과 16족은 역전이 된다. 따라서 3주기 15족 P과 16족 S은 이온화 에너지가 P>S이다.

바로 보기 ㄴ. B는 2주기 18족 원소이고, C는 3주기 16족 원소이므로 다른 족 원소이다.

Ⅲ 화학 결합과 분자의 세계

DAY 1 개념 돌파 전략 ① 확인 Q | 8~9쪽

[5강] **1** 수산화, 수소 **2** 전자, 나트륨, 나트륨 **3** 이온 결합
4 분자, 공유 **5** 2 **6** 낮아져 **7** 양이온, 자유롭게
8 이온, 금속

1 (−)극: $4H_2O + 4e^- \longrightarrow 2H_2 + 4OH^-$
 (+)극: $2H_2O \longrightarrow O_2 + 4H^+ + 4e^-$

2 (−)극: 나트륨 금속, (+)극: 염소 기체 발생

3 이온 결합 물질은 고체 상태에서는 전기 전도성이 없으나 수용액에서는 전기 전도성을 갖는다.

4 분자 결정은 분자를 구성하는 공유 결합은 유지한 채 힘이 약한 분자 사이의 인력만 끊어지면 상태가 변하므로 녹는점, 끓는점이 비교적 낮다. 공유 결정은 원자들끼리 강하게 결합하고 있는 공유 결합이 끊어져야 하므로 녹는점, 끓는점이 높다.

5 물 분자는 2개의 공유 전자쌍과 2개의 비공유 전자쌍을 가진다.

6 핵 사이의 거리가 멀 때는 거리가 가까워질수록 인력이 우세해지고, 핵 사이의 거리가 가까울 때는 거리가 가까워질수록 반발력이 우세해진다.

7 금속 결합 물질은 금속 양이온과 자유 전자로 이루어진다.

8 이온 결합 물질은 힘을 가하면 부서지는 성질을 가지며, 금속 결합 물질은 전성(퍼짐성)과 연성(뽑힘성)을 가진다.

DAY 1 개념 돌파 전략 ① 확인 Q | 10~11쪽

[6강] **1** 증가, 감소 **2** 무극성, 극성 **3** 증가, 감소, 증가
4 극성, 무극성 **5** 평면 **6** 삼각뿔, 굽은 **7** 평면, 직선
8 대칭

1 전기 음성도는 F가 가장 크고, F에서 멀어질수록 점점 작아진다.

2 전기 음성도 차이가 없으면 무극성 공유 결합이다.

3 전기 음성도 차이가 클수록 결합의 극성은 커진다.

4 전기 음성도 차이가 약 2.0보다 크면 이온 결합이 형성되고, 전기 음성도 차이가 약 2.0보다 작으면 극성 공유 결합이 형성된다.

5 Be과 B는 옥텟 규칙을 따르지 않으며, Be는 직선형 구조, B는 삼각 평면 구조를 가진다.

6 중심 원자에 비공유 전자쌍을 1개 가지면서 공유 전자쌍 3개를 가지는 분자는 삼각뿔형의 분자 구조를 가진다. 중심 원자에 비공유 전자쌍을 2개 가지면서 공유 전자쌍 2개를 가지는 분자는 굽은 형의 분자 구조를 가진다.

7 에텐(C_2H_4) 분자는 평면 구조를 가지며, 에타인(C_2H_2) 분자는 직선 구조를 가진다.

8 극성 공유 결합을 하고 있지만 대칭 구조를 가지는 다원자 분자는 쌍극자 모멘트가 0이 되고, 무극성 분자가 된다.

DAY 1 개념 돌파 전략 ② | 12~13쪽

1 ⑤ **2** ③ **3** ① **4** ③ **5** ④ **6** ③

1 화학 결합 모형

모형을 보면 A^{2+}의 전자 수는 10개이다. 따라서 A는 전자 수가 12개이고 원자 번호 12인 Mg이다. B^{2-}은 전자 수는 10개이므로, B는 전자 수가 8개이고 원자 번호 8인 O이다. CD_3에서 C는 3개의 공유 결합을 하고 있고, 1개의 비공유 전자쌍을 가진다. 따라서 C는 전자 수가 7이고 원자 번호 7인 N이다. D는 전자가 1개이므로 원자 번호 1인 H이다.

ㄱ. B_2는 O_2이고, O는 원자가 전자가 6개이므로 2개의 공유 결합이 필요하여 이중 결합을 한다.

ㄴ. D_2B는 H_2O이고, H와 O는 모두 비금속이므로 공유 결합을 한다.

ㄷ. A는 Mg으로, 고체 금속은 금속 결합을 하며, 고체와 액체 상태에서 모두 전기 전도성을 가진다.

암기 Tip 화학 결합에 따른 물질의 성질

- 이온 결합 ➡ 금속 원소와 비금속 원소 간 결합
 공유 결합 ➡ 비금속 원소와 비금속 원소 간 결합
- 전기 전도성
 이온 결합 ➡ 액체와 수용액은 있음, 고체는 없음
 공유 결합 ➡ 없음(단, 흑연 예외)
 금속 결합 ➡ 고체와 액체에서 있음
- 외부에서 힘을 가할 때
 이온 결합 ➡ 결정이 부스러짐
 금속 결합 ➡ 연성(뽑힘성)과 전성(퍼짐성)이 있음

2 전기 전도성과 화학 결합

AB_2와 CB는 액체 상태에서 전기 전도성을 가지므로 이온

결합 물질이다. A~D는 각각 O, F, Na, Mg 중 하나이며, 각 원자의 이온은 O^{2-}, F^-, Na^+, Mg^{2+}이다. 이온 결합 물질에서 양이온과 음이온의 전체 전하량의 합은 0임을 이용하면 각 원자의 종류를 알 수 있다. AB_2에서 A와 B가 결합하는 개수비는 1 : 2이고, CB에서 C와 B가 결합하는 개수비는 1 : 1이므로, B는 F임을 알 수 있다.

ㄱ. B가 F이면 AB_2에서 A는 Mg이고, CB에서 C는 Na이다. 따라서 남아 있는 D는 O이다.

ㄷ. C와 D의 결합은 금속 원소인 나트륨과 비금속 원소인 산소 사이의 결합이므로 이온 결합이다. 나트륨 이온의 전하량은 +1, 산화 이온의 전하량은 −2이므로 C와 D는 2 : 1로 결합한다.

👁 **바로 보기**　ㄴ. D와 B는 산소와 플루오린으로 둘 다 비금속 원소이다. 따라서 DB_2는 공유 결합 물질이다. 공유 결합 물질은 액체 상태일 때 전기 전도성이 없다.

3 금속 결정, 이온 결정, 공유 결정

ㄱ. Cu(s)는 고체 금속으로 전성과 연성을 가진다.

👁 **바로 보기**　ㄴ. NaCl(s)과 같은 이온 결합 화합물은 고체 상태에서는 전기 전도성이 없지만, 액체와 수용액 상태일 때 전기 전도성을 갖는다.

ㄷ. 다이아몬드(C)는 탄소 원자 간의 공유 결합을 통하여 규칙적인 배열을 하여 공유 결정을 형성한다.

4 전기 음성도

F은 전기 음성도가 4.0으로 가장 크다. 따라서 CF_4에서 전기 음성도 차 1.5를 통하여 C의 전기 음성도는 2.5라는 것을 알 수 있다. OF_2의 전기 음성도 차가 0.5이므로 O의 전기 음성도는 3.5이고, ClF의 전기 음성도 차가 1.0이므로 Cl의 전기 음성도는 3.0이다.

ㄱ. 같은 주기일 때 원자 번호가 커질수록 전기 음성도가 커지므로 P는 Cl보다 전기 음성도가 작아야 한다. 따라서 x는 1보다 크다.

ㄷ. Cl의 전기 음성도는 3.0이고, O의 전기 음성도는 3.5이다. Cl는 O보다 전기 음성도가 작으므로 부분적인 양전하(δ^+)를 띤다.

👁 **바로 보기**　ㄴ. PF_3은 중심 원자 P이 비공유 전자쌍을 1개 가지고 있으므로 분자 구조는 삼각뿔형이며, 극성 분자이다.

> **암기 Tip**　**무극성 공유 결합과 극성 공유 결합**
>
> • 같은 종류의 원자 ➡ 전기 음성도가 동일 ➡ 무극성 공유 결합
> • 서로 다른 원자 ➡ 전기 음성도 다름 ➡ 극성 공유 결합 ➡ 전기 음성도가 큰 쪽이 부분적인 음전하(δ^-)를 띰

5 화학 결합 모형과 분자의 성질

모형을 보면 WX는 공유 결합이 1개이다. W는 전자가 1개이므로 H이고, X는 전자가 9개이므로 F이다. WYZ에서 Y는 전자가 6개이므로 C이며, Z는 전자가 7개이므로 N이다. 또는 Y는 2개의 껍질을 가지고 있으면서 공유 결합이 4개이므로 C임을 알 수 있고, Z는 2개의 껍질을 가지고 있으면서 공유 결합이 3개이므로 N임을 알 수 있다.

ㄴ. 전기 음성도는 F>N>C>H이다.

ㄷ. YX_4에서 Y(C)는 X(F)보다 전기 음성도가 작으므로 부분적인 양전하(δ^+)를 띤다.

👁 **바로 보기**　ㄱ. ZW_3는 NH_3이다. NH_3는 N에 비공유 전자쌍이 1개 존재하므로 삼각뿔형이며, 삼각뿔형은 비대칭 구조이므로 극성 분자이다.

> **암기 Tip**　**2주기 원소의 전기 음성도 비교**
>
> • 2주기 원소들의 전기 음성도는 원자 번호가 증가할수록 약 0.5씩 증가
> Li 1.0 ➡ Be 1.5 ➡ B 2.0 ➡ C 2.5 ➡ N 3.0 ➡ O 3.5 ➡ F 4.0

6 분자 구조

(가) H−C≡N는 직선형, (나) BF_3는 평면 삼각형, (다) CF_4는 정사면체 구조이다.

ㄷ. 직선형의 결합각은 180°이며, 평면 삼각형의 결합각은 120°이고, 정사면체의 결합각은 109.5°이다.

👁 **바로 보기**　ㄱ, ㄴ. (나)는 평면 삼각형 구조이고, (다)는 정사면체형의 입체 구조이다.

> **암기 Tip**　**분자의 구조**
>
> • 옥텟 규칙 예외 ➡ 중심 원자가 Be인 직선형 구조, 중심 원자가 B인 평면 삼각형 구조의 화합물에서 Be, B는 옥텟 규칙을 만족하지 않음
> • 무극성 분자 ➡ BF_3 - 평면 삼각형 120°, CF_4 - 정사면체 109.5°
>
>

DAY 2 필수 체크 전략 ①　| 14~17쪽

❶-1 $\dfrac{1}{8}$　❷-1 ㄴ, ㄷ　❸-1 ㄱ, ㄴ, ㄷ　❹-1 ㄱ, ㄴ

❺-1 ㄱ, ㄷ　❻-1 ㄱ　❼-1 ㄱ, ㄷ

❶-1 물의 전기 분해

(−)극에서는 수소 기체가 2몰 생성되고, (+)극에서는 산소 기체가 1몰 생성된다.

👁 **바로 보기** 기체의 질량을 비교해야 한다. 수소 기체는 분자량이 2이고, 산소 기체는 분자량이 32이다. (−)극에서 생성된 기체의 질량은 생성된 몰 수 2몰과 수소의 분자량 2를 곱하면 4이고, (+)극에서 생성된 기체의 질량은 생성된 몰 수 1몰과 산소의 분자량 32를 곱하면 32이다.

따라서 $\dfrac{(-)극에서\ 생성된\ 기체\ B의\ 질량}{(+)극에서\ 생성된\ 기체\ A의\ 질량} = \dfrac{4}{32} = \dfrac{1}{8}$이다.

> **암기 Tip** **물의 전기 분해 반응**
>
> (−)극: $4H_2O + 4e^- \longrightarrow 2H_2 + 4OH^-$
> (+)극: $2H_2O \longrightarrow O_2 + 4H^+ + 4e^-$

❷-1 이온 결합 물질의 녹는점 비교

ㄴ. 두 물질의 이온 전하량은 같지만 $NaBr$의 이온 간 거리가 NaF보다 크므로, $NaBr$의 녹는점이 더 낮다.

ㄷ. 두 물질의 이온 전하량은 같지만 CaO의 이온 간 거리가 MgO보다 크므로, CaO의 녹는점이 더 낮다.

👁 **바로 보기** ㄱ. NaF와 CaO의 이온 간 거리는 비슷하지만 CaO의 이온 전하량이 NaF보다 크므로 CaO의 녹는점이 더 높다.

> **암기 Tip** **이온 결합 물질의 녹는점**
>
> • 이온 간 거리가 짧을수록 녹는점이 높다.
> • 이온의 전하량이 클수록 녹는점이 높다.

❸-1 화학 결합

2주기 원소에는 Li, Be, B, C, N, O, F, Ne이 있다. 금속 원소는 Li, Be이며, 비금속 원소는 B, C, N, O, F이고, Ne은 비활성 기체이다. 금속 원소와 비금속 원소 사이에는 이온 결합이 형성되고, 비금속 원소와 비금속 원소 사이에는 공유 결합이 형성된다. 금속 원소가 홀로 있을 때는 금속 결합을 한다. 비활성 기체는 홀로 안정하므로 결합하지 않는다. 표에서 B, C 2개의 원소가 홀로 존재하며 화학 결합을 하고 있으므로 ⓒ은 금속 결합이며, B와 C는 Li, Be 중 하나이다. BD와 CE에서 B와 C가 금속 원소이므로 BD와 CE는 이온 결합 물질이다. 2주기 원소 중 금속은 2가지인데 B와 C가 금속이므로, 나머지 A, D, E는 비금속 원소이다. 따라서 AD_2와 DE_2는 비금속 원소와 비금속 원소의 결합이므로 공유 결합 물질이다.

ㄱ. B(Be)와 C(Li)는 금속 결합 물질이다.

ㄴ. 2주기 원소 중에서 Li, Be과 1 : 1로 이온 결합하는 원소는 O와 F이다. 따라서 D와 E는 O 또는 F이다. 그런데 DE_2가 존재하므로 D는 O이며, E는 F이다. D는 O인데

AD_2가 존재하므로 A는 C(탄소)이다. 따라서 전기 음성도를 비교해 보면, F > O > C(탄소)이므로, E > D > A이다.

ㄷ. E가 F이므로 CE(s)에서 C는 Li가 된다. 또한 LiF는 이온 결합 물질이므로 외부에서 힘을 가하면 부서지는 성질이 있다.

❹-1 화학 결합

모형에서 A^+은 전자 수가 10개이므로 A는 원자 번호 11번인 Na이다. BC^-에서 B는 전자 수가 8인 O이고, C는 전자 수가 17인 Cl이다.

ㄱ. 금속 Na은 고체일 때 금속 결정을 형성하며, 금속 결합 물질은 연성과 전성을 가진다.

ㄷ. AC(s)는 NaCl(s)이며, 금속 원소와 비금속 원소는 이온 결합을 하고, 이온 결합 물질은 외부에서 힘을 가하면 쉽게 부서진다.

👁 **바로 보기** ㄴ. B_2는 O_2이며, O는 원자가 전자가 6개이므로 이원자 분자인 O_2에서 이중 결합을 한다. C_2는 Cl_2이며, Cl은 원자가 전자가 7개이므로 단일 결합을 형성한다.

❺-1 화학 결합 모형

A^+은 전자가 2개이므로 원자 번호 3인 Li이다. B^-은 전자가 18개이므로 원자 번호 17인 Cl이다. C는 전자가 1개이므로 원자 번호 1인 H이다. D는 두 번째 껍질에서 2개의 공유 결합을 하고 2개의 비공유 전자쌍을 가지므로 O이다.

ㄱ. H와 Li은 1족 원소이다.

ㄷ. Cl_2의 비공유 전자쌍은 6개이며, O_2의 비공유 전자쌍은 4개이다. 따라서 비공유 전자쌍의 수는 $B_2 > D_2$이다.

👁 **바로 보기** ㄴ. LiCl은 이온 결합 물질이므로 액체와 수용액 상태에서 전기 전도성을 가지고, 고체에서는 전기 전도성이 없다.

❻-1 루이스 전자점식

제시된 루이스 전자점식에서, B는 원자가 전자가 1개이고, C는 원자가 전자가 7개이다. A^-의 전자가 7개이므로 A의 원자가 전자는 6개이다. 1주기 또는 2주기 원소이며 이러한 조건을 만족하는 원소는 A = O, B = H, C = F이다.

ㄱ. H, O, F는 모두 비금속 원소이다.

👁 **바로 보기** ㄴ. A는 O로 16족, C는 F으로 17족이다.

ㄷ. B_2A는 H_2O이고, AC_2는 OF_2이다. H_2O은 비공유 전자쌍이 2개이다. OF_2는 중심 원자인 O뿐만 아니라 F에도 비공유 전자쌍이 존재하여 비공유 전자쌍이 8개이다.

❼-1 핵 간 거리에 따른 에너지 변화

자료 분석 ✛ 수소 원자의 핵 간 거리에 따른 에너지 변화

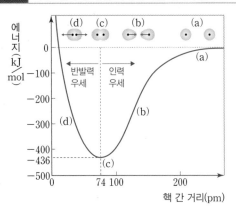

- (a): 두 수소 원자 사이의 거리가 멀어 인력과 반발력이 거의 작용하지 않으므로 에너지가 0이다.
- (b): 두 수소 원자가 가까워질수록 인력이 증가하여 에너지가 낮아진다.
- (c): 두 수소 원자 사이의 인력과 반발력이 균형을 이루어 에너지가 가장 낮은 안정한 상태에서 공유 결합이 형성된다. ➡ 수소 분자(H_2) 1몰이 형성될 때 436 kJ/mol의 에너지가 방출되고, 수소 분자의 결합 길이는 74 pm이다.
- (d): 두 수소 원자가 더 가까워진다면 원자핵 간, 전자 간 반발력이 강하여 에너지가 높아지고 불안정해진다.

선택지 분석

ㄱ (b)에서는 수소 원자 사이의 인력이 반발력보다 우세하다.
✗ (c)에서는 수소 원자 사이에 반발력이 작용하지 않는다. ➞ 작용한다.
ㄷ H_2에서 공유 결합을 형성할 때, 원자핵 사이의 거리는 74 pm이다.

ㄱ. (b)에서는 거리가 가까워질수록 인력이 증가하고, (d)에서는 거리가 가까워질수록 반발력이 증가한다.

ㄷ. (c)는 가장 안정한 상태로 공유 결합을 형성하고, 수소 분자의 결합 길이는 74 pm가 된다.

👁 바로 보기 ㄴ. (c)는 인력과 반발력이 균형을 이루어 에너지가 가장 낮은 안정한 상태이다.

DAY 2 필수 체크 전략 ②

18~19쪽

[최다 오답 문제]

1 ③ **2** ③ **3** ③ **4** ③ **5** ① **6** ② **7** ② **8** ①

1 화학 반응과 화학 결합

자료 분석 ✛ 화학 결합 모형

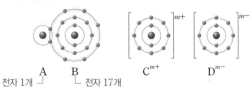

- A는 수소(H)이고, B는 염소(Cl)이다.
- A_2D에서 D는 전하가 −2이고, 산소(O)임을 알 수 있다.

- $m=2$이므로, C는 마그네슘(Mg)임을 알 수 있고, (가)는 $CB_2=MgCl_2$임을 알 수 있다.

선택지 분석

ㄱ $m=2$이다.
✗ (가)는 공유 결합 물질이다.➞ 이온 결합 물질
ㄷ 비공유 전자쌍 수는 $B_2>D_2$이다.

ㄱ. C와 D는 2가 양이온과 2가 음이온이므로, m은 2이다.

ㄷ. B_2는 Cl_2이므로 비공유 전자쌍이 6개이고, D_2는 O_2이므로 비공유 전자쌍이 4개이다.

👁 바로 보기 ㄴ. (가)는 $MgCl_2$이며, 금속과 비금속의 결합이므로 이온 결합 물질이다.

2 이온 결합

자료 분석 ✛ 루이스 전자점식

$$X^+\left[:\overset{..}{\underset{..}{Y}}:\right]^- \qquad X^+\left[:\overset{..}{\underset{..}{Z}}:\right]^- \qquad W^{2+}\left[:\overset{..}{\underset{..}{Y}}:\right]_2$$

- Y, Z는 1가 음이온이며 2, 3주기 원소이므로 F, Cl 중 하나이다.
- 녹는점이 XY>XZ이므로, Y는 F이고 Z는 Cl이다.
- X와 W는 같은 주기이므로, (X, W)는 (Li, Be) 또는 (Na, Mg)이다.

선택지 분석

ㄱ 전기 음성도는 Y>Z이다.
ㄴ 녹는점은 WY_2가 XY보다 높다.
✗ 전기 전도성은 YZ(l)>XZ(l)이다. ➞ XZ(l)>YZ(l)

ㄱ. Y는 F이므로 Z인 Cl보다 전기 음성도가 크다.

ㄴ. WY_2와 XY는 이온 결합 물질이며, Y는 동일하므로 양이온의 전하량에 따라 녹는점이 달라진다. 이온의 전하량이 클수록 녹는점이 높으므로, 2가의 양이온인 WY_2의 녹는점이 XY보다 높다.

👁 바로 보기 ㄷ. YZ는 FCl이므로 비금속끼리의 결합인 공유 결합 물질이다. 따라서 상태에 관계없이 전기 전도성을 갖지 않는다. XZ는 LiCl 또는 NaCl으로, 금속 원소와 비금속 원소의 결합이므로 이온 결합 물질이다. 이온 결합 물질은 액체 또는 수용액 상태일 때 전기 전도성을 갖는다. 따라서 전기 전도성은 XZ(l)>YZ(l)이다.

3 옥텟 규칙

자료 분석 ✛ 비공유 전자쌍 수를 통한 분자 찾기

분자	분자식	비공유 전자쌍 수
(가)	X_aY_a	8
(나)	X_aY_{a+2}	14
(다)	X_bY_{a+1}	10
(라)	Z_aY_a	10

- 2주기 원소 중에서 분자를 형성하였을 때 비공유 전자쌍을 가질 수 있는 것은 N, O, F이다.
- N는 1개, O는 2개, F은 3개의 비공유 전자쌍을 가진다.
- (가)에서 (나)로 변할 때 Y가 2개 증가하였더니 비공유 전자쌍은 6개 증가하였다. 따라서 Y는 비공유 전자쌍이 3개인 F이다. (Y=F)
- (가)에서 Y가 F이고, 동일한 개수(a)로 X와 Y가 존재할 때, 비공유 전자쌍 수 8을 만족하려면, X는 비공유 전자쌍 1개를 가지는 N이면서 a는 2여야 한다. (X=N, a=2)
  (비공유 전자쌍 수: a(X+Y)=2(N+F)=2(1+3)=2×4=8)
- (다)에서 N_bF_3일 때 비공유 전자쌍 수가 10이므로, $1×b+3×3=10$이다. 따라서 b는 1이 된다. (b=1)
- (라)에서 Z_2F_2이면서 공유 전자쌍이 10이 되려면, Z는 산소(O)이다. 따라서 X는 N, Y는 F, Z는 O이다.

선택지 분석

ㄱ. $a+b=3$이다.
ㄴ. Z는 16족 원소이다.
✗ ㄷ. 무극성 공유 결합이 있는 분자는 2가지이다. → 3가지

ㄱ. $a=2$, $b=1$이다.

ㄴ. X는 N, Y는 F, Z는 O이다. O는 16족 원소이다.

바로 보기 ㄷ. (가)는 F−N=N−F이고, (나)는 $F_2N−NF_2$, (다)는 NF_3, (라)는 F−O−O−F이다. 무극성 공유 결합이 있으려면 동일 원자끼리의 결합이 있어야 하므로, (가), (나), (라) 3가지 분자에 무극성 공유 결합이 있다.

4 결합 모형과 이온 결합

자료 분석 + 화학 결합 모형과 이온 결합 물질

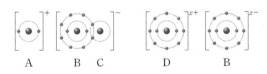

A   B   C   D   B

- A는 전자를 1개 잃어 A^+가 되었을 때 전자가 2개 있으므로 원자 번호 3인 Li이다.
- C는 전자 1개를 공유 결합하고 있으므로 원자 번호 1인 H이다.
- B는 C와 전자를 1개씩 내어 공유 결합을 하고 있고, 전자를 1개 얻어 전자 10개이므로, 원자 번호 8인 O이다.
- B는 O이므로 전자를 2개 얻어 O^{2-}가 되면 옥텟 규칙을 만족하게 된다. 따라서 $x=2$이므로 D는 D^{2+}가 되고, 전자 2개를 잃어 10개가 되므로 D는 원자 번호 12인 Mg이다.

선택지 분석

ㄱ $A_2B(aq)$는 전기 전도성이 있다.
ㄴ BC^-에서 B와 C는 공유 결합을 한다.
✗ A와 D는 1 : 1로 결합하여 이온 결합 화합물을 형성한다. → 형성하지 않는다.

ㄱ. A_2B는 Li_2O이며, 금속 원소와 비금속 원소의 결합이므로 이온 결합 화합물이다. 따라서 액체와 수용액 상태에서 전기 전도성을 가진다.

ㄴ. BC^-은 OH^-이며, 비금속 원소와 비금속 원소의 결합이므로 공유 결합 화합물이다.

바로 보기 ㄷ. A와 D는 모두 금속 원소이므로 이온 결합 화합물을 형성하지 않는다.

5 화합물과 공유 전자쌍 수

자료 분석 + 화합물과 공유 전자쌍 수

	(가)	(나)	(다)
화합물	XZ_2	Y_2Z_2	XY
공유 전자쌍 수	−	a	−

- (가)와 (다)는 공유 전자쌍이 없으므로 이온 결합 물질이다.
- (나)는 공유 전자쌍이 있으므로 공유 결합 물질이며, Y와 Z는 비금속이다.
- Y와 Z가 비금속 원소이므로, (가)와 (다)에서 X는 금속 원소이다.
- X~Z의 이온은 모두 Ne의 전자 배치를 가지므로, X는 3주기 금속 원소이고, Y와 Z는 2주기 비금속 원소이다.
- (가)는 X : Z=1 : 2이고, (다)는 X : Y=1 : 1이므로, X는 2가 양이온이 될 수 있는 2족 원소 Mg이고, Y는 2가 음이온이 될 수 있는 16족 원소 O이며, Z는 1가 음이온인 F이다.

선택지 분석

ㄱ $a=3$이다.
✗ Z는 Cl이다. → F
✗ YZ_2는 액체 상태에서 전기 전도성이 있다. → 없다.

ㄱ. O_2F_2는 F−O−O−F이므로 3개의 공유 전자쌍을 가진다.

바로 보기 ㄴ. X는 Mg이고, Y는 O이며, Z는 F이다.

ㄷ. OF_2는 공유 결합 물질이므로 전기 전도성이 없다.

6 이온 결합과 공유 결합

자료 분석 + 화학 결합 모형

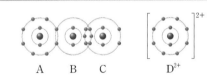

A   B   C D^{2+} E^{2-}

- A는 F, B는 C, C는 N이다.
- D는 2가 양이온일 때 전자가 10개이므로 원자 번호 12인 Mg이다.
- E는 2가 음이온일 때 전자가 10개이므로 원자 번호 8인 O이다.

선택지 분석

✗ EA_2는 이온 결합 물질이다. → 공유 결합
✗ D와 E는 같은 주기 원소이다. → 다른 주기
ㄷ ACE의 비공유 전자쌍 수는 C_2의 3배이다.

ㄷ. F−N=O의 비공유 전자쌍은 6개(F: 3, N: 1, O: 2)이고, N_2의 비공유 전자쌍은 2개이다.

바로 보기 ㄱ. OF_2는 공유 결합 물질이다.

ㄴ. D는 3주기 원소이고, E는 2주기 원소이다.

7 화학 결합 모형과 화학 결합

자료 분석 + 화학 결합 모형

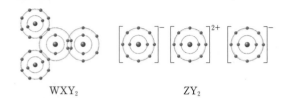

WXY₂   ZY₂

• WXY₂는 COF₂이다. ZY₂는 MgF₂이다.

선택지 분석

✗ ZY₂(s)는 전기 전도성이 있다. → ZY₂(aq) 또는 ZY₂(l)
✗ W~Z는 모두 같은 주기 원소이다. → 2주기 또는 3주기
ⓒ X와 Z는 1 : 1로 결합하여 안정한 화합물을 형성한다.

ㄷ. O는 2가 음이온이고 Mg은 2가 양이온이므로 1 : 1로 결합하여 안정해진다.

👁 바로 보기 ㄱ. MgF₂은 금속 원소와 비금속 원소의 결합이므로 이온 결합 물질이다. 이온 결합 물질은 고체일 때는 전기 전도성이 없고, 액체 또는 수용액 상태일 때 전기 전도성을 가진다.

ㄴ. C, O, F은 2주기이지만, Mg은 3주기이다.

8 루이스 전자점식과 화학 결합

자료 분석 + 루이스 전자점식

$$Y : \overset{\overset{Y}{..}}{\underset{\underset{Y}{..}}{X}} : Y \qquad \left[Y : \overset{\overset{Y}{..}}{\underset{\underset{Y}{..}}{Z}} : Y \right]^{+}$$

XY₄   ZY₄⁺

• X~Z는 1, 2주기 원소이므로 X는 C, Y는 H, Z는 N이다.

선택지 분석

㉠ Z의 원자가 전자 수는 5이다.
✗ YXZ에는 이중 결합이 있다. → 없다.
✗ ZY₄⁺에서 Z와 Y는 이온 결합을 하고 있다. → 공유 결합

ㄱ. N는 원자가 전자 수가 5이다.

👁 바로 보기 ㄴ. H−C≡N에서 H−C 결합은 단일 결합이고, C≡N 결합은 삼중 결합이다.

ㄷ. NH₄⁺에서 N와 H는 공유 결합을 하고 있다.

❶-1 ㄱ, ㄷ ❷-1 H₂O: I, CH₄: Ⅱ ❸-1 ㄱ, ㄴ, ㄷ
❹-1 ㄱ ❺-1 ㄱ, ㄴ ❻-1 ㄱ, ㄴ, ㄷ ❼-1 ㄱ
❼-2 ㄱ

❶-1 **구조식과 분자 구조**

(가)는 중심 원자인 O에 비공유 전자쌍이 2개 있으므로 굽은 형 구조이다. (나), (다)의 중심 원자인 C는 4개의 공유 전자쌍만 가진다. (나), (다)는 중심 원자에 비공유 전자쌍이 없으므로 직선형이다.

ㄱ. (다)는 대칭 구조이므로 무극성 분자이고, (가)와 (나)는 비대칭 구조이므로 극성 분자이다. 따라서 극성 분사는 (가)와 (나) 2가지이다.

ㄷ. 탄소는 화합물에서 비공유 전자쌍을 갖지 않는다. 따라서 중심 원자에 비공유 전자쌍이 존재하는 분자는 (가) 1가지이다.

👁 바로 보기 ㄴ. 직선형 분자는 (나)와 (다) 2가지이다.

❷-1 **결합각 비교**

BCl₃의 결합각은 120°이고, NH₃의 결합각은 107°이다. 따라서 α는 107°이고, β는 120°이다. H₂O의 결합각은 104.5°, CH₄의 결합각은 109.5°이므로, 결합각을 비교하면 H₂O< NH₃<CH₄<BCl₃이다.

암기 Tip **결합각**

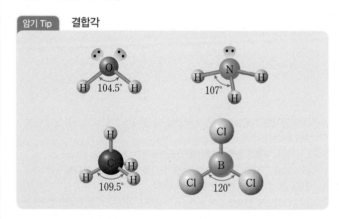

❸-1 **분자 구조와 성질**

OF₂의 결합선 수는 2이며, CO₂의 결합선 수는 4이며, NF₃의 결합선 수는 3이다. 결합선 수는 (가)>(나)이므로, 다음과 같은 세 가지 경우의 수가 생긴다.

	결합선 수	I	Ⅱ	Ⅲ
O＝C＝O	4	(가)	(가)	
:F̈−N̈−F̈: ㅣ :F̈:	3	(나)		(가)
:F̈−Ö−F̈:	2		(나)	(나)

중심 원자의 원자 번호는 (다)>(나)인데, 세 가지 분자의 중심 원자의 원자 번호를 비교하면 O>N>C이므로, Ⅰ의 경우만 가능하게 된다. 따라서 (가)는 CO_2이고, (나)는 NF_3이고, (다)는 OF_2이다.

ㄱ. CO_2는 공유 전자쌍 수가 4이고, 비공유 전자쌍 수도 4이므로 같다.

ㄴ. CO_2는 결합각이 180°인데, OF_2와 NF_3는 중심 원자에 비공유 전자쌍을 가지고 있으므로 결합각이 180°보다 작아진다. 따라서 결합각은 (가) CO_2 > (나) NF_3이다.

ㄷ. (가)는 무극성 분자이므로 쌍극자 모멘트가 0이다. 따라서 쌍극자 모멘트는 (다)>(가)이다.

암기 Tip 결합각

비공유 전자쌍 증가

중심 원자에 비공유 전자쌍이 증가할수록 결합각이 작아짐

❹-1 미지의 분자 찾기

자료 분석 + 미지의 분자 찾기

분자	(가)	(나)	(다)
중심 원자	탄소	질소	탄소
구성 원소의 종류	3	3	2
공유 전자쌍 수	4	3	4
분자 구조	직선형	굽은 형	직선형

• 2주기 옥텟 규칙을 만족하는 원자는 C, N, O, F이다.
• (가): 중심 원자가 C이며, 구성 원소가 3종류이고, 공유 전자쌍 수가 4이며, 직선형인 분자는 $F-C{\equiv}N$뿐이다.
• (나): 중심 원자가 N이며, 구성 원소가 3종류이고, 공유 전자쌍 수가 3이며, 굽은 형인 분자는 $F-N=O$뿐이다.
• (다): 중심 원자가 C이며, 구성 원소가 2종류이고, 공유 전자쌍 수가 4이며, 직선형인 분자는 $O=C=O$뿐이다.

선택지 분석

ㄱ (가)에는 3중 결합이 있다.
✘ (나)의 비공유 전자쌍 수는 1이다. → 6
✘ (다)는 무극성 공유 결합을 가진다. → 극성

ㄱ. (가)는 $F-C{\equiv}N$이므로 3중 결합을 가진다.

바로 보기 ㄴ. (나)는 N에 1개, F에 3개, O에 2개의 비공유 전자쌍을 가진다.

ㄷ. (다)는 $O=C=O$이므로 무극성 분자이지만 C와 O 사이에 극성 공유 결합을 한다.

❺-1 전기 음성도와 극성 결합

자료 분석 + 주기율표와 전기 음성도

족 주기	1	2	13	14	15	16	17	18
2	A			B		C		
3							D	

• A는 Li, B는 C, C는 O, D는 Cl이다.

선택지 분석

ㄱ BD_4는 무극성 분자이다.
ㄴ D_2C_2에는 무극성 공유 결합이 있다.
✘ 전기 음성도는 A>B>C>D이다. → A<B<D<C

ㄱ. BD_4는 CCl_4이며 정사면체 구조를 가지므로 무극성 분자이다.

ㄴ. D_2C_2는 Cl_2O_2이므로 $Cl-O-O-Cl$의 구조를 가진다. 이때 O-O는 무극성 공유 결합이고, O-Cl은 극성 공유 결합이다.

바로 보기 ㄷ. 2주기 원소들은 원자 번호가 작아질수록 전기 음성도가 작아진다. 따라서 전기 음성도 A<B<C인데, D는 약 3.0으로 B와 C의 중간 정도의 전기 음성도를 가지므로 A<B<D<C가 된다.

암기 Tip 전기 음성도

별도 암기

1주기	H 2.1		0.5씩 감소				
2주기	Li 1.0	Be 1.5	B 2.0	C 2.5	N 3.0	O 3.5	F 4.0 기준
3주기						S 2.5	Cl 3.0

1.0 감소

• F 4.0 기준
• 2주기: 원자 번호가 작아질수록 0.5씩 감소
• 2주기에서 3주기로 갈 때: 1.0 감소 (S와 Cl까지만 암기)
• 위 값은 대략적인 수치임
• 엄밀히 따지면 Cl>N

❻-1 분자에 따른 전자쌍 수

자료 분석 + 옥텟 규칙과 전자쌍 수

분자	(가)	(나)
구조식	W-X-X-W	Y-Z-W
비공유 전자쌍 수	6	6
공유 전자쌍 수	5	3

• 비공유 전자쌍 수만 고려하면 (가)는 C와 F의 조합 또는 N과 O의 조합이 가능하다.

- (가)에서 옥텟 규칙을 만족하면서, 공유 전자쌍이 5개이려면 $F-C\equiv C-F$와 같은 C와 F의 조합만 가능하다. 따라서 X는 C이고, W는 F이다.
- (나)에서 3가지 원자로 비공유 전자쌍이 6개가 되려면, N, O, F이 하나씩 결합해야 한다. 옥텟을 만족하면서 공유 전자쌍 수가 3이 되도록 결합하면 $O=N-F$가 된다. 따라서 Y는 O이고, Z는 N이다.

선택지 분석
ㄱ (가)는 무극성 분자이다.
ㄴ (나)는 굽은 형이다.
ㄷ 전기 음성도는 Y > Z이다.

ㄱ. (가)는 $F-C_2\equiv C-F$로 무극성 분자이다.

ㄴ. (나)는 $O=N-F$인데, 중심 원자인 N에 비공유 전자쌍이 1개 존재하므로 굽은 형 구조이다.

ㄷ. Y는 O이고, Z는 N이다. 같은 주기에서 원자 번호가 커질수록 선기 음성도가 커지므로 O > N이다.

❼-1 전기 음성도

자료 분석 + 전기 음성도와 같은 족

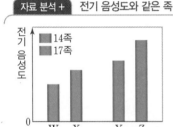
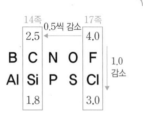

- 14족에서 W는 Si이고, X는 C이다.
- 17족에서 Y는 Cl이고, Z는 F이다.

선택지 분석
ㄱ 원자 번호는 Y > W이다.
✗ X와 Y는 같은 주기 원소이다. → W와 Y 또는 X와 Z
✗ XZ_2Y_2는 무극성 공유 결합을 한다. → 극성

ㄱ. 원자 번호는 Y > W > Z > X이다.

👁 바로 보기 ㄴ. W와 Y가 3주기, X와 Z가 2주기 원소이다.

ㄷ. XZ_2Y_2는 CF_2Cl_2이므로 C를 중심으로 하는 사면체 구조이다. 따라서 모두 극성 공유 결합으로 이루어져 있다. 무극성 공유 결합은 동일한 원자끼리의 공유 결합이다.

❼-2 전기 음성도

전기 음성도는 같은 주기에서 원자 번호가 클수록 커지고, 같은 족에서 원자 번호가 클수록 작아진다. 또한 금속 원소보다 비금속 원소가 전기 음성도가 크다. 따라서 A는 Na, B는 F, C는 Mg, D는 O이다.

ㄱ. A(Na)는 1족 원소로 전자 1개를 잃어 +1가의 이온이 되며, B(F)는 17족 원소로 전자 1개를 얻어 −1가의 이온이

되므로 A와 B는 1 : 1의 입자 수비로 이온 결합 화합물을 만든다. 따라서 A와 B가 결합한 화합물의 화학식은 AB이다.

👁 바로 보기 ㄴ. C는 금속 원소이고, D는 비금속 원소이다. 금속 원소와 비금속 원소의 결합은 이온 결합이다.

ㄷ. $D_2(O_2)$ 분자는 2중 결합을 하므로 2개의 공유 전자쌍이 있고, 4개의 비공유 전자쌍이 있다.

DAY 3 필수 체크 전략 ② | 24~25쪽

[최다 오답 문제]
1 ④   2 ③   3 ②   4 ⑤   5 ④   6 ②   7 ③

1 전기 음성도

자료 분석 + 전기 음성도

별도 암기

1주기	H 2.1		0.5씩 감소				
2주기	Li 1.0	Be 1.5	B 2.0	C 2.5	N 3.0	O 3.5	F 4.0 (기준)
3주기						S 2.5	Cl 3.0 (1.0 감소)

- C, O, F, Cl 중 F, Cl이 같은 족이다.
- C, O, F, Cl 의 전기 음성도는 F > O > Cl > C이다.
- Z=F, X=O, Y=Cl, W=C이다.

선택지 분석
ㄱ Y는 염소(Cl)이다.
✗ XY_2는 무극성 분자이다. → 극성
ㄷ WZ_4에서 Z는 부분적인 음전하(δ^-)를 띤다.

ㄱ. W=C, X=O, Y=Cl, Z=F이다.

ㄷ. CF_4에서 F의 전기 음성도가 C보다 크므로 F가 부분적인 음전하(δ^-)를 띤다.

👁 바로 보기 ㄴ. OCl_2는 중심 원자 O에 비공유 전자쌍이 있으므로 굽은 형이다. 따라서 극성 분자이다.

2 다원자 분자

자료 분석 + 옥텟 규칙과 비공유 전자쌍 수로 다원자 분자 예상하기

분자	(가)	(나)	(다)
구성 원소	N, F	N, F	O, F
구성 원자 수	a		
비공유 전자쌍 수	$2a$	b	b

- N, F 또는 O, F를 조합한 분자는 구성 원자 수가 3 이상일 경우 옥텟 규칙을 만족할 수 있다. 문제의 조건에서 구성 원자 수가 4 이하이므로, N, F를 조합한 분자는 N_2F_2 또는 NF_3가 가능하고, O, F를 조합한 분자는 O_2F_2 또는 OF_2가 가능하다.

- N_2F_2: 구성 원자 수 4, 비공유 전자쌍 수 8

$$:\ddot{F}-\ddot{N}=\ddot{N}-\ddot{F}:$$

- NF_3: 구성 원자 수 4, 비공유 전자쌍 수 10

$$:\ddot{F}-\underset{:\ddot{F}:}{\overset{\displaystyle :\ddot{F}:}{\vphantom{.}}}\ddot{N}-\ddot{F}:$$

- O_2F_2: 구성 원자 수 4, 비공유 전자쌍 수 10

$$\overset{\displaystyle :\ddot{F}:}{\underset{\displaystyle :\ddot{F}}{\vphantom{.}}}\ddot{O}-\ddot{O}$$

- OF_2: 구성 원자 수 3, 비공유 전자쌍 수 8

$$:\ddot{F}-\ddot{O}-\ddot{F}:$$

- 따라서 비공유 전자쌍의 수가 구성 원자 수의 2배인 (가)는 N_2F_2이다.
- 비공유 전자쌍 수가 같은 분자는 (나) NF_3와 (다) O_2F_2이다.

선택지 분석

㉠ $b=10$이다.
✗ (다)에는 다중 결합이 있다. → 단일
㉢ (가)에는 무극성 공유 결합이 있다.

ㄱ. (가)가 N_2F_2일 때 (나)와 (다)의 비공유 전자쌍 수가 같으려면 10개인 경우가 가능하다.
ㄷ. N_2F_2의 경우에는 분자 중심의 결합이 N으로 동일 원자끼리의 결합이 존재하므로 무극성 공유 결합을 가진다.

바로 보기 ㄴ. (다) O_2F_2에는 단일 결합만 존재한다.

3 원자 수를 통한 미지 분자 찾기

자료 분석 + 전체 원자 수와 H 원자 수를 통한 분자 찾기

분자	(가)	(나)	(다)	(라)
구성 원소	H, X, Y	H, Y	H, Z	H, W
전체 원자 수	3	4	3	2
H 원자 수	1	3	2	1

- 2주기 원소 중에서 옥텟 규칙을 만족하는 원소는 C, N, O, F이다.
- (나)의 경우 전체 원자 수가 4이고, H 원자 수가 3이려면 Y는 N이어야 한다. ⇒ (나) NH_3
- (다)의 경우 전체 원자 수가 3이고, H 원자 수가 2이려면 Z는 O이어야 한다. ⇒ (다) H_2O
- (라)의 경우 전체 원자 수가 2이고, H 원자 수가 1이려면 W는 F이어야 한다. ⇒ (라) HF
- 따라서 X는 C이고, (가)는 $H-C\equiv N$이다.

선택지 분석

✗ 무극성 분자는 1가지이다. → 없다.

㉡ $\dfrac{\text{공유 전자쌍 수}}{\text{비공유 전자쌍 수}}<2$인 것은 2가지이다. → 3가지

✗ 분자를 구성하는 모든 원자가 동일 평면에 존재하는 것은 2가지이다.

ㄴ. $\dfrac{\text{공유 전자쌍 수}}{\text{비공유 전자쌍 수}}$ ⇒ (가) $\dfrac{4}{1}$, (나) $\dfrac{3}{1}$, (다) $\dfrac{2}{2}$, (라) $\dfrac{1}{3}$

바로 보기 ㄱ. 무극성 분자는 없다.

ㄷ. (가)는 직선형, (나) 삼각뿔형, (다) 굽은 형, (라) 직선형이므로 동일 평면에 존재하는 것은 (가), (다), (라)의 3가지이다.

4 전자의 양을 통한 미지 분자 찾기

자료 분석 + 전자의 양을 통한 분자 찾기

분자	(가)	(나)	(다)	(라)
원소의 종류	X	X, W	W, Z	Y, W
분자 1몰에 들어 있는 전자의 양(몰)	b	a	a	b

- 문제의 조건에서 W, X는 2, 3주기 17족 원소이고, Y, Z는 2, 3주기 16족 원소이다.
- (나)는 F−Cl이다. 전자의 몰 수는 $a=9+17=26$이다.
- 전자의 몰 수가 O=8, F=9, S=16, Cl=17이므로, (다)가 16족, 17족을 조합하여 $a=26$이 되려면 OF_2만 가능하다.
- (나)와 (다)에서 중복되는 원자는 F이므로 W=F이고, X=Cl이고, Z=O이다. 따라서 남은 Y=S이다.
- 따라서 (가)는 Cl_2, (나)는 FCl, (다)는 OF_2, (라)는 SF_2이다.

선택지 분석

㉠ $a=26$이다.
㉡ 전기 음성도는 Z>X이다.
㉢ (라)에서 W는 부분적인 (−)전하를 띤다.

ㄱ. (나)는 F−Cl이므로, 전자의 몰 수는 $a=9+17=26$이다.

ㄴ. 전기 음성도는 O가 약 3.5이고, Cl가 약 3.0이므로 Z>X이다.

ㄷ. 전기 음성도가 S은 약 2.5이고, F은 약 4.0이므로 W>Y이다. 따라서 극성 공유 결합을 하며, 전기 음성도가 더 큰 W는 부분적인 음전하를 띤다.

5 쌍극자 모멘트와 전자쌍 수를 통한 미지 분자 찾기

자료 분석 + 분자의 쌍극자 모멘트와 전자쌍 수

분자	구성 원소	$\dfrac{\text{비공유 전자쌍 수}}{\text{공유 전자쌍 수}}$	분자의 쌍극자 모멘트
(가)	X, Y	$\dfrac{6}{5}$	0
(나)	X, Z	$\dfrac{10}{3}$	—
(다)	Y, Z	1	0
(라)	X, Y, Z	2	—
(마)	X, Z	4	—

- C, O, F를 4개 이하의 원자로 조합하여 만들 수 있는 무극성 분자는 $O=C=O$와 $F-C\equiv C-F$이다.

$O=C=O$의 $\dfrac{\text{비공유 전자쌍 수}}{\text{공유 전자쌍 수}}$ 는 $\dfrac{4}{4}$이고, $\ddot{F}-C\equiv C-\ddot{F}$의 $\dfrac{\text{비공유 전자쌍 수}}{\text{공유 전자쌍 수}}$ 는 $\dfrac{6}{5}$이다. 따라서 (가)는 $\ddot{F}-C\equiv C-\ddot{F}$이고, (다)는 $O=C=O$이다.

- (가)와 (다)에 공통으로 포함된 원자 Y는 C이다. 따라서 (가)에서 X는 F이고, (다)에서 Z는 O이다.
- X와 Z를 원자 수 4개 이하로 조합하여 옥텟 규칙을 만족시키는 분자는 $F-O-O-F$와 $\ddot{F}-\ddot{O}-\ddot{F}$이다.
- $\ddot{F}-O-O-\ddot{F}$의 $\dfrac{\text{비공유 전자쌍 수}}{\text{공유 전자쌍 수}}$ 는 $\dfrac{10}{3}$이므로 (나)이고, $\ddot{F}-\ddot{O}-\ddot{F}$의 $\dfrac{\text{비공유 전자쌍 수}}{\text{공유 전자쌍 수}}$ 는 $\dfrac{8}{2}$이므로 (마)이다.
- (라)는 C, O, F로 구성된 분자이고, $\dfrac{\text{비공유 전자쌍 수}}{\text{공유 전자쌍 수}}$ 는 2이므로 가능한 분자는 COF_2이다.

$$(\because COF_2 \Rightarrow \text{구조} \Rightarrow \dfrac{\text{비공유 전자쌍 수}}{\text{공유 전자쌍 수}}=\dfrac{8}{4}=2)$$

선택지 분석

✗ 입체 구조인 분자는 2가지이다. → 1가지

ⓛ 무극성 공유 결합을 가진 분자는 2가지이다.

ⓒ 분자당 구성 원자 수가 3인 분자는 2가지이다.

ㄴ. 무극성 공유 결합이 있는 분자는 (가)와 (나) 2가지이다. 무극성 공유 결합은 같은 원자들 사이의 결합이다.

ㄷ. (가)는 $F-C\equiv C-F$, (나)는 $F-O-O-F$, (다)는 $O=C=O$, (라)는 COF_2, (마)는 $F-O-F$이다. 따라서 분자당 구성 원자 수가 3인 분자는 (다)와 (마) 2가지이다.

바로 보기 ㄱ. (가) 직선형, (다) 직선형, (라) 평면형, (마) 굽은 형이므로, 입체 구조인 분자는 (나) 1가지이다.

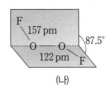
(나)

6 구성 원소와 전자쌍 수를 통한 미지 분자 찾기

자료 분석 + 분자의 구성 원소와 전자쌍 수

분자	(가)	(나)	(다)	(라)
구성 원소	N, F	O, F	N, O, F	N, C, F
$\dfrac{\text{비공유 전자쌍 수}}{\text{공유 전자쌍 수}}$	a	a	$2b$	b

- 구성 원자 수가 4 이하이므로 N, F를 조합한 분자는 N_2F_2와 NF_3가 가능하고, O, F를 조합한 분자는 O_2F_2와 OF_2가 가능하다.
- $N_2F_2 \Rightarrow \dfrac{\text{비공유 전자쌍 수}}{\text{공유 전자쌍 수}}=\dfrac{8}{4}$

$$:\ddot{F}-N=N-\ddot{F}:$$

- $NF_3 \Rightarrow \dfrac{\text{비공유 전자쌍 수}}{\text{공유 전자쌍 수}}=\dfrac{10}{3} \Rightarrow$ (가)

$$\ddot{F}-\overset{|}{N}-\ddot{F}$$
$$\underset{:\ddot{F}:}{}$$

- $O_2F_2 \Rightarrow \dfrac{\text{비공유 전자쌍 수}}{\text{공유 전자쌍 수}}=\dfrac{10}{3} \Rightarrow$ (나)

$$\ddot{F}-\ddot{O}-\ddot{O}-\ddot{F}$$ (구조)

- $OF_2 \Rightarrow \dfrac{\text{비공유 전자쌍 수}}{\text{공유 전자쌍 수}}=\dfrac{8}{2}$

$$:\ddot{F}-\ddot{O}-\ddot{F}:$$

- 그런데 표에서 (가), (나)의 $\dfrac{\text{비공유 전자쌍 수}}{\text{공유 전자쌍 수}}$ 가 a로 같으므로 a는 $\dfrac{10}{3}$이고, 따라서 (가)는 NF_3이고, (나)는 O_2F_2이다.
- N, O, F를 4개 이하의 원자로 조합하여 만들 수 있는 분자는 $F-N=O$이며, N, C, F를 4개 이하의 원자로 조합하여 만들 수 있는 분자는 $F-C\equiv N$이다.
- (다) $:\ddot{F}-N=\ddot{O}: \Rightarrow \dfrac{\text{비공유 전자쌍 수}}{\text{공유 전자쌍 수}}=\dfrac{6}{3}=2$
- (라) $:\ddot{F}-C\equiv N: \Rightarrow \dfrac{\text{비공유 전자쌍 수}}{\text{공유 전자쌍 수}}=\dfrac{4}{4}=1$

선택지 분석

✗ $3a=5b$이다. → $3a=10b$

ⓛ 다중 결합을 가진 분자는 2가지이다.

✗ 무극성 공유 결합을 가진 분자는 2가지이다. → 1가지

ㄴ. (다)에는 이중 결합, (라)에는 삼중 결합이 존재한다.

바로 보기 ㄱ. a는 $\dfrac{10}{3}$이고, b는 1이다. 따라서 $3a=10b$이다.

ㄷ. 무극성 공유 결합은 같은 원자 사이에 형성되는 결합이므로 (나)만 해당한다.

7 다양한 분자 정보를 통한 미지 분자 찾기

자료 분석 + 미지 분자에 대한 정보 해석

분자	(가)	(나)	(다)
구성 원소	X, Y, Z	X, Y	X, Z
구성 원소의 수	3	4	a
비공유 전자쌍 수	a	b	$2a$
분자 구조		직선형	

- (가): 2주기의 서로 다른 세 원소가 각각 1개씩 결합하여 옥텟 규칙을 만족하는 분자는 $F-N=O$와 $F-C\equiv N$이다.
- (나): 2주기이며 옥텟을 만족하는 원자는 C, N, O, F이고, 구성 원자 수가 4이면서 직선형 구조를 갖는 분자는 $F-C\equiv C-F$만 가능하다.
- 따라서 X, Y는 C 또는 F이므로 (가)는 $F-C\equiv N$이며, Z는 N이다.
- (가)는 $:\ddot{F}-C\equiv N:$이므로 비공유 전자쌍 수는 $a=4$이다.
- $a=4$이므로, (다)의 구성 원자 수는 4이고, 비공유 전자쌍 수는 8이다.
- (다): Z는 N이고, X는 C 또는 F가 가능한데, 비공유 전자쌍 수 8개가 되려면 X는 F만 가능하다. 따라서 (다)는 $:\ddot{F}-\ddot{N}-\ddot{N}-\ddot{F}:$이다.
- (가) $F-C\equiv N$, (나) $F-C\equiv C-F$, (다) $F-N-N-F$

ㄱ. (가)는 $:\!\overset{..}{F}\!-C\equiv N\!:$이므로 비공유 전자쌍 수($a$)는 4이다.

ㄴ. (나)는 $:\!\overset{..}{F}\!-C\equiv C\!-\!\overset{..}{F}\!:$이므로 비공유 전자쌍 수($b$)는 6이다.

바로 보기 ㄷ. (가) $F-C\equiv N$, (나) $F-C\equiv C-F$, (다) $F-N=N-F$이므로 다중 결합이 있는 분자는 3가지이다.

누구나 합격 전략 | 26~27쪽

01 ② **02** ② **03** ③ **04** ①

05 (가) 설탕, (나) 염화 칼슘, (다) 구리 **06** ①

07 ③ **08** ② **09** ①

10 (가) H_2O, (나) C_2H_4, (다) NH_3

01 바닥상태 전자 배치

A는 원자 번호 8인 O이고, B는 원자 번호 9인 F이며, C는 원자 번호 11인 Na이고, D는 원자 번호 17인 Cl이다.

ㄴ. B와 D는 둘 다 17족으로 같은 족이다.

바로 보기 ㄱ. CD는 NaCl이며, 금속 원자와 비금속 원자의 결합이므로 이온 결합 물질이다.

ㄷ. A는 O이고 C는 Na이므로 이온 결합을 하며, O^{2-} 이온과 Na^+ 이온이 되므로 A : C는 1 : 2의 비율로 결합한다.

02 금속 결합과 공유 결합

나트륨은 금속 결정이며, 다이아몬드는 공유 결정이다.

ㄴ. 다이아몬드(C)는 공유 결합을 한다.

바로 보기 ㄱ. ㉠은 자유 전자이다.

ㄷ. 금속 결정은 고체 상태에서 전기 전도성을 갖지만, 공유 결정은 전기 전도성을 갖지 않는다.

03 화학 결합과 물질의 성질

2주기에서 원자가 전자가 1개인 A는 Li이며, 원자가 전자가 5개인 B는 N이고, 원자가 전자가 6개인 C는 O이며, 원자가 전자가 7개인 D는 F이다.

ㄱ. Li(s)는 금속 결정 상태이므로 연성(뽑힘성)과 전성(펴짐성)을 갖는다.

ㄴ. LiF은 금속 원자와 비금속 원자의 결합으로 이온 결합 물질이므로 외부에서 힘을 가하면 부서지는 성질이 있다.

바로 보기 ㄷ. 액체 상태에서 전기 전도성을 가지는 것은 이온 결합 물질인데, N_2와 O_2는 공유 결합 물질이므로 액체 상태에서 전기 전도성이 없다.

04 이온 결합과 공유 결합

X는 양이온이므로 금속 원소이고, Y는 음이온이므로 비금속 원소이다. Y는 원자가 전자가 6개이므로 16족이고, Z는 원자가 전자가 4개이므로 14족이다. 문제의 조건에서 원자 번호가 X > Y > Z이므로, X는 3주기이고, Y와 Z는 2주기이다. 그리고 16족인 Y가 전자 2개를 얻어 Y^{2-}이 되므로 $a=2$이고, X^{2+}이 되므로 X는 2족이다.

ㄱ. X는 3주기이며 2족이므로 Mg이다.

바로 보기 ㄴ. 세 물질 중 첫 번째는 이온 결합 물질이고, 두 번째와 세 번째는 공유 결합 물질이다.

ㄷ. 원자가 전자 수는 X는 2개, Y는 6개, Z는 4개이다. 따라서 원자가 전자 수는 Y > Z > X이다.

05 전기 전도성

구리는 금속 결정, 설탕은 분자 결정, 염화 칼슘은 이온 결정이다. 금속 결정은 고체와 액체 상태에서 모두 전기 전도성을 가진다. 분자 결정은 고체와 액체 상태에서 모두 전기 전도성을 갖지 않는다. 이온 결정은 고체일 때는 전기 전도성이 없고, 액체 또는 수용액 상태일 때 전기 전도성을 갖는다.

06 구조식과 분자의 성질

(가)는 직선형이며, 무극성 분자이다. (나)는 중심 원자인 질소에 비공유 전자쌍이 1개 존재하여 삼각뿔형이고, 극성 분자이다. (다)는 정사면체 구조이며, 무극성 분자이다.

ㄱ. (가)와 (다)는 무극성 분자이다.

바로 보기 ㄴ. (가)의 결합각은 180°, (나)의 결합각은 107°, (다)의 결합각은 109.5°이다. 따라서 결합각은 (가) > (다) > (나)이다.

ㄷ. 비공유 전자쌍을 가지고 있는 분자는 3가지이다.

(가)   (나)   (다)

07 화학 결합 모형과 분자의 성질

A_2D를 통해 A는 H이고, D는 O임을 알 수 있다. C^+의 전자 수가 10개이므로 C는 원자 번호 11인 Na이고, B^-는 전자 수가 10개이므로 B는 원자 번호가 9인 F이다.

ㄱ. C=Na, D=O, A=H이므로 CDA는 수산화 나트륨(NaOH)이다.

ㄷ. H−F 분자에서는 전기 음성도가 더 큰 F가 부분적인 (−)전하를 띤다.

바로 보기 ㄴ. DB_2는 OF_2이고, 극성 분자이므로 쌍극자 모멘트가 0이 아니다.

08 전자쌍 수와 분자 구조

자료 분석 + 비공유 전자쌍 수와 공유 전자쌍 수

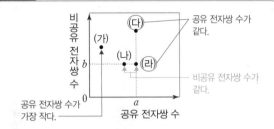

N_2 ⇒ **공유 전자쌍 수**: 3, **비공유 전자쌍 수**: 2
HCl ⇒ **공유 전자쌍 수**: 1, **비공유 전자쌍 수**: 3
CO_2 ⇒ **공유 전자쌍 수**: 4, **비공유 전자쌍 수**: 4
CH_2O ⇒ **공유 전자쌍 수**: 4, **비공유 전자쌍 수**: 2
- 공유 전자쌍 수가 가장 작은 HCl이 (가)이고, 두 번째로 작은 N_2가 (나)이다.
- 공유 전자쌍 수는 4로 동일하지만, 비공유 전자쌍 수가 더 많은 CO_2가 (다)이다.
- 마지막으로 (라)는 CH_2O이다.

선택지 분석

✕ $\dfrac{b}{a}=2$이다. → $\dfrac{1}{2}$
○ (가)는 직선형 구조이다.
✕ (나)와 (다)는 무극성 공유 결합을 한다. → (나)는

ㄴ. (가)는 $H-Cl$이므로 직선형 구조이다.

바로 보기 ㄱ. 공유 전자쌍 수가 (다)와 (라)는 4개로 동일하므로 $a=4$이고, 비공유 전자쌍 수가 (나)와 (라)는 2개로 동일하므로 $b=2$이다. 따라서 $\dfrac{b}{a}$는 $\dfrac{1}{2}$이다.

ㄷ. (나)는 N_2이므로 무극성 공유 결합을 하지만, (다)는 CO_2이므로 극성 공유 결합만 한다.

09 분자 구조식과 전자쌍 수

$$\overset{\displaystyle :\!O\!:}{\underset{}{H-C-\overset{\displaystyle}{\underset{..}{O}}-H}}$$ 이므로, 비공유 전자쌍은 4개이고, 공유 전자쌍은 5개이다.

10 입체 구조와 극성

- 평면 구조이면서 극성 분자인 (가)는 H_2O이다.
- 평면 구조이면서 무극성 분자인 (나)는 C_2H_4이다.
- 입체 구조의 분자인 (다)는 NH_3이다.

굽은 형   평면 구조   삼각뿔형

---

01 ③	**02** ④	**03** ⑤	**04** ③
05 ②	**06** ⑤	**07** ④	

08 가설을 증명하는 분자: (가), (나), (다)
     가설에 반대되는 분자: (다), (라), (마)

01 이온 결합의 세기

ㄱ. 4가지 물질은 모두 1가 양이온과 1가 음이온으로 결합한 물질이므로 1 : 1의 비로 결합하고 있다.

ㄴ. 탐구 결과를 보면 이온 사이의 거리가 멀어질수록 녹는점이 낮아지므로, '이온 간 거리가 가까울수록 녹는점이 높다.'는 것이 가설로서 적절하다.

바로 보기 ㄷ. 녹는점이 가장 낮은 물질은 NaI이므로, 이온 사이의 정전기적 인력이 가장 작은 물질도 NaI이다.

02 물의 전기 분해

물의 전기 분해 시 양극에서 일어나는 화학 반응
$(-)$극: $4H_2O+4e^- \longrightarrow 2H_2+4OH^-$
$(+)$극: $2H_2O \longrightarrow O_2+4H^++4e^-$

ㄴ. 양극의 반응을 보면 동일한 수의 전자($4e^-$)가 이동할 때 생성되는 기체의 부피는 수소 기체는 2몰이고, 산소 기체는 1몰이다. 따라서 질량비는 아니다. 질량비는 산소 분자의 1몰의 질량 32 g과 수소 분자 1몰의 질량은 2 g인데, 수소는 2분자가 생성되므로 32 : 4 = 8 : 1 이 된다.

ㄷ. 전기 분해를 통하여 화학 결합이 전자에 의한 것임을 알 수 있다.

바로 보기 ㄱ. ㉠은 부피이다.

03 화학 결합과 물질의 특성

A~E의 원자 번호는 각각 6, 8, 9, 11, 12 중 하나이므로 A~E는 C, O, F, Na, Mg 중 하나이다. 이 중 금속 원소는 Na, Mg이고, 비금속 원소는 C, O, F이다. ㉠과 ㉡은 공유 결합과 이온 결합 중 하나이고, B와 C는 금속 결합 물질이므로, BD와 CE는 금속 원소와 비금속 원소가 결합한 이온 결합 물질이다. 따라서 ㉡은 이온 결합 물질이고, D와 E는 비금속 원소이다. ㉠은 공유 결합 물질이므로 비금속 원소 D나 E와 결합한 A와 D도 비금속 원소이다. A, D, E는 각각 비금속 원소인 C, O, F 중 하나이고, 이들로 이루어진 물질 중 AD_2, DE_2의 화학식을 갖는 물질은 CO_2와 OF_2이다. 따라서 A는 C, D는 O, E는 F이다. 또한 BD에서 B가 O(D)와 1 : 1로 결합하므로 B는 Mg이고, C는 Na이다.

ㄱ. D는 O이고, A는 C이다. 전기 음성도는 같은 주기에서 원자 번호가 증가할수록 커지므로 전기 음성도는 D>A이다.

ㄴ. 금속 결합 물질은 자유 전자가 있어 전기 전도성이 매우 크고, 열을 잘 전달하며, 전성과 연성이 있다.

ㄷ. BD와 CE는 이온 결합 물질이므로 고체 상태일 때 외부에서 힘을 가하면 쉽게 부서진다.

04 화학 결합과 물질의 특성

(가)는 비금속 원소끼리 결합한 공유 결합 물질이고, (나)는 금속 원소와 비금속 원소가 결합한 이온 결합 물질이고, (다)는 금속 결합 물질이다. (가)는 O_2, (나)는 CaO, (다)는 Ca이다.

ㄱ. O_2는 O 원자 사이의 공유 결합으로 이루어진 분자이다.

ㄴ. Ca은 금속으로 고체 상태에서 전기 전도성이 있고, 전성(펴짐성)과 연성(뽑힘성 또는 늘림성)이 있다. 이온 결합 물질과 공유 결합 물질은 고체 상태에서 전기 전도성이 없다(단, 흑연 제외).

바로 보기 ㄷ. 이온 결합 물질(CaO)은 녹는점과 끓는점이 높은 편이고, 공유 결합 물질(O_2)은 대체로 녹는점과 끓는점이 낮은 편이다.

05 전기 음성도와 극성 결합

전기 음성도는 같은 주기에서는 원자 번호가 클수록 증가하고, 같은 족에서 원자 번호가 클수록 감소한다. 따라서 전기 음성도의 크기는 A<C<B이다. 또한 A는 산소(H), B는 플루오린(F), C는 염소(Cl)이다.

ㄴ. 그림 AB에서 B가 부분적인 (−)전하를 띠므로 B는 A보다 전기 음성도가 크고, 그림 AC에서 C가 부분적인 (−)전하를 띠므로 C는 A보다 전기 음성도가 크다. 그림 CB에서 B가 부분적인 (−)전하를 띠므로 B는 C보다 전기 음성도가 크다. 따라서 전기 음성도의 크기는 B>C>A이다.

바로 보기 ㄱ. 그림 CB에서 B는 C보다 원자의 크기는 작지만 부분적인 (−)전하를 띤다.

ㄷ. 원자 간 원자량 차이는 AB<AC이지만 전기 음성도 차이는 AB>AC이다.

06 전기 음성도와 결합의 세기

H는 1주기, F은 2주기, Cl는 3주기 원소이다. AB와 AC의 결합 길이가 BC에 비해 짧으므로 A는 수소(H)이고, AB가 AC보다 결합 길이가 길어서 B는 염소(Cl)이고, C는 플루오린(F)이다.

ㄴ. 쌍극자 모멘트의 계산식은 '부분 전하의 크기 × 결합 길이'이다. AC의 쌍극자 모멘트는 $0.4 \times 93 = 37.2$이고, AB의 쌍극자 모멘트는 $0.2 \times 128 = 25.6$이다. 따라서 쌍극자 모멘트는 AC>AB이다.

ㄷ. 전기 음성도는 F>Cl>H이므로, C>B>A 순이다.

바로 보기 ㄱ. AC는 HF로, 비금속 원소인 H와 F의 공유 결합으로 생성된 공유 결합 물질이다.

07 분자 모양과 성질

구분	CH_4	NH_3	CO_2
루이스 구조식	H−C−H (H 위, H 아래)	N H H H	O=C=O
분자의 극성	무극성	극성	무극성
공유 전자쌍 수	4	3	4
비공유 전자쌍 수	0	1	4
분자의 모양	정사면체형	삼각뿔형	직선형

CH_4은 정사면체, NH_3는 삼각뿔형, CO_2는 직선형이다.

08 전자쌍 반발과 분자 구조

중심 원자의 공유 전자쌍 수가 많을수록 분자의 결합각이 작아진다는 가설을 확인하려면, 탐구 결과에서 중심 원자의 공유 전자쌍 수와 결합각을 비교해 보면 된다. (가)에서 (다)까지는 중심 원자의 공유 전자쌍 수는 커지고, 결합각은 감소하므로 가설을 증명하는 결과이다. 그러나 (다)에서 (마)까지는 중심 원자의 공유 전자쌍 수가 감소함에 따라 결합각도 감소하므로 가설을 반증하는 결과이다. 이러한 결과가 나타나는 이유는 (라)의 경우 중심 원자에 비공유 전자쌍을 1개 가지고 있으며, (마)의 경우 중심 원자에 비공유 전자쌍을 2개 가지고 있기 때문이다. 또한 비공유 전자쌍은 공유 전자쌍에 비해 공간을 더 많이 차지하기 때문에 비공유 전자쌍의 수가 늘어날수록 결합각은 더 감소하는 것이다.

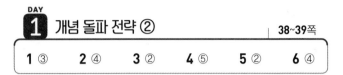

Book 2

WEEK 2

IV 역동적인 화학 반응

DAY 1 개념 돌파 전략 ① 확인 Q | 34~35쪽

[7강] **1** 증발과 응축 **2** 일정, 빨라 **3** 용해, 석출
4 1.0×10^{-7} **5** 100 **6** HCl(g) **7** 2 **8** 뷰렛

1 물이 증발하는 동적 평형에서는 증발과 응축이 모두 일어난다.

2 닫힌 용기에서 시간이 지날수록 증발 속도는 온도가 변하지 않으면 일정하고, 응축 속도는 수증기가 증가하기 때문에 빨라진다.

3 용해 평형에서는 용해와 석출이 계속 일어나고 있다.

4 25 ℃ 순수한 물에서는 $[H_3O^+]=[OH^-]=1.0 \times 10^{-7}$ 이다.

5 pH가 2인 경우 $[H_3O^+]=1.0 \times 10^{-2}$이고, pH가 4인 경우 $[H_3O^+]=1.0 \times 10^{-4}$이다.

6 브뢴스테드·로리 정의에 의하면 물에 녹아 H$^+$를 내놓는 물질이 산이다. 따라서 HCl은 산이고 NH$_3$는 염기이다.

7 H$_2$SO$_4$은 2가 산이다.

8 중화 적정에서 가해지는 표준 용액의 부피를 측정할 때 뷰렛을 사용한다.

DAY 1 개념 돌파 전략 ① 확인 Q | 36~37쪽

[8강] **1** 환원 **2** 큰 **3** +2, -1 **4** 같다
5 크다 **6** 발열, 흡열 **7** 통열량계

1 전자를 얻으면 환원 반응이다.

2 산화수는 전기 음성도가 큰 원자가 공유 전자쌍을 모두 차지하는 것으로 가정할 때 각 원자가 가지게 되는 전하이다.

3 전기 음성도가 큰 원소가 (-)의 산화수를, 전기 음성도가 작은 원소가 (+)의 산화수를 갖는다.

4 전자가 이동한 만큼 산화수가 증가하거나 감소하기 때문에 증가한 산화수와 감소한 산화수는 같다.

5 발열 반응이 일어나면 생성물의 에너지 합은 반응물의 에너지 합보다 작다.

6 발열 반응이 일어나면 주위의 온도가 올라가고, 흡열 반응이 일어나면 주위의 온도가 내려간다.

7 통열량계는 화학 반응에서 발생한 열을 흡수한다.

DAY 1 개념 돌파 전략 ② | 38~39쪽

1 ③ **2** ④ **3** ② **4** ⑤ **5** ② **6** ④

1 닫힌 용기에서의 동적 평형

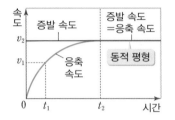

ㄱ. t_2 이후부터는 동적 평형 상태로 증발 속도와 응축 속도가 v_2로 같다.

ㄷ. t_1에서는 증발 속도(v_2) > 응축 속도(v_1)이고, t_2에서는 증발 속도=응축 속도이므로 X(l)의 양은 t_1에서가 t_2에서보다 더 많다.

👁 바로 보기 ㄴ. 증발은 항상 일어나고 있다.

2 산 염기의 정의

브뢴스테드·로리 정의에 의하면 산은 양성자(H$^+$)를 내놓는 물질이고 염기는 H$^+$을 받는 물질이다.

(나), (다)에서 H$_2$O은 H$^+$을 내놓고 OH$^-$이 되므로 브뢴스테드·로리 산으로 작용한다.

👁 바로 보기 (가)에서 H$_2$O은 H$^+$을 받아 H$_3$O$^+$이 되므로 브뢴스테드·로리 염기이다.

3 중화 적정 실험

중화 적정은 중화 반응을 이용하여 농도를 모르는 산이나 염기 수용액의 농도를 알아내는 실험이다.

묽힌 식초 용액 20 mL를 중화시키는 데 사용된 0.2 M NaOH 표준 용액의 부피가 10 mL이므로 식초 용액의 농도를 x M이라고 가정하면, 중화 반응의 양적 관계에 의해 $x \times 20 = 0.2 \times 10$이 성립한다.

$x = 0.1$이므로 식초 2 mL의 몰 농도는 1 M이다.

ㄴ. 표준 용액을 떨어뜨리는 동안 혼합 용액은 산성(식초)에서 중성으로 변하므로 pH는 증가한다.

👁 바로 보기 ㄱ. 가해지는 표준 용액의 부피를 측정할 때 사용하는 도구는 뷰렛이다.

ㄷ. 식초 2 mL 속 아세트산의 몰 농도는 1 M이다.

4 산화수

일반적인 산화수를 정하는 규칙은 다음과 같다.

1. 전기적으로 중성인 화합물에서 산화수의 합은 0이다.
2. 이온인 경우 산화수의 합은 전하의 크기와 같다.
3. 대체적으로 수소의 산화수는 $+1$, 산소의 산화수는 -2이다.
4. 원소의 산화수는 0이다.

> **자료 분석 +** 산화수
>
> • $2\underset{\textcircled{\scriptsize{가}}}{C} + O_2 \longrightarrow 2\underset{\textcircled{\scriptsize{나}}}{C}O$
> $\textcircled{가} = 0 \qquad \textcircled{나} = +2$
> • $2\underset{\textcircled{\scriptsize{다}}}{C_2}H_2 + 5O_2 \longrightarrow 4\underset{\textcircled{\scriptsize{라}}}{C}O_2 + 2H_2O$
> $\textcircled{다} = -1 \qquad \textcircled{라} = +4$

$\textcircled{가}{\sim}\textcircled{라}$의 산화수의 총합은 $0+2-1+4=5$이다.

5 산화수와 산화 환원 반응식

화학 반응이 일어나는 동안 산화수가 증가하면 산화, 산화수가 감소하면 환원 반응이 일어난다. 산화 환원 반응은 항상 동시에 일어나며, 다음과 같은 규칙이 적용된다.

증가한 산화수 = 감소한 산화수

> **자료 분석 +** 산화수와 산화 환원 반응
>
> (가) $\underset{+4}{Ti}\underset{}{O_2} + 2\underset{0}{Cl_2} + \underset{0}{C} \longrightarrow \underset{+4 \;-1}{Ti}\underset{}{Cl_4} + \underset{+4}{C}O_2$
> • Ti : 산화수가 $+4$에서 $+4$로 변화 없음
> • Cl : 산화수 0에서 -1로 감소하므로 환원
> • C : 산화수 0에서 $+4$로 증가하므로 산화
> (나) $\underset{+4}{Ti}\underset{}{Cl_4} + 2\underset{0}{Mg} \longrightarrow \underset{0}{Ti} + 2\underset{+2}{Mg}\underset{}{Cl_2}$
> • Ti : 산화수가 $+4$에서 0으로 감소하므로 환원
> • Mg : 산화수가 0에서 $+2$로 증가하므로 산화

ㄷ. (나)에서 Mg은 $TiCl_4$을 Ti으로 환원시켰으므로 환원제이다.

> **바로 보기** ㄱ. (가)에서 Cl_2는 산화수가 감소하므로 환원된다.

ㄴ. (가)에서 Ti의 산화수는 변하지 않는다.

> **암기 Tip** 산화제와 환원제
>
> 산화제와 환원제의 기준은 내가 아닌 남(다른 물질)
>
> | | 자기 자신 | 다른 물질 |
> |---|---|---|
> | 산화제 | 환원 | 산화 |
> | 환원제 | 산화 | 환원 |

6 화학 반응에서의 열의 출입

발열 반응	흡열 반응
발열 반응이 일어나면 주위의 온도가 올라간다.	흡열 반응이 일어나면 주위의 온도가 내려간다.

(나), (다) 반응 결과 주위의 온도가 올라가므로 발열 반응이다.

> **바로 보기** (가) 주위의 온도가 내려가면서 시원해지므로 물의 증발은 흡열 과정이다.

DAY 2 필수 체크 전략 ①
| 40~43쪽

❶-1 ㄱ, ㄴ, ㄷ　　**❷**-1 ㄴ, ㄷ　　**❸**-1 ④　　**❹**-1 ㄱ, ㄷ
❺-1 ㄱ, ㄴ　　**❻**-1 ㄴ, ㄷ

❶-1 동적 평형

ㄱ. 동적 평형 상태 이전까지는 증발 속도>응축 속도였다가 동적 평형 상태부터 증발 속도=응축 속도이다. 그러므로 동적 평형 상태 이전인 t_1에서는 $\dfrac{응축\ 속도}{증발\ 속도}<1$이다.

ㄴ. 동적 평형 상태에서는 증발과 응축이 일어나지만 같은 속도로 일어나서 겉보기에 변화가 일어나지 않는 것처럼 보인다. 즉 물($H_2O(l)$)과 수증기($H_2O(g)$)의 양(mol)이 모두 변하지 않는다.

ㄷ. 동적 평형에 이르기 전까지는 증발 속도>응축 속도이므로 t_1일 때보다 t_2일 때 물의 양이 더 적다. 시간이 지날수록 수증기($H_2O(g)$)의 양이 증가하므로 응축 속도도 점점 커진다. 따라서 $a>b$이고 $d<e$이다.

❷-1 물의 이온화 상수와 pH, pOH

$25\ ^\circ C$에서 물의 이온화 상수(K_w)는 1×10^{-14}이므로 $pH+pOH=14$이다.

(나)에서 pH는 $x+1$, pOH는 $x+3$이므로 $x=5$이다.

(가)~(다) 용액의 pH, pOH, 부피는 다음과 같다.

	(가)	(나)	(다)
pH	4	6	10
pOH	10	8	4
부피(mL)	100	500	100

ㄴ. (가)의 pH가 4이므로 (가)에 들어 있는 H_3O^+의 양(mol)은 0.1×10^{-4}이고, (다)의 pOH가 4이므로 (다)에 들어 있는 OH^-의 양(mol)은 0.1×10^{-4}이다. (가)의 H_3O^+과 (다)의 OH^-의 양(mol)이 같으므로 두 용액을 혼합한 용액의 액성은 중성이다.

ㄷ. (가)에 들어 있는 H_3O^+의 양(mol)은 0.1×10^{-4}이고, (나)에 들어 있는 H_3O^+의 양(mol)은 0.5×10^{-6}이므로 H_3O^+의 양(mol)은 (가) : (나)$=20:1$이다.

> **바로 보기** ㄱ. 산성 용액은 pH가 7보다 작은 (가)와 (나) 2가지이다.

❸-1 중화 적정

(가)에서 묽힌 아세트산 수용액($CH_3COOH(aq)$) 50 mL를 중화시키는 데 0.1 M $NaOH(aq)$ a mL가 사용되었으므로, 50 mL 아세트산 수용액($CH_3COOH(aq)$)의 몰 농도(M)는 $\frac{1}{500}a$이다. 그러므로 묽히기 전 아세트산($CH_3COOH(aq)$) 10 mL의 몰 농도(M)는 $\frac{1}{100}a$이다.

$CH_3COOH(aq)$의 밀도가 1 g/mL이므로 용액 1 L＝1 kg이고, 용질 $\frac{1}{100}a$몰에 해당하는 질량은 $\frac{3}{5}a$ g이므로 용액 100 g에 들어 있는 용질의 질량은 $\frac{3}{50}a$ g이다. 아세트산의 퍼센트 농도(%)는 $\frac{3}{50}a$이다.

❹-1 산과 염기의 정의

ㄱ. (가)에서 CH_3OH은 H^+을 받으므로 브뢴스테드·로리 염기이다.

ㄷ. (나)에서 H_2O은 H^+을 내놓으므로 브뢴스테드·로리 산이고, (다)에서 H_2O은 H^+을 받으므로 브뢴스테드·로리 염기이다. (나)와 (다)에서 H_2O은 산으로도 염기로도 작용하므로 양쪽성 물질이다.

👁️ **바로 보기** ㄴ. (나)에서 짝산과 짝염기는 H_2S와 HS^-처럼 서로 H^+을 주고받아 생성되는 물질이다.

❺-1 물의 이온화 상수와 pH

25 °C의 수용액에서 $K_w=[H_3O^+]\times[OH^-]=1.0\times10^{-14}$으로 일정하다.

(가)에서 $[H_3O^+]$를 a라고 하면 $a\times10^2a=1\times10^{-14}$이므로 $a=10^{-8}$ M이다. 따라서 (가) 용액의 액성은 염기성이고, $[OH^-]=10^{-6}$ M이다.

(나)에서 $[H_3O^+]$와 $[OH^-]$의 비가 1 : 1이므로 $[H_3O^+]=[OH^-]=1.0\times10^{-7}$ M이다. 따라서 (나) 용액의 액성은 중성이다.

(다)에서 $[OH^-]$를 b라고 하면 $b\times10^2b=1\times10^{-14}$이므로 $b=10^{-8}$ M이다. 따라서 (다) 용액의 액성은 산성이고, $[H_3O^+]=10^{-6}$ M이므로 (다)의 pH는 6.0이다.

ㄷ. $[OH^-]$는 (가)에서 10^{-6} M이고, (다)에서 10^{-8} M이므로 (가) : (다)＝10^2 : 1이다.

❻-1 중화 반응에서의 양적 관계

자료 분석＋ 혼합 전후 용액에서의 이온의 종류와 양

혼합 용액	(가)	(나)	(다)
$H_2SO_4(aq)$의 부피(mL)	10	40	y
$KOH(aq)$의 부피(mL)	10	20	30
$NaOH(aq)$의 부피(mL)	20	x	10
양이온 수의 비율	1 / 4	3 / 3 2	3 / 1 2

(가) 양이온 수 비가 1 : 4이다. 양이온이 2가지(Na^+, K^+)이므로 용액의 액성은 중성 또는 염기성이다.

(나) (가)에서 (나)로 될 때 KOH의 부피가 2배가 되었는데 양이온 수의 비가 2 : 3 : 3이므로 KOH와 $NaOH$의 단위 부피당 이온 수의 비는 1 : 4이다.

(나)에서 혼합 전과 후의 이온 수는 다음과 같다.

	혼합 전		혼합 후	
	양이온의 종류와 수	음이온의 종류와 수	양이온의 종류와 수	음이온의 종류와 수
H_2SO_4	H^+8n	$SO_4^{2-}4n$	H^+3n	$SO_4^{2-}4n$
KOH	K^+2n	OH^-2n	K^+2n	OH^-0
$NaOH$	Na^+3n	OH^-3n	Na^+3n	

반응 후 양이온 수 비가 2 : 3 : 3이 되기 위해서는 반응 전 H_2SO_4의 양이온 수가 $8n$이 되어야 하므로 H_2SO_4, KOH, $NaOH$의 단위 부피당 이온 수 비는 2 : 1 : 4 이다. 또한 $NaOH$의 이온 수가 $3n$이 되어야 하므로 $x=15$이다.

(가)에서의 혼합 전과 후의 이온 수를 확인해 보면 다음과 같다.

	혼합 전		혼합 후	
	양이온의 종류와 수	음이온의 종류와 수	양이온의 종류와 수	음이온의 종류와 수
H_2SO_4	H^+2n	$SO_4^{2-}n$	H^+0	$SO_4^{2-}n$
KOH	K^+n	OH^-n	K^+n	OH^-3n
$NaOH$	Na^+4n	OH^-4n	Na^+4n	

(다)에서 양이온 수의 비가 1 : 2 : 3이므로 혼합 전과 후의 이온 수는 다음과 같다.

	혼합 전		혼합 후	
	양이온의 종류와 수	음이온의 종류와 수	양이온의 종류와 수	음이온의 종류와 수
H_2SO_4	H^+6n	$SO_4^{2-}3n$	H^+n	$SO_4^{2-}3n$
KOH	K^+3n	OH^-3n	K^+3n	OH^-0
$NaOH$	Na^+2n	OH^-2n	Na^+2n	OH^-0

혼합 전 H_2SO_4의 이온 수가 $3n$이어야 하므로 $y=30$이다.

선택지 분석

✗ $x : y=1 : 3$이다. ➡ 1 : 2

Ⓛ 용액의 pH는 (나)가 (다)보다 작다.

Ⓒ (다)를 완전히 중화시키기 위해 필요한 $KOH(aq)$의 부피는 10 mL이다.

ㄴ. (나)에서는 75 mL에 H^+이 $3n$개, (다)에서는 70 mL에 H^+이 n개 존재하므로 (나)가 더 산성이 크다. 그러므로 pH는 (나)가 (다)보다 작다.

ㄷ. (다) 용액을 완전히 중화시키기 위해서는 OH^-이 n개 더 필요하므로 KOH(aq)를 10 mL만큼 더 넣으면 된다.

바로 보기 ㄱ. $x=15$, $y=30$이므로 $1:2$이다.

DAY 2 필수 체크 전략 ②   44~45쪽

[최다 오답 문제]

1 ⑤   2 ①   3 ③   4 ④   5 ②

1 동적 평형

자료 분석 + 상평형에 의한 동적 평형에서 액체와 기체의 양

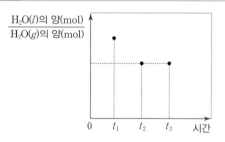

· t_2 이후부터 $\dfrac{H_2O(l)의\ 양(mol)}{H_2O(g)의\ 양(mol)}$이 일정하므로 t_2 이후는 동적 평형 상태이다.

· 0부터 t_2까지 $H_2O(l)$의 양은 감소하고, $H_2O(g)$의 양은 증가한다.

선택지 분석

ㄱ H_2O의 상 변화는 가역 반응이다.

ㄴ $\dfrac{t_2일\ 때\ H_2O(g)의\ 양(mol)}{t_1일\ 때\ H_2O(g)의\ 양(mol)} > 1$이다.

ㄷ t_3일 때 $\dfrac{H_2O(l)의\ 증발\ 속도}{H_2O(g)의\ 응축\ 속도} = 1$이다.

ㄱ. 증발과 응축이 모두 일어나므로 가역 반응이다.

ㄴ. $H_2O(g)$의 양은 $t_1 < t_2$이다.

ㄷ. t_2 이후 동적 평형 상태이므로 t_3도 동적 평형 상태이다. t_3에서 증발 속도와 응축 속도는 같다.

2 중화 반응에서의 양적 관계

자료 분석 + 혼합 전후의 이온 수 변화와 몰 농도(M) 합

혼합 용액		(가)	(나)	(다)
혼합 전 용액의 부피(mL)	3 M HCl	10	10	10
	x M Ba(OH)$_2$	V	$3V$	$5V$
모든 이온의 수		$6n$	$9n$	
모든 이온의 몰 농도(M) 합			$\dfrac{9}{4}$	$\dfrac{5}{2}$

· (가) 용액이 산성이라고 가정하면 모든 이온의 수 $6n$은 HCl 용액의 총 이온 수와 같다. 즉 HCl 10 mL에는 이온이 $6n$개 있다.

· (나) 용액에서 모든 이온의 수가 $9n$이므로 (나) 용액은 염기성이고 모든 이온의 수 $9n$은 Ba(OH)$_2$ 용액의 총 이온 수와 같다. 즉 Ba(OH)$_2$ $3V$에는 이온이 $9n$개 있다.

· (다) 용액도 염기성이므로 모든 이온의 수는 Ba(OH)$_2$ 용액의 총 이온 수와 같다. Ba(OH)$_2$ $5V$에는 $15n$개의 이온이 있다.

· (나)와 (다)에서 모든 이온의 몰 농도(M) 합

(나) : $\dfrac{9n}{10+3V} = \dfrac{9}{4}$, (다) : $\dfrac{15n}{10+5V} = \dfrac{5}{2}$이므로 $V=10$이다.

· 3 M HCl 10 mL에 있는 모든 이온의 수가 $6n$이고, x M Ba(OH)$_2$ 30 mL에 있는 모든 이온의 수가 $9n$이므로 $x=1$이다.

$V=10$이고, $x=1$이므로 $\dfrac{x}{V} = \dfrac{1}{10}$이다.

3 물의 이온화 상수와 pH

자료 분석 + 용액의 pH와 pOH

수용액	(가)	(나)	(다)
$\dfrac{pOH}{pH}$	$\dfrac{4}{3}$	1	6
pH	6	7	2
pOH	8	7	12
부피(mL)	100	200	500
H_3O^+의 양(mol)	0.1×10^{-6}	0.2×10^{-7}	0.5×10^{-2}

선택지 분석

ㄱ (가)는 산성이다.

ㄴ H_3O^+의 양(mol)은 (가)가 (나)의 5배이다.

ㄷ (가)의 pH+(나)의 pOH < (다)의 pOH이다.
    └ (가)의 pH+(나)의 pOH > (다)의 pOH

ㄱ. (가)의 pH가 6이므로 산성이다.

ㄴ. (가)의 H_3O^+의 양(mol)은 0.1×10^{-6}이고, (나)는 0.2×10^{-7}이므로 (가)가 (나)의 5배이다.

바로 보기 ㄷ. (가)의 pH=6, (나)의 pOH=7, (다)의 pOH=12이므로

(가)의 pH+(나)의 pOH > (다)의 pOH이다.

4 중화 반응에서의 양적 관계

혼합 전후의 이온 수 변화와 몰 농도(M) 합

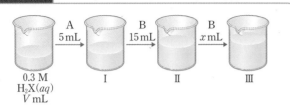

0.3 M
$H_2X(aq)$
V mL

- Ⅲ은 중성이다.
- Ⅰ과 Ⅱ에 대한 자료

혼합 용액	Ⅰ	Ⅱ
혼합 용액에 존재하는 모든 이온의 몰 농도의 합(상댓값)	8	5
혼합 용액에서 $\dfrac{\text{음이온 수}}{\text{양이온 수}}$	$\dfrac{3}{5}$	$\dfrac{3}{5}$

- 혼합 용액의 액성이 산성인 경우 총 이온 수는 혼합 전 산성 용액의 총 이온 수와 같고, 혼합 용액의 액성이 염기성인 경우 총 이온 수는 혼합 전 염기성 용액의 총 이온 수와 같다.
- 용액 Ⅲ이 중성이므로 용액 Ⅰ과 Ⅱ는 산성이다.
- 용액 Ⅰ과 Ⅱ에서 $\dfrac{\text{음이온 수}}{\text{양이온 수}}$가 변하지 않았으므로 Ⅰ과 Ⅱ 사이에 첨가된 B는 $YOH(aq)$이다.
- 용액 Ⅰ과 Ⅱ가 모두 산성 용액이므로 총 이온 수는 혼합 전 0.3 M H_2X 용액의 총 이온 수와 같다. 용액 Ⅰ의 부피는 $(V+5)$ mL이고, 용액 Ⅱ의 부피는 $(V+20)$ mL이고, 혼합 전 H_2X 용액의 총 이온 수를 y라고 가정하면 혼합 용액에 존재하는 모든 이온의 몰 농도의 합의 비는 $\dfrac{y}{V+5} : \dfrac{y}{V+20} = 8 : 5$이다. 그러므로 $V=20$이다.
- 0.3 M H_2X 20 mL에 $3n$개가 있다고 가정하면 a M $Z(OH)_2$ 5 mL에 n개가 있어야 한다. 그러므로 $a=0.4$이다.
- 0.4 M YOH 15 mL에는 $3n$개가 있으므로 용액 Ⅲ에서 중성이 되기 위해서는 n개 만큼 더 넣어 주어야 한다. 그러므로 0.4 M YOH 5 mL를 더 넣어 주어야 하므로 $x=5$이다.

$V=20$, $a=0.4$, $x=5$이므로 $\dfrac{x}{V} \times a = \dfrac{1}{10}$이다.

5 중화 반응에서의 양적 관계

혼합 전후의 이온 수 변화와 몰 농도(M) 합

- Ⅱ에 존재하는 모든 이온의 몰비는 5 : 6 : 8이다.
- $\dfrac{\text{Ⅰ에 존재하는 모든 양이온의 몰 농도의 합}}{\text{Ⅲ에 존재하는 모든 양이온의 몰 농도의 합}} = \dfrac{2}{3}$이다.

- 혼합 용액 Ⅱ에 존재하는 모든 이온의 몰비가 5 : 6 : 8이라는 것은 3가지 이온(X^{2+}, Y^-, Z^{2-})만 존재한다는 것이다. H^+, OH^-이 없으므로 중성이다.
- B가 H_2Z인 경우 혼합 용액 Ⅱ에서 Y^-과 Z^{2-}의 비가 5 : 6 : 8이 가능할 수 없으므로 A는 H_2Z이고, B는 HY이다.
- 혼합 용액 Ⅱ에서 이온의 몰비는 $Z^{2-} : Y^- : X^{2+} = 5 : 6 : 8$이고 0.5 M H_2Z V mL에는 $5n$개가, 0.2 M HY $3V$ mL에는 $6n$개가, a M $X(OH)_2(aq)$ 20 mL에는 $8n$개가 존재한다.

- 혼합 용액 Ⅰ

	혼합 전		혼합 후	
	양이온의 종류와 수	음이온의 종류와 수	양이온의 종류와 수	음이온의 종류와 수
$X(OH)_2$	X^{2+} $8n$	OH^- $16n$	X^{2+} $8n$	OH^- $6n$
H_2Z	H^+ $10n$	Z^{2-} $5n$	H^+ 0	Z^{2-} $5n$

부피 $(V+20)$ mL에 총 양이온 $8n$개 존재

- 혼합 용액 Ⅲ

	혼합 전		혼합 후	
	양이온의 종류와 수	음이온의 종류와 수	양이온의 종류와 수	음이온의 종류와 수
$X(OH)_2$	X^{2+} $8n$	OH^- $16n$	X^{2+} $8n$	OH^- 0
H_2Z	H^+ $30n$	Z^{2-} $15n$	H^+ $16n$	Z^{2-} $5n$
HY	H^+ $2n$	Y^- $2n$		Y^- $2n$

- Ⅰ과 Ⅲ에 존재하는 모든 양이온의 몰 농도의 합

$$\dfrac{8n}{V+20} : \dfrac{24n}{4V+20} = 2 : 3$$

이므로 $V=10$ mL이다.
- a M $X(OH)_2(aq)$ 20 mL에 $8n$개가, 0.5 M H_2Z 10 mL에 $5n$개가 존재하므로 $a=0.4$이다.

$V=10$ mL, $a=0.4$이므로 $a \times V = 4$이다.

DAY 3 필수 체크 전략 ① | 46~49쪽

❶-1 ㄴ, ㄷ **❷**-1 ㄴ, ㄷ **❸**-1 +7 **❹**-1 ㄱ, ㄴ, ㄷ
❺-1 ㄱ, ㄴ, ㄷ **❻**-1 ② **❼**-1 ㄱ, ㄷ

❶-1 산화 환원 반응식

산화 환원 반응식

$$a\text{NO}_2 + b\text{H}_2\text{O} \longrightarrow c\text{HNO}_3 + d\text{NO}$$
$(a{\sim}d$는 반응 계수)

- NO_2에서 HNO_3로 될 때 산화수 $+4$에서 $+5$로 증가 ⇒ 산화
- NO_2에서 NO로 될 때 산화수 $+4$에서 $+2$로 감소 ⇒ 환원
$$a=3, b=1, c=2, d=1$$

선택지 분석

✗ (가)에서 O_2는 환원제이다. → 산화제
ㄴ 제시된 물질 중 N의 산화수가 가장 큰 물질은 HNO_3이다.
ㄷ $\dfrac{b+d}{a+c} = \dfrac{2}{5}$이다.

ㄴ.

	N₂	NO	NO₂	HNO₃
N의 산화수	0	+2	+4	+5

ㄷ. (다) $3NO_2 + H_2O \longrightarrow 2HNO_3 + NO$

$a=3$, $b=1$, $c=2$, $d=1$이므로 $\dfrac{b+d}{a+c}=\dfrac{2}{5}$이다.

👁 바로 보기 ㄱ. (가)에서 O_2는 자기 자신은 환원되고 N_2를 NO로 산화시키므로 산화제이다.

②-1 산화 환원 반응

자료 분석 + 산화 환원 반응의 모식도

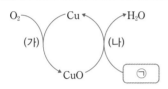

반응 (가): $2Cu + O_2 \longrightarrow 2CuO$
반응 (나): $CuO + H_2 \longrightarrow Cu + H_2O$

ㄴ. ㉠은 H_2이다.

ㄷ. 산소의 산화수가 -2이므로 CuO에서 Cu의 산화수는 $+2$이다.

👁 바로 보기 ㄱ. O_2는 자기 자신은 환원되고 Cu를 산화시키므로 산화제이다.

③-1 공유 결합에서 화합물의 산화수

자료 분석 + 공유 결합에서 화합물의 산화수

$$Y = \underset{㉠}{X} - Z \qquad Z - \underset{㉡}{X} - \overset{\overset{|}{Z}}{\underset{\underset{|}{Z}}{X}} - Z \qquad Z - \underset{㉢}{Y} - Z$$

전기 음성도가 X < Y < Z이므로
㉠의 산화수는 $+3$, ㉡의 산화수는 $+2$, ㉢의 산화수는 $+2$이다.

전기 음성도가 큰 원자가 공유 전자쌍을 모두 가진다고 가정할 때, 각 구성 원자의 전하가 그 원자의 산화수이다. ㉠+㉡+㉢은 $+7$이다.

암기 Tip 공유 결합에서 화합물의 산화수

"The Winner Takes it All" 승자가 모든 것을 가진다.

※ F(플루오린)의 경우 전기 음성도가 가장 크므로 화합물에서 항상 -1의 산화수를 갖는다.

④-1 산화 환원 반응식

자료 분석 + 산화 환원 반응식

$Ag(s) + aNO_3^-(aq) + bH^+(aq)$
$\longrightarrow Ag^+(aq) + cNO_2(g) + dH_2O(l)$
($a \sim d$는 반응 계수)

• Ag에서 Ag^+으로 될 때 산화수 0에서 $+1$로 증가 ⇒ 산화
• NO_3^-에서 NO_2로 될 때 산화수 $+5$에서 $+4$로 감소 ⇒ 환원
$a=1$, $b=2$, $c=1$, $d=1$

선택지 분석

㉠ Ag은 산화된다.
㉡ NO_3^-은 산화제로 작용한다.
㉢ $a+b+c+d=5$이다.

ㄱ. Ag은 산화수가 증가하므로 산화된다.

ㄴ. NO_3^-은 자신은 환원되고 다른 물질을 산화시키므로 산화제로 작용한다.

ㄷ. $a=1$, $b=2$, $c=1$, $d=1$이므로 $a+b+c+d=5$이다.

⑤-1 산화 환원 반응에서 전자의 이동

자료 분석 + 산화 환원 반응에서 전자의 이동

$aCuS + bNO_3^- + cH^+ \longrightarrow 3Cu^{2+} + aSO_4^{2-} + bNO + dH_2O$
($a \sim d$는 반응 계수)

• CuS에서 SO_4^{2-}으로 될 때 S의 산화수는 -2에서 $+6$으로 증가 ⇒ 산화
• NO_3^-에서 NO로 될 때 N의 산화수는 $+5$에서 $+2$로 감소 ⇒ 환원
$a=3$, $b=8$, $c=8$, $d=4$

선택지 분석

㉠ NO_3^-은 산화제이다.
㉡ $\dfrac{b+c}{a+d} > 2$이다.
㉢ CuS 1 mol이 반응할 때 이동한 전자의 양은 8 mol이다.

ㄱ. NO_3^-은 자신은 환원되고 다른 물질을 산화시키므로 산화제이다.

ㄴ. $a=3$, $b=8$, $c=8$, $d=4$이므로
$\dfrac{b+c}{a+d}=\dfrac{16}{7}$이다.

ㄷ. CuS에서 SO_4^{2-}으로 될 때 Cu의 산화수가 $(+6)-(-2)=8$만큼 증가하므로 CuS 1 mol이 반응할 때 이동한 전자의 양은 8 mol이다.

⑥-1 화학 반응에서 열의 출입

발열 반응은 반응이 일어날 때 주위로 열을 방출하는 반응이다. 연소 반응은 대표적인 발열 반응이다.

BOOK 2

7-1 화학 반응에서 출입한 열의 측정

자료 분석 + 화학 반응에서 출입한 열의 측정

[실험 Ⅰ]		[실험 Ⅱ]	
t_1	t_2	t_3	t_4
25 ℃	28 ℃	25 ℃	20 ℃

- 실험 Ⅰ에서는 온도가 증가하므로 A(s)의 용해 과정은 발열 반응이다.
  실험 Ⅱ에서는 온도가 감소하므로 B(s)의 용해 과정은 흡열 반응이다.
- 실험 Ⅰ과 Ⅱ에서 출입한 열에너지(Q)는 다음과 같다.
  실험 Ⅰ에서 출입한 열에너지(Q)＝4.2×105×3 J
  실험 Ⅱ에서 출입한 열에너지(Q)＝4.2×105×5 J

선택지 분석

ㄱ A(s)의 용해 과정은 발열 반응이다.

✗ 물질 B(s) 5 g을 녹였을 때 출입하는 열량(J)은 4.2×100×5이다.
↳ 4.2×105×5

ㄷ A 10 g으로 실험 Ⅰ의 과정을 수행하면 최고 온도는 28 ℃보다 높아진다.

ㄱ. 실험 Ⅰ에서는 온도가 증가하므로 발열 반응이다.

ㄷ. 용해된 A의 질량이 많을수록 온도가 더 많이 증가한다.

바로 보기 ㄴ. 용액의 질량이 105 g(물의 질량 100 g ＋B의 질량 5 g)이므로 열량은 4.2×105×5(J)이다.

암기 Tip 화학 반응에서 출입한 열의 측정

출입한 열(Q)＝비열(c)×질량(m)×온도 변화(ΔT)
Q＝시(c)멘(m)트(ΔT)

DAY 3 필수 체크 전략 ② **50~51쪽**

[최다 오답 문제]

1 ⑤	2 ③	3 ⑤	4 ⑤
5 ③	6 ⑤	7 ③	

1 산화 환원 반응식

자료 분석 + 산화 환원 반응식

(다) Cu＋aNO$_3^-$＋bH$_3$O$^+$
⟶ Cu^{2+}＋cNO$_2$＋dH$_2$O (a~d는 반응 계수)

- Cu에서 Cu^{2+}으로 될 때 산화수 0에서 ＋2로 증가 ⇒ 산화
- NO$_3^-$에서 NO$_2$로 될 때 산화수 ＋5에서 ＋4로 감소 ⇒ 환원
  $a=2, b=4, c=2, d=6$

선택지 분석

ㄱ (가)에서 H$_2$S은 산화된다.

ㄴ (나)에서 HCl은 산화제이다.

ㄷ (다)에서 $a+b+c+d=14$이다.

ㄱ. (가)에서 S의 산화수가 －2에서 ＋4로 증가하므로 산화된다.

ㄴ. (나)에서 HCl에서 H의 산화수가 ＋1에서 0으로 감소하므로 환원된다. 그러므로 HCl은 산화제이다.

ㄷ. (다)에서 $a=2$, $b=4$, $c=2$, $d=6$이므로 $a+b+c+d=14$이다.

2 산화 환원 반응식

자료 분석 + 산화 환원 반응식

(가) aCo^{3+}＋2H$_2$O ⟶ aCo^{2+}＋O$_2$＋4H$^+$
(나) bH$_2$O$_2$＋cI$^-$＋dH$^+$ ⟶ eI$_2$＋fH$_2$O
(a~f는 반응 계수)

(가)에서 Co의 산화수는 ＋3에서 ＋2로 감소 ⇒ 환원
　　　 O의 산화수는 －2에서 0으로 증가 ⇒ 산화
　　　　　　　　$a=4$

(나)에서 O의 산화수는 －1에서 －2로 감소 ⇒ 환원
　　　 I의 산화수는 －1에서 0으로 증가 ⇒ 산화
　　　　　$b=1, c=2, d=2, e=1, f=2$

선택지 분석

ㄱ (가)에서 H$_2$O은 산화된다.

ㄴ (나)에서 H$_2$O$_2$는 산화제이다.

✗ $\dfrac{d+e+f}{a+b+c}=1$이다. ↳ $\dfrac{5}{7}$

ㄱ. (가)에서 산소의 산화수가 증가하므로 H$_2$O은 산화된다.

ㄴ. (나)에서 H$_2$O$_2$는 환원되므로 산화제이다.

바로 보기 ㄷ. $a=4$, $b=1$, $c=2$, $d=2$, $e=1$, $f=2$
이므로 $\dfrac{d+e+f}{a+b+c}=\dfrac{5}{7}$이다.

3 산화 환원 반응에서 전자의 이동

자료 분석 + 산화 환원 반응에서 전자의 이동

(다) aFe^{2+}＋MnO$_4^-$＋8H$^+$
⟶ aFe^{3+}＋ Mn^{2+}＋4H$_2$O (a는 반응 계수)
Fe의 산화수가 ＋2에서 ＋3으로 증가 ⇒ 산화
Mn의 산화수가 ＋7에서 ＋2로 감소 ⇒ 환원
　　　　　　$a=5$

선택지 분석

ㄱ (가)에서 CO는 환원제이다.

ㄴ (나)에서 Fe$_2$O$_3$ 1몰이 반응할 때 이동한 전자의 양은 6몰이다.

ㄷ (다)에서 $a=5$이다.

ㄱ. (가)에서 CO는 산화되므로 환원제이다.

ㄴ. (나)에서 Fe의 산화수가 ＋3에서 0으로 감소하므로 Fe$_2$O$_3$ 1몰이 반응할 때 이동한 전자의 양은 6몰이다.

ㄷ. $a=5$이다.

4 공유 결합에서 화합물의 산화수

자료 분석 + 공유 결합에서 화합물의 산화수

$$CH_2O + O_2 \longrightarrow CO_2 + H_2O$$

(가)

$$\begin{array}{c} O \\ \parallel \\ C \\ H \quad H \end{array}$$

(나)

- CH_2O에서 C의 산화수: 0
- (가)에서 C의 산화수가 0에서 $+4$로 증가 ⇒ 산화

선택지 분석

ㄱ O_2는 산화제이다.
ㄴ C의 산화수는 0에서 $+4$로 증가한다.
ㄷ CH_2O 1몰이 반응할 때 전자가 4몰 이동한다.

ㄱ. O_2는 환원되므로 산화제이다.

ㄴ. C의 산화수는 0에서 $+4$로 증가한다.

ㄷ. C의 산화수가 0에서 $+4$로 증가하므로 CH_2O 1몰이 반응할 때 이동한 전자의 양은 4몰이다.

5 공유 결합에서 화합물의 산화수

자료 분석 + 공유 결합에서 화합물의 산화수

$$C_6H_{12}O_6 + O_2 \longrightarrow C_6H_{10}O_6 + \boxed{(가)}$$

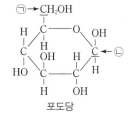
포도당

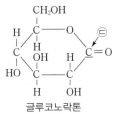
글루코노락톤

- (가)는 H_2O_2이다.
- ㉠의 산화수는 -1, ㉡의 산화수는 $+1$, ㉢의 산화수는 $+3$

선택지 분석

ㄱ 포도당은 환원제로 작용한다.
✗ (가)에서 산소(O)의 산화수는 ~~-2~~이다. → -1
ㄷ 탄소(C) ㉠~㉢의 산화수의 총합은 $+3$이다.

ㄱ. 포도당은 산화되므로 환원제로 작용한다.

ㄷ. ㉠의 산화수는 -1, ㉡의 산화수는 $+1$, ㉢의 산화수는 $+3$이므로 산화수의 총합은 $+3$이다.

바로 보기 ㄴ. (가)는 과산화 수소(H_2O_2)이다. H_2O_2에서 산소의 산화수는 -1이다.

6 화학 반응에서 출입한 열의 측정

ㄱ. 온도가 감소하였으므로 흡열 반응이다.

ㄴ. (나)에서 물질 A(s) w g을 녹였을 때 출입하는 열량(J)은 $4.2 \times (100 + w) \times 2$이다.

ㄷ. 물의 질량이 100 g에서 200 g으로 증가하였으므로 최저 온도는 18 ℃보다 높다.

7 화학 반응에서 열의 출입

자료 분석 + 화학 반응에서의 열의 출입

수용액	용질		온도 변화(℃)
	화학식량	질량(g)	
A(aq)	20	4	$+2t$
B(aq)	80	4	$-t$

- A가 용해되는 반응은 발열 반응, B가 용해되는 반응은 흡열 반응이다.

선택지 분석

㉠ B(s)의 용해 과정은 흡열 반응이다.
✗ 물 96 g에 A(s) 4 g을 녹였을 때 출입하는 열량(J)은 ~~$4.2 \times 96 \times 2t$~~이다. → $4.2 \times 100 \times 2t$
㉢ 물 92 g에 B(s) 8 g을 녹였을 때 출입하는 열량과 물 96 g에 A(s) 4 g을 녹였을 때 출입하는 열량(J)은 같다.

ㄱ. B(s)를 물에 녹였을 때 주위의 온도가 감소하였으므로 B(s)의 용해 과정은 흡열 반응이다.

ㄷ. 물 96 g에 A 4 g을 녹였을 때 출입하는 열량 $= 4.2 \times 100 \times 2t$이고, 물 92 g에 B 8 g을 녹였을 때 출입하는 열량 $= 4.2 \times 100 \times 2t$이므로 두 값이 서로 같다.

바로 보기 ㄴ. 용액의 질량이 100 g(=물의 질량 96 g + 용질의 질량 4 g)이므로 출입하는 열량(J)은 $4.2 \times 100 \times 2t$이다.

누구나 합격 전략 | 52~53쪽

01 ③ **02** ③ **03** (나), (다) **04** ①
05 ① **06** ② **07** (가) OF_2, (나) O_2, (다) H_2O_2
08 ②

01 동적 평형

ㄱ. (가)는 충분한 시간이 지난 후의 상태이므로 동적 평형 상태이다. 따라서 (가)에서 $H_2O(g)$의 분자 수는 일정하게 유지된다.

ㄴ. 용해 평형 상태이므로 용해 속도와 석출 속도는 같다.

바로 보기 ㄷ. 용해 평형을 이루고 있을 때, 겉보기에는 변화가 없어도 용해와 석출이 계속 일어나고 있다.

02 물의 자동 이온화와 pH

	(가)	(나)	(다)
pH	4	5	8
$[H_3O^+]$	1×10^{-4}	1×10^{-5}	1×10^{-8}
부피(mL)	100	500	500
H_3O^+의 양(mol)	0.1×10^{-4}	0.5×10^{-5}	0.5×10^{-8}

BOOK 2

ㄱ. pH가 7보다 작은 산성 용액은 (가), (나) 2가지이다.

ㄴ. $\dfrac{\text{(나)에서 } H_3O^+\text{의 양(mol)}}{\text{(가)에서 } H_3O^+\text{의 양(mol)}}$

$=\dfrac{(1\times10^{-5}\,\text{mol/L})\times(0.5\,\text{L})}{(1\times10^{-4}\,\text{mol/L})\times(0.1\,\text{L})}=\dfrac{1}{2}$이므로

수용액 속 H_3O^+의 양(mol)은 (가)가 (나)의 2배이다.

👁 바로 보기　ㄷ. (다)에서 $\dfrac{[OH^-]}{[H_3O^+]}=100$이다

03 산과 염기의 정의

브뢴스테드·로리 산은 H^+을 내놓는 물질이다. (나)와 (다)에서 H_2O은 H^+을 내놓고 OH^-이 되므로 브뢴스테드·로리 산이다.

👁 바로 보기　(가)의 H_2O은 H^+을 받아서 H_3O^+이 되므로 브뢴스테드·로리 염기다.

04 중화 적정

중화 적정에서 가해진 표준 용액의 부피를 측정하는 도구는 뷰렛이다. ㉠은 뷰렛이다.

x M $CH_3COOH(aq)$ 50 mL를 완전히 중화시키는 데 0.5 M $NaOH(aq)$ 10 mL가 사용되었으므로

$x\times50=0.5\times10$이다. 따라서 $x=0.1$이다.

05 산화 환원 반응식

자료 분석 +　산화 환원 반응식

$$a\,Fe^{2+}+b\,H_2O_2+c\,H^+ \longrightarrow a\,Fe^{3+}+d\,H_2O$$
($a\sim d$는 반응 계수)

- Fe의 산화수는 +2에서 +3으로 증가 ⇒ 산화
  O의 산화수는 −1에서 −2로 감소 ⇒ 환원
- $a=2, b=1, c=2, d=2$

선택지 분석

✘ O의 산화수는 변하지 않는다.
Ⓛ Fe^{2+}은 환원제이다.
✘ $\dfrac{b+c}{a+d}=1$이다.

ㄴ. Fe^{2+}은 산화되므로 환원제이다.

👁 바로 보기　ㄱ. O의 산화수는 −1에서 −2로 감소한다.

ㄷ. $a=2, b=1, c=2, d=2$이므로 $\dfrac{b+c}{a+d}=\dfrac{3}{4}$이다.

06 공유 결합 화합물의 산화수

전기 음성도의 크기: $Y>X>Z>H$

$$
\begin{array}{c}
H \\
| \\
H-X-Y-Z-H \\
| \quad\quad | \\
H \quad\quad H
\end{array}
$$

X의 산화수 −2, Y의 산화수 −2, Z의 산화수 −1이다.

07 산소의 산화수

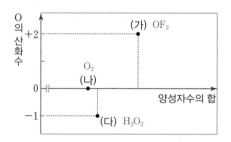

산소의 산화수는 일반적으로 −2이지만 O_2에서는 0, H_2O_2에서는 −1, OF_2에서는 +2의 산화수를 갖는다.

(가): OF_2, (나): O_2, (다): H_2O_2

08 화학 반응에서 열의 출입

(가)에서는 온도가 내려갔으므로 흡열 반응이고, (나)에서는 온도가 올라갔으므로 발열 반응이다.

ㄷ. (나)는 발열 반응이다. 발열 반응을 이용하여 휴대용 손난로를 만들 수 있다.

👁 바로 보기　ㄱ. (가)는 흡열 반응이므로 반응이 일어날 때 열이 흡수된다.

ㄴ. (나)에서 일어나는 반응은 발열 반응이다.

창의·융합·코딩 전략　| 54~57쪽

| 01 ③ | 02 ② | 03 ④ | 04 ② |
| 05 ③ | 06 ③ | 07 ⑤ | 08 ③ |

01 용해 평형

자료 분석 +　용해 평형

시간	t	$4t$	$8t$
관찰 결과			
설탕 수용액의 몰 농도(M)	x	a	

- $4t$일 때 용해 평형에 도달하였으므로 $8t$도 동적 평형 상태이다.
- t일 때는 아직 용해 평형에 도달하지 않았으므로 $4t$일 때보다 용해된 설탕의 양이 적다.

선택지 분석

㉠ x는 a보다 작다.
✘ $4t$일 때 용해 속도 < 석출 속도이다. → 용해 속도＝석출 속도
Ⓒ 녹지 않고 남아 있는 설탕의 질량은 $4t$일 때와 $8t$일 때가 같다.

ㄱ. t일 때는 $4t$일 때보다 용해된 설탕의 양이 적으므로 $x<a$이다.

ㄷ. $4t$와 $8t$ 모두 용해 평형 상태이므로 녹지 않고 남아 있는 설탕의 양이 일정하다.

바로 보기 ㄴ. $4t$에서는 용해 평형 상태이므로 용해 속도와 석출 속도가 같다.

02 산과 염기의 정의
아레니우스 정의에 따르면 수용액에서 수소 이온(H^+)을 내놓는 물질이 산이고, 수산화 이온(OH^-)을 내놓는 물질이 염기이다. 브뢴스테드·로리 정의에 따르면 다른 물질에게 양성자(H^+)를 주는 물질이 산이고, H^+을 받는 물질이 염기이다. (가)에서 HCN는 H_2O에게 H^+을 주므로 브뢴스테드·로리 산(아레니우스 산)이고, H^+을 받는 H_2O은 브뢴스테드·로리 염기이다. (나)에서 HCO_3^-은 H^+을 받으므로 브뢴스테드·로리 염기이고, H^+을 주는 H_2O은 브뢴스테드·로리 산이다. H_2O은 산과 염기로 모두 작용하는 양쪽성 물질이다.

03 중화 적정 실험
ㄴ. 중화점에 이를 때까지 넣어 준 NaOH의 양(mol)은 수소 이온의 양(mol)과 같으므로
$nMV = 2 \times x(M) \times 0.05$ L $= 0.1 \times x$이다.

ㄷ. xM $H_2SO_4(aq)$ 50 mL를 완전히 중화시키는 데 0.5 M NaOH(aq) V mL가 사용되었으므로
$2 \times x \times 50 = 0.5 \times V$이다. 따라서 $x = \dfrac{5}{1000} V = \dfrac{V}{200}$이다.

바로 보기 ㄱ. ㉠은 뷰렛으로 뷰렛에 해당하는 것은 B이다.

04 중화 반응에서의 양적 관계
혼합 용액 Ⅰ은 산성이므로 음이온은 X^{2-}만 존재한다. 따라서 X^{2-}의 양은 $xV = 5 \times (20+V)$ mmol이다. 용액 Ⅱ를 산성이라고 하면, 수용액의 부피는 100 mL이고, X^{2-}만 존재하므로 X^{2-}의 양은 $x \times 2V = 400$ mmol이다. 따라서 $V=20$이고, $2V+6a=100$이므로 $a=10$이다.

Ⅱ에서 $\dfrac{모든\ 양이온의\ 양(mol)}{모든\ 음이온의\ 양(mol)} = \dfrac{80x-20+14}{40x} = \dfrac{3}{2}$에서 Ⅱ와 Ⅲ에서 수용액의 부피는 같으므로 Ⅱ에서 음이온 양은 $0.3 \times 40 = 12$(mmol)이고, Ⅲ에서 음이온의 양은 $12+2+30-24=20$(mmol)이다. $12:20 = 4:b$에서 $b = \dfrac{20}{3}$이다. 따라서 $x \times b = 2$이다.

혼합 용액	혼합 전 수용액의 부피(mL)			모든 음이온의 몰 농도(M) 합 (상댓값)
	x M $H_2X(aq)$	0.2 M YOH(aq)	0.3 M Z(OH)$_2(aq)$	
Ⅰ	20	20	0	5
Ⅱ	40	40	20	4
Ⅲ	40	10	50	b

혼합 용액	혼합 전 수용액의 양이온과 음이온 양(mmol)						모든 음이온의 몰 농도(M) 합 (상댓값)
	0.3 M $H_2X(aq)$		0.2 M YOH(aq)		0.3 M Z(OH)$_2(aq)$		
Ⅰ	12	6	4	4	0		5
Ⅱ	24	12	8	8	6	12	4
Ⅲ	24	12	2	2	15	30	b

05 산화 환원 반응

자료 분석 + 산화 환원 반응

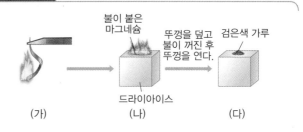

불이 붙은 마그네슘
뚜껑을 덮고 불이 꺼진 후 뚜껑을 연다.
검은색 가루
드라이아이스
(가)　　　(나)　　　(다)

(나) $2Mg + O_2 \longrightarrow 2MgO$
(다) $2Mg + CO_2 \longrightarrow 2MgO + C$

선택지 분석
㉠ (가)의 반응식은 $2Mg(s) + O_2(g) \longrightarrow 2MgO(s)$이다.
㉡ (나)의 반응에서 드라이아이스는 산화제로 작용한다.
✖ (다)의 검은색 가루 물질은 마그네슘이다.

ㄱ. 반응식은 $2Mg(s) + O_2(g) \longrightarrow 2MgO(s)$이다.
ㄴ. 마그네슘이 산화되었으므로 드라이아이스(CO_2)는 산화제로 작용한다.

바로 보기 ㄷ. 검은색 가루 물질은 탄소이다.

06 산화수와 산화 환원 반응
산화수는 공유 결합 화합물에서 두 원자 사이의 공유 전자쌍이 전기 음성도가 큰 원자로 완전히 이동한다고 가정하여 산화된 정도와 환원된 정도를 나타낸다. 따라서 전자를 잃으면 ($+$)의 산화수를 갖고 전자를 얻으면 ($-$)의 산화수를 가지는데, 이는 두 원자의 전기 음성도 차이에 따라 달라진다. CaO와 CO_2에서 O의 산화수는 -2이고, OF_2에서 O의 산화수는 $+2$이며, H_2O_2에서 O의 산화수는 -1이다. NaH에서 H의 산화수는 -1이다.

07 화학 반응에서의 열의 출입
학생 A: ㉠ 반응 이후 온도가 높아졌으므로 발열 반응이다.
학생 B: ㉡ 반응 이후 온도가 낮아졌으므로 흡열 반응이다.
학생 C: 흡열 반응은 열을 흡수하는 반응이다.

08 화학 반응에서의 열의 출입
염화 암모늄을 물에 녹인 후 수용액의 최저 온도를 측정하였으므로 화학 반응에서의 열의 출입을, 그중 흡열 반응을 확인하는 실험이다.

| 01 ③ | 02 ② | 03 ③ | 04 ④ | 05 ③ |
| 06 ④ | 07 ③ | 08 ① | | |

01 이온 결합 물질

자료 분석 + 이온 상태 전자 배치

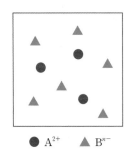

● A^{2+}　▲ B^{n-}

- 그림에서 ●와 ▲의 개수비는 1 : 2이다.
- A가 2가 양이온이므로, B는 1가 음이온이어야 AB_2일 때 전기적 중성이 된다.
- A와 B는 같은 주기 원소이고, 이온일 때 Ne 또는 Ar의 전자 배치를 갖는다고 하였으므로, 모두 3주기이다.
- 3주기이면서 2+가 되는 A는 Mg이고, 3주기이면서 1−가 되는 B는 Cl이다.

선택지 분석

ㄱ $n=1$이다.

✗ A는 Ar과 같은 전자 배치를 갖는다. → Ne

ㄷ 원자 번호는 B > A이다.

ㄱ. A와 B의 이온이 개수비 1 : 2로 존재하며, A가 2가 양이온이므로, B는 1가 음이온이어야 AB_2일 때 전기적 중성이 된다.

ㄷ. A는 Mg이고, B는 Cl이므로, 원자 번호는 B > A이다.

바로 보기 ㄴ. 양이온은 전자를 잃고 이전 주기의 비활성 기체의 전자 배치를 갖고, 음이온은 전자를 얻어 동일 주기의 비활성 기체의 전자 배치를 갖는다. 따라서 A는 전자를 잃고 Ne의 전자 배치를 갖고, B는 전자를 얻어 Ar의 전자 배치를 갖는다.

02 공유 결합 물질의 성질

자료 분석 + 공유 전자쌍 수와 쌍극자 모멘트

- 6가지 분자: N_2, O_2, H_2O, HCN, NH_3, CH_4

[규칙]
- 분자의 공유 전자쌍 수는 그 분자가 들어갈 위치에 연결된 선의 개수와 같다.
- 분자의 쌍극자 모멘트가 0인 분자는 같은 가로줄에 배치한다.

[분자의 배치도]
- 먼저 분자의 쌍극자 모멘트가 0인 분자는 N_2, O_2, CH_4이다.
- 분자의 공유 전자쌍 수는 표와 같다.

분자	N_2	O_2	H_2O	HCN	NH_3	CH_4
공유 전자쌍 수	3	2	2	4	3	4

- 배치도에 따른 연결된 선의 개수는 다음과 같다.

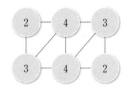

- 이에 따라 분자를 배치하면 다음과 같다.

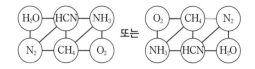

선택지 분석

✗ O_2와 H_2O은 같은 세로줄에 위치한다. → 위치하지 않는다.

ㄴ CH_4과 NH_3는 대각선으로 연결되어 있다.

✗ 직선형 구조인 분자는 같은 가로줄에 위치한다. → 위치하지 않는다.

ㄴ. 분자의 배치도를 보면 CH_4와 NH_3는 대각선으로 연결된다.

바로 보기 ㄱ. O_2와 H_2O은 같은 세로줄 또는 같은 가로줄에 위치하지 않는다.

ㄷ. 직선형 구조인 분자는 N_2, O_2, HCN인데, 같은 가로줄에 위치하지 않는다.

03 중화 반응의 양적 관계

자료 분석 + 중화 반응의 양적 관계

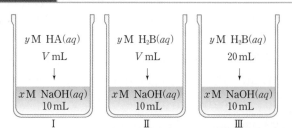

- 혼합 용액 I ~ III에 존재하는 이온의 종류와 이온의 몰 농도(M)

이온의 종류		W	X	Y	Z
		H^+	A^-	Na^+	B^{2-}
이온의 몰 농도(M)	I	0	$3a$	$5a$	0
	II	a	0	$5a$	$3a$
	III	$9.5a$	0	$2.5a$	0.6

- 용액 Ⅰ~Ⅲ에 모두 존재하는 Y는 Na^+이다.
- $Y(Na^+)$는 Ⅲ의 몰 농도가 Ⅰ과 Ⅱ의 절반이므로 Ⅲ의 부피는 Ⅰ과 Ⅱ의 2배이다. $V=5$이다.
- $W=H^+$, $X=A^-$, $Y=Na^+$, $Z=B^{2-}$이다.
- x M NaOH 10 mL에 $5n$개가 있다고 가정하면 y M HA 5 mL에는 $3n$개가 있으므로 $x:y=5:6$이다.
- 용액 Ⅲ에서 B^{2-}의 몰 농도(M)는 $6a$인데 0.6이므로 $a=0.1$이다.
- 이를 다시 정리하면 다음과 같다.

이온의 종류		W	X	Y	Z
		H^+	A^-	Na^+	B^{2-}
이온의 몰 농도(M)	Ⅰ	0	0.3	0.5	0
	Ⅱ	0.1	0	0.5	0.3
	Ⅲ	0.95	0	0.25	0.6

- 용액 Ⅰ에서 혼합 전후에 Na^+의 양(mol)이 일정하므로
$x \times 10 \times 10^{-3} = 0.5 \times 15 \times 10^{-3}$, $x=0.75$(M)
- 용액 Ⅱ에서 혼합 전후에 B^{2-}의 양(mol)이 일정하므로
$y \times 5 \times 10^{-3} = 0.3 \times 15 \times 10^{-3}$, $x=0.9$(M)
따라서 $x=0.75$, $y=0.9$이다.

$x=0.75$, $y=0.9$이고 $V=5$이므로 $\dfrac{x+y}{V}=\dfrac{33}{100}$이다.

04 산화수

자료 분석 + 산화수

질문 카드
ⓐ S의 산화수가 0보다 큰가?
ⓑ H의 산화수가 +1인가?
ⓒ 산화수가 +4보다 큰 원소가 있는가?
ⓓ N의 산화수가 양수인가?

A팀의 분자 카드	점수	B팀의 분자 카드	점수
❶ H_2S	0	❶ Al_2S_3	0
❷ LiOH	1	❷ H_2O_2	1
❸ $KClO_3$	1	❸ HNO_3	1
❹ NO_2	1	❹ NH_3	0
총 점수	$x=3$	총 점수	$y=2$

$\dfrac{x}{y}=\dfrac{3}{2}$이다.

05 이온 결합 물질

A~D는 각각 Na, O, H, F이다. ABC는 NaOH이고, B_2D_2는 O_2F_2이다.

ㄱ. A는 Na이고, C는 H이다. A와 C는 둘 다 1족 원소이다.

ㄴ. $B_2D_2(O_2F_2)$에는 B(O) 원자 사이에 무극성 공유 결합이 있다.

바로 보기 ㄷ. $B_2D_2(O_2F_2)$에서 B(O)는 부분적인 양전하 (δ^+)를 띤다.

06 루이스 전자점식

자료 분석 + 분자의 루이스 전자점식

분자	구성 원자 수(a)	원자가 전자 수(b)	공유 전자쌍 수(c)
O_2	2	12	2
F_2	2	14	1
OF_2	3	20	2

$$\ddot{O}{=}\ddot{O} \qquad \ddot{\ddot{F}}{-}\ddot{\ddot{F}} \qquad \ddot{\ddot{F}}{-}\ddot{O}{-}\ddot{\ddot{F}}$$

O_2의 경우 구성 원자 수는 2이고(a), 원자가 전자 수 합은 12이며(b), 공유 전자쌍 수는 2이므로(c), 관계식은 $8a=b+2c$를 만족한다.

07 중화 적정

(라)에서 0.1x M $H_2SO_4(aq)$ 20 mL를 완전히 중화시키는 데 0.4 M NaOH(aq) 40 mL가 사용되었다.

$2 \times 0.1x \times 20 = 1 \times 0.4 \times 40$이므로 $x=4$이다.

(마)에서 0.4 M $H_2SO_4(aq)$ 20 mL를 완전히 중화시키는 데 y M NaOH(aq) 16 mL가 사용되었다.

$2 \times 0.4 \times 20 = 1 \times y \times 16$이므로 $y=1$이다.

따라서 $x+y=5$이다.

08 화학 반응에서 출입하는 열의 측정

자료 분석 + 화학 반응에서 출입하는 열의 측정

수용액	용해된 염화 암모늄의 질량(g)	최종 온도(℃)
(가)	10	t_1
(나)	20	21
(다)	30	t_2

- 염화 암모늄을 용해시킨 용액의 온도가 낮아졌으므로 흡열 반응이다.
- 용해된 염화 암모늄이 많을수록 용액의 온도는 더 낮아진다.

선택지 분석

㉠ 염화 암모늄이 물에 용해되는 반응은 흡열 반응이다.

✗ $t_1 < t_2$이다. → $t_1 > t_2$

✗ (다)에서 염화 암모늄을 녹였을 때 출입하는 열량(J)은
$100 \times (25-t_2) \times a$이다. → $130 \times (25-t_2) \times a$

ㄱ. 염화 암모늄을 용해시킨 용액의 온도가 낮아졌으므로 흡열 반응이다.

바로 보기 ㄴ. 염화 암모늄을 더 많이 녹인 t_2가 t_1보다 온도가 낮다.

ㄷ. 용액의 질량이 130 g이므로 출입하는 열량(J)은
$130 \times (25-t_2) \times a$이다.

1·2등급 확보 전략 1회

| 64~67쪽

01 ⑤	**02** ④	**03** ⑤	**04** ③	**05** ③
06 ④	**07** ③	**08** ⑤	**09** ②	**10** ④
11 ③	**12** ②	**13** ③		

01 원자 모형을 통한 화학 결합

자료 분석 + 염화 암모늄의 원자 모형

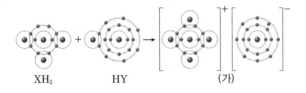

$$XH_3 \qquad HY \qquad (가)$$

- 원자 모형의 전자 수를 통해, X는 N이고, Y는 Cl임을 알 수 있다.
- (가)는 $[NH_4^+][Cl^-]$이다.

선택지 분석

ㄱ. (가)는 NH_4Cl이다.
ㄴ. NaY는 이온 결합 화합물이다.
ㄷ. X_2Y_2에는 이중 결합이 있다.

ㄱ. $NH_3 + HCl \longrightarrow NH_4Cl$

ㄴ. NaY는 NaCl이므로 금속과 비금속의 결합이고 이온 결합 물질이다.

ㄷ. X는 N이고, Y는 Cl이므로, X_2Y_2는 $Cl-N=N-Cl$이다. 따라서 두 개의 N 원자 사이에는 이중 결합이 있다.

02 이온 결합과 공유 결합

자료 분석 + 원자 모형과 화학 결합

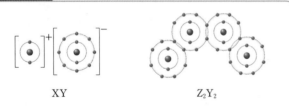

$$XY \qquad\qquad Z_2Y_2$$

- 원자 모형을 보면, X는 Li, Y는 F, Z는 O이다.

선택지 분석

✗ Z_2Y_2에는 다중 결합이 있다. → 단일
ㄴ. X_2Z는 이온 결합 화합물이다.
ㄷ. Z_2와 Y_2의 $\dfrac{\text{비공유 전자쌍 수}}{\text{공유 전자쌍 수}}$ 비는 1 : 3이다.

ㄴ. Li_2O은 금속 원소와 비금속 원소의 결합이므로 이온 결합 물질이다.

ㄷ. O_2의 $\dfrac{\text{비공유 전자쌍 수}}{\text{공유 전자쌍 수}} = \dfrac{4}{2} = 2$이고, F_2의 $\dfrac{\text{비공유 전자쌍 수}}{\text{공유 전자쌍 수}} = \dfrac{6}{1} = 6$이므로, 그 비는 $O_2 : F_2 = 1 : 3$이다.

바로 보기 ㄱ. Z_2Y_2는 $F-O-O-F$이므로 단일 결합만으로 이루어져 있다.

03 화합물과 옥텟 규칙

XY는 액체 상태에서 전기 전도성이 있으므로 금속 원소와 비금속 원소가 결합한 이온 결합 물질이고, YZ_2는 액체 상태에서 전기 전도성이 없으므로 비금속 원소와 비금속 원소가 결합한 공유 결합 물질이다. 따라서 X는 금속 원소, Y와 Z는 비금속 원소이다. X~Z 이온은 모두 18족 원소의 전자 배치와 같고, X 이온과 Y 이온의 전자 수는 n이고, Z 이온의 전자 수는 $n+8$이므로, X 이온과 Y 이온은 Ne의 전자 배치와 같고, Z 이온은 Ar의 전자 배치와 같다. 따라서 X 이온은 Na^+, Mg^{2+}, Al^{3+} 중 하나이고, Y 이온은 N^{3-}, O^{2-}, F^- 중 하나이며, Z 이온은 P^{3-}, S^{2-}, Cl^- 중 하나이다. 화합물 YZ_2에서 Y와 Z가 1 : 2의 개수비로 결합하는데, 이를 만족하는 원소는 Y가 O, Z가 Cl이다. 또한 화합물 XY에서 Y가 O일 때 결합하는 원소 X는 Mg이다. 정리하면 X는 Mg, Y는 O, Z는 Cl이다.

ㄱ. X는 Mg이므로 3주기 원소이다.

ㄴ. XZ_2는 $MgCl_2$이므로 금속 원소와 비금속 원소가 결합한 이온 결합 물질이다. 따라서 액체 상태에서 전기 전도성이 있다.

ㄷ. 원자가 전자 수는 Z(Cl)가 7개이고, Y(O)가 6개이다.

04 이온 결합 물질의 녹는점 비교

(가)는 CaO와 SrO를, (나)는 NaF를 포함한다. CaO, SrO는 전하량의 크기가 2인 이온끼리 결합한 물질이고, NaF는 전하량의 크기가 1인 이온끼리 결합한 물질이다. (가)가 (나)보다 녹는점이 높으므로 결합하는 이온의 전하량이 클수록 녹는점이 높다는 것을 알 수 있다.

바로 보기 ① (가)와 (나)에 포함된 물질은 녹는점이 높기 때문에 실온에서 고체 상태이지만, 모든 이온 결합 물질에 적용할 수 없고, 이 결론은 (가)와 (나)를 비교하여 도출한 것이 아니다.

② 이온 결합을 할 때 전자가 관여하지만, 이는 (가)와 (나)를 비교하여 도출한 것이 아니다.

④ 이온 사이의 거리가 더 가까운 NaF가 CaO, SrO보다 녹는점이 낮으므로 틀린 보기이다.

⑤ 이온 결합 물질은 양이온과 음이온의 정전기적 인력으로 결합하여 생성되지만, 이는 (가)와 (나)를 비교하여 도출한 것이 아니다.

05 화합물과 공유 전자쌍 수

(가)에서 X_2는 옥텟 규칙을 만족하며 2주기 원소로 이루어진 분자이므로 N_2, O_2, F_2 중 하나이다.

공유 전자쌍 수는 N_2가 3개, O_2가 2개, F_2가 1개이다. 중심 원자에서 공유 전자쌍 수는 최대 4개이고, 공유 전자쌍 수가 (나)가 (가)의 2배이므로 X는 N이 아니다. X가 F라면 (가) $X_2(F_2)$의 공유 전자쌍 수는 $1(a)$이고, (나) $YX_2(OF_2)$의 공유 전자쌍 수는 $2(2a)$이지만, (다) 공유 전자쌍 수가 $4(2a+2)$인 Y_2Z_4를 만족하는 Z는 없다. 따라서 X는 F가 아니고 O이다. 정리하면 X는 O, Y는 C, Z는 F이다.

ㄱ. X가 O라면 (가) $X_2(O_2)$의 공유 전자쌍 수는 $2(a)$, (나) $YX_2(CO_2)$의 공유 전자쌍 수는 $4(2a)$, (다) $Y_2Z_4(C_2F_4)$의 공유 전자쌍 수는 $6(2a+2)$이므로, 모든 조건을 만족한다. 이때 $a=2$이다.

ㄷ. (가) O_2의 비공유 전자쌍 수는 4이고, (다) C_2F_4의 비공유 전자쌍 수는 12이다.

바로 보기 ㄴ. (나)는 CO_2이므로 극성 결합을 가지지만 대칭 구조이므로 무극성 분자이다.

06 다원자 분자

자료 분석 + 구조식과 전자쌍 수

분자	(가)	(나)	(다)
구조식	W−X−X−W	Y−Z−W	W−Y−Y−W
비공유 전자쌍 수 / 공유 전자쌍 수	$\dfrac{6}{5}$	2	$\dfrac{10}{3}$

- (가)와 (다) 같은 구조를 가지는 W는 C, N, O, F 중에서 **F만 가능하다.**
- 가능한 분자는 $F−C≡C−F$, $O=N−F$, $F−O−O−F$이다.
- $F−C≡C−F$의 $\dfrac{비공유\ 전자쌍\ 수}{공유\ 전자쌍\ 수}=\dfrac{6}{5}$
- $O=N−F$의 $\dfrac{비공유\ 전자쌍\ 수}{공유\ 전자쌍\ 수}=\dfrac{6}{3}=2$
- $F−O−O−F$의 $\dfrac{비공유\ 전자쌍\ 수}{공유\ 전자쌍\ 수}=\dfrac{10}{3}$
- 따라서 W=F, X=C, Y=O이다. 남은 Z는 N이다.
- (가)는 C_2F_2, (나)는 ONF, (다)는 O_2F_2이다.

선택지 분석

✕ (나)는 **직선형 구조이다.** → 굽은 형
◯ 결합각은 (가)>(다)이다.
◯ 공유 전자쌍 수는 (나)와 (다)가 같다.

ㄴ. (가)의 결합각은 $180°$로 가장 크다.

ㄷ. (나)의 공유 전자쌍 수는 3이고, (다)의 공유 전자쌍 수도 3이다.

바로 보기 ㄱ. $O=N−F$에서 중심 원자인 N에는 비공유 전자쌍이 1개 존재하므로 굽은 형 구조이다.

(가) $:\ddot{\underset{..}{F}}−C≡C−\ddot{\underset{..}{F}}:$

(나)
$$\ddot{N}$$
$$:\ddot{\underset{..}{F}} \qquad \ddot{\underset{..}{O}}:$$

(다)
$$\ddot{\underset{..}{O}}−\ddot{\underset{..}{O}} \qquad :\ddot{\underset{..}{F}}:$$
$$:\ddot{\underset{..}{F}}:$$

07 원자 모형과 분자 구조

자료 분석 + 원자 모형과 공유 전자쌍 수

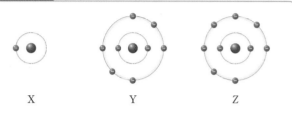

분자	(가)	(나)
구성 원소	X, Y	X, Z
공유 전자쌍의 수	3	1

- 전자 배치를 통하여 X는 O이고, Y는 O이고, Z는 F임을 알 수 있다.
- 공유 전자쌍 수가 3이려면, (가)는 $H−O−O−H$가 된다.
- 공유 전자쌍 수가 1이려면, (나)는 $H−F$이다.

선택지 분석

◯ 전기 음성도는 Z>Y이다.
✕ (가)와 (나)는 모두 직선형 구조이다. → (나)는
◯ (가)에는 무극성 공유 결합이 존재한다.

ㄱ. 전기 음성도는 F가 4.0으로 가장 크다.

ㄷ. $H−O−O−H$에서 O−O는 전기 음성도가 같은 동일한 원자 사이의 결합이므로 무극성 공유 결합이다.

바로 보기 ㄴ. (나)는 직선형 구조이지만, (가)는 O에 비공유 전자쌍이 2개씩 있으므로 직선형 구조가 아니다.

(가) $H \qquad H$
$$O − O$$

08 전기 음성도와 극성 결합

전기 음성도는 대체로 같은 주기에서 원자 번호가 클수록 크고, 같은 족에서 원자 번호가 작을수록 크다. A는 수소(H), B는 탄소(C), C는 산소(O), D는 플루오린(F), E는 황(S)이다.

ㄱ. C와 D는 같은 주기이므로 원자 번호가 큰 D가 C보다 전기 음성도가 크다. C와 E는 같은 족이므로 2주기 원소인 C가 3주기 원소인 E보다 전기 음성도가 크다. 따라서 전기 음성도 크기는 D>C>E이다.

ㄴ. 전기 음성도가 다른 C와 D는 극성 공유 결합을 형성한다. 따라서 CD_2에는 극성 공유 결합이 있다.

ㄷ. 전기 음성도는 B > A이므로 BA_4에서 A는 부분적인 양전하(δ^+)를 띤다.

09 구조식과 분자 구조

- 2주기이면서 옥텟을 만족하려면, W는 F, X는 C, Y는 O, Z는 N이다.
- $\alpha = 120°$, $\beta = 109.5°$, $\gamma = 107°$이다.

선택지 분석

✗ 결합각은 $\alpha > \gamma > \beta$이다. → $\alpha > \beta > \gamma$

✗ X_2W_4는 **입체 구조**를 가진다. → 평면 구조

ⓒ $\dfrac{\text{비공유 전자쌍 수}}{\text{공유 전자쌍 수}}$는 Z_2W_2가 ZW_3보다 작다.

ㄷ. $Z_2W_2(N_2F_2)$의 $\dfrac{\text{비공유 전자쌍 수}}{\text{공유 전자쌍 수}} = \dfrac{8}{4} = 2$이고,

$ZW_3(NF_3)$의 $\dfrac{\text{비공유 전자쌍 수}}{\text{공유 전자쌍 수}} = \dfrac{10}{3}$이므로,

Z_2W_2가 ZW_3보다 작다.

바로 보기 ㄱ. $\alpha = 120°$이고, $\beta = 109.5°$이고, $\gamma = 107°$이므로 $\alpha > \beta > \gamma$이다.

ㄴ. X_2W_4는 C_2F_4이므로 평면 구조이다.

10 3원자 분자

분자	(가)	(나)
중심 원자	탄소(C)	질소(N)
구성 원소의 종류	3	3
공유 전자쌍의 수	4	3
분자 구조	직선형	굽은 형

- 표의 조건에 맞는 2주기 비금속 원소로 이루어진 3원자 분자는 (가)는 $N≡C-F$이고, (나)는 $O=N-F$이다.

선택지 분석

✗ (가)는 **무극성 분자**이다. → 극성

ⓛ (가)와 (나)의 중심 원자는 모두 부분적인 양전하(δ^+)를 띤다.

ⓒ $\dfrac{\text{비공유 전자쌍 수}}{\text{공유 전자쌍 수}}$의 비는 (가) : (나) = 1 : 2이다.

ㄴ. (가)와 (나)는 모두 중심 원자 옆에 전기 음성도가 가장 강한 F가 결합하고 있어 중심 원자는 부분적인 양전하를 띤다.

ㄷ. (가) $:\!\overset{..}{\underset{..}{F}}\!-C≡N\!:$의 $\dfrac{\text{비공유 전자쌍 수}}{\text{공유 전자쌍 수}} = \dfrac{4}{4}$이고,

(나) $:\!\overset{..}{\underset{..}{F}}\!-\overset{..}{N}=\overset{..}{\underset{..}{O}}$의 $\dfrac{\text{비공유 전자쌍 수}}{\text{공유 전자쌍 수}} = \dfrac{6}{3}$이므로,

(가) : (나) = 1 : 2이다.

바로 보기 ㄱ. (가)는 직선형 구조이지만 비대칭 구조이므로 극성 분자이다.

11 루이스 전자점식

(가)에서 X는 Y와 단일 결합을 이루고 있고 Y의 비공유 전자쌍 수가 3개이므로 Y는 원자가 전자가 7개인 F이다. 그리고 X와 W는 3중 결합을 이루고 있고 W의 비공유 전자쌍 수가 1개이므로, W는 원자가 전자가 5개인 질소(N)이며, X는 공유 전자쌍이 4개이므로 원자가 전자가 4개인 탄소(C)이다. (나)에서 X는 Z와 2중 결합을 이루고 있고 Z의 비공유 전자쌍 수가 2개이므로 Z는 원자가 전자가 6개인 산소(O)이다. 즉 W는 질소(N), X는 탄소(C), Y는 플루오린(F), Z는 산소(O)이다.

ㄱ. $a = 5$, $b = 4$이므로 $a + b = 9$이다.

ㄴ. $XY_4(CF_4)$는 정사면체 구조이다.

바로 보기 ㄷ. (가)는 비공유 전자쌍 수가 4개, 공유 전자쌍 수가 4이므로 $\dfrac{\text{비공유 전자쌍 수}}{\text{공유 전자쌍 수}} = \dfrac{4}{4} = 1$이고, (나)는 비공유 전자쌍 수가 8, 공유 전자쌍 수가 4이므로 $\dfrac{\text{비공유 전자쌍 수}}{\text{공유 전자쌍 수}} = \dfrac{8}{4} = 2$이다. 따라서 $\dfrac{\text{비공유 전자쌍 수}}{\text{공유 전자쌍 수}}$는 (나)가 (가)의 2배이다.

12 다원자 분자

CO_2에서 C 원자는 비공유 전자쌍 수(a)가 0, C 원자에 결합된 원자 수(b)가 2이므로 $a + b = 2$이고, O 원자는 비공유 전자쌍 수(a)가 2, O 원자에 결합된 원자 수(b)가 1이므로 $a + b = 3$이다. CO_2는 탄소 원자($a + b = 2$) 1개와 산소 원자($a + b = 3$) 2개로 구성되어 있으므로 (다)에 해당한다. 따라서 $x = 2$, $y = 1$이 된다.

OF_2에서 O 원자는 비공유 전자쌍 수(a)가 2, O 원자에 결합된 원자 수(b)가 2이므로 $a + b = 4$이고, F 원자는 비공유 전자쌍 수(a)가 3, F 원자에 결합된 원자 수(b)가 1이므로 $a + b = 4$이다. OF_2는 산소 원자($a + b = 4$) 1개와 플루오린 원자($a + b = 4$) 2개로 구성되어 있으므로 (나)에 해당한다.

FCN에서 F 원자는 비공유 전자쌍 수(a)가 3, F 원자에 결합된 원자 수(b)가 1이므로 $a + b = 4$이고, C 원자는 비공유

전자쌍 수(a)가 0, C 원자에 결합된 원자 수(b)가 2이므로 $a+b=2$이고, N 원자는 비공유 전자쌍 수(a)가 1, N 원자에 결합된 원자 수(b)가 1이므로 $a+b=2$이다. FCN은 플루오린 원자($a+b=4$) 1개와 탄소 원자($a+b=2$) 1개, 질소 원자($a+b=2$) 1개로 구성되어 있으므로 (가)에 해당한다.

즉 (가)~(다)는 차례로 FCN, OF$_2$, CO$_2$이다.

ㄴ. OF$_2$와 FCN은 극성 분자이다.

$\boxed{\text{👁 바로 보기}}$ ㄱ. $x=2$, $y=1$이므로 $2x \neq y$이다.

ㄷ. 다중 결합을 가진 분자는 CO$_2$와 FCN으로 2가지이다.

13 분자 정보를 이용한 미지 분자 찾기

(가)는 CF$_4$(정사면체형), (나)는 FCN(F$-$C$\equiv$N, 직선형), (다)는 FNO(F$-$N$=$O, 굽은 형)이다.

ㄱ. 직선형 분자는 FCN 1가지이다.

ㄴ. 중심 원자가 탄소(C)인 분자는 CF$_4$와 FCN으로 2가지이다.

$\boxed{\text{👁 바로 보기}}$ ㄷ. 분자의 결합선 수는 (나)가 4개, (다)가 3개이다.

1·2등급 확보 전략 2회

68~71쪽

01 ①	**02** ③	**03** ⑤	**04** ⑤	**05** ④
06 ②	**07** ④	**08** ②	**09** ②	**10** ③
11 ④	**12** ⑤			

01 동적 평형

$\boxed{\text{자료 분석 +}}$ 동적 평형

시간	x	y	z
증발 속도	a	a	a
응축 속도	a	c	b

· 증발 속도는 일정하므로 모두 a이다.
· $a>b>c$이므로 시간 순서는 $x>z>y$이다.
· x일 때 증발 속도와 응축 속도가 같으므로 x는 동적 평형 상태이다.

$\boxed{\text{선택지 분석}}$

❌ $x>y>z$이다. → $x>z>y$

Ⓛ x에서 $\dfrac{\text{증발 속도}}{\text{응축 속도}}=1$이다.

❌ 용기 내 H$_2$O(g)의 양은 x와 y가 같다. → 같지 않다.

ㄴ. x는 동적 평형 상태이므로 증발 속도＝응축 속도이다.

$\boxed{\text{👁 바로 보기}}$ ㄱ. $x>z>y$이다.

ㄷ. y는 동적 평형 상태가 아니므로 H$_2$O(g)의 양은 x와 같지 않다.

02 동적 평형 상태

밀폐된 진공 용기 안에 H$_2$O(l)을 넣으면 H$_2$O(l)이 일정한 속도로 증발하고, 이에 따라 용기 속 H$_2$O(g)가 증가할수록 응축 속도가 빨라진다. 충분한 시간이 지나면 증발 속도와 응축 속도가 같아져 수면의 높이는 일정해지고 동적 평형 상태가 된다.

ㄱ. t_2일 때 H$_2$O(l)과 H$_2$O(g)가 동적 평형 상태에 도달하였으므로 t_1일 때는 동적 평형에 도달하기 전이고, t_3일 때는 동적 평형 상태이다. H$_2$O(g)의 양(mol)은 t_2일 때가 t_1일 때보다 크므로 $b>a$이다.

ㄷ. t_2일 때와 t_3일 때 H$_2$O(l)과 H$_2$O(g)는 동적 평형 상태이므로 두 경우에 증발 속도는 같다.

$\boxed{\text{👁 바로 보기}}$ ㄴ. t_1일 때는 증발 속도가 응축 속도보다 크므로 $\dfrac{\text{응축 속도}}{\text{증발 속도}}<1$이고, t_2일 때와 t_3일 때는 증발 속도와 응축 속도가 같으므로 $\dfrac{\text{응축 속도}}{\text{증발 속도}}=1$이다. 따라서 $\dfrac{\text{응축 속도}}{\text{증발 속도}}$는 t_1일 때가 가장 작다.

03 물의 자동 이온화와 pH

$\boxed{\text{자료 분석 +}}$ 물의 자동 이온화와 pH

수용액	pH	[H$_3$O$^+$](M)	[OH$^-$](M)
(가)	$x=4$	$100a=1\times10^{-4}$	1×10^{-10}
(나)	6	1×10^{-6}	$b=1\times10^{-8}$
(다)	$2x=8$	$b=1\times10^{-8}$	$a=1\times10^{-6}$

· $x=4$이다.
· $a=1\times10^{-6}$이므로 $b=1\times10^{-8}$이다.

$\boxed{\text{선택지 분석}}$

ㄱ $x=4$이다.

ㄴ $\dfrac{a}{b}=100$이다.

ㄷ pH는 (다)＞(나)이다.

04 물의 자동 이온화와 pH, pOH

$\boxed{\text{자료 분석 +}}$ 물의 자동 이온화와 pH, pOH

수용액	(가)	(나)	(다)
pH	$x=9$(염기성)	5(산성)	8(염기성)
pOH	5	$y=9$	6
$\dfrac{[\text{OH}^-]}{[\text{H}_3\text{O}^+]}$	1×10^4	1×10^{-4}	$z=1\times10^2$
[H$_3$O$^+$]	1×10^{-9}	1×10^{-5}	1×10^{-8}
[OH$^-$]	1×10^{-5}	1×10^{-9}	1×10^{-6}
부피(mL)	200	500	100
H$_3$O$^+$의 양(mol)	0.2×10^{-9}	0.5×10^{-5}	0.1×10^{-8}

✗ 산성인 용액은 2가지이다. → 1가지

ⓛ $x \times y < z$이다.

ⓒ H_3O^+의 양(mol)은 (가)가 (다)의 $\frac{1}{5}$배이다.

ㄴ. $x=9$, $y=9$, $z=1 \times 10^2$이므로 $x \times y < z$이다.

ㄷ. (가)는 H_3O^+의 양(mol)이 0.2×10^{-9}이고 (다)는 0.1×10^{-8}이므로, (가)가 (다)의 $\frac{1}{5}$배이다.

👁 바로 보기 ㄱ. pH가 7보다 작은 것은 (나) 1가지이다.

05 중화 반응에서의 양적 관계

자료 분석 + 중화 반응에서의 양적 관계

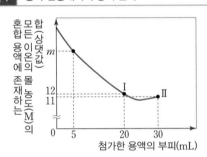

• 혼합 용액 Ⅰ과 Ⅱ에 존재하는 모든 음이온 수의 비

혼합 용액	Ⅰ	Ⅱ
음이온 수의 비	1 : 1 : 2	1 : 4

• ㉠을 H_2A, ㉡을 HB라고 가정하면 H_2A 10 mL에 n개, HB 10 mL에 $2n$개, NaOH V mL에 $5n$개가 있어야 한다.

혼합 용액 Ⅰ	
NaOH V mL($5n$개) + H_2A 10 mL(n개) + HB 10 mL($2n$개)	
양이온	음이온
Na^+ $5n$	OH^- n
H^+ 0	A^{2-} n
	B^- $2n$

➡

혼합 용액 Ⅱ	
NaOH V mL($5n$개) + H_2A 10 mL(n개) + HB 20 mL($4n$개)	
양이온	음이온
Na^+ $5n$	OH^- 0
H^+ n	A^{2-} n
	B^- $4n$

$(V+20)$ mL 총 이온 수 $9n$ $(V+30)$ mL 총 이온 수 $11n$

• $\dfrac{9n}{V+20} : \dfrac{11n}{V+30} = 12 : 11$이므로 $V=10$이다.

• m은 H_2A 5 mL 혼합할 때 모든 이온의 몰 농도(M)의 합이므로 혼합 전 이온 수는 NaOH V mL(Na^+ $5n$개, OH^- $5n$개)+H_2A 5 mL(A^{2-} $0.5n$개, H^+ n개)이므로 혼합 후에는 Na^+ $5n$개, A^- $0.5n$개, OH^- $4n$개가 되어 15 mL에 들어 있는 총 이온 수는 $9.5n$개이다. $m=\dfrac{76}{3}$이다.

$V=10$이고, $m=\dfrac{76}{3}$이므로 $\dfrac{m}{V}=\dfrac{76}{30}$이다.

06 중화 반응에서의 양적 관계

자료 분석 + 중화 반응에서의 양적 관계

첨가한 산 수용액의 부피(mL)		0	V	$2V$	$3V$
혼합 용액에 존재하는 모든 이온의 몰 농도(M)의 합	(나)	1.4	$\dfrac{16}{35}$		$\dfrac{3}{5}$
	(다)	1.4	$\dfrac{3}{5}$	a	y

• 산을 첨가하지 않았을 때 모든 이온의 몰 농도의 합이 1.4 M이므로 10 mL NaOH의 몰 농도는 0.7 M이다.

• 같은 양의 HA를 넣었을 때보다 H_2B를 넣었을 때 이온이 더 많이 감소하므로 ㉠은 H_2B이고, ㉡은 HA이다.

• HA V mL만큼 넣었을 때의 액성은 염기성이므로 전체 이온 수는 NaOH(aq)의 이온 수와 같다. NaOH 10 mL에 n개가 있다고 가정하면

첨가한 산 수용액의 부피(mL)	0	V
전체 부피(mL)	10	$V+10$
전체 이온 수	n	n

$\dfrac{n}{10} : \dfrac{n}{V+10} = 1.4 : \dfrac{3}{5}$이므로 $V=\dfrac{40}{3}$이고 $3V=40$이다.

• x M H_2B $3V$만큼 첨가했을 때의 모든 이온의 몰 농도(M)의 합이 $\dfrac{3}{5}$이므로 $x=0.25$이다.

• 0.25 M HA 40 mL만큼 첨가했을 때의 모든 이온의 몰 농도(M)의 합은 $\dfrac{2}{5}$이므로 $y=\dfrac{2}{5}$이다.

07 중화 반응에서의 양적 관계

자료 분석 + 중화 반응에서의 양적 관계

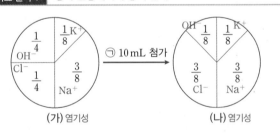

• 용액은 전기적으로 중성이므로 총 양이온 수와 총 음이온 수가 같다.

수용액에서는 양이온의 총 전하와 음이온의 총 전하가 같으므로 1가 산과 1가 염기의 중화 반응에서 양이온 수와 음이온 수가 같아야 한다. 그림 (가)는 4종류 이온의 비이고, 혼합 용액에 존재할 수 있는 이온은 Na^+, K^+, Cl^-과 H^+(산성일 경우) 또는 OH^-(염기성일 경우)이다.

음이온인 Cl^-이 50 %가 되어야 용액이 전기적 중성이 되므로 혼합 용액이 산성이면 Cl^-는 50 % 비율로 있어야 한다. 그러나 (가)에서 $\dfrac{1}{2}$의 비율을 갖는 이온은 없으므로 용액은 산성이 아니다. 따라서 용액은 염기성이고, 혼합 용액에는 Na^+, K^+, Cl^-, OH^-이 존재한다.

그렇다면, (가)에서 2가지 양이온(Na^+, K^+)의 비율은 $\frac{1}{2}$, 2가지 음이온(Cl^-, OH^-)의 비율은 $\frac{1}{2}$을 유지하며 존재할 것이다. 또 단위 부피당 이온 수가 NaOH가 KOH보다 크므로 (가)에서는 Na^+가 $\frac{3}{8}$, K^+가 $\frac{1}{8}$, Cl^-가 $\frac{2}{8}$, OH^-이 $\frac{2}{8}$가 된다. 따라서 HCl 20 mL에 Cl^-가 $2N$개 있다면 NaOH 20 mL에 Na^+가 $3N$개, KOH 10 mL에 K^+가 N개 있다. (나) 용액이 전기적 중성이 되려면 양이온 수 비율이 50 %를 초과할 수 없으므로 Na^+가 $\frac{3}{8}$, K^+가 $\frac{1}{8}$이다. 그러므로 ㉠은 HCl이고, Cl^-은 증가하여 $\frac{3}{8}$, OH^-이 $\frac{1}{8}$의 비율이 된다.

ㄴ. (나)에서 OH^-가 있으므로 염기성 용액이다.

ㄷ. 혼합 전 단위 부피당 이온 수는 NaOH 20 mL에 Na^+가 $3N$개, KOH 20 mL에 K^+가 $2N$개 들어 있으므로 Na^+가 K^+의 1.5배이다.

👁 바로 보기 ㄱ. Cl^- 수가 증가하고 OH^- 수가 감소하였으므로 첨가된 ㉠은 HCl이다.

08 산화 환원 반응에서 전자의 이동

자료 분석 + 산화 환원 반응에서 전자의 이동

$a\,Cl_2O_7(g) + b\,H_2O_2(aq) + c\,OH^-(aq)$
$\longrightarrow c\,ClO_2^-(aq) + b\,O_2(g) + d\,H_2O(l)$

• Cl_2O_7에서 Cl의 산화수는 +7에서 +3으로 감소 ⇒ 환원
• H_2O_2에서 O의 산화수는 −1에서 0으로 증가 ⇒ 산화
• $a=1$, $b=4$, $c=2$, $d=5$이다.

선택지 분석

✗ H_2O_2는 산화제이다. → 환원제

✗ Cl_2O_7 1몰이 반응할 때 이동한 전자의 양은 4몰이다. → 8몰

Ⓒ $\frac{c+d}{a+b} > 1$이다.

ㄷ. $a=1$, $b=4$, $c=2$, $d=5$이므로 $\frac{c+d}{a+b} > 1$이다.

👁 바로 보기 ㄱ. H_2O_2는 O가 산화되므로 환원제이다.
ㄴ. Cl의 산화수가 +7에서 +3으로 감소하므로 Cl_2O_7 1몰이 반응할 때 이동한 전자의 양은 8몰이다.

09 산화 환원 반응

ㄴ. (나)에서 CO는 CO_2로 산화되므로 환원제이다.

👁 바로 보기 ㄱ. (가)에서 반응물의 C의 산화수는 +2이고, 생성물의 C의 산화수는 −2이다.
ㄷ. (다)에서 Mn의 산화수는 +7에서 +4로 감소, S의 산화수는 +4에서 +6으로 증가한다. 산화수의 변화를 같게 하면 $a=2$, $b=3$이다. 반응물에서 H 원자 수가 2이므로 $c=2$이다.

(다) $2\,MnO_4^- + 3\,SO_3^{2-} + H_2O$
$\longrightarrow 2\,MnO_2 + 3\,SO_4^{2-} + 2\,OH^-$
따라서 $a+b+c=7$이다.

10 산화 환원 반응식

자료 분석 + 산화 환원 반응식

$a\,CuS + b\,NO_3^- + c\,H^+ \longrightarrow 3\,Cu^{2+} + a\,SO_4^{2-} + b\,NO + d\,H_2O$

• S의 산화수는 −2에서 +6으로 증가 ⇒ 산화
• N의 산화수는 +5에서 +2로 감소 ⇒ 환원
• $a=3$, $b=8$, $c=8$, $d=4$

선택지 분석

㉠ NO_3^-은 산화제이다.

✗ $\frac{b+d}{a+c} < 1$이다.

Ⓒ CuS 1 mol이 반응하면 NO $\frac{8}{3}$ mol이 생성된다.

ㄱ. NO_3^-은 환원되므로 산화제이다.

ㄷ. CuS와 NO의 계수비가 3 : 8이므로 CuS 1 mol이 반응하면 NO $\frac{8}{3}$ mol이 생성된다.

👁 바로 보기 ㄴ. $a=3$, $b=8$, $c=8$, $d=4$이므로 $\frac{b+d}{a+c} = \frac{8+4}{3+8} = \frac{12}{11} > 1$이다.

11 열 출입

ㄱ. A의 용해 과정은 온도가 상승했으므로 발열 반응이고, B의 용해 과정은 온도가 하강했으므로 흡열 반응이다.

ㄷ. 1몰을 녹였을 때 출입하는 열량은 A가 $(4.2 \times 104 \times 3.4 t) \times \frac{1}{0.1}$이고, B가 $(4.2 \times 104 \times t) \times \frac{1}{0.05}$이다.

👁 바로 보기 ㄴ. 물 100 g에 B 10 g을 녹였을 때 출입하는 열량(J)은 $\frac{10}{4} \times (4.2 \times 104 \times t) = 1092\,t$이다.

12 열 출입

ㄱ. NH_4NO_3이 물에 녹은 후 수용액의 온도가 낮아졌으므로 NH_4NO_3의 용해 반응은 흡열 반응이다.

ㄴ. (다)와 (라)에서 용해된 NH_4NO_3의 질량이 같으므로 (다)와 (라)에서 수용액이 잃은 열량이 같다. 하지만 수용액의 질량은 (라)가 (다)보다 더 크므로 수용액의 온도 변화는 (라)가 (다)보다 더 작다. 따라서 (라)에서 측정한 $t\,°C$는 18 °C보다 높다.

ㄷ. ㉠ 뷰테인의 연소 반응은 발열 반응이고, ㉡ 수산화 바륨과 염화 암모늄의 반응은 흡열 반응이다. NH_4NO_3의 용해 반응은 흡열 반응이므로 ㉡과 에너지 출입이 같다.

BOOK 2

memo

정답은
이안에
있어!

배움으로 행복한 내일을 꿈꾸는
천재교육 커뮤니티 안내
. . . .

 교재 안내부터 구매까지 한 번에!
천재교육 홈페이지

천재교육 홈페이지에서는 자사가 발행하는 참고서,
교과서에 대한 소개는 물론 도서 구매도 할 수 있습니다.
회원에게 지급되는 별을 모아 다양한 상품 응모에도
도전해 보세요.

 구독, 좋아요는 필수! 핵유용 정보 가득한
천재교육 유튜브 <천재TV>

신간에 대한 자세한 정보가 궁금하세요?
참고서를 어떻게 활용해야 할지 고민인가요?
공부 외 다양한 고민을 해결해 줄 채널이 필요한가요?
학생들에게 꼭 필요한 콘텐츠로 가득한 천재TV로 놀러 오세요!

 다양한 교육 꿀팁에 깜짝 이벤트는 덤!
천재교육 인스타그램

천재교육의 새롭고 중요한 소식을 가장 먼저 접하고 싶다면?
천재교육 인스타그램 팔로우가 필수!
누구보다 빠르고 재미있게 천재교육의 소식을 전달합니다.
깜짝 이벤트도 수시로 진행되니 놓치지 마세요!

book.chunjae.co.kr

교재 내용 문의 ··················	교재 홈페이지 ▶ 고등 ▶ 교재상담
교재 내용 외 문의 ··················	교재 홈페이지 ▶ 고객센터 ▶ 1:1문의
발간 후 발견되는 오류 ··············	교재 홈페이지 ▶ 고등 ▶ 학습지원 ▶ 학습자료실

53400

ISBN 979-11-259-6744-6

정가 **15,000원**